LITERATURA
REVOLUCIONARIA
HISPANOAMERICANA

Antología

Mirza L. González

LITERATURA REVOLUCIONARIA HISPANOAMERICANA

Antología

editorial **BETANIA**
Colección ANTOLOGIAS

Colección Antologías

The author would like to give recognition to DePaul University for its Research Grant which helped make the completion of this work possible.

Portada: *Revolución en la manigua celestial* (1987), de Eladio González.

PQ
7083
. L 598
1994

*Para Manolo,
María Amparo y Alberto
con un inmenso amor.*

Índice de Materias

PREFACIO

INTRODUCCIÓN

A lo largo del siglo XX la América Hispana se ha visto envuelta de manera incesante en múltiples problemas políticos. La inestabilidad de los gobiernos en los países al sur de los Estados Unidos, que ha alcanzado proporciones epidémicas, ha dado como resultado un tipo muy definido de literatura. El impacto guerrillero, revolucionario o contrarrevolucionario, la represión, el terrorismo, o cualquier otra expresión política, se han reflejado en la literatura de los tiempos, captando la atención del público y de los críticos. Existen colecciones de poesía revolucionaria, así como de narraciones cortas, pero ésta es la primera antología que, además de esos géneros, incluye novela y teatro inspirados en tema semejante. La idea de preparar este libro surgió cuando los estudiantes de origen hispano en mis clases de Literatura Hispanoamericana empezaron a interesarse en obras literarias que se relacionaban con momentos de conflicto histórico en sus países. Aún cuando ya sabía que en muchos casos era imposible aislar el producto literario del momento histórico, comprendí que la iluminación de los hechos que rodean al autor y a su obra era la mejor motivación para que el estudiante entendiera, analizara y reflexionara con más profundidad sobre la trascendencia de la palabra escrita. La recopilación de obras, valiosas en el aspecto literario y ricas en cultura política, más la acumulación de datos históricos complementarios para mis clases, me llevaron a la creación de un curso titulado *Literatura revolucionaria hispanoamericana* y constituyeron los primeros pasos en la gestación de este libro. De ahí que haya sido mi intención primaria, en la preparación de la antología, el presentar una colección de trabajos literarios, escritos a través de esta centuria, que traten el ideal revolucionario. Las obras escogidas llenan como requisito primordial su valor literario, además de ser representativas de un problema político-social que en nada les roba mérito. La segunda intención, siguiendo mi metodología, ha sido el presentar las obras en su contexto histórico. El "yo soy yo y mi circunstancia" orteguiano bastaría por sí solo para explicar la básica necesidad cultural de estas secciones que sirven de soporte y justificación al autor y a su obra. Los enfoques histórico-políticos, presentados en el estilo más objetivo posible, servirán para sentar las bases de un conocimiento, permitiéndole al estudiante alcanzar una mayor perspectiva histórica en el enjuiciamiento de los tiempos, facilitando la apreciación y comprensión del trabajo literario en cuestión.

Contenido Del Texto

La antología de *Literatura revolucionaria hispanoamericana* es el resultado de años de experiencia como profesora de literatura de Hispanoamérica, largas investigaciones y sesiones exhaustivas de lecturas. Es también el primer libro de esta clase que incluye diferentes géneros literarios del Caribe, México, la América Central y Sur América. El libro se divide en tres unidades regionales y trece capítulos. Las unidades regionales son: el Caribe, México y América Central, y América del Sur. Los capítulos incluyen Cuba, República Dominicana, México, El Salvador, Guatemala, Nicaragua, Argentina, Colombia, Chile, Paraguay, Perú, Uruguay y Venezuela. Cada capítulo consta de una introducción histórica, seguida por una literaria, relativa al género seleccionado para esa sección específica. A continuación aparecen datos bio-bibliográficos del autor y una breve reseña crítica antes del fragmento literario. Los trabajos seleccionados, de diferente longitud y complejidad, representan una variedad de géneros, tonos y estilos literarios, reales exponentes de la multitud etno-social hispanoamericana. Las obras que aparecen en esta antología son de literatura comprometida no solamente en el contenido, sino también en el estilo. La palabra no solamente vale por el significado inmediato sino por una connotación que trasciende lo literario y entra en el contexto socio-político: serie de detonaciones explosivas que se manifiestan en la historia de Hispano-américa intermitentemente desde el descubrimiento. El objetivo princi-pal ha sido el encontrar un punto focal, la obra, del cual irradia un círculo de luz que envuelve al autor y a su circunstancia histórica. Esta antología se propone exponer la tumultuosa situación política de la América Hispana a través del siglo XX reflejada en su literatura. Una bibliografía de las principales obras, literarias y políticas, sobre el tema revolucionario, aparece al final del libro.

Ha sido imposible incluir en esta antología, debido a la falta de espacio, a algunos autores y países hispanoamericanos que también tienen su historia de rebeldía y afán revolucionario. Espero que otros sientan la necesidad de recopilar este tipo de literatura y continúen haciendo investigaciones en este fascinante tema. Desearía que este libro sirviera de vehículo para facilitar una mejor comunicación entre los hombres de "nuestra América". Sobre todo, que sus lectores comprendieran mejor los problemas de las naciones hispanoamericanas y de sus pueblos, que incansablemente han luchado por el derecho a la libertad, por reclamar el respeto debido a su calidad de seres humanos, y por mejorar sus condiciones económicas y políticas.

UTILIDAD Y FLEXIBILIDAD

La antología puede ser utilizada como texto en cursos de Literatura Contemporánea Hispanoamericana, Literatura de la Revolución, o Cultura y Civilización de Hispanoamérica. También puede ser requerida como lectura suplementaria en clases de español de segundo año avanzado, o de tercer año; en cursos de los Programas de Estudios Latinoamericanos o de Ciencias Políticas, con enfoque en Hispanoamérica, que siguiendo las tendencias más recientes, incluyan en su curriculum la perspectiva literaria cuando presenten y discutan esas zonas de conflicto. La variada complejidad y nivel de dificultad del material seleccionado, hacen de la antología un libro flexible para el profesor que quiera escoger determinadas lecturas de acuerdo con la proficiencia lingüística de sus estudiantes. La bibliografía, al final del texto, cumple la función de guía y acicate para las personas interesadas en conducir investigaciones más profundas. Además de la función literaria e histórico-política la antología posee un indiscutible valor idiomático. La amplia variante lingüística del mundo hispanoamericano se encuentra representada en las lecturas, incluidas en toda su veracidad.

RECONOCIMIENTO

Mi profunda gratitud a colegas y amigos de DePaul University por sus valiosos comentarios y palabras de apoyo durante el proceso de compilación y selección de los trabajos literarios, especialmente al Vice-Presidente de Asuntos Académicos, Richard Meister; a Andrew Suozzo, Director del Departamento de Lenguas Modernas, por la confianza depositada en mí y en este proyecto; y a DePaul por el Summer Grant que me permitió dar un gran paso de adelanto en la preparación del libro. Mi gran agradecimiento a María Beltrán Vocal y a Paul Cheselka del Departamento de Español de DePaul por las sugerencias en las secciones literarias; a Susan Ramírez y Félix Masud-Piloto, y a Rose Spalding, de los departamentos de Historia y Ciencias Políticas, por su lectura cuidadosa con comentarios a las introducciones históricas; a Jorge Rodríguez- Florido del Departamento de Lenguas Modernas de Chicago State University por la cuidadosa revisión del manuscrito; y a Carlos Espinosa y Jesús J. Barquet por las sugerencias y consejos en la sección de teatro cubano. Quiero expresarle también mi reconocimiento al personal de Circulación en la Biblioteca de DePaul por su eficiencia y prontitud para obtener los libros que necesité. Reciban mi admiración y respeto por la excelencia de su trabajo y su deseo de cooperación en todos los momentos. Sin la ayuda de todas estas personas la antología hoy no sería una realidad.

INTRODUCCIÓN HISTÓRICA

LA AMÉRICA HISPANA, DE LA COLONIA A LA INDEPENDENCIA

Tres causas comunes a todo movimiento revolucionario determinaron el proceso libertador hispanoamericano de la metrópoli española: la desigualdad social, la explotación económica y la opresión política.

La población estaba dividida en cinco clases sociales con obligaciones y derechos diferentes: peninsulares, criollos, indios, mestizos y negros. Los primeros eran el grupo más privilegiado y desempeñaban los altos cargos públicos; los criollos, hijos de españoles nacidos en América, no podían ejercer funciones públicas. Los indios tenían que pagar tributos a la iglesia y a la corona y constituían la mano de obra en las minas y obrajes, los mestizos se encargaban de trabajos mecánicos y eran la fuerza de la milicia, y los negros eran esclavos y trabajaban en plantaciones y en las casas de los peninsulares y criollos. Por debajo de éstos se hallaban los "infames", producto de la mezcla o cruzamiento entre las razas que en algunos países se agrupaban en castas.

España estrangulaba económicamente a sus colonias por medio de diezmos a la iglesia e impuestos abusivos. En beneficio del gobierno español se estancaban productos y se controlaba el comercio exclusivamente con los puertos de la metrópoli. En la política privaba la centralización. Los asuntos administrativos eran decididos por los virreyes, capitanes generales o presidentes de audiencia. Los negocios judiciales, los reglamentos y la legislación dependían de España. Los criollos, mestizos e indios no podían leer libros científicos ni filosóficos por considerarse peligrosa la difusión de las nuevas ideas sobre los derechos del hombre. Tampoco podían hacer uso de su libertad de conciencia a causa de las persecuciones de la Inquisición. Levantar la voz para reclamar reformas o sugerir cambios dentro del régimen, significaba arriesgarse a ser castigado con multas, el destierro o la prisión.

La Declaración de Independencia de los Estados Unidos (1776), y la proclamación de los Derechos del Hombre en Francia (1789), sirvieron de ejemplo y les dieron razones, motivos y palabras, a las ansias de libertad del hombre hispanoamericano. La invasión napoleónica en España (1808), y la resultante debilidad del país, señalaron el momento propicio para el inicio de los movimientos revolucionarios pro-independentistas. Los países hispanoamericanos, aún cuando compartían el mismo ideal de emancipación con los Estados Unidos, tenían que enfrentarse con condiciones territoriales y políticas diferentes. Mientras que el territorio angloamericano, limitado en una franja entre el Atlántico y los Apalaches, se hallaba unido por un pensamiento político compacto y definido, Hispanoamérica era mucho más vasta. Sus territorios, que se extendían desde el Río Colorado hasta la Patagonia y desde el Atlántico hasta el Pacífico, se hallaban fragmentados social, racial, y económicamente y eran gobernados por virreyes, capitanes generales e intendentes.

Las condiciones anteriores imposibilitaban la acción conjunta, y dieron como resultado movimientos aislados de liberación. Hubo contactos entre los rebeldes, pero faltó la acción común. La primera colonia que se sublevó fue Quito, le siguieron Venezuela, Nueva Granada, la Argentina, México, Chile y Paraguay. Mejor preparadas para luchar y con menos soldados españoles la Argentina y Paraguay lograron la independencia, pero las otras colonias fueron dominadas nuevamente por refuerzos llegados de España.

En la América Hispana se distinguen dos períodos revolucionarios pro-independentistas durante el siglo XIX. La restauración borbónica en 1814 pareció reprimir las insurrecciones y marcó un paréntesis. Durante el primero, de 1810 a 1815, se destacan las insurrecciones de Miguel Hidalgo y José Morelos en México, las campañas de Simón Bolívar en Venezuela, y la batalla decisiva de José de San Martín en San Lorenzo, cuando se logra la independencia de la

Argentina en 1813. En el segundo, de 1816 a 1826, se liberan otras naciones suramericanas: Chile, con las victorias de San Martín en Chacabuco y en Maipú (1817); Nueva Granada y Venezuela con las batallas ganadas por Bolívar en Boyacá (1819) y Carabobo (1821) respectivamente; Ecuador, por la victoria de José de Sucre en Pichincha (1822); México con la proclamación independentista de Agustín Iturbide (1821); y Perú y Bolivia por Ayacucho (1824), batalla en la que Bolívar asegura la libertad de América del Sur.

La América Central, siguiendo el ejemplo de México, declaró rotos sus vínculos con España en 1821. A pesar de haberse liberado del colonialismo, todavía los países centroamericanos pasaron por una serie de transformaciones antes de llegar a la separación de la región en naciones independientes una de la otra. El 5 de enero de 1822 se proclamó la anexión a México. Al caer Iturbide en 1823 los centroamericanos reclamaron la separación de este país. Ese mismo año se creó la República Federal Centroamericana, compuesta por los actuales países de Guatemala, Honduras, El Salvador, Nicaragua y Costa Rica. La tendencia nacionalista y separatista surgió desde los inicios. Los esfuerzos de Francisco Morazán por mantener la unión centroamericana fueron infructuosos y la federación se desintegró en sus partes constituyentes en 1838.

Es posible afirmar que en 1826, coincidiendo con la rendición de la plaza fuerte de El Callao, se puso fin a la dominación española en América con la excepción de Cuba y Puerto Rico. Estos países no lograron su independencia hasta 1898. A fines del siglo XIX la América Hispana, convertida en 18 repúblicas, se había liberado definitivamente de la égida española.

Los líderes de los movimientos de liberación han pasado a la historia como los héroes de la independencia americana. Pueden agregarse a los anteriores los nombres de Bernardo O'Higgins, chileno, que contribuyó a la liberación de Chile, la Argentina y el Perú; Francisco de Miranda, venezolano, también instigador de intentos libertarios; y José Martí, cubano, brillante en sus quehaceres como patriota y hombre de letras.

LOS ESTADOS UNIDOS COMO POTENCIA
LA INJERENCIA NORTEAMERICANA

Después de la guerra de 1812 contra el imperio británico, la

América del Norte comenzó a emerger, fortaleciéndose como potencia ante los ojos del mundo. En 1823, cuando la mayor parte de Hispanoamérica había ganado su independencia, los Estados Unidos, para asegurar y mantener los nuevos estados políticos, emitieron la Doctrina Monroe, uno de los documentos más importantes en la historia de las relaciones entre las dos Américas. La mitad del siglo XIX marcó una nueva actitud en las relaciones de angloamérica hacia sus vecinos hispanos. Los Estados Unidos consideraban que las repúblicas hispanas, recién liberadas del yugo colonial, eran políticamente inmaduras para gobernarse y por lo tanto necesitaban la guía y protección del país vecino, que intervendría cuando lo considerara necesario para mantener la estabilidad en esta parte del hemisferio. Así comienza lo que se conoce en la historia como la "Política del hermano mayor".

Basados en esta nueva política, los Estados Unidos intervinieron en la deposición de Maximiliano de Austria, Emperador de México, estropeando los planes de Napoleón. Apoyándose en la Doctrina Monroe desembarcaron tropas en las islas Malvinas, la Argentina y Perú en la década de 1830; en la Argentina, Nicaragua, Uruguay, Panamá, Paraguay y México durante los años 50; y en Panamá, Uruguay, México y Colombia en los 60. La separación de Texas del territorio mexicano y la consiguiente anexión de los territorios de Arizona, Nuevo México y California, hechos ocurridos entre 1846 y 1847 son típicos de la política expansionista norteamericana. Los Estados Unidos, además, participaron en las guerras fronterizas e internas de Chile en 1880 y 1890; en las disputas del Paraguay de 1840 y 1878; y en la guerra del Pacífico de 1879 a 1884 entre Chile, Perú y Bolivia.

A fines del siglo XIX se nota un interés mayor hacia el área del Caribe y Panamá. La guerra hispanoamericana señaló el fin de la injerencia española en las últimas colonias hispanoamericanas y la continuación de la política intervencionista norteamericana con una nueva modalidad: la economía. La América Hispana había logrado la independencia, pero también había perdido dos millones de kilómetros cuadrados en territorio.

Durante el siglo XX continuaron las intervenciones del gobierno estadounidense. En Costa Rica desembarcó la marina norteamericana en 1919 para proteger los intereses de la nación del norte. En 1932 hubo una nueva intervención con motivo de estabilizar el país. En Nicaragua ha habido intervenciones intermitentes de 1909 a 1933, virtualmente continuas de 1912 a 1925 y de 1927 a 1933. También los norteamericanos han mediado con frecuencia en Honduras, Bolivia y Uruguay.

Mientras pasan los años, el expansionismo norteamericano encuentra oponentes débiles en el exagerado nacionalismo de las repúblicas del sur, la inseguridad económica, y la proliferación de gobernantes sin escrúpulos. Revueltas de poca monta hasta revoluciones en toda la escala con programas ambiciosos y elaborados que ofrecen resolver los problemas sociales y económicos de los países hispanoamericanos inundan la historia de gran parte del siglo XX.

La Ex-Unión Soviética (1917-1991), y La América Hispana

A semejanza de la manera en que los norteamericanos son percibidos en la Europa oriental y otras partes del mundo, los soviéticos han sido idealizados y han aparecido, hasta épocas recientes, bajo una luz favorable en la América Hispana, especialmente en aquellos países que han tenido poco o ningún contacto con ellos. A partir de la revolución de 1917, los Bolcheviques fueron visualizados como aliados naturales en los círculos patrióticos y revolucionarios hispanoamericanos, principalmente mexicanos, por ser enemigos del llamado imperialismo norteamericano. A pesar de esta simpatía, los gobernantes de estos países nunca intentaron establecer relaciones diplomáticas con los soviéticos. Esta razón, unida a la lejanía geográfica, dio como resultado que las relaciones entre la Unión Soviética y los países hispanoamericanos hubieran sido casi inexistentes hasta 1960.

Hasta esa fecha, la Unión Soviética mantenía relaciones diplomáticas en Latinoamérica solamente con México, Uruguay y la Argentina. Los contactos con los países del Caribe eran solamente esporádicos a través de los partidos comunistas. Algunos intentos revolucionarios en Centroamérica fueron subvencionados por sus respectivos partidos comunistas. Estos fueron los casos de El Salvador (1932), y de Guatemala desde 1950, cuando se legalizó el partido comunista, hasta 1954 cuando cayó el gobierno de Arbenz.

El cambio en la política soviética respecto a Hispanoamérica vino a partir de la revolución cubana. Muestra del interés soviético fue el establecimiento del Instituto de Estudios Latinoamericanos y el aumento en las investigaciones sobre el área. Las relaciones entre Cuba y la Unión Soviética pasaron por momentos de tensión y desacuerdo pero a partir de 1967 se habían fortalecido. Asesores, y en algunos casos militares cubano-soviéticos, han intervenido a favor de fuerzas revolucionarias y gobiernos marxistas leninistas en el hemisferio americano (Bolivia, 1967 y Nicaragua, 1979), así como en el continente africano (Angola 1975-76, Etiopía 1977-78), en un afán de exportar la revolución socialista y ambicionando establecer sus bases en otras naciones del continente.

Los acontecimientos ocurridos en Europa oriental y en la que fuera la Unión Soviética, en los años 1990 y 1991, golpearon fuertemente las bases del sistema marxista-leninista. Los efectos de estos cambios han repercutido y continuarán por varios años modificando el mapa político y económico del mundo. Será interesante en alto grado mantener una observación cuidadosa y seguir la trayectoria política de las naciones hispanoamericanas en la búsqueda de soluciones a sus problemas, como países del tercer mundo que, en los momentos actuales, no pueden depender ni ser subvencionados por la que fuera poderosa e influyente fuerza soviética.

Introducción Literaria

La Protesta Social y Revolucionaria

La Poesía

La poesía moderna en Hispanoamérica se inicia a principios del siglo XX con el modernismo. Rubén Darío es el más destacado representante del movimiento que se caracteriza por el culto a lo sensual y la belleza de la forma. El modernismo se mantiene vigente hasta el estallido de la primera guerra mundial. En la década de los veinte surge una expresión poética diferente a la modernista. Se acuñan los "ismos" con nombres diversos para cada país. Entre ellos sobrevive el vanguardismo, con su culto a la imagen y las asociaciones insubordinadas a la lógica. Sus focos fundamentales y más revolucionarios se encuentran en Chile y Perú, con Vicente Huidobro, Pablo Neruda y César Vallejo como sus máximos exponentes. Con el tiempo, los núcleos vanguardistas más revolucionarios se desplazan del cono sur hacia el norte del continente suramericano, Ecuador, Colombia y Venezuela.

Octavio Paz afirma: "La vanguardia tiene dos tiempos, el inicial de Huidobro, hacia 1920, vitalización de la palabra y la imagen, y el segundo, de Neruda, diez años después, ensimismada penetración hacia la entraña de las cosas".[1] Hacia 1930 la retórica del vanguardismo se modifica, y a partir de entonces se enfatiza, en palabras de Vallejo, una auténtica inspiración humana. Se afirma la relación entre poesía y vida, y el poeta se sensibiliza ante los problemas sociales y los transmite. Esta especie de ordenamiento basado en la retórica anterior se llamará post-vanguardismo. Desde 1940 se observará en la poesía una mayor penetración de la realidad en busca de su dimensión trascendente y la

---

[1] Octavio Paz, *El arco y la lira* (México: Fondo de Cultura Económica, 1956), p.97.

aparición de temas existenciales. Ambas tendencias, la trascendentalista y la existencialista, se alimentan de superrealismo.

Hasta el presente continúa aflorando en la vertiente poética lo que unos críticos han dado en llamar poesía viva (Aldo Pellegrini), rebelde (Ramiro Lagos), revolucionaria (Robert Márquez), testimonial, o de protesta. A este respecto aduce Pellegrini que, a partir de la primera vanguardia,

> *"se produce en América un intenso movimiento de una poesía vital, opuesta a la poesía semiliteraria, semiacadémica, que encuentra el apoyo de la prensa y los organismos oficiales. Esa poesía viva se caracteriza ante todo por su disconformismo y en muchos casos coincide con una posición militante de los poetas en el terreno social. Otras veces el poeta está apartado pero de todos modos su voz tiene tonos de protesta. Siempre, y en última instancia, el poeta de vanguardia está en pugna con la sociedad.* [2]

A pesar de que la poesía de protesta ha surgido en todos los tiempos, esta antología se circunscribe a la escrita desde el modernismo hasta los años recientes. Es posible afirmar que el movimiento literario de más influencia en estas poesías es el surrealismo, posiblemente por su concepción revolucionaria de la vida. Los temas privativos en esta poesía son universales: el amor, a la patria y a los semejantes, la muerte, la piedad, la desesperación y la frustración. Entre todos destaca la esperanza en la lucha por un mundo mejor. Los poetas parecen estar predestinados a iluminar el camino hacia una mejor comprensión del problema americano. De acuerdo con las palabras de Nathaniel Tharn, "It cannot be said often enough that those who are likely to suffer most under repression are precisely the poets for despite appearances, it is the poets who are beginning to understand government better than anyone else". [3]

---

[2] Aldo Pellegrini, *Antología de la poesía viva latinoamericana* (Barcelona: Seix Barral, 1966), p.11.

[3] Nathaniel Tharn, *Con Cuba. An Anthology of Cuban Poetry of the Last Sixty Years* (London: Cape Goliard Press, 1969), p.11.

En esta poesía hay búsqueda de soluciones y en la interpretación de sus signos quizás se encuentre en ciernes el futuro de América.

El Cuento

Los rezagos del naturalismo hispanoamericano, heredero directo de los postulados de Émile Zola y el naturalismo francés, entran en las creaciones literarias de principios del siglo XX. El naturalismo hispanoamericano, en contraste con el francés, se interesa además en las condiciones sociales opresivas del indio, el campesino, el minero, el gaucho, o el negro. Aunque la técnica naturalista supera la costumbrista del siglo anterior, es interesante destacar las tendencia social de esta época en la cual dice Luis Leal debe notarse que los cuentos tienen más de caso social que de caso clínico.[4] El modernismo, por su parte, hará una mayor contribución a la vertiente artística. La fecha inicial para este movimiento es 1883 con el libro de Manuel Gutiérrez Nájera *Cuentos frágiles*. En el cuento modernista sobresale el elemento lírico y se ignora el problema social.

Como reacción a la superficialidad modernista, el cuento posterior vuelve la mirada a lo nativo, iniciándose la forma americana del género con el nombre de criollismo. La prosa narrativa alcanza madurez en esta época que históricamente coincide con el período entre las dos guerras mundiales. Entre 1920 y 1945 los cuentos de tema nacional, de calidad, empiezan a escribirse. Las intervenciones de los Estados Unidos en la América Latina contribuyen a despertar la conciencia nacional de los escritores. Unido a ello, otros problemas sociales como la depresión económica de Norte América y la insurgencia de ideas izquierdistas convierten el cuento y la novela en instrumentos de denuncia social. Estas tensiones se traducen en el valor testimonial de la narrativa. En la obra de ficción hispanoamericana, además de dejarse constancia de los movimientos liberales, queda sentada la situación conflictiva del indio. Los autores criollistas hispanoamericanos se ven influenciados por los autores norteamericanos John Dos Passos y John Steinbeck. Las creaciones literarias más notables del criollismo se encuentran entre algunos relatos de la revolución mexicana, en los cuentos de persistencia costumbrista de escritores centroamericanos y entre los caracteres proletarios de la prosa indigenista comprometida ecuatoriana.

Según Seymour Menton, los cosmopolitas, de tendencias

---

4 Luis Leal, *Historia del cuento hispanoamericano* (México: Ediciones de Andrea, 1966), p. 38.

vanguardistas, coexisten con los criollistas, pero después de 1945 sus producciones narrativas se hacen más definidas. Si el criollista se interesaba en los problemas sociales, económicos y políticos, al cosmopolita le interesan más los aspectos estéticos, filosóficos y psicológicos. Estos autores viven en los grandes centros metropolitanos y, en contacto con los últimos movimientos literarios, se sienten comprometidos artísticamente y se concentran en la expresión de sus mundos subjetivos. Dentro de esta tendencia se incluyen los movimientos cubistas, existencialistas, surrealistas y el realismo mágico.[5]

Alrededor de 1960 las corrientes vanguardistas en sus varias formas de dadaísmo, futurismo, cubismo, surrealismo, creacionismo y ultraísmo, portadoras de nuevos cánones estéticos, han inundado la América Hispana. Paralelamente al vanguardismo surge impetuosamente un arte social en la pintura mural, el cuento y la novela. Estos autores se empeñan en concretar una experiencia de vida y perciben la necesidad de escribir literatura de compromiso social en lugar de la creación escapista. Un nuevo despertar de la conciencia social es impulsado por la revolución cubana y el establecimiento de las nuevas naciones en Asia y Africa. Influenciados por Hemingway escriben en el presente sobre caracteres que, jóvenes o adolescentes, viven marginados de las grandes ciudades. Los neorrealistas absorben las técnicas de los movimientos anteriores y las adaptan para su beneficio. Muchas de estas obras alcanzan el doble objetivo de lo estético y lo social.

El "boom" de la novela de estos años influencia la producción cuentística neorrealista ya que muchos autores de novelas lo son también de cuentos. Continúan en este estilo, a través de los años 70 hasta los 80, grandes autores entre los que se cuenta Julio Cortázar. De manera opuesta a la tendencia del realismo mágico surge, a fines de los 60 y principios de los 70, un grupo de autores de cuentos que expresan en su obras una ideología revolucionaria, siguiendo el ejemplo literario de los "beatniks" y el musical de los "rockeros". Influenciados por las lecturas de Carlos Fuentes, Cortázar, Gunther Grass, J.D. Salinger, Truman Capote y Malcolm Lowry, se encuentran entre ellos Antonio Skármeta, José Agustín y Gerardo de la Torre.

---

5 Seymour Menton, *The Spanish American Short Story* (Los Angeles: University of California Press, 1980), p.255.

LA NOVELA

La novela hispanoamericana entra al siglo XX desarrollando dos tendencias que, aún siendo opuestas, van a aparecer simultáneamente en las producciones literarias. De un lado es idealista y subjetiva, permeada por el preciosismo modernista, y del otro tiende a una actitud regionalista y social al observar el mundo y tratar de interpretar sus problemas. Esta tendencia social en la novelística hispanoamericana existe desde la primera obra del género, *El periquillo Sarniento*, de Fernández de Lizardi. Si se rastrean las obras que influenciaron a la novela social hispanoamericana es necesario remontarse a la novelística rusa, al *Manifest dux intellectuels* (1927) de Henry Barbusse y a sus escritos en el periódico *Clarté*, que contribuyeron a la creación del movimiento del mismo nombre. Barbusse se dirigió principalmente al escritor latinoamericano, conminándolo a repudiar los viejos principios y adoptar medidas nuevas para mejorar la sociedad, añadiendo que el camino a la nueva hermandad humana estaba en la revolución socialista. Es por esta razón que las distintas actividades económicas y políticas, tales como la revolución industrial, las conquistas gubernativas de la clase media, la organización de sindicatos y la adherencia a programas internacionales de la clase obrera, dejan su sello en la literatura de principios del siglo.

En mayor escala que en otras literaturas, las novelas hispanoamericanas de los años 30 y 40 enfocan las actitudes del hombre en relación con la circunstancia social que lo rodea. Uriel Ospina al referirse a esta novelística opina que "será aún durante un buen tiempo, una novela estrictamente social. . . Por necesidad, primeramente; por fidelidad hemisférica luego, y por exigencias literarias forzosas en última instancia".[6] Es necesario hacer notar también la fuerte influencia que el existencialismo francés y el norteamericano ejercieron en la generación de los años 40. Dice Fernando Alegría al respecto: "La gráfica forma del viejo realismo debe experimentar un cambio: ya no es la novela un simple espejo que recorre los caminos, es el sufrimiento, el desconcierto, la sinrazón y se purga en el testimonio desnudo".[7] Es en los años 50 cuando, de manera definitiva, los novelistas tratan de

---

[6] Uriel Ospina, *Problemas y perspectivas sobre la novela americana* (Bogotá: Antares, 1964), p. 202.

[7] Fernando Alegría, *Nueva historia de la novela hispanoamericana* (Hanover: Ediciones del Norte, 1986), p. 189.

encontrarle una justificación a sus responsabilidades con la sociedad contemporánea intentando expresar su realidad. Alegría destaca la clara proyección política en la literatura de la década del 60 y añade que el hombre hispanoamericano se encuentra en el centro de estas obras de creación destinadas a aclarar con justicia y dignidad su circunstancia social y humana. Hace notar Angel Rama en los años 70 la incorporación y el desarrollo de autores que siguen las líneas de creación dictadas por el realismo crítico como técnica apropiada para dejar testimonio de las grandes conmociones políticas de la época.[8]

El término "social" es muy general y dentro de esta vertiente se destacan, a través del siglo, temas que enfocan problemas específicos que han sido tratados en la literatura de la época. De esta manera pueden percibirse en la novela social dos grandes categorías claramente diferenciables:

1) La novela de problema socio-económico del área rural y más tarde urbana; y la novela de la explotación del pobre, sea éste indio o mestizo.

2) La novela política, la revolucionaria, la de la guerrilla, o su protagonista el guerrillero, la anti-imperialista, la de la dictadura, y la más reciente, la del exilio.

Tan diversos como los temas son las actitudes de los escritores, los cuales recorren una órbita muy amplia en el proceso creativo al asumir diferentes grados de responsabilidad hacia su circunstancia política. Algunos autores, aún cuando se sientan comprometidos, son capaces de mantenerse dentro de los parámetros literarios y otros entran de lleno con más o menos ímpetu en la obra testimonial. A continuación se hará un breve recuento de la literatura que interesa a esta obra, la política, y dentro de esta vertiente la revolucionaria, o sea, la novela que tenga, como fondo o como móvil, una revolución, histórica o no, triunfante o fallida, grande o pequeña. Dentro de esta modalidad se ha escogido la obra que, aún cuando sea comprometida, mantenga su valor literario.

Este estudio limita las obras seleccionadas al siglo XX y trata de dar una visión de conjunto de la épica revolucionaria hispanoamericana que, es necesario aclarar, no se limita a esta centuria, sino que comenzó desde el período colonial, y se encuentra subrayada por hechos heroicos tales como los alzamientos de los indios, de los criollos y los negros; las luchas por la independencia de cada nación americana y las luchas

---

[8] Angel Rama, *La novela en América Latina; Panoramas (1920-1980)*, (Bogotá: Pro-Cultura, S.A., 1982), p. 338.

contra las dictaduras. Las gestas revolucionarias, grandiosas o en menor escala, del hombre hispanoamericano de este siglo aparecen en esta antología. En estas obras, los protagonistas, identificables con otros seres humanos de cualquier época en la historia de la humanidad, se hermanan en la lucha por lograr el disfrute del derecho inalienable del hombre a ser libre.

Resume acertadamente Kessel Schwartz la responsabilidad de estos autores que, de manera consciente, han tratado en su obra de ficción los distintos problemas sociales de Hispanoamérica:

> By wounding the reader spiritually, by making him aware of the injustices of his everyday world, the novelists hoped to make him less insensitive to the sorrows of his fellowman. Often their shrill voices served to promote their own catharsis, proving their involvement, however small, in what many of them felt to be the primary duty of an intellectual.[9]

El Teatro

El teatro hispanoamericano tiene una larga historia. Existen pruebas concluyentes de que tres civilizaciones precolombinas hacían representaciones teatrales: los mayas de Yucatán, los aztecas de la parte central de México, y los quechuas del Perú y los alrededores. De estas obras, predominantemente religiosas, se conservan el *Ollantay*, en lengua quechua; el *Rabinal Achí*, en maya quiché; y el *Güegüense*, en náhuatl. Esta última comedia aún se representa en algunas partes de México.[10] Los frailes españoles, aprovechando la inclinación del nativo hacia lo espectacular de las ceremonias, utilizaron la escena con fines didáctico-religiosos; de ahí que las primeras obras españolas representadas en el Nuevo Mundo hayan sido adaptaciones de autos sacramentales. Durante la época colonial se destacaron notablemente, a pesar de la influencia del teatro español en su obra, los hispano-

---

[9] Kessel Schwartz, *A New History of Spanish American Fiction*, Vol II (Coral Gables: University of Miami Press, 1971), p. 3.

[10] Para más información sobre el teatro anterior a la conquista, consultar: Juan J. Arrom, Agustín del Saz, *Teatro hispanoamericano*, 2 vols. (Barcelona: Editorial Vergara, 1963).

americanos Juan Ruiz de Alarcón y Sor Juana Inés de la Cruz en el siglo XVII y Gertrudis Gómez de Avellaneda en el siglo XIX. Han quedado como testimonio de obras con cierta originalidad, el teatro satírico del Perú del siglo XIX, y las variantes del género chico español en países como Cuba y la Argentina.

Las obras teatrales hispanoamericanas representadas hasta principios del siglo XX fueron sainetes, comedias costumbristas y algunas muestras del teatro realista, todavía de marcada influencia española. Se observan signos de innovación a comienzos del siglo XX en el teatro rural de tendencia naturalista en la Argentina y el Uruguay. Estas obras presentan los problemas del gaucho y las tensiones sociales y económicas creadas por los inmigrantes. Esta tendencia social pronto degeneró en un teatro comercial de pasatiempo. A fines de los años veinte se inició en Buenos Aires, Cuba, México y Puerto Rico, un claro movimiento de reacción al teatro anterior que coincidió con el despertar de la conciencia nacional. Esta etapa de nuevas experimentaciones apareció más tarde, en los años cuarenta, en las otras naciones hispanoamericanas, Colombia, Chile, Perú y Venezuela. Es necesario acudir a esos años para comenzar a rastrear las raíces del teatro contemporáneo hispanoamericano. Aunque el contorno general de la dinámica teatral en su proceso de desarrollo en Hispanoamérica es muy parecido, en cada país difere la evolución del género.

Son innegables las influencias en el teatro hispanoamericano actual del realismo crítico, así como del teatro del absurdo, del documental, del "living theater", de la crueldad, del pobre, del psicodramático y del ritual. La Primera Guerra Mundial y la Revolución de Octubre señalan la irrupción de las masas en la escena teatral. Piscator, con sus técnicas nuevas, actualizó el teatro político y convirtió al espectador de pasivo en activo, empujándolo a la lucha revolucionaria. Bertolt Brecht, por su parte, se encargó de la renovación externa e interna del género enfrentando su teatro épico al drama aristotélico, y predicando, al igual que Roland Barthes, que "la materialidad de un espectáculo no procedía solamente de una estética o una sicología de la emoción, sino también de una técnica de la significación".[11] Esta involucración de la masa en la creación de la obra teatral ha sido sintetizada por Vsevelod Meyerhold, quien lanzó desde 1920 la idea de la "revolución de octubre teatral": "Ha

---

11   Roland Barthes, *Ensayos críticos* (Barcelona: Editorial Seix Barral, 1969), p. 311.

llegado el momento de hacer una revolución en el teatro y de reflejar en cada representación la lucha de los trabajadores por su emancipación".[12] Entre los dramatrugos contemporáneos más admirados e imitados por autores hispanoamericanos se cuentan Bertolt Brecht, Peter Weiss, Antonin Artaud, Jerzy Grotowski y Jean Genet.

El cultivo del gusto o la aceptación de las distintas formas teatrales por el público, ha sido un factor determinante en el desarrollo del teatro y varía de país a país. Buenos Aires, uno de los grandes centros teatrales del mundo se puede comparar con Londres, Nueva York y París. Los fines de semana hay unas 60 representaciones y anualmente se calculan más de 2,000,000 de asistentes. Es la única capital latinoamericana que puede contar con la asistencia del público para mantener un teatro comercial floreciente y cuenta con uniones de actores y autores bien establecidas. Desde fines del siglo pasado sus salas teatrales contaban con los mejores actores; Eleanor Dusse, Sarah Bernhardt, Coquelin, así como la Comédie Francaise eran representantes frecuentes en el teatro "porteño". Después de Buenos Aires puede mencionarse Ciudad México; ambas son las capitales de mayor tradición teatral. El teatro de México, aunque no cuenta con la gran audiencia del anterior, es activo y profesional. En cuanto a la atracción de un público estable y numeroso se pueden añadir los teatros de Santiago de Chile , Caracas y Montevideo. Sin embargo, cuando se habla del alcance del teatro no comercial a áreas no urbanas hay que mencionar a Cuba y Colombia. Deben destacarse los esfuerzos de estos dos países por llevar el teatro a lugares apartados así como a sectores obreros urbanos. En cuanto al factor económico y la asistencia del público, el teatro en Hispanoamérica puede ser clasificado de manera general en cuatro categorías: a) comercial, cuyo éxito se basa en el teatro lleno y el número de localidades vendidas; b) oficial, subvencionado por el gobierno, con representaciones de dramas de calidad hechas por profesionales; c) experimental, usualmente independiente, a veces producido a nivel universitario, donde se presenta lo mejor de la actividad teatral, de actitud más o menos comprometida, de escaso provecho económico; y d) clandestino, de tonos abiertamente políticos, que dependiendo de la situación, puede ser representado en el país o afuera, también de provecho económico escaso o nulo. El teatro comercial, adonde acude la mayor parte del público, sigue las tendencias realistas. El experimental, que tiende a

---

[12] Vsevelod Meyerhold, *Teoría teatral*. (Madrid: Editorial Fundamentos, 1971), p. 97

mantenerse apartado del anterior y ensaya las técnicas más nuevas, sigue siendo considerado por sus cultivadores teatro educativo y renovador. Dentro del teatro experimental se destaca en los últimos años la creación colectiva. Esta técnica, originaria de los Estados Unidos y Europa, se ha adaptado a la escena hispanoamericana de manera natural y espontánea y se utiliza como vehículo para presentar el problema social y político. Debe mencionarse entre las obras de creación colectiva el teatro de Enrique Buenaventura. En su teatro, más escénico que literario, Buenaventura aplica las teorías de Stanislawski al proceso creativo, dándole más importancia a la improvisación que al actor. Además debe destacarse la labor del director y autor Santiago García, coordinador de varias obras teatrales, entre ellas *Guadalupe años sin cuenta*, Premio Casa de las Américas 1976, una de las grandes creaciones colectivas del teatro colombiano.

De manera general puede afirmarse que la gran mayoría del teatro hispanoamericano actual, aún cuando no sea altamente politizado como las creaciones colectivas, en el fondo es obra de compromiso y se escribe, como acertadamente alega Frank Dauster, "para erradicar la injusticia social y económica". [13]

---

[13] Frank Dauster, "El teatro contemporáneo en Hispanoamérica", *9 dramaturgos hispanoamericanos* (Ottawa: Girol Books, 1979), p.16.

I Unidad Regional
El Caribe

Capítulo I

Cuba

A pesar de que Cuba no logró la independencia de España hasta 1898, varios intentos revolucionarios fueron gestados durante los siglos XVIII y XIX. En una insurrección ocurrida en La Habana en 1717, los vegueros, irritados por el estanco del tabaco, depusieron y embarcaron para España al Capitán General. Seis años más tarde se alzaron nuevamente, esta vez en vano. También se distinguieron las guerrillas de Guanabacoa por su resistencia tenaz ante la invasión de los ingleses en 1762; así como las rebeliones populares en 1795 contra alcabalas e impuestos que oprimían a los pobres. La contienda más larga por la liberación del país fue la llamada Guerra de los Diez Años (1868-78), seguida por la Guerra Chica (1878-80). Como resultado de estas dos guerras, se logró que fueran reconocidos algunos de los derechos por los que se luchaba, pero no la independencia total.

Con José Martí al frente se reanudó la lucha en la guerra de 1895. Tres años después, intervinieron los Estados Unidos al declararle la guerra a España con motivo de la "voladura" del acorazado norteamericano Maine en el puerto de La Habana. El ejército español, derrotado, abandonó la isla. Los Estados Unidos establecieron un gobierno provisional que duró desde 1898 hasta 1902, cuando finalmente se instauró la república de Cuba. En 1901, Leonard Wood, el gobernador norteamericano de la isla, convocó una asamblea constituyente que dio como resultado la promulgación de una constitución republicana, a la cual se le agregó la Enmienda Platt. La Enmienda estableció, entre otras, las siguientes condiciones: el derecho a la intervención norteamericana para la preservación de la independencia de la nación cubana y para mantener un gobierno protector de la vida, la propiedad, y la libertad individual de sus ciudadanos; y la ocupación de un territorio donde establecer una base militar norteamericana. Por medio de esta adición, Cuba sufrió la injerencia extranjera desde 1902 hasta su abrogación en 1934. Durante esos años los norteamericanos intervinieron en varias ocasiones, supervisaron elecciones y enviaron tropas para restablecer el orden. También como resultado de la Enmienda, todavía hoy se mantiene la base americana naval de Guantánamo, punto álgido de conflictos entre los dos gobiernos, en el pasado y en los tiempos actuales.

El gobierno del primer presidente cubano, Tomás Estrada Palma, finalizó en 1906 con su renuncia al cargo, cuya fecha coincide con la primera intervención americana de tres años. Después fungió como presidente José Miguel Gómez. Una época interesante, políticamente, es la del gobierno de Gerardo Machado. Machado, electo presidente en 1924, fue considerado, a los pocos meses de su elección, uno de los mandatarios más populares. En 1926 todos los partidos se unieron en la "oposición cooperativa" o "cooperativismo", lo cual · resultó en la ausencia absoluta de oposición partidista política al presidente establecido. Machado, cada vez más fortalecido, evidenció a partir de entonces su deseo de mantenerse en el poder, eliminando cualquier voz disidente. Por modificación constitucional en 1928 se extendió su término presidencial seis años, debiendo terminar legalmente en 1935. Antes del gobierno de Machado habían emergido fuerzas disidentes de gran ímpetu en la nación cubana, haciéndose más evidente el sentimiento anti-machadista con la prolongación del período presidencial. Entre los intelectuales inconformes sobresale en 1923 el "Grupo Minorista" de La Habana, y los de la "Protesta de los Trece" cuando aparecen los nombres de Jorge Mañach, Juan Marinello, Francisco Ichaso, José Z. Tallet, Calixto Masó, Alberto Lamar Schweyer y Félix Lizaso. En las revueltas estudiantiles de 1923 se destaca como dirigente de núcleos universitarios y uno de los fundadores del Partido Comunista Cubano (PCC), Julio Antonio Mella, culminando en máximo grado las inquietudes del estudiantado con la muerte de Rafael Trejo en 1930. También coincide en los años 30 la crisis económica producida por la baja del azúcar en el mercado mundial, que fluctúa de 28.3 a 0.57 centavos por libra de 1928 a 1932. Todo ello da como consecuencia el aumento de las fuerzas de oposición integradas por estudiantes e intelectuales, incrementándose el malestar general con huelgas de trabajadores, quienes deciden presentar un frente unido de protesta al gobierno de Machado, exigiendo su renuncia. Estas fuerzas revolucionarias terminan con la dictadura machadista en 1933. Continúa un largo período de inestabilidad política que termina en 1940 con la promulgación de una nueva constitución de principios democráticos avanzados. Esta etapa constitucional fue interrumpida el 10 de marzo de 1952 con el golpe de estado de Fulgencio Batista al entonces presidente Carlos Prío Socarrás.

El país, maduro para el cambio por los abusos y la creciente violencia del régimen batistiano, ya tenía una figura sobresaliente de ideas y de acción: Fidel Castro. Como dirigente revolucionario Castro intervino en varias acciones, entre las que se destacó el ataque al Cuartel Moncada el 26 de julio de 1953. A partir de entonces se ha identificado esa fecha con el nombre del movimiento que serviría de aglutinante al pueblo cubano para luchar contra Batista. Con el desembarco del "Granma" en Niquero, en 1956, Castro y sus hombres determinaron el fin de la dictadura. Cuando el Ejército Rebelde tomó la ofensiva desde la Sierra Maestra, en la región oriental del país, tenía el apoyo económico y moral de la gran mayoría del pueblo cubano. Tras la huida de Batista en 1959 y la llegada a La Habana del Ejército Rebelde, la nación parecía haber cumplido su misión primordial al completar un ciclo de la historia cubana.

Con la revolución en el poder se desencadenaron una serie de acontecimientos que repercutirían en las relaciones entre Cuba y otros países. El deterioro de los vínculos políticos con los Estados Unidos se inició por medio de una serie de fusilamientos de militares y funcionarios batistianos y explosiones anti-imperialistas de Castro, alcanzando su punto culminante con la nacionalización, en octubre de 1960, de los intereses norteamericanos en la isla. La respuesta de los Estados Unidos fue la suspensión de las relaciones diplomáticas, el embargo económico, y el apoyo de la invasión de exiliados cubanos en Bahía de Cochinos en abril de 1961. El 2 de diciembre de 1961 Castro proclamó un programa marxista leninista adaptado a las condiciones del país. Las Organizaciones Revolucionarias Integradas (ORI), establecidas temporalmente, dieron vida al Partido Unido de la Revolución Socialista (PURS). Este aglutinó al Partido Socialista Popular (PSP), al Movimiento

26 de julio y al Directorio (estudiantil) Revolucionario (DR). En 1965 el PURS se convirtió en el Partido Comunista de Cuba (PCC), único partido político autorizado en el país hasta el presente.

En parte por sus intenciones de promover revoluciones en el resto de la América Latina, Cuba ha estado aislada de otros gobiernos en el hemisferio americano. En 1962 fue excluída de la Organización de Estados Americanos (OEA), y en 1964 este organismo le impuso sanciones diplomáticas y comerciales. En 1969 Cuba fue uno de los primeros países en reconocer el Frente de Liberación Nacional de Sur Vietnam. En 1975 anunció un programa de ayuda militar al Movimiento Popular de Liberación de Angola (MPLA). El ejército cubano ha participado de manera activa en la guerra civil en Angola y ha apoyado los gobiernos marxista leninistas de ese país y Etiopía, manteniendo su presencia militar en otros países de Africa como el Sudán.

La constitución demócrata del cuarenta fue abolida en 1959, dándosele vigencia, el 24 de febrero de 1976, a una nueva constitución socialista. Después de Batista, y supeditados al poder de Castro, ocuparon el cargo presidencial Manuel Urrutia Lleó y Osvaldo Dorticós Torrado. En 1976 Castro asumió la presidencia del Consejo de Estado, ocupando al mismo tiempo los cargos de Presidente del Consejo de Ministros, Primer Secretario del PCC y Comandante en Jefe de las Fuerzas Armadas Revolucionarias. En 1979, durante la Sexta Conferencia de Jefes de Estado de Países No-alineados, Castro identificó el socialismo como el aliado idóneo de los movimientos del Tercer Mundo. Ese mismo año le prestó asistencia al gobierno sandinista de Nicaragua.

La revolución cubana se planteaba entre sus objetivos primordiales, mantener el control del gobierno cubano sobre los destinos de la patria y el mejoramiento educativo, social y económico de las clases menos privilegiadas. Esta revolución, caracterizada como nacionalista y humanista al principio, sufrió un brusco cambio al declararse Castro marxista leninista. Cuba, convertida en satélite ruso, se hizo nuevamente dependiente de otra superpotencia. La revolución, admirada por los demás países hispanos, que veían en ella el modelo del ideal nacionalista hispanoamericano, fue perdiendo prestigio a través de los años. Más que por revolucionario, hoy se distingue Cuba como un país donde se violan impunemente los derechos humanos.

Entre las acusaciones más recientes a Castro se cuenta la de su involucración con el narcotráfico, sacada a relucir durante el caso del juicio y condena a muerte de Arnaldo Ochoa. Durante 1990 los grupos disidentes se han hecho más visibles y el PCC ha centralizado aún más su control en las estructuras de mando. Según declaraciones de Carlos Rafael Rodríguez, Vice-Presidente del Consejo de Estado cubano, en la ciudad de Tokyo en noviembre de ese mismo año, su país estaba pasando por la peor crisis económica desde la revolución del 59. Esto se ha debido, entre otros factores, a una baja en la producción del azúcar; a la ganancia limitada en los productos exportados como consecuencia de la depreciación del dólar; y a medidas comerciales mucho más restringidas entre la Unión Soviética y otros países de la Europa del Este hacia la nación cubana. En 1993 el pueblo cubano, 34 años después de la revolución, aún lucha por resolver su situación política y económica.

Poesía

La poesía de protesta cubana revolucionaria apareció con el anhelo independentista y el ímpetu de americanismo que colma la obra de José Martí y continuó con la conciencia racial y de clase en la obra de Nicolás Guillén. Con el triunfo de la Revolución del 59 la poesía cubana asumió un carácter diferente al ponerse definitivamente al servicio de un programa social. Algunos poetas, tales como Félix Pita Rodríguez, continuaron su producción de poesía comprometida encasillada en la plataforma revolucionaria.

Dos grupos de escritores se distinguen en la generación post-Guillén, el primero se forja alrededor de dos revistas: *Orígenes* y *Ciclón* e incluye, entre otros, a José Lezama Lima y a Cintio Vitier. Estos escritores continuaron produciendo después del triunfo de la Revolución. Lezama publicó su tomo poético *Dador* en 1960 y la novela *Paradiso* en 1966, mientras que Vitier produjo su obra poética *Testimonio* en 1968 y más tarde escribió una trilogía novelesca entre 1978 y 1986.

Frente a *Orígenes* y *Ciclón* a veces, y como continuación a lo que se escribió en estas revistas, se destaca un grupo de poetas que publican en el suplemento literario *Lunes de Revolución*: Rolando Escardó, Pedro de Oraá, Heberto Padilla, Rosa Hilda Zell, Fayad Jamis, Roberto Fernández Retamar, Luis Marré y José A. Baragaño, entre otros. La diferencia entre ambos grupos (los de *Orígenes/Ciclón* y los de *Lunes de Revolución*) era más bien de enfoque: *Orígenes* evitaba la publicación de poesía folklórica, nativista o comprometida, mientras que *Lunes de Revolución* las incluía. Pero las tres revistas publicaron obras de los mismos autores como Fernández Retamar y de Oraá. Más adelante, en 1966, apareció *El Caimán Barbudo* que incluía a poetas más jóvenes, pero que también publicaba obras de escritores ya conocidos en *Lunes de Revolución* como Fernández Retamar, Jamis, Padilla y Pablo Armando Fernández. Estos últimos recibían las influencias de Nicanor Parra, los poetas rusos traducidos por éste, Ernesto Cardenal y Bertolt Brecht.

A partir de *Fuera del juego* (1968), de Padilla, queda claro que la producción literaria cubana debe estar comprometida con la revolución y dirigida por ella. En el proceso creador el "yo" colectivo ha sustituido al "yo" individual y el poeta que trate de expresar su individualidad puede ser tildado de contrarrevolucionario. El premio cubano Casa de las Américas ha sido otorgado a nivel nacional a poetas comprometidos con el marxismo que actúan como propagandistas de la revolución cubana y ha servido de acicate a la poesía de protesta latinoamericana durante los últimos años.

NICOLÁS GUILLÉN (Camagüey, Cuba. 1902-1989)
    Poeta, conferencista y periodista. A partir de la muerte de su padre, también periodista, y senador electo en 1917, la vida de Guillén estuvo llena de vicisitudes. Trabajando como impresor y estudiando por la noche, terminó su educación secundaria en 1919. Fue a La Habana para estudiar Derecho, carrera que no terminó, dedicándose desde entonces a trabajar en imprentas y periódicos. Sus primeros poemas aparecieron publicados bajo el título *Cerebro y corazón* (1922). Su participación en la política quedó reflejada en su poesía que se volvió más satírica. En ese tono escribió *Motivos de son* (1930).
    Obra. **Poesía:** *Motivos de son* (1930), *Sóngoro Cosongo* (1931, 1942), *West Indies Ltd.* (1934), *Cantos para soldados y sones para turistas* (1937), *España (Poema en cuatro angustias y una esperanza)* (1937), inspirado en la guerra civil española; *Elegías antillanas* (1947), *El son entero* (1947), *Elegía a Jacques Rumain en el cielo de Haití* (1948), *La paloma de vuelo popular. Elegías* (1958), *Tengo* (1964), *Poemas de amor* (1964), *Antología mayor* (1964), *El gran Zoo* (1968), *El Diario que a diario* (1972) y *Poesías completas* (1973).
    La poesía de Guillén ha ido evolucionando a través de los años desde sus primeras producciones, influida por Villón y Baudelaire, hasta las más recientes en las que logra resonancias universales sin perder el énfasis antillano, proletario y rebelde. Creador del poema-son, a través de su poesía afrocubana impone la protesta social y anti-imperialista. Su obra, infiltrada de la mágica fascinación del mundo caribeño, es de gran riqueza visual y auditiva.
    Desde 1934 en su *West Indies Ltd.* su voz, antigua y de siempre, que

predica con la mocha en la mano el corte de cabezas, es el clamor que premoniza y se prepara para la revolución futura. El hambre camina por los lugares antillanos y la tropa está siempre lista para disparar contra el que proteste. Los hombres, con los pies atados, son asesinados por su hermano el soldado. Al final se escucha el son de la esperanza en la mano vengativa.

WEST INDIES Ltd. (1934)

I

¡West Indies! Nueces de coco, tabaco y aguardiente. . .
Este es un oscuro pueblo sonriente,
conservador y liberal,
 ganadero y azucarero,
donde a veces corre mucho dinero,
pero donde siempre se vive muy mal.
El sol achicharra aquí todas las cosas,
desde el cerebro hasta las rosas.
Bajo el relampagueante traje de dril
andamos todavía con taparrabos:
gente sencilla y tierna, descendiente de esclavos
y de aquella chusma incivil,
de variadísima calaña,
que en el nombre de
España
cedió Colón a Indias con ademán gentil.

Aquí hay blancos y negros y chinos y mulatos.
Desde luego, se trata de colores baratos,
pues a través de tratos y contratos
se han corrido los tintes y no hay un tono estable.
(El que piense otra cosa que avance un paso y hable.)
Hay aquí todo eso, y hay partidos políticos,
y oradores que dicen: «En estos momentos críticos. . . »
Hay bancos y banqueros,
legisladores y bolsistas,
médicos y porteros.

¿Qué nos puede faltar?
Y aún lo que nos faltare lo mandaríamos buscar.

¡West Indies! Nueces de coco, tabaco y aguardiente.
Este es un oscuro pueblo sonriente.
¡Ah, tierra insular!
¡Ah, tierra insular!
¿No es cierto que parece hecha
sólo para poner un palmar?
Tierra en la ruta del «Orinoco»,
o de otro barco excursionista,
repleto de gente sin un artista
y sin un loco:
puertos donde el que regresa de Tahití,
de Afganistán o de Seúl,
viene a comerse el cielo azul,
regándolo con Bacardí;
puertos que hablan un inglés
que empieza en «yes» y acaba en «yes».
(Inglés de ciceronis en cuatro pies.)
¡West Indies! Nueces de coco, tabaco y aguardiente.
Este es un oscuro pueblo sonriente.

Me río de ti, noble de las Antillas,
mono que andas saltando de mata en mata,
payaso que sudas por no meter la pata
y siempre la metes hasta las rodillas.
Me río de ti, blanco de verdes venas
-¡bien se te ven aunque ocultarlas procuras!-
me río de ti porque hablas de aristocracias puras,
de ingenios florecientes y arcas llenas.
¡Me río de ti, negro imitamicos,
que abres los ojos ante el auto de los ricos,
y que te avergüenzas de mirarte el pellejo oscuro,
cuando tienes el puño tan duro!
Me río de todos: del policía y del borracho,
del padre y de su muchacho,
del presidente y del bombero.
Me río de todos; me río del mundo entero.
Del mundo entero que se emociona frente a cuatro peludos,
erguidos muy orondos detrás de su chillones escudos,

como cuatro salvajes al pie de un cocotero.

II

Cinco minutos de interrupción.
La charanga de Juan el Barbero
toca un son.

-Coroneles de terracota,
políticos de quita y pon;
café con pan y mantequilla. . .
¡Que siga el son!

La burocracia está de acuerdo
en ofrendarse a la nación;
doscientos dólares mensuales. . .
¡Que siga el son!

El yanqui nos dará dinero
para arreglar la situación;
la patria está por sobre todo. . .
¡Que siga el son!

Los viejos líderes sonríen
y hablan después desde un balcón.
¡La zafra! ¡La zafra! ¡La zafra!
¡Que siga el son!

III

Las cañas largas tiemblan
de miedo ante la mocha.
Quema el sol y el aire pesa.
Gritos de mayorales
restallan secos y duros como foetes.
De entre la masa
oscura de pordioseros que trabajan,
surge una voz que canta,
brota una voz que canta,

sale una voz llena de rabia,
se alza una voz antigua y de hoy,
moderna y bárbara:
-Cortar cabezas como cañas,
¡chas, chas, chas!
Arder las cañas y cabezas,
subir el humo hasta las nubes,
¡cuándo será, cuándo será!
Está mi mocha con su filo,
¡chas, chas, chas!
Y el mayoral está conmigo,
¡chas, chas, chas!
Cortar cabezas como cañas,
arder las cañas y cabezas,
subir el humo hasta las nubes. . .
¡Cuándo será!

Y la canción elástica, en la tarde
de zafra y agonía,
tiembla, fulgura y arde,
pegada al techo cóncavo del día.

IV

El hambre va por los portales
llenos de caras amarillas
y de cuerpos fantasmales:
y estacionándose en las sillas
de los parques municipales,
o pululando a pleno sol
y a plena luna,
busca el problemático alcohol
que borra y ciega,
pero que no venden en ninguna
bodega.
¡Hambre de las Antillas,
dolor de las ingenuas Indias Occidentales!
Noches pobladas de prostitutas,

bares poblados de marineros;
encrucijada de cien rutas
para bandidos y bucaneros.
Cuevas de vendedores de morfina,
de cocaína y de heroína.
Cabarets donde el tedio se engaña
con el ilusorio cordial
de una botella de champaña,
en cuya eficacia la gente confía
como en un neosalvarsán de alegría
para la sífilis sentimental.
Ansia de penetrar el porvenir
y sacar de su entraña secreta
una fórmula concreta
para vivir.
Furor de los piratas de levita
que como en Sores y "El Olonés",
frente a la miseria se irrita
y se resuelve en puntapiés.

¡Dramática ceguedad de la tropa,
que siempre tiene listo el rifle
para disparar contra el que proteste o chifle,
porque el pan está duro o está clara la sopa!

V

Cinco minutos de interrupción.
La charanga de Juan el Barbero
toca un son.

-Para encontrar la butuba
hay que trabajar caliente;
para encontrar la butuba
hay que trabajar caliente;
mejor que doblar el lomo,
tienes que doblar la frente.

De la caña sale azúcar,

azúcar para el café;
de la caña sale azúcar,
azúcar para el café:
lo que ella endulza, me sabe
como si le echara hiel.
No tengo donde vivir,
ni mujer a quien querer;
no tengo donde vivir,
ni mujer a quien querer:
todos los perros me ladran,
y nadie me dice usted.
Los hombres, cuando son hombres,
tienen que llevar cuchillo:
¡yo fui hombre, lo llevé,
y se me quedó en presidio!

Si me muriera ahora mismo,
si me muriera ahora mismo,
si me muriera ahora mismo, mi madre,
¡qué alegre me iba a poner!

¡Ay, yo te daré, te daré,
te daré, te daré,
ay , yo te daré
la libertad!

VI

¡West Indies! ¡West Indies! ¡West Indies!
Este es el pueblo hirsuto,
de cobre, multicéfalo, donde la vida repta
con el lodo seco cuarteado en la piel.
Este es el presidio
donde cada hombre tiene atados los pies.
Esta es la grotesca sede de «companies» y «trusts».
Aquí están el lago de asfalto, las minas de hierro,
las plantaciones de café,
los «ports docks», los «ferry boats», los «ten cents». . .
Este es el pueblo del «all right»,

donde todo se encuentra muy mal;
éste es el pueblo del «very well»,
donde nadie está bien.

Aquí están los servidores de Mr. Babbit,
los que educan sus hijos en West Point.
Aquí están los que chillan: «hello baby»,
y fuman «Chesterfield» y «Lucky Strike».
Aquí están los bailadores de «fox trots»,
los «boys» del «jazz band»
y los veraneantes de Miami y Palm Beach.
Aquí están los que piden «bread and butter»
y «coffee and milk».

Aquí están los absurdos jóvenes sifilíticos,
fumadores de opio y de mariguana,
exhibiendo en vitrinas sus espiroquetas
y cortándose un traje cada semana.
Aquí está lo mejor de Port-au Prince,
lo más puro de Kingston, la «high life» de La Habana. . .
Pero aquí están también los que reman en lágrimas,
galeotes dramáticos, galeotes dramáticos.
Aquí están ellos,
los que trabajan con un haz de destellos
la piedra dura donde poco a poco se crispa
el puño de un titán. Los que encienden la chispa
roja, sobre el campo reseco.
Los que gritan: «¡Ya vamos!», y les responde el eco
de otras voces: «¡Ya vamos!». Los que en fiero tumulto
sienten latir la sangre con sílabas de insulto.

¿Qué hacer con ellos,
si trabajan con un haz de destellos?
Aquí están los que codo con codo
todo lo arriesgan; todo
lo dan con generosas manos;
aquí están los que se sienten hermanos
del negro, que doblando sobre el zanjón oscuro

la frente, se disuelve en sudor puro,
y del blanco, que sabe que la carne es arcilla
mala cuando la hiere el látigo, y peor si se la humilla
bajo la bota, porque entonces levanta
la voz, que es como un trueno brutal en la garganta.
Esos son los que sueñan despiertos,
los que en el fondo de la mina luchan,
y allí la voz escuchan
con que gritan los vivos y los muertos.
Esos, los iluminados,
los parias desconocidos,
los humillados,
los preteridos,
los olvidados,
los descosidos,
los amarrados,
los ateridos,
los que ante el máuser exclaman: «¡Hermanos sodados!»
y ruedan heridos
con un hilo rojo en los labios morados.
(¡Que siga su marcha el tumulto!
Que floten las bárbaras banderas,
y que se enciendan las banderas
sobre el tumulto!)

VII

*Cinco minutos de interrupción.
La charanga de Juan el Barbero
toca un son.*

Me matan, si no trabajo,
y si trabajo, me matan;
siempre me matan, me matan,
siempre me matan.
Ayer vi a un hombre mirando,
mirando el sol que salía;
el hombre estaba muy serio,
porque el hombre no veía.

¡Ay,
los ciegos viven sin ver
cuando sale el sol,
cuando sale el sol,
cuando sale el sol!

Ayer vi a un niño jugando
a que mataba a otro niño;
ayer vi a un niño jugando
a que mataba a otro niño:
hay niños que se parecen
a los hombres trabajando.
¡Quién les dirá cuando crezcan
que los hombres no son niños,
que no lo son,
que no lo son,
que no lo son!
Me matan, si no trabajo,
y si trabajo, me matan:
siempre me matan, me matan,
¡siempre me matan!

VIII

Un altísimo fuego raja con sus cuchillas
la noche. Las palmas, inocentes
de todo, charlan con voces amarillas
de collares, de sedas, de pendientes.
Un negro tuesta café en cuclillas.
Se incendia un barracón.
Resoplan vientos independientes.
Pasa un crucero de la Unión
Americana. Después, otro crucero,
y el agua ingenua ensucian con ambiciosas quillas,
nietas de las del viejo Drake, el filibustero.
Lentamente, de piedra, va una mano
cerrándose en un puño vengativo.
Un claro, un claro y vivo
son de esperanza estalla en tierra y océano.

El sol habla de bosques, con las verdes semillas. . .
West Indies, en inglés. En castellano, las Antillas.
LÁPIDA
Esto fue escrito por Nicolás Guillén, antillano,
en el año de mil novecientos treinticuatro.

HEBERTO PADILLA (Pinar del Río, Cuba. 1932)

Padilla, periodista y poeta desde muy joven, ya en 1959 colabora con el periódico *Revolución* y su suplemento literario *Lunes de Revolución*. También fue Director de Cubartimpex, empresa cubana de importación y exportación de objetos culturales y artísticos. Más tarde salió del país desempeñándose como corresponsal de *Prensa Latina* en Londres y en Moscú. En 1966 regresó a Cuba, convirtiéndose al año siguiente en eje de numerosas polémicas. Su colección, *Las rosas audaces*, señaló el principio de la nueva poesía cubana. Al final de *El justo tiempo humano* (1962), aparecen el tema de la revolución y otras preocupaciones del poeta en cuanto a la conducta del hombre dentro del proceso revolucionario. Estas actitudes van a ser retomadas en su poesía posterior. En 1968 su libro *Fuera del juego* fue premiado en el concurso de poesía de la Unión Nacional de Escritores y Artistas de Cuba (UNEAC), estableciendo el jurado una postura de claro desacuerdo con las "ideologías contrarias a la revolución" expresadas por el poeta en esta colección.[1] La próxima medida del gobierno cubano fue la detención del poeta el 20 de marzo de 1971, la cual provocó una reacción de protesta a nivel internacional por parte de los intelectuales.[2] Después de hacer sus autocríticas, en una de las cuales rechazó la ayuda y el apoyo de los intelectuales, Padilla fue puesto en libertad. En 1980 se dirigió a los Estados Unidos donde reside desde entonces.

---

[1] De esta obra, posiblemente una de las más atacadas y defendidas de la poesía cubana de todos los tiempos, ha dicho el crítico Julio E. Miranda: "Pese a que el prólogo correctivo. . . califique a Padilla de 'ideológicamente contrario a la revolución', 'reaccionario' incluso 'fascista' entiendo que este libro es uno de los más densos y hermosos alegatos revolucionarios que se hayan escrito dentro y fuera de Cuba". *Nueva literatura cubana* (Madrid: Taurus, 1971), p. 62.

[2] El tratamiento del caso Padilla refleja un cambio en la actitud de la revolución cubana hacia sus escritores y artistas. Es interesante notar cómo, desde 1961 hasta 1968, los escritores que apoyaban la revolución podían criticarla. A partir de 1968 la actitud de tolerancia hacia las letras se transformó en una de total conformidad entre la creación y el programa político establecido. El nuevo "realismo socialista" no permite críticas a la revolución ni a sus líderes y exige que la realidad mostrada siga las pautas del marxismo, presentando color de rosa el futuro de la revolución. Esta nueva política, que provocó la crítica de escritores izquierdistas a la revolución cubana, a nivel mundial, determinó la sovietización del país en el campo cultural, social y económico.

Obra: **Poesía:** *Las rosas audaces* (1948), *El justo tiempo humano* (1962), *La hora* (1964), *Poesía y política: Poemas escogidos* (1964), *Fuera del Juego* (1968), *Por el momento* (1970), *Provocaciones* (1973) y *El hombre junto al mar* (1981). **Antología:** *Cuban Poetry, 1959-1966* (1967).

Las poesías escogidas son del libro *Fuera del juego*. "Poética" expresa el compromiso inalienable del poeta con su verdad. Decir la verdad puede ser peligroso, y así le advierte a los demás en "Dicen los viejos bardos": "No lo olvides, poeta./ En cualquier sitio y época/ en que hagas/ o en que sufras la Historia,/ siempre estará acechándote/ algún poema peligroso". En el poema "En tiempos difíciles" el hombre tiene que darlo todo: su tiempo, las manos, los ojos, los labios, las piernas, la lengua. Sólo queda la envoltura externa, un muerto vivo a quien solamente le resta andar. En la que le da título al libro el poeta, eje del poema, debe ser despedido del "juego". La revolución, como un juego, tiene sus reglas y éstas aparecen enumeradas en la primera estrofa. El que no las siga debe ser echado antes de que lo estropee todo. En la segunda estrofa se habla de las actitudes personales del artista que es "anticuado". En la tercera estrofa "los payasos" tienen que seguir con la función, aún cuando estén íntimamente destrozados. Aparece el hombre no como ente personal, sino controlado y en posiciones serviles. La actitud agresiva de la poesía se pone de manifiesto desde el inicio del poema.

FUERA DEL JUEGO (1968)
POÉTICA
Di la verdad.
Di, al menos, tu verdad.
Y después
deja que cualquier cosa ocurra:
que te rompan la página querida,
que te tumben a pedradas la puerta,
que la gente
se amontone delante de tu cuerpo
como si fueras un prodigio o un muerto.

EN TIEMPOS DIFÍCILES
A aquel hombre le pidieron su tiempo
para que lo juntara al tiempo de la Historia.
Le pidieron las manos,
porque para una época difícil
nada hay mejor que un par de buenas manos.
Le pidieron los ojos
que alguna vez tuvieron lágrimas

para que contemplara el lado claro
(especialmente el lado claro de la vida)
porque para el horror basta un ojo de asombro.
Le pidieron sus labios
resecos y cuarteados, para afirmar,
para erigir, con cada afirmación, un sueño
(el -alto- sueño);
le pidieron las piernas,
duras y nudosas
(sus viejas piernas andariegas),
porque en tiempos difíciles
¿algo hay mejor que un par de piernas
para la construcción o la trinchera?
Le pidieron el bosque que lo nutrió de niño,
con su árbol obediente.
Le pidieron el pecho, el corazón, los hombros.
Le dijeron
que eso era estrictamente necesario.
Le explicaron después
que toda esta donación resultaría inútil
sin entregar la lengua,
porque en tiempos difíciles
nada es tan útil para atajar el odio o la mentira.
Y finalmente le rogaron
que, por favor, echase a andar,
porque en tiempos difíciles
ésta es, sin duda, la prueba decisiva.

FUERA DEL JUEGO

A Yannis Ritzos, en una cárcel de Grecia

¡Al poeta, despídanlo!
Ese no tiene aquí nada que hacer.
No entra en el juego.
No se entusiasma.
No pone en claro su mensaje.
No repara siquiera en los milagros.
Se pasa el día entero cavilando.

Encuentra siempre algo que objetar.

A ese tipo, ¡despídanlo!
Echen a un lado al aguafiestas,
a ese malhumorado
del verano,
con gafas negras
bajo el sol que nace.
Siempre
le sedujeron las andanzas
y las bellas catástrofes
del tiempo sin historia.
Es
      incluso
           anticuado.

Sólo le gusta el viejo Armstrong.
Tararea, a lo sumo,
una canción de Pete Seeger.
Canta,
      entre dientes,
           "La Guantanamera".
Pero no hay
quien le haga abrir la boca,
pero no hay
quien le haga sonreír
cada vez que comienza el espectáculo
y brincan
los payasos por la escena;
cuando las cacatúas
confunden el amor con el terror
      y está crujiendo el escenario
      y truenan los metales
      y los cueros
      y todo el mundo salta,
      se inclina,
      retrocede,
      sonríe,

abre la boca
"pues sí,
  claro que sí,
  por supuesto que sí. . ."
y bailan todos bien,
bailan bonito,
como les piden que sea el baile.
A ese tipo, ¡despídanlo!
Ese no tiene aquí nada que hacer.

NARRATIVA

El primer libro de cuentos cubanos, *Lectura de pascuas* (1899), cerraría la centuria y abriría las puertas del siglo XX para este género literario en el país. En 1906 los cuentos *De tierra adentro*, cuyo telón de fondo es el campo cubano, le otorgaron a Jesús Castellanos el título de precursor de la cuentística nacional, seguido por el fundador del cuento nacional Luis Felipe Rodríguez, autor de *La pascua de la tierra natal* (1928) y *Marcos Antilla* (1932). También sobresalieron a principios del siglo Alfonso Hernández Catá y Enrique Serpa, introductor este último de la protesta social.

El crítico norteamericano Seymour Menton distingue cuatro promociones de cuentistas en lo que va de siglo y las agrupa políticamente. Los autores de la primera, nacidos alrededor de 1900, compartieron un ideario político en contra de la dictadura de Gerardo Machado (1925-1933) y se dieron a conocer a través de la *Revista de Avance* (1927-30). Se destacan en el grupo Alejo Carpentiér, Enrique Labrador Ruiz, Carlos Montenegro, Lydia Cabrera y Lino Novás Calvo. La promoción siguiente rechazó el tema criollista de los anteriores y cultivó la literatura fantástica y escapista. Jorge Onelio Cardoso fue la excepción, y su obra está entre la mejor de los criollistas. Estos autores se agruparon alrededor de la revista *Orígenes* (1944-54) y entre ellos aparecen José Lezama Lima, y Virgilio Piñera, también autor dramático, iniciador mundial del teatro del absurdo.

La tercera promoción, conocida como "primera generación revolucionaria", estaba integrada por autores que habiendo residido en los Estados Unidos se vieron influidos por el existencialismo y tenían una visión pesimista del mundo. Esta generación coincidió políticamente con la presidencia de Carlos Prío (1948-52) y literariamente colaboró con la revista *Ciclón* (1955-59) y *Lunes de Revolución* (1959-62). Sobresalen Calvert Casey, Humberto Arenal, Guillermo Cabrera Infante y Antonio Benítez Rojo. La cuarta promoción, conocida como la "segunda generación revolucionaria", se identificó en un principio con la revolución y publicó su obra después de 1959. La integran Jesús Díaz, Reinaldo Arenas, Norberto Fuentes y Eduardo Heras León.

A partir de 1959 han proliferado los libros de cuentos. Se han publicado relatos en varias antologías del cuento, en antologías generales, y en obras de autores individuales. Se destacan las colecciones *Condenados de Condado* (1968) de Norberto Fuentes y *Narrativa cubana de la revolución* (1968) de José Manuel Caballero Bonald. El cuento cubano después de los 60 tendió hacia la literatura fantástica de una parte y hacia el relato de acción revolucionaria de otra. El caso Padilla puede haber influido en la supremacía del tema fantástico sobre la literatura de compromiso que aparece después de 1968. Los temas que más se repiten en los cuentos de la revolución cubana son: los últimos años del batistato con sus actos de represión y tortura, el panorama de la revolución de Castro, las luchas contrarrevolucionarias y la falta de adaptación a la realidad revolucionaria.

En cuanto a la novela, una de las primeras muestras del género como testimonio de las luchas políticas es *La trampa* (1956) de Enrique Serpa. Obra dinámica de tono social en la que sus personajes, entre los que aparecen pandilleros y revolucionarios, retratan el período machadista. Andrés Requena, en *Cementerio sin cruces* (1949), presenta un movimiento de liberación fallido. La novela también condena la dictadura trujillista y la represión política.

Bertillón 166 (1960) de José Soler Puig, trata de la lucha contra Batista. Juan Arcocha en *Los muertos andan solos* (1962), encasilla a la Cuba revolucionaria de 1950 y 1960. Edmundo Desnoes presenta en *No hay problema* (1961) a un protagonista que se da cuenta de la necesidad de abandonar la vida fácil y luchar por la patria; y en *El cataclismo* (1965) muestra los efectos de la revolución en las distintas clases sociales. Hilda Perera también escribió novela revolucionaria en *Mañana es 26* (1960). Lisandro Otero, uno de los más conocidos novelistas cubanos del momento, escribió la gran novela documental *La situación* (1963), ganadora del Premio Casa de las Américas. En ella se retrata la forma de vivir en Cuba antes de la segunda dictadura batistiana. *En ciudad semejante* (1970), el mismo autor desarrolló en su trama el período turbulento de 1951 a 1959. Esta novela, basada en el testimonio de un testigo presencial, ha sido elogiada por Alegría como la más poderosa y convincente novela de la revolución cubana.[3] La más reciente novela de Otero, *El árbol de la vida* (1990), también tiene como telón de fondo la historia de la isla, sobre el que se mueven, en ágil contrapunto, la aristocracia terrateniente y la burocracia revolucionaria.

GUILLERMO CABRERA INFANTE (Gibara, Cuba. 1929)
En 1941 Cabrera Infante se trasladó a La Habana, comenzando su carrera periodística en 1947 cuando escribió sus primeros artículos. En 1954 se inició como crítico cinematográfico en la revista *Carteles* bajo el pseudónimo de G. Caín. Fue fundador de la Cinemateca y de *Lunes de Revolución*, revista que dirigió por varios años. En 1959 fue director oficial de cultura y del Instituto del Cine. Cabrera Infante fue Agregado Cultural en Bélgica de 1962 hasta 1965 en que se radicó definitivamente en Londres. La obra y la actitud personal del autor fueron motivo de controversia en Cuba en 1961 durante "la primera crisis de los intelectuales cubanos". En 1968 el autor se definió políticamente criticando la nueva estética literaria de la Cuba revolucionaria.
Obra: **Cuento:** *Así en la paz como en la guerra* (1960). **Novela:** *Tres tristes tigres* (Premio Biblioteca Breve, 1964), *La Habana para un infante difunto* (1979). **Ensayo y crítica:** *Exorcismos de esti(l)o* (1976), *Un oficio del siglo XX* (1963), *Arcadia todas las noches* (1980), *Mea Cuba* (1992).
Así en la paz como en la guerra ha sido traducido al inglés, francés, italiano, sueco, húngaro, polaco, checo y chino. La obra es una colección de literatura de la época revolucionaria y está integrada por catorce cuentos y quince estampas o viñetas. El tiempo histórico de las viñetas, principios de 1958, coincide con el período final de la dictadura batistiana. Las obras, tomadas de la vida real, representan un doble papel de individualidad y de fusión. Cada viñeta da un esquema independiente. La atmósfera sangrienta y el sin sentido de la tiranía, constituyen los temas principales de las viñetas y a la vez sirven de aglutinante al presentar una visión de conjunto de los años pre-revolucionarios en toda su brutalidad y violencia. El autor aparece como testigo ocular y narrador de la viñeta, especie de documento gráfico en forma de artículo periodístico. Las descripciones de hechos y personas son escuetas y de estilo directo. En un ambiente de pesadilla, lleno de tensión, los hombres actúan como animales acorralados, perseguidos y torturados.

---

[3] Fernando Alegría, *Nueva historia de la novela hispanoamericana* (Hanover: Ediciones del Norte, 1986), p. 407.

ASÍ EN LA PAZ COMO EN LA GUERRA (1960)

1

Joe se leía y pensaba que el estilo del manifiesto bien podía ser de Martí. Bueno, un Martí a los diecinueve años. Leía y, sin percibirlo, escuchaba el rumor del sueño de sus tres compañeros. Leía cuando comenzó a sentir sueño y pensó que el calor y el estar encerrados los cuatro en aquel cuarto le daba sueño. Cuando se quedó dormido con el papel en la mano, soñó con los últimos días y que paseaba por la calle y nadie lo reconocía con el pelo teñido. Si no se hubiera dormido, habría visto cómo la cerradura giraba despacio y la puerta se abría. Se despertó porque tiraban de él por el pelo; lo empujaban contra la pared y oyó las detonaciones muy cerca. Sintió un golpe en el pecho y creyó que había sido una patada. Cuando rodó hasta el suelo -la espalda todavía pegada a la pared- supo que habían sido los plomos al entrar en la carne y no golpes. Antes de perder la conciencia y sentir el estruendo brutal dentro del cráneo, vio inclinarse hasta él una cara que sonreía con sonrisa torcida y vio el pie que vino a pegarle en la boca.

No estaba muerto, pero ya no sentía: no estaba muerto todavía. Unos hombres lo arrastraban por los pies. Desde el segundo piso lo bajaron a la calle por las escaleras y su cabeza golpeaba contra cada escalón. En uno de los escalones de mármol dejó un trozo de piel cubierto de cabellos que eran rubios en la punta y muy negros hacia la raíz. Cuando llegaron a la calle, los hombres lo tiraron sobre la acera, después lo izaron y lo echaron en el camión. Antes de morir, le vinieron a la mente las últimas palabras del manifiesto, escritas por él la semana pasada: «O seremos libres o caeremos con el pecho constelado a balazos.» Era esto lo que leía.

. . . .

3

El hombre bajó la tapa de la maleta del auto y se volvió al sargento:

-Yo soy muy viejo para ser revolucionario- dijo sonriendo.

El sargento no sonrió y nadie supo si era por exceso de sentido del deber o por falta de sentido del humor.

Junto al automóvil, un soldado mantenía abierta una de las puertas para alumbrar el interior, y ahora terminaba de mirar la guantera. A unos pocos pasos, otro soldado sostenía un rifle, apuntando hacia la máquina y mirando a las cuatro mujeres que viajaban en ella. En la parte trasera, al medio, estaba sentada una muchacha, hermosa, la vista al frente, su perfil perfecto hacia él, en una forma que creyó orgullosa y rebelde.

El hombre regresó al auto, se despidió cortésmente de la patrulla y entró. Echó a andar con cuidado. Detrás quedaban los tres soldados, mirando al carro que se iba entre una nube de polvo, alumbradas las partículas de tierra por los faros, como una aureola. Uno de los soldados -el que había mirado hacia adentro con insistencia- recordó una lección de tiro y a su memoria vino claramente el vasto alcance del Springfield. Luego pensó que la máquina debía estar ya a unos cien metros. Levantó el arma y se la echó a la cara. Apuntó al centro del carro y contó: «ciento veinte, ciento veinticinco. . .» No vio el resultado, pero pudo predecirlo. En la academia de reclutas, uno que había estudiado medicina, le explicó que el cerebro nada en un líquido a presión y que una bala de alta velocidad casi siempre lo hace estallar cuando penetra, como cuando se le dispara a un tanque lleno de agua, que revienta.

El soldado bajó el rifle y miró al sargento. El sargento miraba a la máquina detenida a lo lejos, su interior alumbrado, y no volvió la cabeza. El otro soldado se echó a un lado, a la cuneta, atemorizado, pero sin saber exactamente de qué. El primer soldado sonrió y en su cara cetrina se estampó cierto orgullo profesional.

4

Uno de los marineros sublevados convirtió su camisa en bandera y la agitaba por una ventana en señal de tregua. Acordaron rendirse si se les respetaba la vida y se les juzgaba en consejo de guerra. Pero cuando salieron fueron muertos, todos, por tres ametralladoras calibre 50 que disparaban desde el parque.

Luego, los cadáveres de los cien marineros y de los civiles fueron enterrados en una larga fosa común.

Trajeron dos bulldozers y las pusieron a cavar una zanja. Desde lejos hubiera parecido la perentoria actividad de una carretera en construcción. Los que estaban allí sabían bien. Las bulldozers hicieron un hoyo de cincuenta metros de largo por seis de ancho y tres de profundidad. Al acabar, los camiones de volteo echaron los cadáveres en el hoyo. Algunos cuerpos caían fuerà y entonces los soldados los agarraban por las piernas y los tiraban dentro; o, simplemente, los empujaban con el pie. Cuando estuvieron en la trinchera, la máquina comenzó a palear la tierra hasta que cubrió los cuatrocientos cadáveres. Finalmente, los camiones, las bulldozers y una aplanadora que habían traído de una carretera en reparación rodaron sobre la tierra removida y la apisonaron. La operación había durado cinco horas, pero cuando terminaron, al amanecer, sólo quedó una mancha de tierra fresca en el solar yermo, como un costurón.

La revuelta que comenzó cuarenta y ocho horas antes había terminado.

5

La vieja negra subió despaciosamente las escaleras del edificio grotesco que parecía un castillo de cartón piedra. A su paso se cruzó un policía con una ametralladora al pecho, apretadas las manos sobre el arma. Cuando dijo a qué venía, esparció ante ella una cadena de órdenes; luego la dejaron pasar y la hicieron sentar en un banco de madera, a un lado, cerca de la puerta. Estuvo allí sentada en silencio una hora. Más tarde vino un teniente, y un cabo le comunicó a un policía que la vieja podía pasar hasta una celda del fondo, apenas alumbrada. Le costó trabajo distinguir a su hijo al principio. Vio que pegaba su cabeza a la pared y que tenía una rodilla apoyada en el banco: el banco era la única pieza del calabozo. Lo llamó. El no pareció oírla. Volvió a llamarlo y, después de un instante, él movió la cabeza, pero no hacia ella: simplemente un leve movimiento hacia los lados. Cuando lo llamó por tercera vez el hombre vino hasta las rejas. La madre contuvo un grito; su hijo no era su hijo: estaba muy hinchado; tenía un ojo cerrado, machacado, y la camisa manchada de sangre. Pero ninguno de los dos dijo nada. Ella sacó de un pañuelo tres arrugados billetes de a peso y los pasó al hijo. El hombre los tomó, después de mirarlos extrañado, y oyó que ella le recomendaba que se comprara algo de comer, que no debía haber comido.

No pudo contenerse más y le preguntó, en voz baja, qué le habían hecho.

El no dijo nada. Ella volvió a preguntarle.

El no dijo nada y, cuando trató de hablarle, de explicarle, sintió el dolor y no dijo nada. Sólo apretó los billetes en su mano y, acto seguido, los rompió en pedacitos. Finalmente supo que podía hablar.

-Vieja, me metieron una cabilla al rojo por el ano.

La madre no comprendió al principio. Cuando apretó los dedos en torno al barrote, abrió la boca, porque sabía que iba a gritar y no quería gritar; no quería más que despertar y saber que todo era una pesadilla. Pero el hijo volvió a hablar, con una voz absurdamente intacta que apenas podía pasar por los labios aporreados. Era una pesadilla, pero no era un sueño.

-Vieja, me metieron la cabilla ardiendo y lo van a volver a hacer y no lo voy a aguantar, vieja.

Volvió a sentir las ganas de gritar, pero no gritó, y cuando la policía regresó y le dijo que tenía que marcharse, que ya era hora, se dejó llevar sin decir palabra. El hijo extendió la mano y le tocó un brazo.

Esa fue la última vez que lo vio. Por la noche lo volvieron a interrogar y, entre los golpes y la falta de sueño y la luz cegadora, supo que iban a calentarlo de nuevo. De alguna manera logró soltarse y correr hacia una ametralladora. Pero no llegó a disparar. No oyó el traqueteo atropellado de la ametralladora ni sintió las balas penetrando en su cuerpo, pero sus piernas se aflojaron y cuando cayó tenía los dedos clavados en el vientre.

6

En la calle todo estaba tranquilo y la calma se extendía más allá de la esquina y llegaba hasta los curiosos que miraban con la misma curiosidad, con la misma dejada indiferencia, con temerosa apatía, cuando salieron armados, cuando montaron en el auto, todavía cuando partieron. El primer auto rodó seguido del segundo auto hasta dos cuadras más arriba y dobló a la derecha suavemente y, al doblar, el sol brilló sobre el capó y el muchacho gordo, pálido, entrecerró los ojos y pensó que sería bueno tener espejuelos oscuros para protegerse del sol. Por entre la luz, lenta y ominosa, apareció la perseguidora, y la máquina frenó casi junto a ella. El cristal saltó en finas gotas vidriadas y la bala fue a estrellarse contra el techo, dejando un hueco regular en el parabrisas. Los otros muchachos abandonaron la máquina, pero el muchacho gordo y blanco comenzó a disparar antes de salir, se movió con continuada agilidad y corrió hacia la perseguidora y disparó dentro y ésa era la última bala que tiraría: la pistola había quedado descargada, pero no era ésa la causa de que fuera su último disparo. El muchacho pálido y gordo entrecerró los ojos, giró sobre sí mismo y cayó al suelo, en una postura improbable: la mejilla derecha contra el pavimento, el brazo derecho bajo el cuerpo y el izquierdo extendido hacia atrás, con la palma hacia arriba. La sangre saltó brusca y corrió por su cara y su pelo y se estancó bajo su cabeza, formando un charco: estaba muerto.

. . . .

9

Hay una mancha en la pared, cerca del suelo -¿es sangre?- La oscuridad no deja ver bien. En el techo hay telarañas, mugre, tal vez hollín. Las paredes están garrapateadas y, por entre las lagunas de la humedad, se pueden leer los letreros: «maMá tE QUiero mucHo PRUdeNcio.» ¿Quién es Prudencio? ¿Dónde está ahora? Aparece otro: «Biva Cuva Libre.» También más allá, con perfecta ortografía, está escrito sobre la pared un párrafo. Parece que lo han hecho con la punta de un gancho y quizá su autor sea una mujer. «La tiranía toca a su fin. Lo sé porque las torturas aumentan. Cuando los asesinos sienten miedo su única expresión es la tortura.» La última palabra ha sido preciso adivinarla, porque casi había sido borrada; pero quien la borró quería que, con trabajo, fuera posible leerla.

«Mami no tengo miedo. Voy a morir y no tengo miedo.» (Esto está escrito a lápiz, con una letra fea pero decidida.) «HA LLEGADO EL TIEMPO DE LOS ASESINOS.» ¿Adivinan ustedes la palabra que falta? Algo -y cunde una sospecha temerosa- le impidió terminar. «CuERga eR 26.» El autor quiso decir «Huelga el día 26.» Hizo lo mejor que pudo y nadie sabe cuánto le costó escribir esta frase que al principio parece el discurso de un morón. «¡Viva Cuba Libre! » No queda otro remedio que pensar en un hombre maduro, que no ha querido sumarse a la causa de los jóvenes, pero que por ella ha sufrido prisión, sin duda torturas y acaso la muerte.

«Que alguien diga a mi mujer Fela que vive en Pasaje Roman y 15 la habitación no recuerdo que su marido Antonio fue torturado y que murió como un hombre Antonio Pérez.» Hay un dibujo obsceno y una palabra encima, terrible: «Batista.» Otro ha querido describir las torturas y ha hecho un garabato.

Si hubiera más luz, se podrían leer los demás mensajes. Pero los que hay bastan. Ellos son la verdadera literatura revolucionaria.

ALEJO CARPENTIER (La Habana, Cuba. 1904-1980)
          Hijo de un arquitecto francés establecido en las Antillas y una rusa que
había estudiado medicina en Suiza, Carpentier creció hablando francés antes
que español. A los 10 años de edad viajó con sus padres por Rusia, Austria y
Bélgica, estableciéndose en París donde asistió a la escuela secundaria. A su
regreso a Cuba intentó estudiar Arquitectura en la Universidad de La Habana,
pero abandonó la carrera en 1921 dedicándose profesionalmente al periodismo
desde entonces. Siempre inclinado hacia la música, escribió crítica musical para
La Discusión y *El Heraldo de Cuba* de 1923 a 1924; organizó conciertos y fue
miembro fundador del "Grupo Minorista". Junto a ellos fundó la *Revista de
Avance* y en 1914 fungió como director de la revista *Carteles*.
          En 1928 fue encarcelado por motivos políticos. En la cárcel de La
Habana escribió el borrador de su primera novela *Ecué-Yamba-O* (1933). Al
obtener la libertad salió para Francia donde vivió de 1928 a 1939. En París
dirigió la revista *Imán*. En Madrid y Valencia dirigió, en 1937, el Congreso de
Escritores. A su regreso a Cuba, en 1939, trabajó en la radio y condujo
investigaciones en el campo de la música. De 1945 a 1959 residió en Caracas.
Junto a Arturo Uslar Pietri organizó una agencia de publicidad y colaboró en el
periódico *La Nación*. Cuando regresó a Cuba, con la revolución en el poder, fue
nombrado Director de Cultura, y de la Editora Nacional. Representó al gobierno
cubano como diplomático en París hasta su muerte.
          Obra. **Novela:** *El reino de este mundo* (1949), *Los pasos perdidos*
(1953), (Prix du Meilleur Livre Etranger, Paris, 1956); *El acoso* (1957), *El
siglo de las luces* (1963), *El recurso del método* (1974). **Cuento:** *Guerra del
tiempo* (1958).
          Dice Fernando Alegría sobre la preocupación social del gran novelista
cubano: "Carpentier se mueve en una búsqueda de las raíces mitológicas
americanas con un afán de comprender los signos secretos que dividen su
facultad creadora y su conciencia social".[4] Destaca asimismo Alegría la amplitud
histórica en *La consagración de la primavera* (1978). Novela en que la ambiciosa
concepción de Carpentier apunta más alto en el contexto histórico de las luchas
sociales en Latinoamérica. Para el autor "un descubrimiento, una conquista,
tanto como una revolución, son elementos constitutivos de metáforas que
superan los límites temporales de una época y pretenden transformarse en claves
de la historia entera de una nación y hasta de una cultura". [5]

---

[4] *Nueva historia de la novela hispanoamericana*, p. 242.
[5] Ibid., p. 408.

LA CONSAGRACIÓN DE LA PRIMAVERA (1978)

El encuentro fortuito en Benicassim de Vera y Enrique da comienzo a la novela. Ella, "ballerina" arrojada de su patria por la revolución rusa va en busca de su amante Jean Claude, que se encuentra herido en España. Enrique, un cubano que lucha en las Brigadas Internacionales de la guerra civil española, la acompaña en su viaje, empezando lo que resultará en una relación amorosa. A lo largo de la narración en forma de memorias, en la que se cambia el punto de vista de uno al otro personaje, el lector se entera de los motivos que los mueven a través de un vasto ciclo histórico que abarca desde la revolución rusa hasta Playa Girón.

En un recuento de su vida Enrique pasa de La Habana, donde recuerda sus primeros pasos como revolucionario durante el gobierno de Machado, a México, París y España. En este último lugar se une a las brigadas. Al terminar la Guerra Civil Española se reúne con Vera en París. Esta ha quedado sola, Jean-Claude ha muerto. Con el escenario al fondo de una Europa revuelta deciden Enrique y Vera regresar a Cuba. Desde allí contemplan el paso de la historia. Mientras que en Europa van sucediéndose acontecimientos históricos tales como la invasión rusa de Polonia, Pearl Harbor, la batalla de Stalingrado, el desembarco en Normandía, la liberación de París, la ejecución de Mussolini, el suicidio de Hitler; en Cuba ocurre el golpe de estado de Batista del 10 de marzo y el asalto al Cuartel Moncada. Mientras tratan de estabilizar su vida, Vera se convierte en profesora de "ballet", y Enrique termina sus estudios de arquitectura. El montaje del "ballet" "La consagración de la primavera" se convierte en una obsesión para Vera, que desea insuflarle las raíces de las danzas afrocubanas y tener como figuras danzantes a iniciados de "la academia de lo que se lleva en la sangre". Continúan como fondo de la narración los primeros conatos de la revolución fidelista. Enrique, incriminado en hechos revolucionarios, huye a Venezuela.

. . . .

V

-"Mal se presenta el año" -murmuró Enrique, arrancando la primera hoja de un calendario nuevo que acababa de comprar, pues estábamos ya a 2 de enero: "Mal se presenta el año".

Hice un gesto conjuratorio del ingrato vaticinio, pues, para mí, era de decisiva importancia que los meses próximos fuesen totalmente propicios a mis empeños. Y, buscando augurios de bonanza ("augurios primaverales" titulábase el primer episodio coreográfico de *La consagración...*), pensaba en la blanca epifanía de los aguinaldos que pronto cubrirían los campos con su estremecida nevada; pensaba en la rojez de los flamboyanes y buganvilias que se encendían, como activadas en lo cárdeno y en la púrpura, tras de las muy frescas madrugadas del invierno tropical, y pensaba también en las Flores de Pascuas, que ya nos prodigaban, como en cumplimiento de un ciclo ritual, el suntuoso despliegue de sus rojeces. . . Pero Enrique pensaba en otras rojeces -rojeces de sangre- que demasiado a menudo, ahora, ensombrecían los amaneceres con el hallazgo de cadáveres en las aceras de las ciudades y en las orillas de los caminos carreteros. Estaban ahí, en las luces del alba, yacentes, traspasados de balas o colgados de los árboles, tras de confusas refriegas, fulminantes ejecuciones, siniestros "paseos", encubiertos por la noche -cuando lo muerto, lo yerto, no hubiese sucumbido horas atrás en un cuartel cercano traído aquí, llevado allá, para que no quedaran vestigios de lo hecho en las zahúrdas del terror. Aunque los periódicos trataban de minimizar los sucesos, tampoco les era posible ignorarlos del todo -ya que nada resuena tanto como el mudo clamor de un cadáver- afirmando que todo era debido -¡y esto, día tras día!. . . - *a pugnas existentes entre sectores revolucionarios* (sic). Lo cierto era que los caídos o colgados en la zona de Holguín, Mayarí, Banes, Puerto Padre y Victoria de las Tunas, mostraban en sus carnes las huellas inequívocas de la tortura. -"Todos eran militantes comunistas o pertenecían al Movimiento 26 de Julio" -me decía Enrique, extendiéndose en lo sabido hasta hoy sobre aquellas "navidades sangrientas" que un abominable coronel Fermín Cowley, ejecutando órdenes de Batista, había situado muy precisamente en los días de *"Felices Pascuas"* y *"Merry Christmas"*, embadurnando de encarnado los pesebres de Belén. Una de las víctimas (precisamente el director del "Movimiento 26 de Julio" en Holguín), con la columna vertebral quebrada, había sido ultimado a punzonazos y acribillado a tiros, luego de que fuese izado, soga al cuello, a una alta rama, en inmundo ceremonial calcado en la práctica de los linchamientos norteamericanos... Mucho había oído yo hablar, en mi vida, de comunistas derribados y supliciados en una lucha que ya se inscribía, por lo larga y lo tenaz, en la historia de este siglo. Lo que cobraba un sonido nuevo para mí era eso del "26 de Julio". -"¿Cómo? ¿No te acuerdas?" -dijo Enrique: "¿No te acuerdas del asalto al Cuartel Moncada?" Sí. En efecto. Había sido un 26 de julio, ahora relacionado con el desembarco de unos expedicionarios venidos de México, y que, al parecer, habían sido exterminados en un primer encuentro con las fuerzas gubernamentales. -"Pues, no; no lo creo"

-decía Enrique: "Si nada grave sucediera allá (y señalaba instintivamente hacia el este) no se desatarían de tal modo las furias de la represión"... Y algo grave sucedía, allá, probablemente, ya que a mediados de aquel mes de enero, los periódicos hicieron saber que el Congreso, en sesión conjunta, había acordado la suspensión de las garantías constitucionales, estableciéndose, por añadidura, la censura de prensa.-" ¡Caray! ¡Como que estamos en estado de guerra!" -observó Teresa, que nos visitaba aquella tarde: "Y oigan esto (engolando la voz para leer los titulares de PUEBLO): *La suspensión de garantías es para el terrorista y su cómplice. La ciudadanía, el hogar y la familia tendrán al gobierno y a sus agentes a su más absoluto servicio*". -"Ya me jode eso del hogar y la familia" -dijo Enrique: "No hay palabras más puteadas en todos los idiomas. Los anticomunistas -¡perdón, Vera!- persiguen a los comunistas en nombre del hogar y de la familia. Petain y Laval fusilaban a los resistentes franceses en nombre del hogar y de la familia. Ahora los policías y soldados de Batista encarcelan, torturan y matan, invocando el hogar y la familia". -"Hogar y familia son sinónimo de Orden" -dijo Teresa, con la gravedad de tono que adoptaba para hablar en broma. -"La paz de los sepulcros" -dijo Enrique. -"O la paz de la Calle 17, donde tienes hogar y familia. ¡Y qué hogar y qué familia, mi hermano! ¡Lo 'más granado', como dicen nuestros cronistas mundanos. ¡No puedes quejarte!" -"Mira, Teresa: vete al carajo".

La vida seguía su curso. Tantas veces había sufrido yo a causa de acontecimientos ajenos a mis voliciones profundas, que me iba acorazando contra las conmociones del entorno, encerrándome en una suerte de recinto propio donde cuidaba de no ser alcanzada por los estrépitos de la calle. Me había tocado vivir en una época de dura Historia -como dura había sido la época de las Guerras de Religión- y no era yo, débil mujer, quien iba a desfacer entuertos ni enderezar lo torcido. Mientras más rodeada de dramas me sentía, mayor era mi voluntad de *huir hacia adelante,* centrando mi mente en el trabajo que me era propio. Reconociendo ahora que por mucho entregarme a lo que germinaba en la Plaza Vieja, había descuidado mi hoy utilísima escuela del Vedado, mientras Calixto y Mirta trabajaban en lo suyo, consagraba algunas horas, cada día, a diversificar y remozar los métodos de enseñanza de Silvia y Margarita, algo propensas a estancarse en una rutinaria observancia de métodos académicos. Y, un día que no habría de olvidar, aunque se pareciese a cualquier otro día, después de compartir un frugal almuerzo con mis colaboradoras en una cafetería cercana, tomé mi habitual camino hacia La Habana Vieja, de acuerdo con un itinerario tan sabido que mi pequeño automóvil parecía seguirlo por cuenta propia, como guiado por un robot, mientras mi mente andaba en otras cosas. Tomar por aquí; doblar por allá; esperar el cambio de luces; derecho, ahora, hasta la fachada mozárabe del antiguo Colegio de las Ursulinas, y, luego de doblar a la izquierda. . . Pero hoy había sido sacada de mi propia ausencia, devuelta a la realidad inmediata por un frenazo brutal de mi mano derecha: -"¡Habráse visto!". . . Parando en seco había esquivado yo, a filo de centímetros, un camioncillo rojo, sobre el cual hablaban unas letras blancas: F A S T   D E L I V E R Y   S. A.   *Entrega rápida de paquetes*. EXPRESO HABANA ALQUÍZAR. -"¡Por entregar rápidamente sus bultos matan a las gentes!" -grité, furiosa, aunque nadie se percatase de mi indignación, puesto que el camioncillo rojo enfilaba velozmente hacia la calle Monserrate, seguido de dos automóviles que detrás de él rodaban, como para aprovechar las brechas que con su insolente acometividad abría, en el muy congestionado tráfico de la media tarde el infernal mandadero de F A S T   D E L I V E R Y . . . En la Plaza Vieja se trabajaba como de costumbre. Sonaba en el pick-up una *Rítmica* de Amadeo Roldán. Pero me sorprendió ver que ni Calixto ni Mirta vigilaban el conjunto, encerrados ambos, al parecer, en la oficina que también servía de dormitorio a mi discípulo. No pensé, desde luego, que hubiese nada reprensible en ello; pero pensé también que no era muy inteligente esto de encerrarse así, a la vista de quienes, por ser acaso menos limpios de espíritu, no dejarían de hacer sucias conjeturas. E iba yo a llamarles la atención cuando se abrió la puerta bruscamente y apareció Calixto, sumamente agitado, seguido de Mirta, cargando con un pequeño aparato de radio que yo le había regalado. -"¡Acaban de matar a Batista!" -gritó. -"Acaban de matar a Batista!"-coreó Mirta. Y hubo carreras, exclamaciones, apresuramientos, preguntas ansiosas, que apenas dejaban oír lo que contaba mi discípulo. Sí. El Palacio Presidencial acababa de ser asaltado por un grupo de jóvenes universitarios. Sí. Habían surgido de un camión rojo, como demonios, forzando la guardia del edificio. Combatiendo denodadamente habían ido subiendo, piso por piso, hasta penetrar en el despacho del Dictador, derribándolo a tiros. Ahora se combatía en todas las inmediaciones del Palacio. -"¡Voy allá!"-dijo Calixto.-"¡Vamos contigo!"-gritaron Hermenegildo y Sergio. -"¡Espérenme!" -gritó Mirta: "Me echo un vestido por encima." "¡Tú no vas a ninguna parte!" -dije, agarrándola por las muñecas: "¿Qué van a hacer allá? No tienen armas. ¡Son unos locos!"-"¡Déjeme, Madame!... ¡Espérenme! ¡Espérenme!"... Pero los otros iban ya escaleras abajo, en seguimiento de Calixto... Mirta, con la cara encendida, se volvió hacia un grupo de varones que permanecían en un rincón, inmovilizados por la indecisión: "¿Y ustedes? ¿Qué hacen? ¿Son maricones o qué?" De pronto, una voz que me era desconocida por lo metálico del timbre me salió de la garganta, tremendamente enérgica y autoritaria: Que no hiciesen tonterías. Lo que acababa de suceder era algo gravísimo y, por lo mismo, era insensato arrojarse a la calle, así, así -sin saber dónde situarse ni a quién obedecer-, para engrosar el tumulto, agravar la confusión, estorbar, en suma, con una vana agitación de hombres desarmados, los movimientos de quienes actuaban, seguramente, de modo concertado, con perfecta conciencia de sus objetivos, contando con el respaldo de fuerzas revolucionarias bien repartidas. Y entonces fue cuando la nueva y tajante voz que desde unos minutos me brotaba de adentro, como impulsada por un aliento que me era desconocido, me sorprendió por un insólito uso de la palabra *Revolución*. Atropelladas me salían las frases, una arrastrando la otra, en un lenguaje tan ajeno al de mis convicciones profundas, que me parecía cosa debida a algo como un *distanciamiento* brechtiano. Yo, Vera, la antirrevolucionaria de siempre, estaba representando el mentido papel de quien carga con toda una sabiduría revolucionaria -como trágica encargada de accionar un personaje a lo Louise Michel, que lo hace de maravillas aunque sin identificarse con lo que dice, consciente, en todo momento, de que su trabajo está en crear y sostener una imagen/ representación. La Revolución -decía yo- era cosa sumamente seria. Y lo sabía yo mejor que nadie (mejor que muchos de los que aquí hablaban de revoluciones) puesto que había asistido, cuando estudiaba la danza como la estudiaban ellos ahora, *al nacimiento de la máxima revolución de todos los tiempos* (y la frase me venía de Enrique). Aquello había funcionado como un mecanismo de relojería, lográndose, en *diez días que conmovieron el mundo* (frase de Gaspar), ante el asombro de la humanidad, un vuelco de todos los valores establecidos (frase de José Antonio). La burguesía cubana era larvada por *una creciente pérdida de estilo, de vergüenza, debida a su perpetua apetencia de dinero* (frase de Teresa), y la muerte de Batista debía verse como posible efecto de un *sobresalto de la conciencia colectiva* (Gaspar). Pero -y debía recordarse que yo me hallaba en Petrogrado durante los diez días históricos-, la Revolución no era un carnaval ni un holgorio; significaba disciplina, obediencia a las consignas, sangre fría ante los hechos... Y si los que ahora me rodeaban tenían una auténtica *conciencia revolucionaria* (Gaspar), debían esperar, con la mayor ecuanimidad posible, el momento de ocupar sus puestos en la lucha revolucionaria... -"En estos minutos, acaso decisivos..." Pero mis palabras fueron apagadas por un tumulto de preguntas: Calixto, Hermenegildo y Sergio acababan de entrar en el estudio, sudorosos, sofocados por una larga carrera, con caras -no podría hallarse calificativo más justo- de derrotados: "No hay modo de acercarse a Palacio... Todas las calles cerradas... Y hasta tanques ligeros... Dicen que hay muchos muertos, muchos heridos..." -"¿Y Batista?"- "parece que no ha muerto, no... Hubo una noticia... Aquella que oímos y quedó interrumpida... Se creyó... Pero no, desgraciadamente... No... El intento fracasó". Por segunda vez se impuso mi voz: "Lo mejor que puede hacer cada uno es irse a su casa. Esta noche va a ser dura".

Y, por lo mismo que una feroz represalia era de temerse y que yo ignoraba, desde este siempre apacible rincón de La Habana, el aspecto que presentaba el centro de la ciudad, me fue particularmente inquietante una tardía llamada telefónica de Enrique, advirtiéndome que regresaría muy tarde aquella noche. Y no era por asistir a alguna recepción o comida ausente de su agenda que a tiempo le hubiese recordado su secretaria -que para esos casos tenía, en sus lejanas oficinas del Reparto Almendares, una pequeña habitación con lo necesario para asearse, cambiarse de camisa y hasta trocar el traje de diario por uno azul marino. No. Me explicaba ("y sería muy largo darte detalles...") que, a última hora, se le había presentado un engorro de trabajo: por enfermedad de su colaborador Martínez de Hoz, tenía urgencia de acabar un cuaderno de especificaciones técnicas para la construcción del hotel cuya obra le había sido encomendada hacía ya algún tiempo. -"¿Todo está tranquilo por allá?" -pregunté. -"Sí. Tranquilo todo. Por aquí no ha pasado nada. Acuéstate y no me esperes. Es posible que regrese de madrugada. ¡Esta maldita posada que voy a construir es cosa de nunca acabar!" ... Y regresó Enrique de madrugada, en efecto, con la corbata mal anudada, y con todas las trazas de haber trabajado mucho. Entre despierta y dormida lo vi servirse dos fuertes wiskis ("¿Quieres comer algo?" -"No. Me he llenado de sandwiches y porquerías en un quiosco de refrescos...") antes de caer rendido a mi lado. Y el alba se

le alzó en sueño malo, sobresaltado, interrumpido por un repentino
enderezo al oír que, con su peculiar rebote en las losas de la azotea, caía
el diario que cada mañana nos tiraba desde la calle con seguro tino de
lanzador de base-ball, el repartidor de periódicos. Y, por su hombro leí:
*"Frustrado el asalto al Palacio Presidencial por un grupo de 40
hombres con numerosas armas. Numerosos muertos y heridos. Seis de
los asaltantes subieron hasta el segundo piso lanzando tres granadas de
mano, una de las cuales hizo explosión. . . Calculan en veinte las bajas
de los asaltantes. El asalto a Radio Reloj fue la señal del asalto. Rápida
acción de los tanques ligeros de las Fuerzas Armadas. Balacean al
Presidente de la Federacion Estudiantil Universitaria José Antonio
Echevarría a un costado de la Universidad. . . Ocupadas por la policía
la C. T. C. y la Universidad".* . . . Ahora empezaba yo a ver claro en los
acontecimientos del día anterior. Pero Enrique no se mostraba muy
locuaz: "¿Qué quieres que te diga? No sé más de lo que acabas de leer".
Era evidente que estaba nervioso, preocupado, y, a medio vestir, se
asomaba a las ventanas cuando algún ruido distinto de los habituales se
alzaba de las calles cercanas, todavía sumidas en las frescas sombras del
día naciente. Sonó, en su hora temprana, el pregón del florero. -"Como
si nada hubiese pasado" -murmuró Enrique: "¡Ojalá hubiesen podido
llevar flores, hoy, al velorio de Batista!" Acostumbrada a la jovialidad
de sus despertares de hombre saludable, a quien el excesivo *beber de*
ciertas noches de francachela no alteraba los reflejos ni enturbiaban el
ánimo en resubidas de hangover me sorprendía, ahora, al oírlo maldecir
el jabón que no espumeaba, la navaja que no cortaba, el agua demasiado
caliente. (-"Parirás con el dolor de tu vientre", dijo Jehovah a Eva; pero
nadie recuerda que también dijo a Adán: "Te afeitarás cada día, con las
lágrimas de tus ojos. . . ") Tenía prisa por marcharse. Desayunó de
cualquier modo, leyendo y releyendo el periódico, y apenas si respondió
con un gesto amable a mi despedida de rigor: "¡Tal parece que hubieses
tomado parte en el asalto al Palacio!" -le dije. -"¡Ojalá hubiese tenido los
cojones de hacerlo! Pero, hasta eso me falta. Soy un mierda" . . .Y
pasaron varios días durante los cuales, a la atmósfera de tensión y
desasosiego que, evidentemente, reinaba en la ciudad, se añadía, para
mí, la inquietud de ver que Enrique, atareado con el cuaderno de
especificaciones técnicas de nunca acabar, regresaba a casa, cada noche,
a horas insólitas. Había algo anormal en ello, puesto que cuando tenía
alguna labor atrasada o pendiente la traía acá, donde disponía de mesas

de dibujo y todo lo necesario para trabajar. . . . Comencé a pensar que Enrique me ocultaba algo, aunque me fuese imposible dar con las razones de su comportamiento inhabitual. Si lo llamaba a su despacho, a las 11 o las 12 de la noche, me respondía inmediatamente con un: "Ya estoy terminando... Acuéstate... Ya voy para allá". Regresaba con cara de pocas fiestas y no solamente no lo envolvían hálitos de licor, sino que me parecía más bien -no sé. . . que traía como un olor a medicinas prendido en las ropas. -"El week-end es sagrado, y eso no me lo jode nadie" -solía decir él, que sólo se separaba de mí o salía solo, en sábados y domingos, cuando una razón de fuerza mayor se lo exigiera. Pero ahora -y ahí se acrecía para mí la sensación de misterio- hacía dos sábados y dos domingos que contrariaba sus propias costumbres, largándose al atardecer, con algún pretexto poco convincente: "La construcción del hotel me crea problemas que tú no entenderías, como yo tampoco entiendo tus murumacas de 1, 2, 3, 1 yyyyy 2 yyyyy 3. Y a los problemas míos les importa poco el week-end. Si no voy a mi oficina, donde tengo mis máquinas de calcular, no puedo dormir tranquilo". Pero tampoco así dormía muy bien, y lo cierto era que, desde hacía algún tiempo, las llamadas telefónicas lo sobresaltaban como si viviese en espera de una mala noticia.

Una noche, Enrique regresó más tarde aún que otras veces, cargando con un bulto envuelto en papeles de periódicos. Como nada muy raro había en ello, apagué la luz del velador que quedaba encendida en su espera, y con voz salida de entresueños hice la pregunta de siempre: "¿Quieres algo?" -"¡Sí!"-respondió él: "¡Y pronto!" Me levanté, inquieta: "¿Qué ocurre?"-"¿Tienes gasolina, bencina, o algo parecido?" Sí. Había dos dedos de gasolina en el frasco destinado a alimentar un lindo encendedor, de mesa, regalo de José Antonio. -"No basta". Había una botella de keroseno en la cocina, para la lámpara que prendíamos cuando había interrupciones de fluido eléctrico -cosa que con cierta frecuencia pasaba en esta zona de la ciudad vieja. -"Tráela enseguida. Y también la gasolina". Enrique, sentado junto a la bañadera, sacaba del paquete mal atado con cordeles que había traído consigo, unas ropas ensangrentadas: camisa, franela, otra camisa, y no sé qué más, todo manchado del rojo herrumbroso de la sangre vieja -sangre que, desde luego, ha tenido todo el tiempo de secarse en la tela, extendiendo su color a un nimbo de morado sucio, amarillo y acuoso en los bordes. -"Abre el ventanillo de arriba para que salga el humo" -me dijo Enrique. Y, después de verter el keroseno y la escasa gasolina sobre lo arrojado a la bañadera, tiró varios fósforos encendidos sobre todo ello. Y cuando los trapos se hubieron consumido, los apilonó largamente con un palo de escoba -escoba criolla tradicional, única que consentía a usar en la casa nuestra criada Camila-, hasta que, transformados en diminutas hilachas negras, pudiesen salir por el orificio del desagüe. Se abrieron los grifos, y cuidándose de que el inmundo caldo fuese bajando poco a poco, sin tupir los caños, terminamos la siniestra tarea nocturnal cuando ya, en el cielo aún obscuro, se pintaran las primeras grisuras anunciadoras del amanecer. Abrimos todas las puertas y ventanas para disipar el olor a quemado que llenaba la casa, y, sentándose en su estudio, frente a mí, me enteró Enrique, hablando en voz baja y en estilo telegráfico, de muchas cosas que, de pronto, me aclararon las rarezas de su comportamiento de días recientes: la tarde del asalto a Palacio, uno de los atacantes ("muy amigo suyo", confesaba ahora, aunque nunca me hubiese hablado de él sino como de "un antiguo condiscípulo de la Universidad") que lo llama por teléfono, dándole a entender que le es necesario hallar un escondite. Además, está herido en un hombro, y su estado requiere una urgente cura. Podría permanecer una hora más en casa de un abogado amigo, pero el lugar es poco seguro y sería prudente marcharse de allí cuanto antes. Tampoco se disponía de médico o cirujano de confianza. Son las 6 y 10. Enrique se asegura de que todos sus empleados se han marchado, y, a la hora en que el encargado del edificio sale a comer a una fonda cercana, mi marido sale a buscar prestamente al herido, lo acuesta en el asiento trasero de su automóvil, cubriéndolo con una capa de agua, y, usando el ascensor montacarga, lo sube del garaje subterráneo a su oficina, ocultándolo en la pequeña habitación que le sirve de lugar de descanso, y donde tiene alguna ropa para los casos en que no puede venir a cambiarse a la casa muy distante del Reparto Almendares. Allí, en el diván revestido de cuero, es curado el revolucionario por un médico amigo. Pero el herido ha perdido mucha sangre y su estado requiere una atención de varios días. Se acuerda que el fugitivo, buscado ahora por toda la policía, permanezca allí el tiempo necesario. (Durante las horas laborables, el cuarto está siempre cerrado, y sólo procede el encargado a su limpieza cuando se le invita a hacerlo.) Cada tarde, Enrique le traerá alimentos y bebidas de los quioscos de refrescos, bodegas y cafés cercanos, comprando algo aquí, algo allá, para no llamar la atención. Las visitas del médico se hacen por las noches. (De ahí el misterio del persistente regreso de mi marido a horas desacostumbradas. . .) Pero, ayer en la mañana, atisbando por una ventana, el amparado cree observar, en la calle, un reiterado paso de autos patrulleros de la policía, cuyos agentes (tal vez sean ideas y no haya nada, pero, en fin, pocas son las precauciones en casos semejantes, y quien está acosado ve amenazas en todas partes. . .) miran acaso con demasiada insistencia hacia el piso donde, a lo largo de un balcón, se ostenta el vistoso letrero de A R Q UI-TECTO CONTRATISTA, sobre el apellido, alzado en caracteres más modestos, que es también el mío. Puesto sobre aviso, Enrique, fingiendo interesarse por el trabajo de un delineante, atendiendo a un cliente, o dictando cartas a su secretaria caminando de puerta a ventana y de ventana a puerta, como hace siempre, no cesa de mirar hacia afuera. Pero, no. Pasan las horas, y nada. Sin embargo, a media tarde, vuelve a advertirse la presencia de autos patrulleros (o "radiopatrullas") rondando la manzana. Usándose el teléfono de un café cercano, se consigue dónde llevar al revolucionario que si bien tiene el brazo en cabestrillo, puede valerse de sus piernas. El traslado se realiza sin tropiezos. Pero ahora hay que hacer desaparecer las camisas, las ropas ensangrentadas que habían quedado guardadas en el fondo de un closet. . . De ahí, el cinerario ritual al que yo había tomado parte principal sin saber qué ocurría. -"¿Y tú estás seguro de que la policía ignora que tuviste oculto a ese amigo durante tantos días?. . . Calixto me dijo que los asaltantes que salieron con vida de la empresa, son perseguidos de manera feroz". -"Razón de más para creer que nada sospechan de mí. O si no, ¿por qué no subieron a mis oficinas? ¿Alguien lo hubiese impedido?" -"¿Tienes miedo?" -"No. Recuerda que he peleado en una guerra". -"No es lo mismo..." Y no era lo mismo, en efecto, porque en una guerra el peligro se materializa en algo claro, manifiesto, definido. Pero ahora, toda posibilidad quedaba abierta y, por lo mismo, la imaginación -la "loca de la casa"- se dejaba arrastrar por las peores suposiciones. Y la verdad era que cualquiera que bien conociese a Enrique, hubiera podido darse cuenta de que tenía miedo. Bastaba que alguien tocara inopinadamente a la puerta -el cartero, un equivocado de piso, el mandadero de la farmacia- para que mi marido soltara el periódico que estaba leyendo (y los leía todos, en estos momentos. . .) y se refugiara en su estudio, como esperando lo peor; visible era su desasosiego ante la mirada torva de un policía -y torvas eran las miradas de todos los policías, en aquellos días. Pero nada lo ponía en mayor sobresalto que el paso de una radiopatrulla, lo que equivalía a decir que vivía en perpetuo sobresalto ya que, desde hacía algunos meses, la ciudad asistía a una inacabable proliferación de radiopatrullas. Menos aparatosas durante el día, porque la intensidad del tráfago urbano disimulaba en algo su presencia, parecían multiplicarse después del crepúsculo, llegando a hacerse una presencia obsesiva durante la noche. Gozando de su derecho de prioridad en la circulación, surgían de sus garajes almenados como fortalezas medioevales -arquitectura distintiva de casi todas las estaciones de policía de la capital- y, con ímpetu de toros sacados del toril, embestían el ámbito urbano, remontaban una avenida, tramontaban una cuesta, orillaban las aceras, doblaban intrépidamente por las esquinas, se colaban en la vía franca conseguida por una ambulancia, raudas, afanosas, como urgidas por apremiantes quehaceres, corriendo de aquí para allá con su tripulación de policías que, desde la instauración de la dictadura de Batista, habían cobrado una suerte de estereotipo, en físico y estampa, que los situaba en una especial categoría humana. Muchos, procedentes de las clases peor nutridas de la población, habían llegado flacos y esmirriados a sus cuarteles. Allí, generosamente alimentados, engordaban acercándose muy pronto a un tipo de gendarme que habría de señalarse por su ferocidad en las represiones promovidas por el régimen: porte desafiante y matachinero, estatura acrecida por el empinado quepí; delgado bigotillo "a lo John Gilbert", tan simétrico en el afinamiento de sus puntas que su perfecto dibujo parecía la obra de compás y tiralíneas; vientre ventrón, sobrealzado por el ancho cinturón de cuero -algo entre ventrera y cincha- que en vano pretendía contenerlo; anchas nalgas de gente ahíta, sedentaria a pesar de la perpetua velocidad de sus traslados y que, pasando las horas del servicio sobre los cojines de sus vehículos, habían acabado por constituirse en una ubicua burocracia uniformada -con armas largas al alcance de la mano, por supuesto, armas que no se daban siquiera el trabajo de ocultar, acaso por hacer más amenazadora su vigilancia. Los radiopatrulleros eran el azote de las prostitutas, a quienes acosaban en sus áreas de trabajo, para exigirles un diezmo sobre ganancias. Los radiopatrulleros encargados de la represión de juegos ilícitos, capitalizaban los negocios de loterías marginales, rifas, *bolita* y *Charada China*, con beneficios lealmente repartidos entre jefes y subalternos. Y, a la hora de los relevos, los radiopatrulleros se entregaban a fulminantes razzias en las fondas y restaurantes reputados por la excelente calidad de sus fiambres, cargando en la retirada -y sin desembolsar moneda- con enormes bultos repletos de jamones, embutidos, mortadelas y cuanto se les antojara, sin olvidar las botellas de cerveza por docenas y los cartones de cigarrillos ingleses y norteamericanos -todo "para la familia", explicaban a los camareros, resignados a padecer sus cotidianas incursiones. Y así, La Habana, que hubiese sido ayer la indolente y criolla ciudad de las volantas y los quitrines, vivía ahora bajo el signo de la Radiopatrulla. La Radiopatrulla, con sus hombres armados, era su distintivo, su *label* -las torres y fauces en campos de gules, de su policial heráldica. . . Y, por lo mismo, la Radiopatrulla se había vuelto una obsesión para Enrique- y más en estas calles de la ciudad vieja, huérfanas de mayor tránsito después del crepúsculo, donde su presencia, por lo mismo, se hacía tanto más evidente. Bastaba que frente a nuestra casa pasara una Radiopatrulla a media noche, para que mi marido despertara bruscamente, quedando en insomnio hasta el alba. -"Sería capaz de avanzar en un campo de batalla bajo la metralla enemiga -y he demostrado en España que sabía hacerlo. Pero siempre me ha producido espanto lo que es nocturnal, informe, indefinido -un bulto, entrevisto en la obscuridad, cuya índole no acierto a identificar; algo que se mueve sin razón, una sombra que no corresponde a una realidad... Detesto las cavernas, porque me aterran las estalagmitas repentinamente alumbradas por el foco de una linterna eléctrica. No se sabe si son personas, animales, o qué . . . " -"Deberías tomar algún somnífero" -le decía yo. -"No. Quiero estar despierto, y bien despierto, si *ellos* se presentan de noche. . . " -"Ya hubiesen venido". -"No olvides que la primera mujer a quien amé -te he hablado muchas veces de ella- desapareció una noche en *noche y niebla*. ." -"*Ellos* no saben que ocultaste a *alguien* en tu oficina". -"*Ellos*, no. Pero otros, sí: el médico, el abogado en cuya casa estuvo antes de llamarme. . ." -"Esos, no te van a delatar". -"Pero aquí se están aplicando todos los sistemas de tortura. Y ahí es donde se quiebran muchas voluntades. . . Además, no sé por qué me imagino ahora que el encargado del edificio se ha dado cuenta de mis trasiegos de comida. . . Nunca se sabe".

En eso supimos de los terribles sucesos de la Calle Humboldt N° 7. Allí, luego de cercar una casa, había irrumpido la policía en un piso donde se ocultaban cuatro de los asaltantes al Palacio Presidencial que, supervivientes de la empresa, al cabo de un zigzagueante itinerario de escondrijos a escondrijos, creían estar a salvo -al menos, por unos días- de quienes los perseguían tenazmente. Y, la víspera, al caer la tarde, había sido la masacre: dos de los jóvenes habían sido ametrallados, casi a boca de jarro, al tratar de huir del apartamento; los otros dos, que yacían en un pasillo exterior al que se habían arrojado desde una ventana -uno, inconsciente por la violencia de la caída, junto a su compañero, cuyos tobillos estaban fracturados- habían sido ametrallados a su vez, desde una verja cerrada que, de todos modos, hacía su fuga imposible, a tiros de armas metidas entre los barrotes. Y después de ser rematados y vueltos a rematar en un alardoso estrépito de disparos inútiles, ensañándose cada cual con la carne traspasada y sangrante que a sus pies tenía, los cadáveres habían sido sacados del edificio y arrastrados a todo lo largo de una acera enrojecida, a modo de ejemplar espectáculo ofrecido al vecindario por los agentes de un siniestro Capitán Ventura quien, ufano de su tarea, se prodigaba en aparatosas gesticulaciones y alborotosas voces de mando -como para que bien se supiera que era él, y nada más que él, quien debía ser visto como el artesano y escenógrafo de aquel retablo del horror. Y, al dar su trabajo por terminado, los radiopatrulleros habían largado todavía algunas ráfagas de metralleta a las cornisas cercanas, a modo de salvas triunfales y estruendosas advertencias a quienes pudiesen interesar. . . -"El asalto a Palacio fue hace más de un mes" -decía Enrique con la voz alterada: "Y ahora es cuando". . . Y no trataba ya de disimular su ansiedad. Tenía miedo: miedo al ejecutor soterrado, a la amenaza oculta tras de las almenas y atalayas de una cercana estación de policía; miedo a lo que surge de las sombras, a lo que hiere de repente; miedo a lo dicho en la tortura por quien, acaso, sabe lo que no sabíamos que sabía; miedo a la voz desconocida que suena tras de la puerta, miedo al brusco frenazo frente a la casa; miedo a lo que, al despertar de una siesta agitada pareció tumulto y no era sino un callejero alborozo de colegiales. Y se empeñaba en repetir lo mismo: "Esto no es como en una guerra. . . En una batalla tienes el enemigo delante. . . Aquí, el peligro no tiene rostro ni horario". Se negaba a tomar somníferos o calmantes: "No quiero que me agarren dormido o amodorrado. Si vienen por mí, me defenderé, gritaré, tiraré los muebles por la ventana. . . Armaré un escándalo. . ." Puesto en el secreto de su zozobra ("lo entiendo muy bien: ciertas formas del miedo son incontrolables"), José Antonio fue del parecer que, para aquietarse el ánimo y ponerse en compás de espera, Enrique se largara por un tiempo al extranjero. El mismo se encargaría de vigilar la buena marcha de su oficina, en la que contaba, además, con magníficos colaboradores y empleados. -"Pero. . . ¿y ese hotel que ibas a construir? ¿No era una

obra sumamente importante y complicada?" -pregunté. -"Lo del hotel se
fue al carajo hace tiempo" -confesó el arquitecto: "Ahora, para conseguir
obras de tal magnitud, en Cuba, hay que ser protegido de Batista, amigo
suyo y *asociado*". -"Y tener estrechas relaciones con la mafia
norteamericana" -dijo José Antonio: "Porque actualmente se nos están
metiendo en el país -¡y con qué energía!- las grandes familias mafiosas
de Frank Costello y Lucky Luciano, con su muy activo agente George
Raft. ¡Muy bien se aclimata aquí la '*cosa nostra*'!" -"A eso hemos
llegado" -dijo Enrique: "Y creo, en efecto, que lo mejor..." Y estuvimos
de acuerdo en que, por lo pronto, fuese por un tiempo a Venezuela, país
en plena expansión, donde la arquitectura estaba cobrando un notable
desarrollo.

   Con el aumento de la represión batistiana es destruida la escuela de
"ballet" de Vera, y son asesinados dos de sus mejores bailarines. Esta, al mismo
tiempo, descubre la infidelidad de su esposo y pierde súbitamente la fe en los
demás y la ilusión que la mantenía en movimiento. Se refugia entonces en
Baracoa, lugar aislado, punto terminal de la isla, donde lleva una vida casi
solitaria y corta toda comunicación con Enrique. Mientras tanto el Ejército
Rebelde continúa fortaleciéndose, pasando de la defensiva a la ofensiva.

   Raras habían sido las navidades del año anterior, con muchas
casas en silencio, tempranamente apagadas el 24 y 31 de diciembre,
como si se estuviese en un día cualquiera, cuando otras veces, en tales
fechas, todo era pretexto a regocijo, músicas de pick-up o de charangas
familiares, pedidos de aguinaldo, visitas de casa a casa -con obsequio
obligatorio de cremas y licores, desde luego- en un festivo olor a
chamusquina de lechón, congrí en orza, frituras de teti, turrones y
frangollos, sin olvidarse las obligadas reverencias a la Cruz de la Parra
-la misma que, según se decía, traída a la isla por Cristóbal Colón,
hubiese sido usada, en sus primeras misas destinadas a los indios, por
Fray Bartolomé de las Casas. Pero si raras -por el significativo retraimiento
de muchos- habían sido las navidades del año pasado, las de éste
transcurrieron sin música, cohetes ni risas, en una atmósfera cargada de
zozobra y expectación -donde algunos guardaban el silencio por miedo,
mientras otros, los más, observaban un voluntario luto aunque ningún
deceso se hubiese señalado en sus familias. Tenían miedo -un miedo
atroz- aquellos que, por desempeñar cargos o haberse pronunciado de
manera activa, podían ser considerados como adictos al gobierno -y peor

si se hubiesen jactado, alguna vez, de ser "incondicionales". Y callaban, pensando acaso que muy pronto dejarían de callar, los que se asociaban, en espíritu, al luto llevado en Santiago y en otras poblaciones, por las madres, esposas, novias, de jóvenes revolucionarios matados por la policía o hacinados en sus mazmorras. Ahora, la verdad no podía ignorarse ni soslayarse: estábamos en plena guerra civil, y todo el mundo sabía que los guerrilleros de la Sierra Maestra habían abandonado sus reductos montañosos, bajando al llano, donde todo habría de decidirse. Sabiendo que conmigo, cuando abordaba el tema político -y lo hacía cada vez más a menudo- se condenaba al monólogo, el médico amigo se mostraba inquieto: "*Ellos* (y alzaba un brazo hacia lo alto) perfeccionaron una técnica de combate que ha resultado tremendamente eficiente. En las operaciones de guerrilla son invencibles, como invencibles fueron los guerrilleros españoles cuando las tropas napoleónicas invadieron la Península... Pero ahora el enfrentamiento será en terreno descubierto, ejército contra ejército, con fuerzas regulares que disponen de pertrechamiento, sistema logístico, artillería de todo calibre, tanques, cobertura aérea, y tengo entendido que hasta tienen un tren blindado"...Era evidente que, en muchísimas casas, se escuchaban las noticias dadas por la radio rebelde que, entre interferencias, contraofensiva de noticias oficiales, ondas emborronadas, emisiones ensuciadas por baraúndas parasitarias, iban largando sus verdades a girones. Todo el mundo sabía ya que el pueblo de Placetas, situado a sólo treinta y cinco kilómetros de Santa Clara, una de las poblaciones más importantes de la república, había sido perdido ya por los gubernamentales, arrojados también de la ciudad de Remedios el día 25 de diciembre. Y, el 30, supimos que ya se había entablado la batalla de Santa Clara. "Esa es la decisiva" -me dijo el médico que, yendo de enfermo a enfermo, oyendo algo en esta casa, algo en la otra, dando con el lugar privilegiado donde se recibían los partes de avance con particular claridad, tomando el pulso a los miedosos, auscultando a los entusiastas, comprobando la temperatura de los aterrorizados, departiendo con el que de puro contento había sanado de larga dolencia -hablando al que más, al que menos, en hora de verdad- era el mejor enterado de cuanto ocurría. -"La batalla es cruenta y terrible" -me decía, de paso, al regresar de una gira por los alrededores: "Por radio se oye al locutor envuelto en un infierno de disparos. Fusiles, ametralladoras, morteros: ¡el pandemonio!"...Y, al día siguiente con casi estrepitosa alegría: "¡Se jodió el tren blindado¡ ¡Se rindieron los trescientos cincuenta hombres que había dentro! …¡Y sigue la batalla!" …Y, el primero de enero, la extraordinaria, la prodigiosa noticia, que ya corría alborotosamente de boca en boca, en alborada de nuevo año: Batista había huido de La Habana, volando parece a Santo Domingo. Y el médico, que me llega al mediodía: "¡Confirmada la noticia! ¡Se acabó esta tiranía de mierda!… No diré que todo terminó, pero estamos en el desenlace. Puede que haya alguna resistencia por parte de los que se quedaron en tierra o tienen la conciencia demasiado sucia. Pero Fidel ha ordenado el avance de las tropas rebeldes hacia la capital al mando de los comandantes Camilo Cienfuegos y Ernesto 'Che' Guevara". Marcó una pausa y añadió, fuerte y lentamente: "Señora: podemos decir ya que ha triunfado la Revolución".

La palabra me ha alcanzado, pues, en "lo último" del mapa -aquí, donde pareciera que jamás habría de llegarme. Una revuelta -revolución a escala de ojos niños- me arrojó de Bakú, cuyo mar tenía los mismos verdores densos que el mar de aquí. Una revolución adulta me hizo huir de Petrogrado, donde oí por vez primera aquella *Internacional* que volvería a escuchar, años más tarde, en el teatro de una guerra revolucionaria en la que perdí el primer hombre a quien yo hubiese amado. Y crucé un vasto océano para escapar a una nueva guerra que ensancharía, finalmente, el ámbito geográfico de la Revolución de Octubre, para que yo, hoy, la fuera de horarios, la fuera de calendarios, la fuera del mundo, refugiada en el lugar más recóndito de cuantos había conocido, me viese bruscamente sumida en la realidad de algo que sólo puede definirse en términos de Revolución. De pronto, me invade una inmensa fatiga, una inconmensurable mansedumbre, un asentimiento pleno y total. Me rindo. Estoy cansada de huir, de huir siempre. He querido ignorar que vivía en un siglo de cambios profundos y, por no admitir esa verdad, estoy desnuda, desamparada, inerme, ante una Historia que es la de mi época -época que quise ignorar. Y percibo ahora, como en breve fulgor de iluminación, que no se puede vivir contra la época, ni volver siempre una añorante mirada hacia un pasado que se arde y se derrumba, so pena de ser transformado en estatua de sal. Al menos, si no he estado con la Revolución, no he estado contra ella, prefiriendo ignorarla. Pero se terminaron, para mí, los tiempos de la ignorancia Esta vez no vivo en un escenario, sino dentro del público. No estoy detrás de una mentida barrera de candilejas, creadora de espejismos, sino que formo parte de una colectividad a quien ha llegado la hora de pronunciarse y tomar su propio destino en manos. Traspuse las fronteras de la ilusión escénica para situarme entre los que miran y juzgan e insertarme en una realidad donde *se es* o *no se es*, sin argucias, birlibirloques, fintas ni términos medios. Sí o no... Y pregunto al fin, con la timidez del neófito amedrentado de antemano por los misterios de una prueba iniciaca: "¿Qué hay que hacer para estar con la Revolución?" Y me contestan: "Nada. Estar con ella". Abrí todas las ventanas de la casa. Las calles estaban llenas de una multitud jubilosa que parecía haber recobrado voces por harto tiempo acalladas. Frente a mí pasaron algunos con el puño en alto: "¡Viva la Revolución!". -"¡Viva!" -dije. -"Más alto: no se la oye" -me dijo el médico. -"¡Viva la Revolución!" -grité, esta vez alzando una mano abierta, blanda, indecisa. -"Así, no. Es con el puño cerrado. Fíjese: haga como yo." Acabé por levantar el puño a la altura de la sien, recordando que así hacían Gaspar y Enrique -y acaso también Calixto, ahora. -"Bien"-dijo el médico: "A la una, a las dos, a las tres: ¡Viva la Revolución!" -clamamos los dos al unísono. -"¡Viva!" -respondió la calle entera.

Al triunfar la revolución regresa Enrique a Cuba. Es testigo allí de los cambios efectuados y completa el círculo de su lucha. Termina la novela como empezó en su condición de herido, esta vez en Playa Girón.

-"Despierte, compañero. Terminó todo". Una enfermera. Y otra más. El anestesista (los cirujanos desaparecieron): -"Vamos. Abra los ojos. Mire... Ya terminó todo. Ha quedado estupendamente". Cierro los ojos otra vez, porque gozo de un prodigioso bienestar. -"Vamos, compañero"- me dice la enfermera: "¿O es que se va a quedar a dormir aquí con nosotros?" Me pasan a la camilla rodante. A mi lado anda otra enfermera con la pequeña bombona del suero en alto. Ascensor. Me suben. Un largo corredor, ahora, en que voy como momia llevada con los pies adelante. La puerta de mi cuarto, donde hay tres personas: dos mujeres, un hombre. Los conozco bien a los tres. Deleitosa, suave, honda cama. Me duermo con ganas de volver al mundo de mi infancia donde acabo de estar, con sus colores bellísimos .... (..) Están ahí los tres. Los conozco..... Tengo sueño ....
...(..............) El hombre es Gaspar: "Dice el doctor, que quedaste *cheque*. Pronto te manda pa' tu casa. Y ya sabes: el próximo 26 de julio, tú y yo, en la Plaza de la Revolución"... (..............) Mirta se acerca

a la cama. Quien está a su lado es Vera.- "Te traje a la rusa de Baracoa".
No entiendo. Y ese sueño que vuelve a cerrarme los ojos. . . (. . . . . . .
. . . . . .) Pero ahora tengo la impresión de volver de muy lejos. Oigo, veo,
lo entiendo todo, pero soy incapaz de articular una palabra. -"No mueva
los labios así, que no se oye nada" -me dice la enfermera, metiéndome
un termómetro en la boca: "Son los efectos del tipo de anestesia que le
pusieron. No podrá hablar hasta dentro de un rato largo". Contemplo a
Vera. Se ha descuidado mucho. Tiene el pelo entrecano y está vestida de
cualquier manera. Pero su rostro -de cutis reseco y quemado, como de
gente que hubiese estado muy expuesta al sol y a los vientos marinos-
sigue iluminado por esa mirada prodigiosamente clara, de un verdor
hondo aunque transparente, que me atrajo cuando la conocí en Valencia.
Me sonríe y toma mi mano derecha entre las suyas. Lo que no entiendo
es eso de *Baracoa*, que dijo Mirta -igual a como la vi por última vez, pero
más mujer, y acaso con las caderas más redondeadas. (Brevísimo sueño,
del que vuelvo creo que enseguida. Están los tres sentados junto a la
ventana, y hablan de José Antonio:) " . . .en todo gran acontecimiento
tiene que haber una nota cómica" -dice Gaspar: "Y el que la puso fue él.
Figúrate que el día 18, cuando se leyó el Segundo Comunicado de
Guerra y se supo lo de la invasión, el José Antonio ese, que se había
cogido la Revolución para él solo, se puso a oír la radio de Miami. Y
entonces -¡ay, mi madre!-, que si el desembarco había sido un éxito; que
si los carboneros de la Ciénaga de Zapata habían recibido a los gusanos
con vivas al 'Ejército de Liberación'; y que, en su avance victorioso, en
todas partes los invasores eran recibidos por el pueblo con arcos de
triunfo, flores y caramelos; y que si estaban ya a cuarenta kilómetros de
la Capital, mientras 'una pequeña resistencia' era vencida en Santiago
de Cuba. El hombre hizo un cálculo y se dijo: '¿a cuarenta kilómetros?
Entonces, están ya en Catalina de Güines, almorzando en el *Puesto del
Congo*'. Metió dos camisas, dos calzoncillos y un cepillo de dientes en
un maletín, y se fue a asilar en la Embajada del Brasil". (Risas de las dos
mujeres.) -"Quedó como una mierda, con los de aquí, y con los de
enfrente! ¡La cabeza en un cubo! Lo mejor que puede hacer ahora es ir
a trabajar de locutor en la Radio-Mato-Grosso. Lo que dije siempre:
buchipluma nomás. Nunca fue sino un *buchipluma*". (Ahora hablaban
de Calixto:) -"Se fue con los alfabetizadores. Pidió que lo mandaran a
la Sierra que él bien conoce. Parece que hacia fines de año todo el mundo
sabrá leer aquí. Así que, dentro de pocos meses. . ." (hace un gesto

giratorio con las dos manos, apuntando con los índices hacia el suelo:) . . .
"vuelve a lo suyo". . .Y ahora se me embrolla un poco la conversación porque
hablan los tres juntos, pero emerge la voz de Gaspar: ". . .yo sigo en lo
que siempre estuve: en tocar la trompeta, mientras me queden labios.
Pero, eso sí, con una diferencia: antes tocaba para hacer bailar gente que
me miraba como a un mono músico- ahora toco la trompeta para gente
que me llama 'compañero'. *Ahí está el detalle* -como diría Cantinflas".
(Nuevo sueño. . . Cuando abro los ojos me parece que está cayendo la
tarde. . . Oigo la voz de Mirta:) " . . .Tú no eres mujer de pasarte el día
tejiendo suéters o preparando natillas . . ." (Gesto evasivo de Vera, y es
Mirta quien, ahora, se dirige a mí:) -"Le digo que vuelva a trabajar sobre
La consagración de la primavera. Sí. Y ya nada se opone a que se
represente como ella lo quería. Y hay un público nuevo. Y nuestras
compañías salen al extranjero sin tener por qué avergonzarse de recibir
una ayuda de arriba. Nunca, como ahora, tuvo tanto éxito el ballet. . . "
(Gaspar:)-"¿Por qué no te decides, Vera?" - "¡Bah!" (Mirta insiste:)
-"Calixto estará de regreso para octubre o noviembre. Si quieres voy a
reunir la gente que teníamos, y en seguida empezamos a trabajar".
-"También habría que encontrar nuevos bailarines para sustituir a los
que nos mataron" -dice Vera, como desalentada de antemano. -"Eso se
consigue fácilmente, ahora que muchos jóvenes están estudiando la
danza en las Escuelas de Instructores de Arte". -"Estoy muy vieja para
empezar de nuevo". -"¿Tú no crees, Enrique, que tengo razón?" -me
pregunta Mirta ahora. -"¿No ves que no puede contestarte?" -dice Vera.
Trato de contestar, sin embargo. Pero las palabras pensadas no pasan a
la articulación: "Mmmmmmmmmm. . . Eeeeeeeeeeee a. . . a. . . o."
-"Descansa" -dice Vera. . . No puedo hablar, pero puedo mover las manos. Y,
en el espacio, trazo unos signos. -"No entiendo"- dice Gaspar. -"No
entiendo" -dice Mirta. Repito el gesto. -"Se está persignando" -dice
Mirta. -"Nadie se persigna apuntando para afuera" -dice Gaspar. -"Yo
creo que sí entiendo" -dice Vera. Mirta se levanta: "¿Te llevo, Vera?"
-"¿No será mejor que me quede a dormir aquí?" -"¿Para qué?" -dice
Gaspar (y yo asiento con las manos): "Esto no tiene peligro y no vas a
hacer más de lo que pueden hacer las enfermeras". Muevo la cabeza con
mímica que expresa mi aprobación. -"¿Ya ves? Dice que sí". Vera me
aprieta la mano otra vez, largamente -"Aaaaaaaaaa. . . Veeeeeeeeee"...
Quedo solo otra vez. Sueño. Tremendo sueño. Miro hacia la pequeña
bombona de suero que no acaba de vaciarse. . . . .

. . . El médico, con quien hablé al salir, me dijo que la operación de Enrique -muy delicada, porque eran varias las fracturas- había sido un logro total: "Pronto lo podrá llevar a la casa". . . Aquella vez -*allá*- lo que me había devuelto la Guerra era un vencido, pues no había sanado Jean-Claude de sus heridas, cuando ya caía Brunete, otra vez, en manos de los franquistas. Aquí, lo que me ha devuelto la Guerra es un vencedor, porque el enemigo fue arrojado al mar por donde vino, en un ejemplar escarmiento de barcos hundidos, aviones derribados, tanques abandonados, con el lastimoso espectáculo de sus hombres leopardos (me refiero a las pintas del bélico traje que traían) llevando, entre columnas de milicianos victoriosos el paso renqueante y alicaído de los prisioneros que demasiado pronto esperaban el rápido triunfo de una mala causa. . . Al comenzar la batalla, se había hecho una necesaria redada de gente propicia a constituirse en Quinta Columna o realizar acciones de sabotaje. Amplia redada, pero acaso no todo lo amplia que hubiese debido ser -y en esto el Gobierno Revolucionario había dado muestras de gran moderación dentro del rigor que exigían las circunstancias -pues, me constaba que antiguas alumnas mías, de la escuela del Vedado, hoy casadas y algunas con hijos, habían celebrado prematuras fiestas el día de la invasión, en torno a los aparatos de radio que desde el extranjero difundían los mentirosos partes del avance victorioso del enemigo, resueltas de antemano a no escuchar las noticias que transmitían las estaciones locales. Mucho champaña se había bebido ese día, y desde muy temprano y con el estampido de muchos tapones disparados entre burbujas, en sus salones de ventanas cerradas, y me divierto, de pronto, al observar que en francés no se dice "beber champaña", sino "*sabler* le Champagne" -que es como decir: *en-arenar*, poner en arena, reminiscencia, tal vez, de los tiempos en que para mantener frescas las botellas de ciertas bebidas se hundían las botellas en arena mojada cubierta de sal: *enarenar*. Y había algo cruelmente simbólico en ese *en-arenamiento*, si pensábamos hoy que, en esos mismos momentos, los combatientes y mercenarios de la contrarrevolución, se *en-arenaban* de verdad en Playa Girón -que aquél sí que había sido el gran *enarenamiento*, en arena mojada y bien mojada, con sal fina del mar y sal gruesa de metralla, y disparos de tapones que eran de muy grueso calibre... Pero bien pronto se había entibiado el vino en las copas y, a estas horas, los esperanzados de aquellos días debían estar preparando sus equipajes para largarse al extranjero, y más si habían oído, como yo en Baracoa, aquellas palabras pronunciadas por Fidel Castro en el acto del sepelio de las víctimas del bombardeo del 16 de abril: *"¡Nosotros, con nuestra Revolución, no sólo estamos erradicando la explotación de una nación por otra nación, sino también la explotación de unos hombres por otros hombres! ¡Nosotros hemos condenado la explotación del hombre por el hombre, y también erradicaremos en nuestra patria, la explotación del hombre por el hombre!. . . Compañeros obreros y campesinos: ésta es la Revolución socialista y democrática de los humildes con los humildes y para los humildes. Y para esta Revolución de los humildes, por los humildes y para los humildes, estamos dispuestos a dar la vida".*

Y, reinstalada en mi casa desde hace unas horas -después de arreglarla un poco, con ayuda de Gaspar y de Mirta, para el regreso del herido- recostada en una de las sillas de extensión de la azotea, pienso en el misterioso determinismo que rige la prodigiosa urdimbre de destinos distintos, convergentes, paralelos o encontrados, que, llevados por un inapelable mecanismo de posibilidades, acaban por incidir en razón de acontecimientos totalmente ajenos a la voluntad de cada cual. Yo, burguesa y nieta de burgueses, había huido empeñosamente de todo lo que fuera una revolución, para acabar viviendo en el seno de una revolución. (Inútil me había sido infringir el precepto de Gogol: "No huyas del mundo donde te ha tocado vivir. . .") Enrique, burgués y nieto de burgueses, había huido de su mundo burgués, en busca de *algo* distinto que, a la postre, era la Revolución que volvía a unirnos ahora. Los dos girábamos ya en el ámbito de una Revolución, cuyas ideas fundamentales coincidían con las de la grande y única Revolución de la época. Ocurre hoy lo que nunca creí posible: que yo hallase mi propia *estabilidad* dentro de lo que se enunciaba en español, en francés, en inglés, con una palabra de diez letras -sinónimo para mí, durante tantos años, de caldero infernal. Tengo la impresión de que la hora presente se me ensancha, se me aclara, ofreciéndome un Tiempo nuevo en cuyo transcurso futuro llegaré acaso a ser -¡por fin! -la que nunca fui. *"Puede usted estar segura de llegar, con tal de que camine durante un tiempo bastante largo"* -dijo a Alice el Gato de Lewis Carroll. Pero -¡caray!- ¡qué accidentado y difícil me fue el camino!. . . -"¿Qué querría decirnos Enrique con esos gestos que hacía?" -me pregunta Mirta, de pronto. -"Yo lo entendí muy bien" -dije: "Con la mano dibujaba: 1, 2, 3, 1 yyyyy 2 yyyyy 3. . . 1, 2, 3, 1 yyyy 2 yyyy 3". . .Preparé el efecto, lo confieso, alargando una pausa. Y, alzando la voz: "En noviembre ponemos- *La consagración de la primavera* en la tablilla de ensayos". -" 1, 2, 3, 1yyyyy 2 yyyyy 3" -clamó Mirta, riendo y aplaudiendo. Y, llevada por Gaspar, dio una vuelta en redondo por la azotea, cantando y bailando: "1 y 2 y 3. . . *¡qué paso más chévere*' / *¡Qué paso más chévere* / *el de mi conga es!*"   "Esto, Vera, se merece un trago" -dijo Gaspar, volviendo a mi asiento. . ."   Cayó la noche, se fueron los dos, y 1, 2, 3, 1 yyyyy 2 yyyyy 3, me conté a mí misma cuando quedé sola, volviendo a colocar la zapatilla de Anna Pávlova en su pequeña vitrina, junto a mi preciosa edición de las *Cartas sobre la danza* donde el maestro Noverre había escrito, en 1760: "*Los ballets no pasaron, hasta ahora, de ser tímidos bocetos de lo que llegarán a ser algún día*". 1, 2, 3, 1 yyyyy 2 yyyyy 3. . .

(22 de mayo de 1978)

Teatro

Una de las primeras manifestaciones dramáticas de los aborígenes cubanos fueron los areítos, palabra que proviene del arauaco "airin" y significa ensayar o recitar. En los areítos se mezclaban el baile, el canto, la poesía, la coreografía y la pantomima y eran principalmente narraciones históricas que relataban hazañas y sucesos, algunos de ellos relacionados con el ritmo de la fertilización. Estos espectáculos colectivos carecían de local o teatro, y se representaban en la plaza (batey), o en la parte más ancha de la casa (caney). Verdaderamente eran representaciones, aunque en el sentido general no deben considerarse como dramas debido a que carecían de conflicto. Para los españoles, los areítos constituían actos de salvajes y determinaron su prohibición por una de las leyes de Burgos en 1512.

A partir de entonces, el teatro cubano se basa en los modelos españoles. Queda constancia de una "danza" en Santiago de Cuba en 1520, curiosamente la primera de Cuba y de América. Las llamadas "danzas", con música y canciones, venían directamente de las representaciones españolas hechas durante las festividades del Corpus Christi. Algunos autores de esta época fueron Pedro de Castilla, Juan Pérez de Bargas, Francisco de Mojica y Jorge Ortiz. A finales del siglo XVI hay constancia de que en La Habana se representaban danzas, farsas y entremeses, así como también se mencionan dos comedias de Juan Bautista Siliceo. Pero no es hasta el primer tercio del siglo XVIII (entre 1730 y 1733), que aparece editada en Sevilla *El príncipe jardinero y fingido Cloridano*, de Santiago Pita y Borroto, la primera obra de autor cubano.

Las primeras noticias documentadas sobre actores, que datan del "año cómico" 1791-92, informan que La Habana era una gran ciudad teatral, con un promedio de 170 días de funciones al año, siguiendo el modelo español (desde el domingo de Resurrección hasta el martes de Carnestolendas). El principal edificio teatral importante de La Habana fue el Coliseo (1775), transformado en el Teatro Principal años más tarde (1803). Otro gran teatro de la época fue el Diorama, con capacidad para setecientas personas. En 1838 se inauguró el Teatro Tacón, considerado entre los tres mejores teatros del mundo, con una capacidad de más de dos mil personas sentadas y setecientas cincuenta de pie. En el escenario del Tacón representaban óperas italianas, zarzuelas, y obras dramáticas de las grandes compañías españolas.

Mientras que los españoles hacían sus representaciones en teatros de lujo, los negros, a través de los "diablitos" del Día de Reyes, continuaban de cierta manera las manifestaciones de las culturas aborígenes. Son de esta misma índole las "relaciones", pequeñas escenas dramáticas que incluían monólogos de comedias famosas y que los negros libres ejecutaban para obtener algún dinero de sus antiguos amos. También en esta época era común que los negros representaran en las calles de Santiago de Cuba, a veces durante los carnavales de julio, obras de la escena española en un acto, serias o cómicas, o piezas originales basadas en la mitología afrocubana. Debe hacerse notar que estas "relaciones" han sido revitalizadas en la época post-revolucionaria por el Cabildo Teatral Santiago.

En el siglo XIX sobresale Francisco Covarrubias, autor y actor de importancia. Covarrubias tiene el mérito de haber cubanizado el sainete de Ramón de la Cruz y de crear el personaje del "negrito" en 1812. Este personaje, visto por unos como una adición cómica a la obra y por otros como denigratorio a la raza de color, fue importante en la escena cubana durante muchos años y se anticipó al negrito norteamericano creado por Thomas D. Rice. Este personaje de color continúa, aún mejor perfilado, en la creación de Creto Gangá de 1860. Otro personaje típico del teatro popular de la época fue Alfonso el carretero, inventado por Juan José Guerrero y mejorado por Antonio

Enrique de Zafra.

En el siglo XIX también, y dejando muestras del teatro clásico, se destaca José María Heredia. Su teatro es comprometido, siendo el primer autor dramático cubano que utilizó el teatro como arma contra la opresión española y vehículo de crítica política. En *Tiberio*, estrenado durante su exilio en México en 1827, se atrevió a señalar en el texto que acompañaba la dedicatoria, las semejanzas entre Fernando VII y el despótico emperador romano.

También en el siglo XIX hubo muestras del teatro romántico, cultivado por Jacinto Milanés, Gertrudis Gómez de Avellaneda y Joaquín Lorenzo Luaces. El romanticismo cubano estaba inundado al igual que el español de ansias de libertad, liberalismo y afirmaciones nacionalistas. Luaces, incomprendido en sus tiempos, fue reivindicado después de la revolución y hoy se considera el dramaturgo más importante del período colonial. Las tres comedias de Luaces *El becerro de oro*, *A tigre, zorra y bull-dog*, y *El fantasmón de Aravaca*, a pesar de su devoción a Moliére, y a Bretón de los Herreros, representan lo cubano y llaman a un autorreconocimiento.

En la segunda mitad del siglo XIX aparecieron cultivadores del drama realista con obras de teatro serio o burgués. *Amor y pobreza* (1864), de Alfredo Torroella, estrena el melodrama cubano que gira alrededor del conflicto de clases. Este drama trató por primera vez en la escena cubana las diferencias entre ricos y pobres, explotados y explotadores. Durante su exilio en México, Torroella estrenó *El mulato* (1870), presentando nuevamente las tensiones sociales y raciales de un negro esclavo enamorado de su ama, que además es su hermanastra. En la comedia sobresalió Francisco Javier Balmaseda, con *Los montes de oro* (1861) en la que criticaba el capitalismo que se imponía en la época. También Balmaseda escribió la obra bufa *Amor y riqueza* (1888).

Entre 1868 y 1898, durante los 30 años de luchas independentistas, los autores teatrales utilizaron la escena como vehículo para hacer revolución. Los ímpetus libertarios del cubano de la época eran difíciles de reprimir y hay noticias de varios conatos de rebeldía y violencia durante el transcurso de representaciones teatrales en la ciudad de La Habana. Es parte de ello el suceso conocido como "la masacre del teatro Villanueva" ocurrida el 22 de enero de 1869. A raíz de estos acontecimientos apareció en el periódico *La Patria Libre* el poema dramático de Martí, *Abdala* (1869), obra que marca el inicio de lo que se clasificaría como teatro "mambí".[6] Es curioso que el héroe de Abdala sea de origen africano y que dé su vida luchando contra los invasores de su patria. Logra Martí de esta manera la doble reivindicación, del negro y de la patria. Balmaseda y Torroella se incluyen entre los autores de este tipo de teatro revolucionario; el segundo contribuye al género con *Carlos Manuel de Céspedes* (1900). Otros autores y obras de teatro mambí son Juan Ignacio de Armas y Céspedes con *Alegría cubana* (representada en los Estados Unidos); Francisco Víctor y Valdés, *Dos cuadros de la insurrección cubana* (manuscrito inédito); Adolfo Pierra y Agüero, *Los patriotas cubanos* (editado en inglés en Philadelphia); Luis García Pérez, *El grito de Yara*; y Diego Vicente Tejera con *La muerte de Plácido*.

En los últimos años del siglo XIX y parejo al teatro mambí se cultivó el género bufo. Se visualizan dos etapas en el bufo, la primera, desde su inauguración el 31 de mayo de 1868 hasta los "sucesos de Villanueva", cuando los bufos parten al exilio; y la segunda en 1879, con el regreso de Miguel Salas y sus bufos habaneros. En la segunda se producen las mejores obras del género que finaliza el 10 de noviembre de 1900 coincidiendo con la apertura del Teatro Alhambra. El bufo utilizaba situaciones cubanas como vehículo de protesta a la dominación española. Obras características de esta función fueron *Miscelánea dramática* (1857), de Agustín Milián y *Perro huevero aunque le quemen el hocico* (1869), de Juan Francisco Valerio. Se destacó un grupo famoso, los caricatos habaneros, y entre los cultivadores del género sobresalieron Salas, Ignacio Saragacha y Raimundo Cabrera.

Ya en el siglo XX, después de la liberación de la colonia, figura José Antonio Ramos, representante de la primera generación de dramaturgos republicanos. Su obra *Almas rebeldes* (1906), de toques socialistas y anarquistas, introduce el anti-imperialismo en la huelga de tabaqueros contra la Tobacco National Co. y el capital norteamericano. Las otras obras de Ramos impulsan al autorreconocimiento con temas como la

---

6 En el mambí, eco de las actividades de la manigua, los personajes representaban los ideales de la independencia y muchas de sus figuras hoy son históricas. Escrito por cubanos exiliados se representaba en el extranjero, principalmente en México, Colombia, Perú y los Estados Unidos. Hay pruebas de que también se presentaba en Cuba. James O'Kelly, en su entrevista a Carlos Manuel de Céspedes durante la guerra, en 1873, informa sobre representaciones teatrales para el Ejército Libertador. Para más información consultar a Rine Leal, *Breve historia del teatro cubano* (La Habana: Editorial Letras Cubanas, 1980), pp. 66-7.

reforma social en *Una bala perdida* (1907); el fracaso revolucionario de 1933 en *La recurva* (1939); la igualdad de la mujer en *Nanda* (1908); y un ataque al autenticismo en su última obra, *FU-3001* (1944). *Tembladera* (1918), ganadora del primer premio de Literatura de la Academina Nacional de Artes y Letras, constituye el mejor título de Ramos y de la época republicana. Esta obra, de clara preocupación social, trata el tema del cubano versus el capitalismo norteamericano y la pérdida de la identidad nacional. Francisco Domenech, Jaime Mayol y Gustavo Sánchez Galarraga son autores contemporáneos de Ramos.

Frente a este teatro, de escasa audiencia, se levantaba la popularidad arrolladora del Teatro Alhambra. En el Alhambra se representaba género de teatro bufo y vernáculo, adaptado a los diferentes cambios políticos y sociales, sacrificando cualquier ideología en aras del entretenimiento y la asistencia más asidua del público. Federico Villoch fue uno de los más exitosos escritores del bufo que mantenía el lleno en las butacas del Alhambra. Villoch, conocido como el "Lope de Vega de la Calle Consulado", escribió alrededor de cuatrocientas obras. Sus títulos recuerdan los hechos más sobresalientes de la República: *Aliados y alemanes*, *La carretera Central*, *La isla de las cotorras*, *El castillo de Atarés* y *El ferrocarril central*. Aunque la lista de autores y actores del Alhambra es larguísima, pueden señalarse los hermanos Francisco y Gustavo Robreño compitiendo en fecundidad con Villoch.

En los primeros treinta años de República es necesario mencionar la popularidad del Teatro Lírico (TL), impulsado por los grandes músicos cubanos. Anckerman, Ernesto Lecuona, Gonzalo Roig, Rodrigo Prats, Eliseo Grenet, Moisés Simons, y otros, demuestran la alta calidad del TL cubano y la supremacía sobre el género en toda la América Latina. Mientras tanto, los esfuerzos por interesar al público del Alhambra en teatro serio no cesaban: se fundó la Sociedad de Fomento del Teatro (1910); se inició la Sociedad de Teatro Cubano (1915); surgió la revista *Teatro* (1919), apoyada por Salvador Salazar; y nació la Institución Pro-Arte Dramático (1927). Los teatros se abrían y se cerraban ante la fuerza del Alhambra. Entre todos los intentos sobresale La Cueva, inaugurado en 1936 en un esfuerzo por estimular un repertorio cubano de teatro serio. De él surge la Academia de Artes Dramáticas (ADAD, 1940) apoyada por Alejo Carpentier, Luis Amado Blanco y José Manuel Valdés Rodríguez. Intentos posteriores fueron el Teatro-Biblioteca del Pueblo, el Teatro Universitario (inaugurado en

1941 por el austríaco Ludwig Schajowicz), el Patronato del Teatro (1941), Theatralia (1943), y ADAD (1944). La *Revista Prometeo* aparece en 1947 y se convierte en el grupo del mismo nombre; seguida por otros como El Grupo Escénico Libre, Las Máscaras y La Carreta. A pesar de representar una noche al mes ante un número limitado de espectadores, el esfuerzo de estos grupos ayuda a modificar la visión de los teatristas e interesa a sectores minoritarios, además de integrar a una clase artística dedicada que eleva el teatro cubano a gran altura.

Teatro Popular (TP), fundado por Paco Alfonso en enero de 1943, integrado por intelectuales y artistas de izquierda, se puso al servicio de los obreros y la Confederación de Trabajadores y, buscando acercarse a las masas, ofreció representaciones gratuitas. Ponen en escena obras de Martí, Luaces, la Avellaneda, Ramos, Félix Pita Rodríguez y Luis Felipe Rodríguez entre otros autores cubanos; y de Lorca, O'Neill, Caldwell, Moliére, Calderón, Gorki, Leonid Leonov y Constantin Simonov entre los extranjeros. La falta de dinero y los ataques a que fue sometido el TP obligaron a su cierre en agosto de 1945. El teatro de Paco Alfonso fue siempre de intención social y de combate y sobresale como excepción en el teatro antes de la revolución. Entre sus títulos pueden mencionarse *Yari-Yari mamá Olúa* (1941), *Mambises y guerrilleros* (1942) y *Los surcos cantan la paz* (1951).

A partir de 1954 nacieron las pequeñas salas teatrales con funciones continuas. Estas pequeñas empresas florecieron siguiendo la exitosa puesta en escena de *La ramera respetuosa* (ciento dos representaciones consecutivas) en Teatro Experimental de Arte (TEDA). A esta sala siguen Arlequín, El Patronato, Las Máscaras, Farseros, Prometeo, Hubert de Blanck, La Comedia, El Sótano, El Atelier, Prado 60, etc. El Teatro Estudio (TE), fundado en febrero de 1958, es el que demuestra más interés social y en su primer manifiesto promete acoplar la alta calidad artística con la creación de un verdadero teatro nacional. Más tarde, con el triunfo de la revolución, TE emite un segundo manifiesto abogando por una escena comprometida, lo que se presta a grandes controversias.

Con el triunfo de la revolución y como consecuencia del fervor popular y del apoyo del estado a los autores, directores y técnicos, el género teatral se fortaleció notablemente. Otros estímulos al género, entre los que se han contado los premios de la Casa de las Américas a la mejor obra de un dramaturgo hispanoamericano, con su correspondiente editorial, así como también la Unión Nacional de Escritores y Artistas de Cuba (UNEAC) y la publicación de revistas como *Conjunto*, contribuyeron a la prosperidad del teatro cubano que, a fines de los sesenta, ocupaba uno de los lugares más sobresalientes en la América hispana. Después de la revolución, los artistas en Cuba cayeron bajo la férula del Consejo Nacional de Cultura. El Consejo ha controlado cuatro secciones: teatro y danza, artes plásticas, música y literatura.

El 12 de junio de 1959 se creó el Teatro Nacional, dividido en cinco secciones que comprendían: teatro, danza, música, floklore, y extensión teatral. A éste se añadieron otros: Guernica, Milanés, Rita Montaner y Teatro Experimental. En 1960 se montaron cuarenta y nueve obras cubanas. En 1961 se creó la Escuela de Instructores de Arte; y más tarde la Escuela Nacional de Arte para alumnos becados. El teatro fue nacionalizado, el público adquirió más conciencia teatral y surgió el Seminario de Dramaturgia del Teatro Nacional. *Santa Camila de La Habana Vieja* (1962), de José Brene, fue aclamada por más de veinte mil espectadores en menos de un mes y hoy se considera un clásico del teatro post-revolucionario. Se representó el teatro de Brecht, el lírico, el infantil, la pantomima, danza moderna, floklore, comedia musical y ballet. En 1965 se alcanzó la cifra de un millón de espectadores al año. En 1968 los teatros de aficionados representaron más de tres mil funciones con setecientos mil espectadores. En el verano de 1969 había 30 grupos teatrales profesionales en La Habana, comparados con 6 en 1958. A partir de 1969 se han representado dramas clásicos y contemporáneos. En esta última categoría predominan el alemán, el francés, el griego, el inglés, el italiano, el latinoamericano, el norteamericano y el ruso. Los dramaturgos cubanos escriben teatro del absurdo, y muestran influencias de Beckett, Pinter, Ionesco y Arrabal. Bretch ha influenciado más a directores y actores de cine que de teatro.

Virgilio Piñera, Carlos Felipe y Rolando Ferrer se consideran autores de transición. Se encuentran entre la generación de ADAD-Prometeo y surgen inmediatamente después de la revolución. La mejor obra de Piñera, *Aire frío* (1962), trata una crisis familiar de valores en conflicto. Otras de sus obras incluyen *El filántropo* (1960) y *Dos viejos pánicos* (Premio Casa de las Américas, 1967). Entre las obras de Felipe sobresalen *El chino* (1947), importante en cuanto a la renovación de la dramaturgia nacional y su mejor obra *Réquiem por Yarini* (1960). Ferrer, que ya se había destacado con *Lila, la mariposa*

(1954), continúa con *El corte* (1961) y *Fiquito* (1961). Del Seminario de Dramaturgia del Teatro Nacional (1960) surgió la primera generación posterior al primero de enero de 1959. Abelardo Estorino, aún cuando no estuvo en el Seminario de Dramaturgia del Nacional, es parte de la primera promoción. En *El robo del cochino* (1961), Estorino presenta los momentos críticos del país casi al estallar la revolución. En *La casa vieja* (1963) y *Los mangos de Caín* (1965), se ocupa del período post-revolucionario. Junto a Piñera y Estorino, que se renuevan en la revolución, surgen José Triana, Antón Arrufat, Héctor Quintero, Jesús Díaz y otros. Triana se encuentra entre los dramaturgos jóvenes que colocan al teatro cubano de los años sesenta entre los más vitales del mundo hispano parlante. Este autor se preocupa por lo irracional y lo incoherente en la conducta humana y por la violencia, que observa como parte fundamental de la psicología cubana. Toma sus caracteres del mundo urbano y de las subestructuras sociales. En sus obras figuran vagabundos, mendigos y jefes políticos. Su obra, *La noche de los asesinos* (1964), es famosa en el mundo entero. Arrufat estrena después del 59 sus mejores piezas: *El vivo al pollo* (1961), *El último tren* (1963) y *Todos los domingos* (1966). *Los siete contra Tebas*, del mismo autor, fue primera ganadora del premio UNEAC al mismo tiempo que acusada de contrarrevolucionaria. Quintero se hace conocido con *El premio flaco* (1966), ganador del primer premio del Instituto Internacional del Teatro. *Algo muy serio* (1976), del mismo autor, alcanzó a cincuenta y dos mil espectadores en ciento doce representaciones. Quintero tiene la facultad de captar la actualidad social en el estilo vernáculo. Díaz deja constancia de los años revolucionarios en *Unos hombres y otros* (1966), basado en su colección de cuentos. Otros autores que siguen la tendencia absurdista de esta época son Nicolás Dorr, *Las pericas* (1963); y René Ariza, *La vuelta a la manzana* (1968).

A partir del Primer Seminario Nacional de Teatro, celebrado en La Habana del 14 al 20 de diciembre de 1967, se destacan dos grupos, dos posiciones teatrales que van a influir en las creaciones dramáticas a partir de 1968: El Teatro del Tercer Mundo, de tendencia política y Los Doce de influencia "grotowskiana". En 1968 el Congreso de Escritores y Artistas Cubanos aprobó una declaración en la que se establecía que toda obra de creación debería contribuir al proceso revolucionario. Algunos autores dramáticos lograron esta integración del arte y la revolución. Entre ellos se cuentan: Dorr, quien en *El agitado pleito entre un autor y un ángel* (1972), esquematiza la naturaleza del problema; Raúl González de Cascorro en *Piezas de museo* (1969), José Brene en *Fray Sabino* (1970) y Freddy Artiles en *Adriana en dos tiempos* (1971).

Otro hito importante en la historia de la creación dramática cubana de esta época, ocurre el 5 de noviembre de 1968. Es entonces que, impulsados por el deseo de producir un tipo de teatro diferente al de la capital, un grupo de artistas con Sergio Corrieri al frente se dirige a las montañas del Escambray en la provincia de las Villas en busca de otro público, otra ética y nuevas formas artísticas. La primera etapa, de investigación y estudio previo, fue conducida por Graziella Pogolotti y Helmo Hernández Trejo. Entre las obras representadas en el experimento Escambray debe mencionarse *La Vitrina* (1971), de Albio Paz, resultado directo de la investigación conducida en Mataguá. [7]

A partir de esta pieza se ensayan fórmulas y soluciones dramáticas que perdurarán hasta al Teatro Nuevo. Otras obras de Paz en el Escambray son *El paraíso recobrado* (1972) y *El rentista* (1974), altamente influenciado por Brecht; Sergio González produjo allí su obra *Las provisiones* (Premio del concurso 26 de julio de 1975). *El juicio* (13 de febrero de 1973), de Gilda Hernández, es una de las piezas más destacadas y renovadoras de ese período. No puede representarse sin la colaboración del público que la re-escribe en cada presentación. [8] El tema se basa en las luchas de clases más recientes y el caso específico del campesino Leandro Páez González, colaborador de las guerrillas contrarrevolucionarias del Escambray, sancionado y rehabilitado más tarde por los revolucionarios.

En 1975 Teatro Escambray se abrió a nuevos temas, la construcción y la maquinaria agrícola, entre otros. *El ladrillo sin mezcla*, de Sergio González, y *El patio de maquinarias* de Pedro Rentería, son buenas muestras de estos ejercicios de crítica colectiva. Este teatro se entronca con el chicano por el uso de la música (décimas en Cuba) y por presentar arquetipos de conductas negativas con letreros que los identifican. Las piezas del Teatro Escambray son más bien una

---

[7] La investigación consistió en entrevistas realizadas a ciento veintisiete campesinos, dirigentes y presidentes de cooperativas agrícolas. El debate propiciado durante la representación dio lugar a la participación directa de los campesinos que intervinieron y discutieron con los actores. Ibid, p. 156.

[8] Para más información sobre el grupo de Teatro Escambray, La Yaya, el Teatro de la Comunidad y la Participación Popular, consultar Rine Leal, pp. 163-6.

crítica a problemas de machismo, de construcción, de responsabilidades colectivas, etc. y recuerdan los retablos de la "commedia dell'arte", los entremeses, y los pasos de Lope de Rueda. Es teatro abierto que no da soluciones sino que presenta problemas a resolver colectivamente.[9] Este teatro ha viajado a Angola, Panamá y Venezuela (premiado con el galardón Ollantay, otorgado por la Federación de Festivales de Teatro de América, FFTA).

Después de diez años de actividad en el Escambray pueden contarse hasta diez grupos teatrales de diferente calidad, enmarcados dentro de los objetivos generales del primer corpúsculo, el Teatro Escambray. Entre ellos se destacan el Cabildo Teatral Santiago, La Yaya, Cabildo Teatral Guantánamo, Colectivo Teatral Granma, Pinos Nuevos, Teatro de Participación Popular y Cubana de Acero. Esta proliferación teatral hace que en 1977 se reúnan teatristas de varios colectivos, declaren el movimiento del Tearo Nuevo y celebren su primer festival de este Teatro. *Ramona* (1977, presentado en los Estados Unidos y el Canada en 1982) de Roberto Orihuela, y *El paraíso recobrado*, muestras de calidad del Teatro Escambray, son presentadas en La Habana en el Teatro Hubert de Blanck en 1978. Asimismo *La emboscada* (1978), de Orihuela, representada en el Festival de Teatro Nuevo en Villaclara, logra ser el drama de madurez del colectivo en diez años de trabajo. Muchas obras han continuado emergiendo en el teatro de los últimos años en Cuba. Entre otras se destacan: *En el viaje sueño* (1984), de David Camps; *Una casa colonial* (1984), de Dorr; *Ni un sí ni un no* (1984), de Estorino; *El esquema* (1985), de Artiles; y *Crimen en noche de máscaras* (1986) de Antonio Veloso y Rodolfo Pérez Valero.[10]

Entre los autores dramáticos del exilio que habían cultivado el género en Cuba se destacan Leopoldo Hernández, Matías Montes Huidobro y Fermín Borges; junto a ellos aparecen autores nuevos como Manuel Reguera Saumell, René Ariza, José Corrales, y otros. Se suman a ellos un grupo de literatos conocidos, que se estrenan en el género

---

9 Según Boudet, la obra se hace colectiva sin anular al autor, ensanchando el marco de la creación, desbordando el trabajo de equipo a la comunidad, ampliando al público, saliendo de las salas de las ciudades a locaciones naturales. Se trata de un bien común, una experiencia que se ha socializado. Ibid, p.28.

10 Para más información sobre el teatro cubano del siglo XX consultar Terry Palls, "The Theater," *Dictionary of the Twentieth Century Cuban Literature* (Conn.: Greenwood Press, 1990), pp.458-64.

dramático, entre los que destacan José Sánchez Boudy, Iván Acosta y Manuel y Mario Martín. Es notable la obra de Reguera Saumell, radicado en España, *Otra historia de las revoluciones celestes según Copérnico* (1971), farsa violenta en la que se parodia el vivir cubano desde 1902 hasta el triunfo de la revolución en 1959. Manuel Pereiras y Hernández presentan dos obras excepcionales en el teatro del exilio, en las que aparece Cuba antes y después de la revolución: *Las hetairas habaneras* (1977) e *Ireme o las débiles potencias* (1976). De Hernández también pueden mencionarse tres muestras de tema revolucionario, *El mudo* (1961), *Infierno y duda* (1967), y *No negocie, Sr. Presidente* (1977). *Fuera del juego*, de Mario Peña, puede citarse como buen ejemplo del teatro político del exilio cubano. La obra, en la que sólo actúan tres personajes, sigue la técnica del montaje cinematográfico y se intercalan en forma de "collage" *La noche de los asesinos* de Triana, *Dos viejos pánicos* de Piñera, y fragmentos de la poesía de Padilla.

MATÍAS MONTES HUIDOBRO (Sagua la Grande, Cuba. 1931)

En 1952 se graduó de doctor en Pedagogía en la Universidad de La Habana. De 1959 a 1961 fue maestro de enseñanza primaria y de la Escuela Nacional de Periodismo en Cuba. Salió de Cuba hacia los Estados Unidos en 1961 y continuó sus estudios en Nueva York y Pennsylvania. Desde 1964 es profesor del Departamento de Lenguas Modernas de la Universidad de Hawaii.

Montes Huidobro, escritor polifacético y fecundo, desde 1950 se ha dedicado a la poesía, el cuento, la novela, el ensayo y la crítica literaria. Ha recibido varios premios y menciones literarias. En novela le han sido otorgados los siguientes: mención del Premio Alfaguara 1968, finalista del Premio Planeta 1971 y mención del "Premio Primera Novela" 1974 del Fondo de Cultura.

Obra. **Teatro:** *Las cuatro brujas* (1950), *Sobre las mismas rocas* (1951), *Sucederá mañana, El verano está cerca* (1954), *Las caretas, La puerta perdida, Los acosados* (1959), *La botija* (1959), *Las vacas* (1960), *El tiro por la culata* (1961), *Gas en los poros* (1961), *La sal de los muertos* (1971), *La madre y la guillotina* (1973), *Hablando en chino* (1977), *La navaja de Olofé*, (1982), *Ojos para no ver* (1979). **Crítica teatral:** *Persona, vida y máscara del teatro cubano* (1973).

La madre y la guillotina, obra valiente, escrita en Cuba en 1961, antes de que su autor se exiliara, ha sido representada con éxito en los Estados Unidos y se ha publicado traducida al inglés por Francesca Colecchia y J. Mata. Este drama de la Cuba de 1958, representa el momento de transición de la mentalidad política antigua a la nueva revolucionaria. Los personajes arrastran con ellos, dentro del nuevo sistema, sus errores pasados. Para salvarse mienten, y tratan de ocultar su vida anterior, transformando la realidad, creándose una nueva para satisfacer a los demás, y en el peor de los casos, para sobrevivir. La tensión familiar crece por momentos. Pasiones negativas tales como la envidia, el resentimiento y el odio, dominan a las hermanas, aumentando la angustia de la madre y elevando la tensión dramática hasta el trágico desenlace. La técnica empleada, el teatro dentro del teatro, contribuye a reflejar una situación absurda, confusa, y totalmente incontrolable. Montes presenta, por medio de las cuatro actrices, la puesta en marcha de los aparatos represivos revolucionarios. La guillotina, el instrumento de muerte de la revolución francesa, aparece siempre al fondo de la escena. Un desencanto absoluto se encierra en las oraciones finales: "Nos han engañado. Todo era mentira. La sangre corre otra vez, como antes, mucho más que antes". La denuncia de Montes trasciende el hecho local y se centra en las fuerzas negativas del crimen y la venganza en los procesos revolucionarios.

LA MADRE Y LA GUILLOTINA (1973)

Personajes:
La Madre
Ileana
Silvia
Peluquera

Escenografía: El fondo del escenario estará dominado por un gran mural, enloquecedor e impresionante, donde aparece una guillotina. En la parte anterior del escenario, dos sillas de tijera. Una de ellas debe estar colocada en el mismo centro, de frente al público. Allí estará sentada la Madre durante casi toda la obra. En una plataforma ligeramente más alta, otras dos sillas y una pequeña mesa. La parte anterior del escenario, donde aparecen las dos sillas, estará iluminada. Juego de luces de acuerdo con el foco de la acción. Si se prefiere, en lugar de sillas se pueden utilizar rústicos banquillos. La acción en Cuba, 1959.

Sentada en una de las sillas está la madre, cabizbaja, preocupada. Ileana está de pie frente al público. Después se vuelve hacia la madre.

ILEANA: ¿Qué papel representa usted en la comedia?
LA MADRE: *Siempre preocupada.* Yo soy la madre.
ILEANA: ¿La madre de quién?
LA MADRE: De usted y de la manicure.
ILEANA: ¿De las dos?
MADRE: Sí, de las dos.

ILEANA: Supongo que será un papel difícil.

LA MADRE: No estoy segura. Es el mismo personaje.

ILEANA: Un poco complicado, ¿eh? A mí me pasa lo mismo. Los autores siempre complican las cosas. En la vida real todo es más simple.

LA MADRE: *Angustiada.* ¿Está usted segura?

ILEANA: *Con desdén.* Al menos me hago la idea.

LA MADRE: *Con naturalidad.* ¿Le gusta a usted el teatro?

ILEANA: *Con cierto descaro.* Vivo de él.

LA MADRE: *Seria.* Pero, ¿lo toma en serio?

ILEANA: La vida es un juego peligroso en el que hay que defenderse como gato boca arriba.

LA MADRE: *Algo desconcertada.* No la entiendo muy bien.

ILEANA: ¿Por qué?

LA MADRE: *Vacilante.* Ileana. . . ¿Se llama Ud. Ileana, no es así?

ILEANA: Sí.

LA MADRE: ¿No cree usted que debemos irnos conociendo poco a poco? Después de todo, estamos tan cerca. . .

ILEANA: *Con cierta rudeza.* Como usted quiera.

LA MADRE: No quisiera tomarle afecto y cariño. Pero quizás sea inevitable. Temo sufrir una decepción y que esto no sea una comedia. ¿Ha leído usted la obra?

ILEANA: No. Pero, ¿de qué habla usted? ¿No le pagan por esto?

LA MADRE: Yo soy su madre. Temo que le pueda pasar algo.

ILEANA: *Que poco a poco es la hija.* Mamá, yo sabré defenderme. Hasta ahora me las he arreglado bien, ¿no es así?

LA MADRE: No puedo evitarlo. No estoy tranquila. Quizás las cosas nos vayan mal.

ILEANA: ¡Bah, no te adelantes a los acontecimientos! Aquí lo que hay es que no morirse y yo siempre he sabido nadar para no ahogarme.

LA MADRE: *En un tono impersonal.* Espero llevarme bien con usted. La manicure tiene un carácter difícil.

ILEANA: Eso he oído decir. Yo la detesto, realmente. Supongo que, siendo usted mi madre, ella será mi hermana. ¿Lo es en realidad?

LA MADRE: *Perpleja, sin saber que decir.* No, yo creo que no. . . Pero no se asuste. . . Realmente. . . Yo no estoy segura de nada. . .

ILEANA: Pero. . . ¿sabe usted algo de mí?

LA MADRE: *Vacilante.* Yo creo... Pero no... Cualquier cosa que diga podría ofender... Y yo, en realidad...

ILEANA: No, no... Hable... Diga lo que tiene que decir... es importante para mí...

LA MADRE: La gente... la gente dice que usted... que usted es... que usted era la querida del comandante Camacho.

ILEANA: *Sin salir de su asombro.* ¿El asesino?

LA MADRE: *En voz baja.* Sí... El mismo...

ILEANA: *Alterada.* No... Eso no es cierto... Eso no puede quedarse así...

LA MADRE: Cálmese, por favor... No se altere de ese modo...

ILEANA: *Inquisitiva.* ¿Y ella?

LA MADRE: *Temerosa.* ¿Ella?

ILEANA: ¡Sí! ¡Ella! ¡La manicure!

LA MADRE: No recuerdo bien... No recuerdo claramente... Pero se habla de un tal César... del Ministerio de Educación... o de Hacienda... No estoy segura.

ILEANA: *Dejándose caer en la silla.* Bueno, entonces puedo tranquilizarme... Al menos en parte... Porque si ellos se ponen a decir que yo... que si esto... que si lo otro... que si el comandante Camacho me daba o me dejaba de dar... mientras ella tenía su asunto con el tal César... En fin, que tendrá que callarse.

LA MADRE: ¡Si eso pudiera ser así...! Y sin embargo... la verdad es... que tiene una manera de ser...

ILEANA: Yo no la puedo ver... Sí, lo creo. Ya otros me habían dicho que hablaba mal de mí... Y usted debe saber mucho más sobre el asunto... ¿Qué otra cosa le ha dicho?

LA MADRE: *Evasiva.* No puedo decirlo. No me comprometa.

ILEANA: *Transición, dulcemente.* Por fuerza lo tienes que saber, mamá.

LA MADRE: *Evasiva.* Más vale que no hablemos del asunto.

ILEANA: Se trata de mí, Mamá. ¿No te das cuenta? Estoy aterrada. Y ahora que los fusilamientos están aumentando...

LA MADRE: Hija mía...

ILEANA: En estos momentos todos estamos en peligro. La dictadura ha caído. La revolución triunfa... Y la revolución es blanca y roja, inmaculada y sangrienta, ¿no es así?

LA MADRE: Hija mía, yo no sé nada de política.

ILEANA: Y todos quieren sacarle el mejor partido. . . Esto da asco. Es repugnante, mamá. . . Las habladurías de la manicure pueden llegar lejos. Tú bien sabes que tratan de comprometerme porque me acosté con él. ¡Cómo si eso fuera pecado! Tenía que arreglármelas de alguna manera, ¿no es verdad? Y Camacho era bueno conmigo, en cierto sentido. Eso no lo voy a negar. Pero no ha habido más nada. De ahí no pasó la cosa. Tú lo sabes bien. . . Hay gente que sólo quiere levantar falsos testimonios.

LA MADRE: Tengo miedo. Me encuentro en una difícil situación.

ILEANA: ¿Es que no estás de mi parte?

LA MADRE: *Implorante*. ¿Cómo no voy a estarlo? *Desesperada*. Pero ella es mi hija también, ¿no te das cuenta? No puedo hablar de ella contigo. Le puedo hacer mal.

ILEANA: *Violenta*. Pero no vacilas en dañarme a mí. Ahora sí, ahora todos me dan la espalda porque estoy abajo. Pero cuando estaba arriba. . . Hasta mi madre, claro. . . Y te pones del lado de la otra, que nada tiene que temer. . . No sé por qué. . . Debe ser porque es una estúpida, ¿no te parece? Porque aquí no hay nada seguro, mamá, nada que no pueda desplomarse. . . Ella, que tiene sus pecados y sus faltas, que es una alimaña. . .

LA MADRE: Calla, calla. . .

ILEANA: ¿Serás tan cobarde? ¿Serás capaz de dejar que me lleven hasta el cadalso sin decir una palabra?

LA MADRE: ¿Por qué el cadalso? ¿Qué razones habría? Tú no has hecho nada. No me asustes así.

ILEANA: Las calumnias. Las mentiras. Nunca falta un roto para un descosido.

LA MADRE: No, tu muerte no, Ileana. Eso no podría soportarlo.

ILEANA: ¿Me avisarás? ¿Me avisarás al menor peligro?

LA MADRE: Lo haré. . . Te lo juro. . .

Entra Silvia, la manicure. Se ilumina el ángulo del escenario donde están las otras dos sillas y la mesita. Silvia trae una bandeja con pintura de uñas, tijeras, etc. La coloca sobre la mesita.

SILVIA: Buenas tardes. ¿He llegado tarde para el ensayo?

ILEANA: ¿Quién es usted?

SILVIA: Yo soy la manicure. *Mirando a Ileana de arriba a abajo.* ¿Y usted? Usted es Ileana, sin duda.

ILEANA: Sí, es cierto.

SILVIA: *En tono desagradable.* ¿Le gusta su papel?

ILEANA: *Falsamente.* Me encanta. Es un personaje maravilloso. Estoy contentísima. Una oportunidad única, ¿no cree usted? Y es el más importante de la comedia.

SILVIA: Tengo entendido que es un drama.

ILEANA: ¿Qué sabe usted? ¿Quién le ha dicho ese disparate? El programa dice que es una comedia.

SILVIA: Su personaje no es muy digno que digamos.

ILEANA: Yo he firmado un contrato. ¿Es Ud. de las que trabaja por amor al arte?

SILVIA: Es preferible a trabajar por dinero, ¿no le parece? Por dinero somos capaces de cualquier cosa. Hasta de interpretar esos personajes.

ILEANA: ¿Qué quiere insinuar?

SILVIA: Yo no podría resistir ese tipo de papel. Es como el papel de un abogado defendiendo a un criminal.

ILEANA: Es usted muy estricta con los demás.

LA MADRE: Ileana, Silvia, por favor, no sigan por ese camino. Ese camino es un callejón sin salida que no conduce a ninguna parte.

SILVIA: *Sin prestarle atención.* Yo soy muy estricta con todo. No admito ningún tipo de bajeza.

ILEANA: He leído el libreto. Más vale que no se ponga a sacar los trapos sucios porque lo que es usted no los tiene muy limpios que digamos.

SILVIA: *Sorprendida.* ¿Se refiere usted a mí?

ILEANA: ¡No, qué va, me refiero a la cocinera de la esquina! Usted se lo anda buscando. Me molestan los inmaculados. Mucho más las que se quieren hacer inmaculadas.

SILVIA: *Enfática.* Yo no fui la que colaboró, directamente, con el gobierno.

ILEANA: ¡Qué descaro! Ahora, claro, no ha colaborado nadie. Además, ya me han dicho que usted la tiene cogida conmigo. Y si la cuestión es cogerla con otro y tratar de hacerle todo el daño posible, verá como nadie me pone un pie por delante. ¡Usted debía tener la cabeza metida en un cubo!

SILVIA: Camacho. . .

ILEANA: César. . . ¿Me oye usted bien? ¡César!

SILVIA: ¿César? Le aseguro que no tengo la menor idea de quien habla usted.

ILEANA: No, no pretenda hacerse la mosquita muerta.

SILVIA: ¿Acaso lo confunde usted con algún amigo. . .?

ILEANA: *Impersonal, como si se refiriera a un texto.* Pero se da a entender que "su amigo" la ayudó a fabricar su casa.

SILVIA: *Fuera de quicio.* ¡Las calumnias! ¡Las calumnia! ¡Las calumnias siempre! *A la Madre.* Mamá, ¿por qué la gente tiene que ser así? Tan mala. . . tan maligna. . . *A Ileana.* Esa casa era para mi madre. Eso también se dice, pero a usted no le conviene sacarlo a relucir. Y se dice también que hice grandes sacrificios por mi madre, para que cuando todo terminara ella tuviera su vejez asegurada. *A la Madre.* ¿No es verdad, mamá, todo lo que digo? ¿Qué no haría una madre por su hija y una hija por su madre? El amor y el sacrificio de una hija. . .

ILEANA: *Escandalizada.* ¡El amor y el sacrificio de una hija! ¡Qué valor, Dios mío!

SILVIA: *Volviéndose a Ileana.* Claro que para una mujer como usted, una difamadora vulgar como usted, eso no importa. El amor y el sacrificio de una hija no son más que palabras. Porque esa casa nunca ha sido mía, sino de mi madre. . .

ILEANA: Un juego sucio para cubrir las formas y esconder lo que había detrás de la fachada.

SILVIA: Es usted una envidiosa. . . una resentida. . .

ILEANA: ¿Y César? ¿Qué va a contar cuando le vengan preguntando por él?

SILVIA: ¿César?

ILEANA: *Imitándola, burlándose.* ¿César? ¿César? ¿Pero se creerá usted que le podrá tomar el pelo a todo el mundo?

SILVIA: *Con naturalidad.* Pero ¿de qué César habla usted?

ILEANA: *Al público.* ¿Han visto ustedes un descaro mayor?

SILVIA: *Sin alterarse, con naturalidad, como si hablara consigo misma y en cierto sentido con el público.* Será necesario cambiar un poco el diálogo de la obra. Hay gente que no comprende nada, como esta infeliz, confundida y atormentada por su conciencia. Lo peor es que el público no entenderá si no se aclara este enredo, esta maraña. Ella quiere comprometerme, echarme una mancha encima, y si no hago algo no me la podré quitar. ¡La gente se deja engañar tan fácilmente! Es necesario poner los puntos sobre las íes, terminar con la confusión y decir claramente, de una vez por todas, quien soy. *Pausa.* ¿César? Pero, ¿qué César es ése? ¿Bruto? ¿César? ¿Cleopatra? ¿Elizabeth Taylor? Eso no es otra cosa que fantasía, teatro nada más. *Grandilocuente, en parte a Ileana pero en parte también al público.* Miren, no le hagan caso. Yo soy yo. Yo soy en la vida real (¡en la vida real, sí!) una mujer que ama la revolución y repudia el crimen. Todos repudian el crimen, ¡pero no como yo! Por eso estoy inconforne con ciertas cosas (ciertas cosas nada más) de mi personaje, y no las voy a aceptar como ella hace, porque ella, santo Dios, ella no tiene una explicación razonable respecto a su conducta. . . Porque ella. . .

ILEANA: *Lanzándose, violentamente, hacia Silvia.* ¡Eso no es verdad! ¡Eso es una calumnia! ¡Es usted una mentirosa!

SILVIA: *Escandalizada.* ¡No se atreva a tocarme! ¡No me interrumpa! *Gritando con todos sus pulmones.* Porque en la vida real soy distinta y no quiero que me chiflen y me griten "chivata" cuando salga a escena.

Silvia sale indignada, abruptamente, arreglándose la ropa. El área donde están la mesa y las sillas se oscurece. Ileana, destrozada por la tensión, se deja caer en el piso cerca de La Madre.

ILEANA: ¿La has oído? Me odia, me detesta, es mi mayor enemiga.

LA MADRE: Debes calmarte. No te desesperes. Todo se andará.

ILEANA: Quiere hundirme. Hablará con el director para perjudicarme. Y en mi vida particular no dudo que lo haga. Ya usted lo sabe: esta revolución está en todo, y los oportunistas y aprovechados también, disfrazándose con hojas para que nadie los reconozca entre la maleza. Pero yo tengo mis planes. No voy a dejar que me corten la cabeza.

MADRE: Ileana. . . Ileana, por favor, no es el momento de echarnos enemigos. Bastante tenemos con lo que le ha pasado a él.

ILEANA: ¡A él! ¡A él! Bastantes enredos tengo por su culpa. Ahora todo el mundo me señala con el dedo como la querida de Camacho. ¡Para lo que le pude sacar! Siempre quise un banquero, un viejo banquero con bastante plata, pero tuve mala suerte. *Pausa, reprochándose.* ¿Para qué me sirve pensar en esto a estas alturas?

LA MADRE: Debes serenarte. Después de todo, tú no tienes culpa de nada. No tienes por qué temer. Ella no podrá nada en contra tuya.

ILEANA: ¿Cómo lo puedes saber?

LA MADRE: Hija mía, no te entiendo. ¿Es que hay algo más? ¿Algo que no me has contado? *Temerosa.* ¿Acaso. . . acaso hiciste cosas que yo no sé. . . ?

ILEANA: ¿Estás del lado de ella? ¿Serías capaz? *Transición, estableciendo una distancia. Se incorpora.* Pero hablo demasiado. Después de todo, usted también es su madre.

LA MADRE: ¿Cómo eres capaz de pensar eso de mí?

ILEANA: *Enérgica, alterada. Por un momento, vuelve a ser la hija.* ¡Júrame que no hablarás de esto, mamá, de todo lo que sabes de mí!

LA MADRE: ¿Cómo podría hacerte daño?

ILEANA: No sé, no sé. A veces tengo un poco de miedo, es cierto.

LA MADRE: Descansa.

ILEANA: ¿Cree usted que hablará con el director para quitarme el papel? ¿Me acusará públicamente?

LA MADRE: Duerme.

ILEANA: Ella es capaz de todo. Es más papista que el Papa. Y eso que no es ni cura. Porque tiene sus faltas, ¿no es así?

LA MADRE: Olvida.

ILEANA: ¿Qué más sabe usted de la manicure?

LA MADRE: Ella es mi hija también, ya te lo dije. No podría hacerle daño.

ILEANA: *Levantándose.* ¡Ella, la preferida!

LA MADRE: Nunca lo ha sido. Tú lo sabes bien.

ILEANA: ¿Cómo pretendes que la quiera si jamás confías en mí? Habla. Es mi hermana. Soy de la familia. Yo también me preocupo. ¿Ha estado complicada en algo? ¿No tiene nada grave de lo que pueda arrepentirse? Porque yo quisiera ayudarla también. ¿Es que yo soy una extraña en esta casa? ¿Es verdad ese cuento de que él no le pedía nada, que se lo daba todo por su linda cara?

LA MADRE: Jamás te diré nada sobre Silvia.

ILEANA: *En un tono diferente, casi acusador.* Usted, señora, ha de conocer todas sus actividades. Toda su vida.

LA MADRE: No diré nada. El libreto está ahí.

ILEANA: *Persuasivamente.* Hay cosas, secretos íntimos, que no se dicen; que se descubren en una mirada, en un silencio. Esos secretos son los que yo quisiera saber. . .

LA MADRE: Yo no puedo decir nada. Sólo puedo callar.

ILEANA: ¡Se aferra! ¡Es inútil, señor! *Pausa, abruptamente.* ¿Sabe usted algo de mi vida privada?

LA MADRE: ¿A qué vida se refiere? Nosotras, las actrices. . .

ILEANA: A mi vida privada, por supuesto. . .

LA MADRE: Acabamos de conocernos. Es la primera vez que la veo. Como usted comprenderá. . .

ILEANA: Le aseguro que mi vida privada es radiante como el sol.

LA MADRE: Le preguntaré a la manicure.

ILEANA: Ella le hablará horrores de mí. Me detesta. Me envidia como actriz y por lo que soy en la vida real y por los personajes que me dan en escena. Es capaz de cualquier cosa. Cuando hurgamos en la nariz siempre encontramos algo. Es asqueroso.

LA MADRE: Eso es de mala educación, muchacha. Desde niña te lo vengo diciendo.

ILEANA: Todo es asqueroso. Es asqueroso tener cosas en la nariz y tener la necesidad de hurgarse.

LA MADRE: Hay gente que no se hurga. Al menos, en público. Siempre te he dicho qué es lo que hay que hacer.

ILEANA: Esos son los inteligentes y los descarados. Los que niegan haber tenido un catarro cuando tienen las narices llenas de moco. Como la manicure. Es un verdadero milagro que nadie la descubra. Tal vez hasta esté envuelta en crímenes y atentados. Y probablemente se esté afilando los dientes para hacerlo otra vez. Volverá a denunciar a la gente y hará de las suyas otra vez. Es la misma historia de siempre.

LA MADRE: ¿Siempre? ¿Otra vez?

ILEANA: *Inesperadamente*. ¿Cree usted que la guillotina sea de papel?

LA MADRE: *Aterrada*. ¿La guillotina? ¿De qué habla usted?

ILEANA: *Con cierta naturalidad*. ¿No ha leído la obra? Hacia el final funciona la guillotina. Es sólo un minuto, un instante, allá, en el fondo del escenario. . .

LA MADRE: Esta obra es terrible. No puedo resistirlo.

ILEANA: *En plano de actriz*. María Antonieta. . . Los cabellos recogidos. . . El fino, delgado cuello blanco. . . La cabeza hacia abajo. . . Sería un final impresionante. . .

LA MADRE: ¡Basta! ¡Basta!

ILEANA: *Transición*. ¿Pero se ha vuelto loca? ¿Trabaja usted de gratis? Esto es un teatro.

Entran Silvia y La Peluquera. Se ilumina la plataforma donde están las otras dos sillas.

PELUQUERA: Son situaciones difíciles, es cierto.

SILVIA: Espero que se pueda hacer algo.

ILEANA: *Acercándose.* Buenas tardes, ¿es usted la peluquera?

PELUQUERA: *Continuando su conversación con Silvia*. Es una situación desagradable, pero debemos hacerle frente. Es por el bien del teatro.

Debemos seguir sacrificándonos. *Volviéndose con cierta violencia a Ileana.* Hay que tener coraje para interpretar su papel. Comprendo que es teatro, pero desde el momento que Ud. lo ha aceptado, tiene que haber algo podrido en Ud. para poder interpretarlo a plenitud, como lo viene haciendo. Lo hemos podido notar en los ensayos.

ILEANA: Es usted vil, cruel, injusta. Usted no tiene calificativo.

PELUQUERA: ¿No era usted todas esas cosas cuando colaboró de forma tan decidida con los criminales?

ILEANA: ¿No se da cuenta? ¿No sabe lo que es el teatro? ¡Usted se equivoca! Soy una actriz. Se trata de un personaje.

PELUQUERA: Su vida privada no debe estar muy limpia.

ILEANA: ¿Y qué hizo usted? ¿Puso bombas? ¿Ayudó a derrocar el régimen?

PELUQUERA: Lo dí todo por la patria. Y tengo un automóvil rojo y negro, símbolo de la revolución. ¿Quiere una posición más vertical?

ILEANA: Bueno, en eso no me lleva ventaja. Yo tengo una blusa roja y una saya negra que son simbólicas también. Me las pondré y nadie será capaz de negar que soy una gran revolucionaria.

PELUQUERA: Pero yo leí mi poema "La Paloma Descabezada" el día primero a las ocho de la mañana cuando entraron los rebeldes en la ciudad.

ILEANA: Pienso leer uno parecido.

SILVIA: ¿Se atrevería a tanto?

PELUQUERA: ¿Sería capaz?

ILEANA: Yo interpreto los papeles que me dan.

SILVIA: *Bastante agitada.* Es necesario que hagan arreglos en la obra. No es posible que todo siga así, tan confuso. La vida no es así. La vida es clara como el sol.

ILEANA: Más vale que se calle. ¿Por qué no deja las cosas como están? ¿Le agradaría que aclararan su personaje? Quizás no salga usted muy bien. Su juego, se lo advierto, es un juego peligroso.

SILVIA: ¿Por qué? Yo estoy limpia de culpa. Yo no tengo miedo.

ILEANA: A lo mejor tiene alma de "chivato". Después de todo, si lo es en potencia es como si lo hubiera sido. Lo puede ser en cualquier momento. Sólo falta que las circunstancias la favorezcan.

SILVIA: Usted se merece la pena capital.

ILEANA: ¿Y no tiembla cuando lo dice? ¿No se da cuenta?

SILVIA: Usted trata de atemorizarme, de sobornar mi conciencia.

ILEANA: Es una trampa y no se da cuenta. Pero yo también puedo jugar. Hablaré con el director para que me aclare todo esto. De lo que dice no hay nada en firme.

SILVIA: *A La Madre.* ¿La ha oído? Me odia, me detesta. Es mi mayor enemiga.

LA MADRE: *Vagamente.* Debes calmarte. No te desesperes. Todo se andará.

SILVIA: Quiere hundirme. Hablará con el director para perjudicarme. Y en mi vida privada no dudo que lo haga. Ya usted sabe: esta revolución está en todo, y los oportunistas y aprovechados también, disfrazándose con hojas para que nadie los reconozca entre la maleza. Pero yo tengo mis planes. No voy a dejar que me corten la cabeza.

ILEANA: *Arrobada, frenética, en un torbellino.* ¡Se equivoca, se equivoca! ¡Lee mi papel! ¡Gracias, Dios mío!

PELUQUERA: *A Silvia.* Tenga cuidado. Parece que se confunde.

SILVIA: ¿Confundirme? Estoy segura. . .

PELUQUERA: *Aprensiva.* La vida está llena de peligros. Debemos medir nuestras palabras y nuestros actos.

SILVIA: ¡Pero no es posible!

PELUQUERA: ¿No siente la cercanía del peligro? ¿Y si llegan a confundirla? ¿Y si llegan a pensar que usted es la otra?

SILVIA: *Acercándose a La Madre, excitada.* ¡Mamá! ¿Te das cuenta? Se equivoca. Se confunde. Hace mi personaje. . . Quizás pueda salvarme. . .

LA MADRE: *Agobiada y desesperada por el peso de todo esto.* Silvia, Silvia. . .

ILEANA: *La sacude.* Mamá, mamá, soy yo, Ileana. . .

SILVIA: Ella es capaz de todo. Es más papista que el Papa. Y eso que no es ni cura. Porque tiene sus faltas, ¿no es así?

LA MADRE: *Gritando.* ¡Olvida!

SILVIA: ¿Qué más sabe usted de la mani. . . ? *No logra terminar la pregunta. Se da cuenta de la confusión.*

PELUQUERA: Calle. . . Calle. . .

SILVIA: *Aterrorizada, frenética.* ¡La red! ¡La red! Es una trampa, es una maldita trampa. ¡Quiere atraparme como a un ratón! Es una vergüenza.

¡Es una degenerada! ¡Nos están encerrando en un laberinto. ¡Oh, Dios mío, en esta vida que cuidado hay que tener! Ni una palabra, ni un movimiento, ni un gesto en vano. Una intriga asquerosa. . . una inmundicia. . .

ILEANA: Siga, siga por ese camino. Yo no tengo la culpa. Es usted la intrigante. Es usted de las que quiere salvarse hundiendo a los demás. Es usted la que vino aquí a insultarme. Ahora aténgase a las consecuencias. Ya verá adonde irá a parar.

PELUQUERA: *A Silvia.* Ella lo sabe todo.

LA MADRE: ¿Es que no se puede vivir en paz? ¿Es que todos se creen con derecho a tirar la primera piedra?

PELUQUERA: *Acercándose a La Madre como si fuera una amiga.* Es verdad, usted tiene razón. . . ¡Nosotros no somos los héroes, ni somos los mártires. . . ¡Todo es tan decepcionante! En verdad, sólo tenemos a Dios.

LA MADRE: Yo siempre le digo a mis hijas que recen. . .

PELUQUERA: Hace usted bien .

LA MADRE: Luchan. Se matan. Se destruyen. La vida no vale tanto. Uno los ve morir, aniquilarse, sin hacer nada. Las madres somos así. Es una desgracia. Debíamos unirnos, formar una liga, un comité, algo, para evitar que nuestros hijos se tiren piedras y se partan la cabeza. . .

SILVIA: *Sonriente, a Ileana, en un punto de acuerdo.* Las madres son todas iguales, ¿no te parece?

ILEANA: Es mejor no hacerles caso. No tienen remedio.

LA MADRE: ¡He sufrido tanto! ¡He llorado tanto! ¡Era tan joven, tan niño, tan bueno! A veces pienso que no debí mandarlo al colegio. . . ¡Sus ideales. . . ! ¡Sus anhelos. . . !

PELUQUERA: *Alarmada.* ¿De quién habla usted? ¿Tenía usted un hijo?

LA MADRE: *Sorprendida.* ¿Un hijo? ¿Un hijo ha dicho usted?

ILEANA: No le haga caso. Mamá ya está muy vieja y apenas se da cuenta de lo que dice.

LA MADRE: ¿Un hijo? ¿Un hijo?

ILEANA: Descanse. Toma usted el teatro muy a pechos.

SILVIA: *Histérica.* ¿Qué teme usted? ¡Déjela que hable! ¿Por qué trata de coaccionarla?

LA MADRE: ¿Un hijo? ¡Mi hijo, sí, mi hijo! He sufrido tanto. . . He pasado tanto. . . A veces no quisiera ni recordarlo. . . Ni siquiera. . . quisiera. . . recordarlo. . . a él. . . Porque me duele. . . Su amor. . . su amor hacia. . . No sé. . . es una palabra que me hiere la garganta como si no tuviera modo de expresarla. . . es un dolor. . . Su muerte. . . ¡Su muerte! ¡No, no puede ser. . . !

ILEANA: *Le pasa la mano por la cabeza.* Despierta, mamá. Es una pesadilla.

PELUQUERA: ¿Tenía usted un hijo?

LA MADRE: A veces, con tal de tenerlo vivo a mi lado, preferiría cualquier cosa antes de su muerte. Las madres sólo tenemos hijos, hijos nada más. Es difícil pensar otra cosa. Es difícil hacerle ver a nuestro corazón las razones. ¡Es tan difícil, Dios mío! Hijos, hijos muertos. . .

PELUQUERA: ¿Y la venganza? La justicia y la venganza. . . La justicia llevará consuelo a su corazón. . . Y la venganza. . .

ILEANA: *Interrumpiendo la escena desde la plataforma.* Mis uñas. . . ¿Podría arreglarme las uñas, por favor? Hace rato que espero por usted

SILVIA: ¡Las clientas…! No hacen otra cosa que fastidiar y estorbar. . .

ILEANA: ¿Y este pelo? ¿Es que puedo salir a la calle con el pelo así?

PELUQUERA: *A La Madre, levantándose.* Con su permiso. Habrá que atenderla, no nos queda otro remedio.

LA MADRE: *Abstraída.* La justicia. . . La venganza. . .

La Madre queda cabizbaja. El área donde ella se encuentra se va oscureciendo muy lentamente hasta que queda entre las sombras. La acción se concentra hacia la plataforma.

PELUQUERA: Siento que haya tenido que esperar tanto, pero en estas últimas semanas hemos tenido un trabajo tremendo. Ahora el que no se peina se hace papelillos.

Durante esta escena Silvia y La Peluquera actuarán como si estuvieran atendiendo a una clienta, en este caso Ileana. La Peluquera estará de pie, peinando a Ileana. Silvia se ocpará de arreglarle las uñas, sentada frente a Ileana. La acción será relativamente natural, agresiva en algunos momentos de parte de Silvia y La Peluquera.

ILEANA: He decidido teñirme el pelo.

PELUQUERA: *Sorprendida.* ¿Por qué? *El color del pelo de la actriz puede ser cualquiera, menos rubia de platino.* Y ese rubio platinado, se lo aseguro, es de los pocos que quedan. . .

ILEANA: Precisamente, ya no se usa. . . Me hace lucir. . . como si no fuera. . . de aquí. . .

PELUQUERA: ¡Pero le queda tan bien!

SILVIA: *Burlona, mientras arregla las uñas.* ¿No es usted a la que le decían "la rubia de platino"?

ILEANA: Estoy decidida a quitarme estas cosas de la cabeza. . .

PELUQUERA: ¡Es una locura! *Burlona.* Tiene usted un rubio natural bellísimo.

ILEANA: Pero ya no se usa. Las trigueñas están de moda.

PELUQUERA: Yo creo que ha perdido el juicio.

ILEANA: Precisamente, todo lo contrario. No insista. ¿Por qué las peluqueras tienen esas ideas metidas en la cabeza?

PELUQUERA: Será por nuestro trabajo, chica.

ILEANA: Y no ponga el grito en el cielo, pero también quiero cortármelo.

PELUQUERA: ¿Cortárselo? Eso me parece un verdadero disparate. ¿No le parecería mejor recogérselo y formar un bucle sobre la nuca? A mí me parece mucho más distinguido.

ILEANA: Es necesario que me cambie de peinado. Quiero estar de acuerdo con las circunstancias.

SILVIA: *Con ironía.* ¿Y de qué color quiere las uñas? Lo único que falta es que se las haga pintar de verde.

ILEANA: *Natural.* ¿Tiene ese color?

SILVIA: Por supuesto que no. No hemos adelantado tanto.

PELUQUERA: Es una lástima, una verdadera lástima. . . *Hace como si le cortara el pelo.* ¿Va usted a una fiesta?

SILVIA: *Maligna.* ¿Un juicio tal vez. . . ?

ILEANA: *Sobresaltada.* ¿Cómo lo sabe?

SILVIA: ¿Ha sido usted involucrada?

PELUQUERA: ¿La han acusado de algo?

SILVIA: Tengo entendido que usted tenía relaciones con el comandante Camacho.

ILEANA: *Alterada.* Eso no tiene nada que ver. . . Yo no soy responsable de lo que él hacía o dejaba de hacer cuando no estaba conmigo.

PELUQUERA: Claro. . . Claro. . .

SILVIA: Pero se investiga, usted sabe, se investiga. Muchas cosas quedarán en claro.

ILEANA: *Con risa forzada.* ¡No en mi caso, chica! ¡No en mi caso! En otros casos tal vez. Todo ha sido un error que se aclarará a su debido tiempo. El depurador me dijo que yo no tenía nada que temer. Después de todo, yo no soy más que una indefensa mujer. . .

PELUQUERA: Es una vergüenza que por tan poca cosa tenga que teñirse usted. *Bruscamente.* Pase a lavarse la cabeza.

Ileana se levanta. La Peluquera la empuja de escena. Salen las dos.

SILVIA: *Alterada.* Es una descarada. No sé como la tienen suelta. Me indignan las mujeres como ésa. ¡Y pensar que hay muchas como ella! Pero. . . ¿no se dan cuenta? Quiere transformarse. Aprovecha la confusión del momento y se hará pasar por revolucionaria si fuera necesario. Es capaz de todo. Esa gente merece que la maten. No se debe tener piedad.

Lentamente se va oscureciendo el área superior. El área donde está sentada La Madre se ha ido iluminando. Silvia va hacia allí y se deja caer en la otra silla.

SILVIA: *Desfallecida.* Estoy extenuada. . .

LA MADRE: *Se pone de pie, solícita.* Enseguida te sirvo. ¿Mucho trabajo?

SILVIA: ¡Figúrate! Ahora las mujeres quieren pintarse las uñas de verde.

LA MADRE: En mis tiempos. En mis tiempos no pasaban esas cosas. . .

ILEANA: *Desde las sombras.* ¿Lo cree Ud.?

SILVIA: Son unas descaradas. Ahora se quieren hacer pasar por honestas y decentes.

LA MADRE: Debes calmarte. No te empeñes en cambiar el mundo.

ILEANA: *Desde el fondo, sin ser vista.* En todas partes cuecen habas, señoras y señores.

SILVIA: Tenemos que acabar de raíz con mujeres de esa calaña.

LA MADRE: No seas exagerada. Deja vivir a la gente. Descansa. . . Olvida. . .

SILVIA: Me indigna, mamá. No puedo resistirlo.

Entra Ileana. Hace papel de sirvienta. Lleva delantal y un plumero.

ILEANA: *Chocante, sarcástica, sacudiendo la silla donde está sentada Silvia.* El caballero César la llamó por teléfono esta mañana.

SILVIA: *Alterada.* ¿Qué hace usted aquí? ¿Qué quiere en mi casa?

ILEANA: *Mientras sigue limpiando muebles imaginarios.* Soy la nueva sirvienta.

SILVIA: Mamá, explícate. ¿Qué significa todo esto?

LA MADRE: Necesitas descansar. Tienes exceso de trabajo. ¿Qué es lo que te pasa?

SILVIA: Esa mujer. ¿Cómo te has atrevido a colocarla?

LA MADRE: *Sorprendida.* ¿La sirvienta? Pero. . . ¿qué tiene de particular? Llamé a la agencia y. . .

SILVIA: Es ella, Ileana, esa mujer que me detesta. . . Esa alimaña.

ILEANA: *Sarcástica.* ¿Me acusa?

LA MADRE: No te entiendo, Silvia. ¿Qué quieres decir?

ILEANA: Miente, señora. Se lo aseguro. Todo ha sido una confusión, una maraña.

SILVIA: *Llegando a dudar.* ¿No es usted. . . ?

ILEANA: ¡No, claro que no! *Enseñándole un carnet.* Aquí tiene mi carnet y mi nombre. Me confunde con otra.

SILVIA: *Rechazándolo.* ¡Es ella, es ella! No puedo tolerarlo. Me atrapan en un círculo. Acabaré sin poder salir. *A La Madre*: Y tú estás de su parte. Ha sido un acuerdo entre las dos para destruirme, para aniquilarme.

LA MADRE: Mi hija, ¿cómo eres capaz? Mis lágrimas, Señor, mis lágrimas. . . ¿Qué es esto? Yo no entiendo esta vida. . . Es demasiado complicada.

SILVIA: Mamá mamá, ¿pero no te das cuenta?

LA MADRE: Yo no la conozco, Silvia, te lo juro. Yo no sé quien es esa mujer.

SILVIA: *A Ileana.* ¡Váyase de aquí, déjeme! Sus intrigas. Sus artimañas. ¡Maldita, maldita! ¿No le basta con los crímenes que ha cometido? ¡No me envuelva en sus cochinadas! Yo soy inocente. ¡Soy inocente! ¡Váyase! ¡Lárguese de aquí!

ILEANA: *Se aleja riéndose.* El caballero César la llamó. ¿Qué tiene eso de particular? El caballero César. ¿Lo recuerda? El caballero César, el del otro gobierno.

Ileana se pierde entre las sombras.

ILEANA: *Dede la oscuridad se escucha su voz.* ¡César! *Distante como si fuera un eco.* ¡Ceeeeesaaaaaar! ¡Ceeeeeeesaaaaaaar!

LA MADRE: ¿Qué harás con él? ¿Qué has decidido?

SILVIA: Acabar con él de una vez para siempre.

LA MADRE: Pero. . .

SILVIA: Como si no existiera.

LA MADRE: Pero si te vuelve a llamar. . .

SILVIA: ¿Es que quiere perjudicarme? ¿Hundirme para que no pueda levantarme jamás? Yo no puedo hacer nada por él. Que me deje en paz.

LA MADRE: Insiste. No ha dejado de llamarte.

SILVIA: Dile que no estoy, que no quiero saber nada. ¡Si yo tuviera lo que él tiene! Pero cuando estaba en el Ministerio nada más que me echaba las migajas. ¡Que se vaya a la mierda!

LA MADRE: ¡Silvia!

ILEANA: *Se escucha su voz, distante como si fuera un eco.* ¡Ceeeeeeeesaaaaar! ¡Ceeeeeeeesaaaaaaaaaaar. . . !

SILVIA: Sí, mamá, que se vaya a los quintos infiernos. No hace más que perjudicarme. Que lo manden a un campo de concentración a hacer trabajos forzados. ¡Mi carrera, mamá, mi carrera! Es mi futuro el que está en juego. Mi honor y mi carrera. . . ¿Es qué quiere hacerme trizas? ¿Qué gana con eso? ¿Es que quiere hundirme porque él es un barco que se hunde?

LA MADRE: No te alteres, hija. No es para tanto. *Lentamente angustiada.* Después de todo, tú no tienes nada que temer, ¿no es así?

SILVIA: ¡Claro que no! No voy a dejar que me aniquile. No se lo voy a permitir. Todo el mundo sabrá mi posición vertical.

Ileana entra en escena haciendo de sirvienta.

ILEANA: *Cruza el escenario.* En la cama todos estamos en posición supina. La cama. El inodoro. Todos lo necesitamos.

Sale Ileana. La Madre se sienta.

SILVIA: Te volviste loca colocando a esa mujer. Ahora sabe muchas cosas, muchos secretos. Inventará, irá a los tribunales, divulgará todo lo que pasa en esta casa. Tratará de perjudicarme por todos los medios habidos y por haber pero yo sabré defenderme. Yo tengo mis enchufes con el nuevo régimen, no te vayas a creer.

ILEANA: *Se escucha su voz, distante, como si fuera un eco.* ¡Ceeeeeeeesaaaaaaar. . . ! ¡Ceeeeeeeesaaaaaaaaaaar. . . !

SILVIA: *Tapándose los oídos.* ¡Que se calle! ¡Que se vaya de aquí!

Entra Ileana, sin delantal. Trae una pequeña maletica, como quien se marcha.

SILVIA: *De pie, agresiva.* ¡Lárguese de una vez!

ILEANA: Me iré, pero volveremos a encontrarnos. El mundo es pequeño y da muchas vueltas.

SILVIA: Yo sabré defenderme.

ILEANA: Yo también.

Sale Ileana.

SILVIA: *Cae desfallecida en una silla.* Estoy agotada. Este enredo no me deja vivir.

Pausa.

LA MADRE: *Levanta la cabeza lentamente. Está sobrecogida, angustiada, como si fuera camino de una verdad. Se pone de pie. Avanza hacia el frente del escenario.* Vuelve otra vez. Es terrible lo que tengo que decir. Se me hace un nudo atroz en la garganta. *Volviéndose, a Silvia.* ¿No se da cuenta usted?

SILVIA: ¿Por qué no se toma un pequeño descanso?

LA MADRE: Ojalá pudiera. Ese hombre, César, ¿alguna vez la impulsó a hacer el mal?

SILVIA: ¿Qué quiere decir? ¿De quién habla usted?

LA MADRE: ¿Le confió acaso cosas que no debía? Una pequeña indiscreción, y, tal vez. . .

SILVIA: ¿Usted también?

LA MADRE: ¿No fue. . . nada más. . . que su amante?

SILVIA: Mi amigo, mi amigo solamente. ¡He llegado a detestar este papel! ¡Se han tejido tantas calumnias a su alrededor!

LA MADRE: Bueno, ahora todos dicen lo mismo. Ahora nadie quiere confesar la verdad. *Desesperada.* Pero alguien tuvo la culpa. Alguien lo traicionó vilmente y lo llevó a su muerte. Alguien fue culpable de su mal y mis desgracias.

SILVIA: *Asustada.* ¡No yo! ¡No yo! *Reaccionando y buscando una escapatoria aunque tenga que perjudicar a los demás.* Pero tal vez esa mujer, la Ileana esa. . . Siempre me ha parecido sospechosa. No se olvide que ella tenía relaciones con el comandante Camacho. Y el comandante Camacho era una persona de mucha importancia en la Policía Secreta, ¿no es cierto? Por consiguiente. . .

LA MADRE: ¿Pero no se da cuenta que ello no es solución para mí? Al contrario, un castigo, un puñal que me rasga.

SILVIA: A lo mejor es culpable.

LA MADRE: Es una pesadilla. Cuando me dieron el papel me dijeron que era la madre de Ileana y de usted. Estuve dispuesta a aceptarlo, aunque no lo entendía del todo. Pero ahora, me doy cuenta, ahora me exigen demasiado.

SILVIA: Se atormenta inútilmente. Después de todo, la guillotina es de cartón.

LA MADRE: Está ciega. No se da cuenta. ¡Yo soy la madre de EL! Ya se lo dije. Es una trampa.

SILVIA: ¿De él?

LA MADRE: ¡Sí, de EL! Y él está muerto y mi corazón gime y se retuerce y clama, clama locamente, como una pesadilla. ¡No quiero oírlo! Quiero un silencio profundo y no saber más nada.

SILVIA: Usted exagera, como siempre. . .

LA MADRE: No puedo evitar recordarlo. Es mi hijo también. ¿Por qué tengo que ser la madre de él? Su voz. . . Su sonrisa. . . Sus palabras. . . Pero quiero que todo eso se aleje de mí. . . Sufro demasiado. . . Es demasiado doloroso. . . ¿Por qué me han dado este papel? Dios mío, Dios mío, no quiero ser la madre de todos. . .

SIIVIA: Usted delira. No puede seguir trabajando. Este papel le ha destrozado los nervios.

LA MADRE: ¿Podría tener, alguna vez, seguridad plena de su inocencia?

SILVIA: ¿Me cree capaz de algo indebido? Soy una mujer decente, ya se lo dije. Mi dignidad. . . Mi posición vertical. . .

LA MADRE: Me alegro, me alegro de que sea inocente. . . Pero no puedo olvidar su cuerpo mutilado, su muerte. . .

SILVIA: *Sobrecogida, temerosa.* Usted se confunde y complica las cosas. Se ha equivocado de obra. Ese personaje no es el suyo. Representa un papel que no le pertenece.

Entra Ileana.

ILEANA: *Exaltada, colérica.* ¡Ahí tiene su obra! ¡Ahí tiene el resultado de todos sus esfuerzos! Siga hurgando donde no debe y moriremos ahogados por la peste.

LA MADRE: ¿Es que ustedes se atreverán a negármelo? ¿Es que yo, que he sufrido tanto, no voy a estar segura de haberlo llevado en mis entrañas, de haberlo amado, de haberlo visto con sus propios ojos muertos, de haber escuchado mi propia voz quebrada en la garganta?

SILVIA: *Insegura, angustiada, persuasiva.* Es una farsa... Es una farsa...

LA MADRE: *Firmemente.* Mi hijo está muerto. Eso no es una farsa.

ILEANA: Es necesario darle unas pastillas para los nervios. ¿Es que no quiere a su madre? Usted la ha llevado al borde de la locura. *Solícita, a La Madre.* Duerme, mamá... Descansa, olvida...

LA MADRE: Yo no puedo dormir ni olvidar. El era mi hijo, ¿no es cierto? Su joven cuerpo mutilado, destrozado, cubierto de llagas y de sangre.

ILEANA: Es una pesadilla, mamá. Duerme, descansa.

LA MADRE: No traten de acorralarme. Yo necesito que paguen los culpables. Sólo así, quizás, descansaré. Fue ella, sin duda, la que lo delató. Confiaba demasiado en esa mujer. Le revelaba todos sus planes. Esa mujer... ¡Esa mujer!

SILVIA: ¿Esa mujer?

LA MADRE: Sí, una mujer. Fue una mujer la que me lo arrancó de mi lado. Recuerdo su voz. Lo llamaba por teléfono.

SIlVIA. Si usted oyera su voz, ¿sería capaz de reconocerla?

ILEANA: *A Silvia.* No sea estúpida.

LA MADRE: Sí, yo recuerdo su voz. Jamás podré olvidarla.

SILVIA: *A Ileana.* Yo sabré defenderme de todo esto. Ya verá. Usted no podrá escapar.

LA MADRE: Demasiado tarde se dieron cuenta de quien era ella.

SILVIA: *Con entusiasmo.* Usted... usted ha sido algo más que la querida de Camacho. Ya verá como salen a la luz, los culpables. *A La Madre.* No se preocupe, señora. Todo se aclarará. *Refiriéndose a Ileana.* Siempre la tuve entre ceja y ceja.

ILEANA: *Furiosa.* Usted no tiene pruebas en contra mía. Nadie las tiene. No podrían probarme nada.

SILVIA: ¡Confiese! ¡Confiese!

ILEANA: No tengo nada que confesar. No tengo nada de que arrepentirme.

LA MADRE: *Que ha vuelto a sentarse.* La voz... Esa voz...

SILVIA: ¿La reconoce?

ILEANA: *De rodillas.* Mamá, ¿no te das cuenta?

LA MADRE: *Firmemente.* Era mi hijo también.

SILVIA: ¿Podría reconocer su voz? ¿Puede?

LA MADRE: ¿Cómo podría olvidarla?

ILEANA: *Riendo histéricamente, enloquecida.* ¡César! ¡César!

LA MADRE: Esa voz. . . La recuerdo. . .

SILVIA: *Mortificada.* ¿Por qué vuelve ahora con ese cuento de ese tal César que yo no sé de donde ha salido?

LA MADRE: *Refiriéndose a Silvia.* Sí, es ella. Señor Comisario, estoy completamente segura. No me cabe la menor duda.

SILVIA: Yo no estoy envuelta como usted en esos negocios sucios. A usted el fango le llega hasta las orejas, pero de mí nadie sabe nada.

LA MADRE: *Levantándose.* ¡Justicia! Es necesario que se le haga justicia a mi hijo muerto.

SILVIA: Se le hará, señora, se le hará. La revolución castiga cuando tiene que hacerlo, sin palo ni piedra. Puede estar segura de ello. Su justicia es infalible.

LA MADRE: *Refiriéndose a Silvia, aunque sin mirarla.* La misma voz. La recuerdo. Es ésa.

SILVIA: *Sorprendida, temerosa, se da cuenta de lo arriesgado de la situación.* Soy yo, mamá, Silvia.

LA MADRE: *Camina por el escenario como si estuviera ciega y persiguiera la voz.* Esa voz. . . Esa voz. . . ¡No la dejen escapar! Es ella. . .

SILVIA: Es mi voz, mamá. . .

LA MADRE: *Como fondo al diálogo siguiente, repetirá constantemente:* Es ella . . . Es ella. . .

SILVIA: *Abrumada.* Ha perdido el juicio. Se ha vuelto loca. ¡Mi pobre madre! Será necesario recluirla. *A Ileana.* ¡Nuestra madre, Ileana! ¿No te das cuenta que tendremos que encerrarla en un manicomio?

ILEANA: ¡Frío! ¡Caliente! ¡César!

LA MADRE: *Vagamente, repitiendo entre las sombras, como una obsesión.* Es ella. . . Es ella. . .

ILEANA: ¿Culpable? ¿Inocente? ¡César! ¡Frío! ¡Caliente! ¡César! ¡Hagan juego, señores, hagan juego!

SILVIA: ¿Pero te has vuelto loca tú también?

LA MADRE: Sí, señor Comisario, la puedo reconocer. . . La podría reconocer entre miles de personas.

SILVIA: Soy yo, tu hija, tu propia hija. . .

LA MADRE: ¿Mi hija? No, no lo recuerdo. . . Usted está equivocada. Se trata de mi hijo y de su muerte. Calle, no puedo evitarlo. . . No soy más que una madre que pide justicia. . .

SILVIA: *Cae en una de las sillas.* Loca . . . Loca. . .

LA MADRE: *Como si quisiera atrapar la voz.* Su voz. . .

ILEANA: ¡Frío! ¡Tibio! ¡Caliente! ¡Que te quemas!

LA MADRE: *Ciegamente, como si quisiera atrapar la voz.* Su voz.. Estoy segura. . .

ILEANA: *Cae desfallecida, en la silla donde ha estado sentada.* Ya es demasiado tarde.

LA MADRE: Sí, es su voz. Estoy segura.

El escenario se oscurece. Se van escuchando, poco a poco, el redoblar de unos tambores. Unos reflectores caen sobre la espectral escenografía del fondo donde se ve la guillotina. Comienzan a perfilarse algunas sombras, sombras de soldados tocando tambores. Se ilumina el escenario nuevamente. Aparecen Ileana y Silvia, figuras fantasmales, el cabello recogido, quizás extrañas cofias blancas. Las sillas y la mesa no están.

ILEANA: *Dando un paso hacia el frente.* Morir. . .

SILVIA: *Retrocediendo aterrada.* ¿Morir? ¿Es verdad eso?

ILEANA: *Hacia adelante.* ¿Inocente o culpable?

SILVIA: *Retrocediendo.* ¡Yo soy inocente! ¡Yo no he hecho nada!

ILEANA: *Avanzando.* ¡Miente! Todos nosotros hemos hecho algo.

SILVIA: *Ya al fondo, junto a la guillotina, pero de espaldas a ella.* Eso no es verdad. Eso no es cierto. ¡Es ella! No he sido yo. ¡No me maten así! ¡Basta! ¡Soy inocente! *Cae de rodillas.*

ILEANA: *Sarcástica. Se vuelve hacia Silvia y aplaude.* ¡Magnífico! ¡Estupendo! Sin lugar a dudas usted es la mejor actriz. ¡Le darán el premio como la mejor actriz del año! *Se acerca a Sivia. La coge por un brazo y la arrastra hacia el frente del escenario.* ¡Venga, venga! Tiene que recibir las flores, escuchar los aplausos... *Inclinándose ante el público.* ¡Salude a ese público que la admira! ¡Así, ligeramente, como yo hago! *Con sentido del humor.* Pero usted preferirá el estilo socialista, naturalmente. *Aplaude.* ¡Aplauda! ¡No tenga pena! ¡Aplauda!

SILVIA: *Separándose bruscamente y retrocediendo.* ¿Cómo es capaz de seguir con su sarcasmo? ¿No se da cuenta que estamos condenadas a muerte?

ILEANA: *Transición, superficial.* Pero, ¿lo toma usted en serio también? ¿Como esa ridícula madre de todos que llora por nosotros y por él? Mire, todavía yo pienso trabajar en televisión.

SILVIA: ¿Está usted segura que la guillotina es de papel?

ILEANA: *En plano de actriz.* María Antonieta. . . Los cabellos recogidos. . . El fino, delgado cuello blanco. . . La extraña, abrumante cuchilla bajo el sol. . . *Ríe.* ¡Es usted una imaginativa! Sería un final impresionante. . .

El sonido de los tambores va en aumento. El escenario se oscurece. Las siluetas blancas de los dos personajes se ven entre las sombras. Quedan de pie al fondo del escenario junto a la alucinante presencia de la guillotina. La Madre aparece al frente, en el escenario, dentro de un foco de luz.

ILEANA: ¡ Ceeesaaaaaar! ¡ Ceeeeesaaaaaaar !

LA MADRE: *Acusando.* Es ella, señor Comisario. Es ella. No me cabe la menor duda.

SILVIA: ¡Querrás decir el comandante Camacho! ¡Comandante Camacho! ¡Camacho!

LA MADRE: *Acusando.* Sí, señor Comisario. Es ella. No me cabe la menor duda.

ILEANA Y SILVIA: ¡No, no! ¡Socorro! ¡Soy inocente!

LA MADRE: *Cae de rodillas.* ¡Mi hijo, mi pobre hijo muerto! ¡Al fin! ¡Al fin!

El escenario se oscurece. De pronto, después de una silenciosa pausa, se oye un grito. Las luces caen hacia la parte anterior del escenario, donde está La Madre. Ileana y Silvia ya no están. Entra La Peluquera.

PELUQUERA: ¡Socorro! ¡Socorro! ¡Es un baño de sangre! ¡Dios mío! ¿Qué ha sido esto? ¡No puede ser! ¡Se han equivocado!

LA MADRE: ¡Silvia! ¡Ileana! ¡Mis hijas! ¡Ha sido una trampa! ¡No era una pesadilla!

PELUQUERA: ¡Un médico! ¡Un médico! ¿Es que no hay un médico que pueda salvarlas?

LA MADRE: ¡Mis hijas! ¡Hable! ¿Dónde están?

PELUQUERA: ¡Sangre! ¡Se mueren! ¡Se desangran!

LA MADRE: *Atónita.* ¡La guillotina!

PELUQUERA: Sí, es cierto. ¡La guillotina! Nos han engañado. Todo era mentira. La sangre corre otra vez, como antes, mucho más que antes. No era una comedia.

LA MADRE: Pero usted me dijo, me juró, que era de papel. ¡Mi pobre, mi pobre y adorado hijo muerto! Y ahora ellas, mis hijas, mis pobres, mis pobres hijas muertas. . . No hay misericordia, no hay piedad. . . nadie siente piedad por nadie.

PELUQUERA: Es una trampa. Es una trampa de papel tejida por esos malditos dioses.

LA MADRE: ¿No es posible hacer nada para salvarlas?

PELUQUERA: Están muertas. . . Ya es demasiado tarde. . .

LA MADRE: *Con la voz ahogada.* La guillotina. . . La guillotina. . .

Capítulo II

República Dominicana

Haití o Quisqueya, la isla conocida más tarde como La Española, fue descubierta por Cristóbal Colón en octubre de 1492. La ciudad de Santo Domingo, fundada en 1496, es la más antigua de las ciudades establecidas por europeos en el hemisferio americano. En La Española ocurrió la primera sublevación de indios en América. Con motivo de los repartimientos de tierra los indios se rebelaron surgiendo el primer guerrillero en tierras americanas. Cuaracuya, quien pasa a la historia con el nombre de Enriquillo, se alzó con sus hombres en las montañas dominicanas y encabezó la primera protesta armada contra la corona española. Desde allí resistieron a los españoles por varios años hasta que Carlos V les concedió los derechos exigidos, reconociendo a su cabecilla cacique de la región.

En 1795 Santo Domingo fue cedido a Francia y estuvo bajo el control del dictador haitiano Touissant Louverture hasta 1801. Siguieron años de lucha, y en 1821 los dominicanos declararon la independencia dándole a su país el nombre de Estado Independiente del Haití español. Al siguiente año fueron invadidos nuevamente por sus vecinos. Boyer, el presidente haitiano, mantuvo el control dominicano durante 22 años. En 1844, proclamada por segunda vez la independencia, se le dio el nombre de República Dominicana. En 1861, el dictador Pedro Santana solicitó la anexión a España ante el temor de otra invasión haitiana.

La independencia fue proclamada nuevamente, esta vez por Gregorio Luperón, en 1865. Marcó este año un largo período de turbulencias provocadas por dictaduras y temores de anexión a la república haitiana o a los Estados Unidos. Es de esa época el gobierno dictatorial de Ulises Hereaux que duró diecisiete años. De 1916 a 1924 el país fue ocupado por tropas del gobierno estadounidense, que mantuvieron el control de las aduanas y las rentas fiscales hasta 1941. Rafael Leónidas Trujillo, dictador del país por 30 años, intentó dejar como sucesor a Joaquín Balaguer en 1960, pero éste dimitió dos años más tarde.

En 1963 Juan Bosch, intelectual de izquierda, fue elegido presidente en las primeras elecciones libres en 38 años. Bosch incluía en su programa de gobierno una serie de reformas sociales, incumplidas al ser derrocado por una junta militar, dirigida por el Coronel Elías Wessin, siete meses después de ocupar su cargo. En 1965 un grupo revolucionario al mando de Francisco Caamaño Deñó trató de restablecer el gobierno de Bosch y volver a la legalidad constitucional del 63. Del otro lado Imbert Barrera y Elías Wessin seguían aferrados al ideario trujillista con el apoyo del gobierno norteamericano que envió fuerzas de ocupación al país.

La intervención norteamericana fue altamente censurada y se solicitó la ayuda de la OEA. Soldados del Brasil y policías de Centroamérica también intervinieron en el conflicto. La OEA, que ratificó la acción del gobierno americano, creó la Fuerza Interamericana de Paz, cuerpo militar de emergencia. En junio de 1966, lograda una tregua, se convocaron elecciones y Joaquín Balaguer, apoyado por su Partido Reformista, fue elegido presidente. Meses después se retiraron las tropas de ocupación. Balaguer fue reelegido en 1970 y 1974.

En 1974 Silvestre Antonio Guzmán Fernández, de la coalición opositora, exigió la anulación de las elecciones. No logró su objetivo, pero consiguió la promesa de Balaguer de no aspirar al cargo presidencial nuevamente. A pesar de esto Balaguer se postuló en 1978, siendo derrotado por Guzmán Fernández. En 1982 se presentó Balaguer de nuevo como candidato presidencial. Los problemas económicos por los que atravesaba el país en esos momentos afectaban la credibilidad política del Partido Revolucionario Dominicano (PRD) en su candidato Guzmán Fernández. Este decidió no postularse y en su lugar endorsar al que hubiera sido su Vice-Presidente, Jacobo Majluta Azar, pero el PRD ignoró esta recomendación, apoyando a Jorge Blanco. Blanco ganó las elecciones de mayo de 1982. Balaguer anunció nuevamente su candidatura en las elecciones de 1986, siendo elegido por un cuarto término, venciendo a su contrincante político Majluta Azar, el nuevo candidato del PRD.

Las elecciones presidenciales de mayo de 1990 tuvieron como candidatos a Balaguer, del PRSC y a su oponente socialista Bosch, del Partido de la Liberación Dominicana (PLD), continuando un desafío de años. A pesar de haber sido revisados los resultados de la votación por dudas en la veracidad del conteo, se dio como ganador a Balaguer (35%) sobre Bosch (34%) por un pequeño margen. Al tiempo de hacerse públicos los resultados, Bosch le pidió al pueblo dominicano que declarara cuarenta y ocho horas de luto nacional para conmemorar "la muerte de la democracia" en Santo Domingo. Al asumir la presidencia por un sexto término Balaguer, acusado de fraudulencia, tuvo que enfrentarse a protestas a causa de las elecciones y de un nuevo plan económico de ajuste. En 1992 Balaguer anunció que no se postularía nuevamente para el cargo presidencial cuando concluyera su término. Las protestas laborales resultaron insuficientes para cambiar el curso de la política económica gubernamental; por otro lado, el gobierno anuncia acudir a un "Plan Brady" para la reducción de la deuda.

POESÍA

La poesía dominicana post-modernista cae dentro de los "ismos" de la época bajo el nombre de "postumismo". Este movimiento, surgido en 1916, ejercita sus juegos dadaístas tomando de fondo la temática realista. La importancia del postumismo estribó en el descubrimiento de la tierra dominicana. De este principio surgiría, años más tarde, el contacto con la literatura universal sin que la poesía dominicana perdiera su carácter propio. Otro hito importante en el desarrollo fue el surgimiento del grupo "La poesía sorprendida" en 1944, aglutinado alrededor de la revista del mismo nombre. Tres poetas comenzaron a elevar voces de protesta dentro del grupo, Manuel del Cabral, Héctor Incháustegui Cabral y Pedro Mir. Del Cabral, con la creación del caudillo racial dominicano, el compadre Mon; Incháustegui Cabral, quien va más allá de la denuncia y escribe poesía acusatoria, y Mir al presentar el cuadro doloroso de su tierra. En la "nueva ola" se destacan los grupos "Puño" y "Antorcha". En el grupo poético "La generación invadida", se encuentran los poetas dominicanos más recientes, Rafael Abreu Mejía, Soledad Alvarez, Enrique Eusebio, Johnny Alexander Gómez y Jeannette Miller.

MANUEL DEL CABRAL (Santiago de los Caballeros, República Dominicana. 1907)

Uno de los mejores poetas de la República Dominicana, vivió fuera del país durante la dictadura trujillista desempeñando la carrera diplomática por muchos años.

Obra. **Poesía negra:** *Doce poemas negros* (1932), *Trópico negro* (1942), y *Compadre Mon* (1943). **Poesía de tema patriótico:** *Tierra íntima* (1930), *Pilón* (1931), *De este lado del mar* (1948). **Poesía de amor a la mujer y la tierra:** *Los huéspedes secretos* (1951) y *Pedrada planetaria* (1958). **Antología:** *Antología tierra* (1949), *Antología clave 1930-1956* (1957), *Obra poética completa y Antología tres* (1987).

Los problemas de la tierra natal del poeta y del resto de Hispanoamérica aparecen reflejados en la tendencia popular, nativista y telúrica de la primera parte de su obra. Su poesía negra tiene gran influencia de Nicolás Guillén. Sus poemas más recientes se mueven hacia el universalismo en un afán de reflejar el drama del hombre contemporáneo en la búsqueda de su propia dimensión.

En "Aire durando" la voz del rebelde muerto no se entierra, sino que fructifica y sube. De él salen voces nuevas que seguirán eternamente luchando por la libertad. "Un recado de Mon para Bolívar", también de la colección Compadre Mon, es una queja al patriarca de la revolución americana de la represión violenta, en la que hasta el aire está racionado. Ya no existe la América del Libertador, pero quedan su piel y su voz, que se escucha en los humildes. Termina el poema con una nota de esperanza.

COMPADRE MON (1943)
AIRE DURANDO
¿Quién ha matado este hombre
que su voz no está enterrada?

Hay muertos que van subiendo
cuanto más su ataúd baja. . .

Este sudor. . . ¿por quién muere?
¿por qué cosa muere un pobre?

¿Quién ha matado estas manos?
¡No cabe en la muerte un hombre!

Hay muertos que van subiendo
cuanto más su ataúd baja. . .
¿Quién acostó su estatura
que su voz está parada?

Hay muertos como raíces
que hundidas. . . dan fruto al ala.

¿Quién ha matado estas manos,
este sudor, esta cara?

Hay muertos que van subiendo
cuanto más su ataúd baja. . .

UN RECADO DE MON PARA BOLÍVAR

Ya están guardando hasta el aire que nos regaló tu espada.
             Hoy cuesta el aire un fusil.
Ya ni en el mantel te vemos, tú que estabas en el trago
             en la vaca y el maíz.
Mira la casa, tu casa, es tan grande, tan inmensa,
¿pero en dónde está la casa, aquí donde el trigo
             piensa?
Mira sus habitaciones, carpintero que con balas
le hiciste puertas al rancho, ven a ver su dueño, a Sancho,
             ¡que hasta en su burro hay más alas!
Desde los golpes de Estado, hasta el burócrata vil,
en uno o en otro modo, vi en tu América de todo,
             mas tu América no vi.
Como no cabe en el hoyo ni tu caballo inocente,
con tu espada y sobre el bruto, hay quien da ruidoso luto
             todavía al continente.
Estas tierras que salieron todas de tu pantalón. . .
Mas olvidaste una hazaña: nos liberaste de España,
             pero no de lo español.
Somos España hasta cuando ella no queremos ser. . .
Ya ves, buen Simón, tu espada, en ti mismo está clavada
             al clavarla en ella ayer.
Pero tú estás todavía en esa piel que medita

del negro que a fuerza humana, siempre su noche se quita,
hoy con risa de mañana.
Oigo aún también tu voz en la carita de un cobre
que en el burriquito andino va con el indio y el trino
que hace al aire menos pobre.

Mas el mapa nos lo muerden con un diente no común,
por ese diente, ya ves, van a tener que volver
Cristo, Don Quijote y tú.
Pero tú, baja pronto, que la casa
ya espera con su luz boba
-barrendero de América-
tu escoba.

NARRATIVA

La falta de documentación sobre la producción cuentística dominicana durante la época colonial se suplió con el cuento oral, o cuento de camino. No fue hasta la segunda mitad del siglo XIX que aparecieron los primeros prosistas, entre los cuales se destacan los hermanos Alejandro y Javier Angulo Guridi, Francisco Javier Amiama, Manuel F. Cestero, Gregorio Billini y Manuel de Jesús Galván, autor de *Enriquillo* (1882). En esta novela histórica se presenta la lucha de los indios, encabezados por el Cacique Cuaracuya (Enriquillo) contra los españoles. Las obras de estos autores muestran una influencia evidente de la literatura francesa. A fines del siglo XIX apareció lo autóctono domininicano específicamente en *Rufinito*, de Federico García Godoy.

Durante los primeros años del siglo XX Tulio Cestero, en su narración *La sangre*, retrató política y socialmente la tiranía de Ulises Heureaux, enlazando el costumbrismo y la historia. Fabio Fiallo en sus libros *Las manzanas de Mefisto* y *Cuentos frágiles* le dio al relato verdadera calidad de género literario siendo considerado por esta razón el primer cuentista dominicano. También se dedicaron al cuento en esta época José Ramón López y Rafael A. Deligne, y los cuentistas de corte regionalista Sócrates Nolasco y Juan Bosch.

Alrededor de 1961 se escribió literatura para levantar conciencia, principalmente en los géneros del cuento y la poesía. Estas obras se publicaron clandestinamente en los cuadernos *Brigadas Dominicanas* y la colección *Baluarte*. En ellos aparecieron cuentos de Aída Cartagena,

Alfredo Lebrón, Hilma Contreras y Marcio Veloz Maggiolo. Otros autores que cultivan el cuento con éxito son Manuel del Cabral, Néstor Caro, Rafael Damirón, los hermanos Max y Pedro Henríquez Ureña, el autor teatral Iván García y los poetas René del Risco, Antonio Lockward Artiles y Ramón Francisco.

Además de los cuentos antologados de Bosch y García-Guerra, deben destacarse en la colección de Cartagena, *Narradores dominicanos* (1969), "Los trajes blancos han vuelto" de Miguel Alfonseca, "A través del muro" de Virgilio Díaz Grullón, "El coronel Buenrostro" de Veloz Maggiolo, y "La noche se pone grande, muy grande" de del Risco, en los que se delata el problema político, la persecución, la represión y la tortura. En sus cuentos de protesta social *El ojo de Dios, cuentos de la clandestinidad* (1962), Contreras denuncia las injusticias cometidas durante la dictadura trujillista.

JUAN BOSCH (La Vega, República Dominicana. 1909)
       Hijo de catalán, y dominicana descendiente de gallegos, Bosch se educó en Santo Domingo donde después trabajó como maestro de escuela. En 1933 fue encarcelado durante el gobierno de Trujillo por supuestas actividades anarquistas. En 1937 salió hacia Puerto Rico y en 1939 se estableció en La Habana donde trabajó en la radio y la prensa. Desde Cuba, y junto a otros coterráneos exiliados, fundó el Partido Revolucionario Dominicano (PRD) y participó en la fallida expedición de "Cayo Confite" auxiliado por cubanos, venezolanos y otros caribeños, para derrocar a Trujillo antes de su inauguración presidencial de 1947. Nuevamente, en 1949, se embarcó desde Guatemala en una segunda expedición revolucionaria, la de Luperón, que también sería sofocada. Con el golpe de estado de Batista de 1952 salió de Cuba para Costa Rica. Allí enseñó en el Instituto de Educación Política de San Isidro de Coronado en San José, donde llegó a ser Director. Durante la década de los 50 viajó por Europa y la América Latina. Volvió a Cuba en 1958 donde estuvo encarcelado. Cuando fue puesto en libertad se dirigió a Venezuela y a Costa Rica.

       Regresó a su país en 1961 después de 25 años de exilio. Gran activista político siempre se rebeló contra la dictadura trujillista y precisamente regresó al país después del asesinato de Trujillo. En la inmediata convocatoria electoral fue elegido Presidente Constitucional por una mayoría abrumadora de votos, pero resultó depuesto por golpe militar. Cuando sus seguidores se rebelaron contra los militares, en 1965, Lyndon Johnson envió a la marina norteamericana para mantener el orden. En 1967 perdió la presidencia nuevamente, ante el candidato triunfante Balaguer. En 1974 se separó del (PRD) por ser Demócrata Social y fundó el Partido de la Liberación Dominicana (PLD) que propuso el socialismo como solución del problema nacional.

Obra. **Biografía:** *Hostos el sembrador* (1939). **Cuentos:** *Ocho cuentos* (1947), *Camino real* (1933), *Indios* (1935), *Dos pesos de agua* (1944), *Cuento de Navidad* (1956), *Más cuentos escritos en el exilio* (1964). **Novela:** *La mañosa* (1936) y *El oro y la paz* (1964). **Obra política:** *El pentagonismo, sustituto del imperialismo* (1968) y *Trujillo, causas de una tiranía sin ejemplos* (1969).

Los primeros cuentos de Bosch aparecieron publicados en las revistas puertorriqueñas *Puerto Rico Ilustrado* y *Alma Latina*. En 1969 ganó primer premio en la revista *Familia* de Madrid por su cuento "Los amos". A Bosch se le considera el estilista por excelencia del cuento dominicano y es uno de los autores más famosos de la República Dominicana. Es también el primer escritor de su país que refleja el problema social en su obra literaria. En la mayor parte de la obra de Bosch aparecen episodios evocadores de su adolescencia campesina.

La forma dramática en que comienza el relato antologado evoca el movimiento revolucionario. En el fondo aparece el paisaje dominicano, destruyéndose por el fuego. El lenguaje típico del campesino hace la narración intensamente realista. Los personajes avanzan y se van colocando dentro de la situación a pasos rápidos, como pistoletazos, hasta resolverse el cuento en un clímax inesperado.

CAMINO REAL (1933)
REVOLUCIÓN

Están ardiendo la tierra y el cielo, hacia el oeste. Se ve el resplandor rojizo, pero no las llamas. Arde todo en el Poniente. No podremos saber cuándo termina el día ni cuándo comienza la noche: una lumbre rojiza llena la inmensidad.

¡Dios mío! ¡Dios Mío! ¿Cómo has permitido que la gran tierra llana, detrás de los árboles, arda? ¡Hasta la palma, tan bella, tan elegante; y esa debilucha mata de jobo que ningún mal hizo, van a convertirse en llamas! Comenzará por un encogimiento de las hojas, como mareadas; después las ramas se retorcerán y chisporrotearán escandalosamente.

¡Todo arde, Dios! ¡El sol ha quemado la tierra! ¡El sol ha sido, Señor! Yo lo ví esta mañana: enrojeció el agua del río, la hizo hervir. ¡Yo veía burbujear el agua del río, Señor!

. . . .

Tuvo suerte Toño: Cholo estaba solo. Entró como un ventarrón, miró a todos lados y, casi ahogándose, dijo:

—Ya ta, Cholo. Deogracia se prenunsió.

Cholo se quitó el cachimbo de la boca violentamente; echó el cuerpo un poco adelante, pero no habló.

Toño estaba allí y no estaba. Se le veía la cara como si el sol la estuviera derritiendo. Hurgaba con la vista los rincones, las puertas, el camino.

Cholo sintió la nuez de Adán subirle y bajarle. Con la mano izquierda, abierta, se alisó el bigote crespo. El esfuerzo que hizo para calmarse le surgió a la frente.

-Bueno. . . -dijo- Deogracia sabe lo que jase.

-Sí, poro. . .

Toño no podía hablar. Viéndole tan nervioso Cholo se sintió más sereno, más dueño de sí.

-Siéntese, compai. Uté ta asutao.

-E que, mire. . . -contestó el otro-. Oritica ta aquí el gobierno.

-¿Y qué?

-Que reclutan.

-Esa son caballá. No jasen ná. Ello saben que Deogracia ej' un hombre peligroso.

Pero Toño parecía no comprender; ni un instante miró de frente a Cholo. Este se remojaba los labios, uno con otro, y tenía la vista perdida. Al fin habló:

-Ya era hora. Tengamo batante tiempo fuñío.

Toño casi salta de la silla. Atropelladamente, como quien tiene miedo de no terminar, explayó:

-Yo no epero. Eta noche me ajunto con Deogracia. Mire a ver si uté quié.

Cholo arrugó el entrecejo. Pensó en Tonila; dejó el cachimbo en la pared, enganchada la raíz en una ranura, y se mordió la uña del pulgar derecho.

-¿Cuánto semo? -preguntó de pronto.-

Toño se sabía comprendido ya por Cholo; no iba a engañarle. Contestó:

-Con uté ocho.

-Bueno. . . Bueno. Pero uté sabe que dejo mi mujer y mi muchacho. Yo no voy al monte a pendejá. Jata que no tumbemo al gobierno. . .

-No se apure -cortó el otro-. Eto ej' un asunto serio.

Toño conocía a Cholo y lo sabía hombre de compromiso. Se

LITERATURA REVOLUCIONARIA HISPANOAMERICANA

había serenado ya y no hurgaba los rincones con la vista.

-Jata lueguito, compadre. Atardesiendo lo epero.

Estrechó la mano fuerte y callosa que le extendía Cholo. Con paso seguro salió al camino. Cholo vió su espalda ancha, a contra-luz, en la puerta.

. . . .

Llamó a Tonila, puso en su mano una moneda y dijo:

-Compra sal, que Toño y yo vamo al pueblo a llevar un ganao. Taremo como dié día.

-¿Cómo? -preguntó ella.

Algunas veces había hecho su marido lo mismo, sobre todo al principio de su unión. Después sabía ella que no había tal ganado. Pero aquellos fueron otros tiempos; no tuvo el temor de una revuelta, mas, lo mismo que antes, la boca le quedó un poquitín abierta al terminar su pregunta.

-Sí, mujer- aseguró Cholo.

Luego se fué a la habitación. La hamaca colgaba de un solo clavo, enrollada. La desamarró, extendió en el suelo, dobló a lo largo y comenzó a envolverla.

Tonila llegó hasta la puerta, con gesto indiferente.

-¿Y van al pueblo?- preguntó.

-Yo creo- evadió el marido.

Estaba pensando en lo malicioso que era Toño: no quiso decir palabra mientras no tuvo seguridad; pero apostaba cualquier cosa a que Toño sabía los planes de Deogracia.

Otra vez la voz de Tonila:

-Antonse precura ver a Pirín.

-¿A Pirín?- Cholo habló con la cara vuelta, asombrado-. No me parese que té en el pueblo. Lo hubiean vito.

-Poro quién sabe- insinuó la mujer.

El bajó la vista. La hamaca ya era un bulto. Se sintió preso en una red de araña muy fina y muy resistente.

-Mira Tonila- dijo con lentitud-, Pirín se ha portao como sinvergüensa. No parese jijo é nojotro.

-Verdá e- asintió Tonila -. Poro precúralo.

Cholo estuvo un rato preso en la telaraña. Después sacudió la cabeza para retirar de ella a su hijo.

. . . .

Toño le aconsejó:

-Arremánguese lo pantalone que orita tamo en la loma.

No hizo caso. Sentía la hamaca en el hombro como si alguien llevara una mano puesta en él. Toño iba a su lado, pero no lo veía, aunque le sentía. Alguna vez decía algo y entonces contestaba como quien habla de lejos. De momento preguntó, sin saber por qué:

-¿Y lo compañero?

-Tan arriba- contestó Toño.

Y agregó: -No díbano a venir tó junto.

-Verdaderamente- corroboró Cholo. Jata mi embute jablé. Le dije a Tonila que diba con uté al pueblo a llevar un ganao.

¡Tamaño ganao! - comentó Toño.

Callaron. El universo estaba como lleno de café molido. Cholo no sabía explicarse, pero le parecía que la noche era espesa. Algunas veces había días espesos también. Generalmente sucedía eso antes de llover.

Se acentuaba el repecho. La loma estaba ante ellos como una gran cabeza negra. Cholo quería saberse más seguro; había vaguedad en todo él.

-¿Y la carabina?- preguntó.

-Deogracia tiene mucha- fué la contestación.

Cholo no dudó, pero le hubiera gustado más tener la suya entre las manos.

-Uté é malisioso, Toño- afirmó-. No quiso desir ná jata el último momento.

-Yo quería que hubiea seguridá, compadre- sopló el otro

. . . .

El día amaneció turbio, como lleno de humo. Abajo, en el valle, parecían estar quemando hojas verdes.

Cholo sentía la sangre lenta; tenía ganas de café y se figuraba subido en un árbol.

Deogracia le había visto la noche anterior; la mirada de Deogracia era un muro que no le permitía avanzar. Dijo:

-Yo le tengo confiansa, Cholo. Uté lo sabe.

Y eso le agradó: sabían quién era.

El humo se hacía tenue. Comenzaban a dibujarse contornos de hombres tirados en tierra y hasta se veían espaldas anchas, manos fuertes apoyadas en el suelo y cabezas crespas. Todas las cabezas eran lana teñida.

Cholo había tendido su hamaca entre un copey y un roble. Llenaba el cachimbo cuando la voz, gruesa pero apagada, cruzó el matorral y le llegó.

-¡Cholooo. . . !

-¡Ijaaa. . . !- respondió en igual tono.

-¡Lo ñama el general!

Se incorporó y desamarró la hamaca. Tardó lo menos posible en envolverla. Cuando iba sentía lo oídos llenos. ¡Había tantas calandrias y tantos jilgueritos entre los árboles! . . . .Deogracia estaba sentado en una caja de cartuchos. Limpiaba su revólver y ni siquiera le miró.

Allí, a su lado, humedecidas por el sereno, estaban las carabinas. Deogracia las señaló y dijo:

-Coja una y vaya con Toño.

Clavó los cinco dedos en el arma. Estaba increíblemente fría. Se echó la hamaca al hombro izquierdo y sujetó el máuser con la mano derecha. Toño había roto marcha ya.

En la vereda no cabían dos. Bajaban y era menester clavar la uñas de los pies en tierra. Estuvo largo rato viendo los carcañales del compañero: gruesos, recios, veteados como si hubieran comenzado a abrirse. La pierna subía maciza, ennegrecida por el sol y el polvo. Tenía los pantalones remangados hasta la rodilla.

De improviso Toño se detuvo en seco. Volvió violentamente la cara. Parecía un rostro hecho bronce, muy sólido, muy muerto.

-Vamo a revisar abajo- dijo mirándole fijamente

-Bueno. . . , -contestó Cholo, como quien no da importancia a lo que habla.

Ya el sol iba metiéndose por entre el humo del amanecer.

. . . .

-¡Mírelo, concho!- murmuró Toño.

Se le vió la cara contraer de rabia; apretó los labios, tiró el bulto de la hamaca y se echó el rifle a la altura de los ojos.

-¡No! rogó Cholo. ¡Metámono al monte!

Fueron cinco minutos tensos, reptando, procurando no hacer ruido. A doscientos metros rompía el paisaje una línea amarilla, compacta, móvil.

-Vienen pacá- murmuró Toño.

Eran hombres fornidos. Comenzaban a subir la loma con firmeza imponente. Se les veía casi sin perfiles, medio alumbrados por un sol débil.

-Tengamo que dirno, Cholo- dijo Toño.

Agregó, a seguidas:

-O uté solo.

Sus ojos relucían como si hubieran sido pedazos de espejo. Apretaba demasiado los dientes.

-¡Coja por aquí, poro vivo!- y señaló a su derecha. Dígale a Deogracia que tamo cojío.

Cholo no le oyó; tenía la vista fija, como si se le hubieran muerto los ojos, nada más que los ojos. Las zarzas no le dejaban ver bien, o tal vez fuera alucinación. Alargó el brazo izquierdo para retirar algunas ramitas.

-¡No oye!- rompió Toño colérico.

Toño creyó volverse loco. El vió a Cholo dejar el máuser, mejor dicho: tirarlo lejos de sí. De pronto se imporó. Tenía la cabeza llena de hojas secas. La mirada era de loco: clara, clara. Alzó los brazos y corrió, gritando con acento impresionante:

-¡Pirín! ¡Pirín!

Sí. También Toño vió a Pirín. Fueron unos segundos en los que no pudo pensar. Ya el ejército estaba a cincuenta metros. Se detuvieron de golpe, quizá si impresionados a su vez: un hombre bajaba a saltos largos, con los brazos abiertos en cruz, dando gritos desaforados:

-¡Pirín! ¡Pirín!

Toño midió la desgracia. Vió muchos soldados volverse hacia el compañero llamado con tanta vehemencia. Y lo calculó: sólo una cosa podía salvar a Deogracia: tiroteo. Pero quiso aprovechar su primer tiro. Cholo, corriendo como loco, estaba ya a diez pasos de las fuerzas. Toño puso toda su alma en apuntar bien. El tiro retumbó entre los árboles como alarido siniestro. Cholo dió media vuelta, sintió sabor a cobre subirle a la garganta y crispó las manos.

A través del humo Toño le vió caer. Oyó las órdenes. Inmediatamente después un tiroteo cerrado, como si hubieran querido talar los árboles a balazos.

IVÁN GARCÍA-GUERRA (San Pedro de Macorís, República Dominicana. 1938)

Narrador, dramaturgo, actor y director teatral, se trasladó en 1944 a la capital donde ha vivido la mayor parte de su vida. Estudió Educación Política en Costa Rica y Producción Cultural. de Radio y Televisión en el Instituto Alemán para Países en Vías de Desarrollo en Berlín. Ha sido Director del Teatro de Bellas Artes y encargado de la Sección Cultural de Radio y Televisión nacionales. Es catedrático de Español y Literatura Dominicana e Hispanoamericana en la Universidad Católica Madre y Maestra de Santiago, en su país, y en el Oswego College en Nueva York. Es miembro del grupo literario "Puño". Ha sido ganador del Primer Premio del Concurso Nacional de Cuentos La Máscara en 1968.

Obra. **Teatro:** *Más allá de la búsqueda* (1967), contiene la pieza del mismo nombre además de *Don Quijote de todo el mundo, Un héroe más para la mitología, Los hijos del Fénix,* y *Fábula de los cinco caminantes.* **Cuento:** *La guerra no es para nosotros* (1979).

La intención original de García-Guerra al escribir *La Guerra no es para nosotros* fue la de llevar un diario, testimonio de los problemas de las distintas personas que iban al edificio de la Presidencia Revolucionaria durante el corto triunfo de la revolución dominicana. Con la invasión norteamericana y los bombardeos del 15 de junio, el edificio y su contenido quedaron en ruinas. Considera García-Guerra que los 13 relatos de la colección, mezcla de ficción, recuerdos e historia, pueden ser reconocidos documentos oficiales de la Revolución Constitucionalista Dominicana. "Mi querido Moreno" tiene de fondo a Santo Domingo cuando la Ciudad Nueva, asiento del gobierno revolucionario y campamento de la nueva libertad, se encuentra sitiada por el ejército norteamericano. Mientras que Margot atiende a su hombre, un revolucionario, colabora a su manera con las luchas patrióticas por la liberación. En la segunda narración antologada aparece nuevamente el tema del amor en la guerra, pero bajo una nueva dimensión. Crea García-Guerra, en este cuento que da nombre a la colección, una bella figura femenina. La protagonista compara su vida, que pudiera evolucionar de forma paralela, a la de otra mujer en los Estados Unidos. Comprensiva y digna, de una ternura impropia en tiempos de guerra, ella es la eterna portadora de la vida.

LA GUERRA NO ES PARA NOSOTROS (1979)
MI QUERIDO MORENO

-"Volverás como vuelven
esas inquietas olas
coronadas de espuma
tarará, tarará."

Pastel de carne, fritos de plátanos maduros y verdes, pollo asado y dulce de leche con naranja... Ya está todo?... No. Cómo puede olvidársele?... Falta el aguacate. Con tanto que le gusta a su querido Moreno el aguacate.

-"Volverás como vuelven"...

Muchas veces le ha dicho que podría faltarle todo, hasta el agua; pero el aguacate, no. Hace unas horas que los compró; fueron los únicos que pudo conseguir y como estaban un poco más verde de la cuenta, los puso al sol, en el dintel de la ventana; porque dicen que así maduran rápido. Naturalmente, eso no la dejó cocinar en calma: el temor de que alguien pudiera robárselos, y en un momento tantas fueron las ojeadas, que se le chamuscaron las alas del pollo. Ahora, puede que sea una ilusión, le parece que están más maduros.

-"Su néctar a olvidar...

Y para que no sepan
Que estuve aquí contigo"...

El sol hace tantas cosas. El sol hace sudar, por lo pronto. Comenzó a cocinar a eso de las dos de la tarde y tan profundo se le metió el calor que caía desde el techo de zinc de la cocina, que ahora, a pesar de que ha refrescado, sigue goteando como una ducha rota.

-"Taladró la noche serena"...

Uf. Debe oler a letrina; se lo imagina aunque ella misma no lo note; sabe que nadie se da cuenta de su propio grajo.

-... "La noche serena"

Tiene que acabar pronto si no quiere perder el chance. Ya está lo que más importa; pero todavía debe refrescarse y bañarse y perfumarse. Dios, qué vida tan agitada le toca vivir a una mujer como ella en las presentes circunstancias.

-Rubén.

Como es natural, no responde a la primera llamada, y ella, acostumbrada, espera unos segundos.

-"Y para que no sepan

Que estuve aquí contigo,
turún, turún, turún, tu. . .
. . .Volverás como vuelven". . .
Camina hasta la puerta que da al patio.
-Rubén.
-Ya voy, señora.
-Trae la funda.
-Sí, señora.
-". . . la noche serena". . .
Entra, Rubén.
-Dónde estabas?
-Ahí mismo, en el patio. Hablaba con la vecina.
-Ah. . . Atiende a lo que voy a decirte: no quiero que tardes como la última vez. El Moreno se quejó de que la comida le había llegado como un muerto.
-Yo hago lo que puedo.
-¡Haces lo que puedes! Ya me han dicho que te paras a conversar con cualquiera que encuentres. Por ejemplo, qué estabas hablando ahora con la vecina?
-Nada. . . Tonterías.
-Sabes que es una reaccionaria.
-Si llegué tarde la vez pasada fue por culpa del chequeo. Ese día había una fila de dos cuadras esperando a que a los yanquis les diera la santísima gana de dejarnos pasar.
-No quiero que hables con esa mujer. Es capaz de denunciarnos a los guardias un día de estos.
-Además, no importa lo rápido que yo la lleve; él nunca se la come de una vez; o está de servicio o está haciendo. . . qué se yo qué diablos.
Mientras han estado hablando, ella ha metido la comida en la gran bolsa de papel que Rubén trajo. Primero el pastel de carne; luego las frituras y el pollo asado; más arriba los aguacates, y cubriendo: el dulce de leche con naranja.
-¿Cómo comienza el himno de la revolución?
-"Taladró la noche serena
La sirena de la libertad". . .
-Ah, sí. . .
La sirena de la libertad". . .

Margot mira el gordo paquete como quien mira a una obra de arte. Lo coge, lo sopesa, lo entrega al muchacho.

-Toma.

-No creo que sea tan reaccionaria como usted dice. Muchas veces la he oído hablando bien de los revolucionarios.

-No tengo ningún interés en hablar de esa mujer. . . Vete.

Rubén va a salir.

-Espera. . .

Del bolsillo de su vestido saca un billete de cinco pesos y se lo da.

-. . . Dile que para sus cigarrillos.

Toma el dinero y sale.

-. . . Rubén. . .

Asoma la cabeza.

-. . . Dile a mi querido Moreno, que lo amo más que nunca.

La cara del muchacho, cuando se va, indica a las claras que no le va decir nada al querido Moreno; pero ella parece no darse cuenta o parece no importarle.

-. . . "La sirena de la libertad". . .

¡Claro!

Pone ambas manos sobre el fogón y piensa que lo limpiará más tarde. Suspira, y el suspiro es como una ráfaga de satisfacción. Nunca, como en estos momentos, se siente más importante; casi se atrevería a pensar que es más importante que un noventa por ciento de los que tienen fusiles en las manos. . .

El querido Moreno tiene suerte. Antes, puede que lo negara; pero ahora, no es que lo diga, pero ella sabe que tiene que reconocerlo. Cuántos constitucionalistas tienen, como él, una mujercita que le cocine? Y que le cocine como ella cocina. No será la mejor del mundo; pero hay pocas que lo hacen con ese sentido del sazón. Por tres años le preparó la comida al que fue su esposo, que era muy fuñón, y después: nueve años a su hija, ¡tan delicada que era! Con ese aprendizaje. . .

Y al Moreno le aprovechaba. Se ven los resultados sin buscar mucho. Todos los demás compañeros están escuálidos, y él, como en los mejores tiempos.

"Taladró la noche serena". . .

Una mirada al reloj que descansa sobre la mesa del comedor y el corazón le da un brinco. ¡Dios mío, si es tan tarde! Le comunicaron que llegaría a las cuatro, y esa gente nunca tiene mucho tiempo. Corre al baño y se desnuda en un santiamén. Se mete en la bañera y abre la ducha.

　　　　-"Taladró la noche serena
　　　　la sirena de la libertad
　　　　tararín, tararararatito
　　　　que proclama la Constitución".

　　　　"Margot casó a los diecinueve años. Su esposo la abandonó cuando salió en estado; le molestaba, como si él no hubiera tenido nada que ver en el asunto. Luego, la pobre, caminó un viacrucis con Margarita. Desde que nació le dijeron que no se criaba, pero casi llega a la pubertad. De no haber sido por esa gripe tan mala, a lo mejor aún estaría con ella.

　　　　-"Yo bien sé que tus caricias
　　　　jamás podré tener,
　　　　si me niegas el consuelo
　　　　de tan, tarán, tarán.
　　　　Te juro vida mía
　　　　que sería feliz,
　　　　teniéndote muy cerca
　　　　de mí hasta morir.
　　　　Porque te quiero,
　　　　te quiero, te. . . "

　　　　Gárgaras. Un buche. . . La libertad llegó con el Moreno: la libertad de la familia, del luto, de la abstinencia de nueve años y nueve meses.

　　　　Todo fue bien por largo tiempo, hasta que tumbaron un gobierno y tumbaron otro y comenzó la revolución y llegaron los malditos blancos del norte a meter las manos donde no tienen que meterlas y sitiaron a Ciudad Nueva. . . con el Moreno adentro. Entonces ya no hubo qué comer, y. . .

　　　　-. . . "a luchar
　　　　por los nobles principios
　　　　que proclama la Constitución. . .
　　　　Taladró la noche serena". . .

　　　　Pasa la toalla ligeramente por la punta de sus cabellos mojados. Va a su habitación a vestirse. Se mira en el espejo. Todavía está muy bien. A pesar de los años, todavía está muy bien. Así, con gotas resbalándole por la piel, resulta verdaderamente tentadora. Si ella fuera hombre hasta podría enamorarse de sí misma. Lo recordará. Cuando llegue él, un día se le presentará asimismo; como está ahora; dando una impresión de casualidad; con un pie delante del otro; con la mano al borde de la puerta. . .

Otro vistazo a la mesa del comedor. El reloj marca las cinco y cinco. Ella está retrasada pero él también lo está. Comienza a vestirse. Sus senos. Sus senos no están todo lo saludable que antes; pero aún son hermosos. Está convencida de que ninguna mujer de su edad los conserva como ella. Y sus caderas. Y las nalgas que tanto le gustan al amado. Naturalmente, tiene que comer mucho para mantenerlas tan redondas y levantadas. Tiene que comer tanto, que a veces le duele la barriga. Pero es un sacrificio que hace con gusto. La mujer está hecha para gustarle a su hombre y a él le gusta así: cebadita como un puerquito.

-. . . "porque te quiero,
te quiero, te adoro,
te adoro mi bien."

Ya está vestida. . . Tocan a la puerta. Abre el pomo de perfume y se echa un verdadero chorro. Siente como una gota fría le baja por el vientre mientras va a abrir. Se detiene un momento con el pomo en la mano. Es este un perfume que le regaló él, porque dice que le gusta muchísimo, y además porque es muy caro. A ella no le gusta porque es suave, pero de todas formas debería guardarlo para cuando él volviera. No puede; a esos hombres les gusta que la mujer huela, y el otro, que era más barato, se le acabó. . . Lo deja sobre la mesita de la sala y abre.

-Buenas tardes, pase usted.
-Bouenas tardis. Are you Margot?
-Sí. . . I am. . . Pase adelante.

Cierra detrás de ellos. Es buen mozo. No se diferencia en mucho de los demás; todos se parecen. Pero es así; todos son buenos mozos. Altos, rubios, los ojos azules, con caras de niños e ímpetus de bestias. Este no los tarda en mostrar. La arrincona contra la puerta y le rodea la cintura con ambos brazos. En el cuello siente mordiditas que lo que le dan es risa. . . Mejor así: más rápido empieza; más pronto acaba.

-Honey. . . Honey
-Money. . .

Con fuerza se separa del soldado yanqui y extiende la mano izquierda a tiempo que frota el pulgar y el índice de la derecha.

-. . . Money antes que honey.

-How Much?

-Diez. . . No pesos: dollars.

-O.K.

Saca un billete de diez dólares y lo extiende. Ella lo toma y lo coloca debajo del perfume. . . Más dinero para el querido Moreno; para los aguacates y los cigarrillos del querido Moreno. . . El vuelve al ataque. Ella ríe nuevamente.

-. . . Buuuena. . . Buuuena. . .

-Ya lo sé, encanto. Los dedos del joven se mueven por la cremallera, el cinturón y los botones, con una destreza asombrosa; como si no hubiera hecho otra cosa en su vida. Dice un diluvio de palabras mordidas; imposible entenderlas. Le besa los cabellos.

-The bed, dear, the bed.

-En el otro cuarto. En el otro room. . .

El vestido cae al suelo, luego el sostén, más tarde el medio fondo, por último los blumen. Detrás de todo ello cae él, fuertemente asido a la ancha cintura de Margot.

-. . . Te dije que en el otro room, honey. Se desprende de él y camina hacia el dormitorio. El la sigue, tirando sus ropas verde olivo como si fuera un "streaptease": el cinturón a la izquierda, la camisa a la derecha, los pantalones hacia atrás, la camisa va a darle en la cabeza. . . Se ríe.

Sí. Indudablemente es hermoso. Sus músculos son hermosos y suaves. Su cintura es fina y esbelta. Es blanco. Muy blanco. Demasiado blanco. Tan blanco que hasta da náuseas. Prefiere a su querido Moreno que tiene la piel oscura y excitante. Su hombre, que lucha contra los yanquis, tiene una barriguita como sólo él la puede tener; sus músculos son suaves y su piel es suave y todo él es suave. Su Moreno. Su querido.

-Honey. . . We are going to have. . .

Y el resto no lo entiende. Ni falta que le hace. Va a tirarse en la cama, cuando ve la ventana; está abierta. Va a cerrarla. Seguro que Rubén estará llegando con la comida. Cuánto le gustaría ver el rostro del Moreno cuando la reciba. Sonreirá. . . sonreirá. . . sonreirá. . . con esa gracia que sólo tiene él. Sus compañeros de armas lo mirarán con envidia. Es una verdadera lástima que ella no esté allá en ese momento.

-What are you doing?. . .

La vecina la mira desde la ventana de la otra casa que queda patio con patio de la suya.

-. . . Hey, honey, what are you doing?

El soldado se le acerca por la espalda, y la vecina pone los ojos como se ponen cuando uno ve matar a alguien. Los cierra luego, y adelanta el hombro izquierdo en un gesto de desprecio. Otro gesto de desprecio le hace tirar la cabeza hacia atrás, como si de repente hubiera sentido un fuerte dolor de cogote, y cierra la ventana.

-Hija de la gran puta!

-Dear.

-A la cama. . . to bed, I'm going después. . . Ahora mismo. De un solo brinco el yanqui cae en la cama. Ella comienza a cerrar su ventana. Qué se cree la vecina? con tanta presunta dignidad y no sirve para nada. Qué está haciendo ella por la Patria? Qué está haciendo por su pueblo, por su clase?. . . Nada. Esas son las vainas que tienen jodido a este país. Se cogen unos humos sin razón; por nada. Tendría que darle las gracias. Sí, a ella. No puede alcanzarle ni siquiera los tobillos. Debería besar el suelo que ella pisa: su querido Moreno, su queridísimo Moreno, está luchando por la libertad, en contra de los yanquis y de los guardias y de todos los que se opongan a la libertad. Está luchando inclusive por la libertad de la vecina, que, por inútil, no se la merece. El está luchando por la Patria y por la Constitución; y ella lo alimenta para que pueda seguir luchando; para que tenga fuerzas para vencer.

Esa es su lucha. Ella está luchando también, con tanta eficacia como si tuviera un arma en las manos. Ella está luchando también, al asar el pollo y el pastel de carne, al freír los plátanos, al poner los aguacates al sol, y. . .

-Honey. . .

. . . al acostarse con el puerco que la espera, para poder comprarle sus cigarrillitos al Moreno, para que su guerra sea alegre.

-. . . Honey. . .

La ventana ya está cerrada, y Margot se adelanta hacia la cama con el mismo orgullo con que un escolar iza la bandera nacional.

LA GUERRA NO ES PARA NOSOTROS

Tiene los ojos abiertos, como si persistiera en ver ese mundo en el cual insistió que no era posible vivir. Su cabeza se bambolea. No estará muerto?

-Aquí. . . aquí. . .

Sí. Sus ojos están abiertos y casi parece como si sonriera.

-Con cuidado.

Ella permanece pegada a la pared como si quisiera hundirse en la mugre que la cubre. Lo colocan sobre el colchón que está en el suelo al lado de la mesa. No es donde él dormía; es la improvisada cama del Gordo. Dónde está la sangre? No tiene sangre? Sí. En el vientre. Pero ahora la cubren con el mantel a cuadros verdes.

Y en la niebla de las lágrimas todo desaparece menos el ritmo de la muerte que golpea fuera de la casa. Extraño ritmo; extrañamente exacto. Ritmo de danza no bailable. Variedad de timbres y de fuerza y de distancia.

-Afuera... Todos afuera... Recuerden: no tirar; economizar el parque. Sólo responder en caso de avance.

-Pobre Marcelo.

Se van. Ella podrá hablar con su Marcelo a solas; siempre a solas como acostumbraban.

Oye, tú...

Es a ella a quien el Comandante se dirige.

-... sepárate de esa pared. Si disparan un mortero...

-Gracias.

Está sola. Sola con él, con el compañero que nunca pudo ser completamente su compañero. Adelanta unos pasos y siente como si la pared la siguiera; como si fuera a desplomarse sobre ella.

-Malditos hijos de la gran puta.

La voz de Alberto ha partido la intranquilidad de los disparos. Deben cuidarse esos muchachos; ya de todas formas nada se podrá hacer, y él hubiera agradecido que todos los demás vivan o por lo menos lo intenten. Su Marcelo. Tan poco tiempo suyo. Tan increíblemente corto el tiempo para su amor. Dos meses, tres meses, menos de tres meses; apenas unos segundos. Conocido anteayer, ayer amado y hoy, cuando apenas comenzaba a acostumbrarse al temor de perderlo, ya no está. Mañana muerto. Pasado mañana muerto. Muerto. Muerto para siempre.

-Vengan... Vengan. Acérquense, malditos yanquis. Frente a frente. No como cobardes.

Nuevamente Alberto. Por más que grite no se acercarán. Por más de ellos que mate, nada cambiará.

Unos nuevos pasos. Nunca fue más grande ese comedor. El habría entendido, está segura. Los otros quisieron golpearla, pero él la hubiera defendido. Cómo iba a reprocharle la bondad. . . . aunque no fuera bondad, el simple y arrollador deseo de conservarle la vida. No la vida de ella. La vida de él. Ella hizo cuanto pudo, mucho más de lo que hizo él, mucho más de lo que hicieron todos los otros: Alberto, que lo quería, el Gordo que lo detestaba, el Comandante, Pedro, Manuel, Rogelio. Todos. Creyeron que era posible jugar con el hombre como si sólo importara el fusil que llevan en las manos. Y está bien luchar, pero no está bien el hacerse el inocente con la muerte; porque la muerte sabe más que todos los hombres.

    -Marcelo. . .

    Las piernas le flaquean y sin pensarlo busca una silla. Se sienta. . . Ahora los ojos de él comienzan a mirarla, a mirarla apenas, como con desgano.

    -. . . Soy culpable, Marcelo?

    El sabía que eso iba a pasar. Lo presentía. Por eso no quiso casarse con ella: "Maruja, no está bien que pensemos en hacer una vida normal; es absurdo. Para qué casarnos? Para qué pensar que podremos construir un hogar? Para qué un hijo en estas condiciones?. . . Es un pecado tirar un niño al mundo sin haberle construido antes un porvenir. Es un pecado alimentar a una víctima que sabemos que mañana deberá prostituirse o tomar a su vez un arma. No, Maruja, si triunfamos; mañana, cuando triunfemos, entonces hablaremos de eso que ahora sólo son sueños hermosos; hermosos sueños pero imposibles".

    "Triunfaremos".

    "Dios lo quiera".

    No es que lo supiera propiamente. Cómo puede saber uno que va a dejar de existir. Es la guerra, la maldita guerra. Es simplemente que no se puede vivir dentro de ella, por eso aquella noche hace dos meses se le entregó. Le dio lo poco de ella que aún no le pertenecía. No fue para ligarlo por honor, no. Fue para darle una bofetada a la segadora de ilusiones. Fue para enseñarle a él que a pesar de todo, el amor podía existir.

    "Casi casi esto no lo cuento. Nos atacaban los soldados por el norte y los yanquis habían tendido su muralla por el sur". "Ya estás aquí". "No creo que haya mejorado mucho mi condición. Tú, Maruja, deberías irte. Aprovecha que aún se puede salir de la zona". "Te quiero y estoy aquí contigo. Además no moriremos". "Esto se pondrá peor". "Porque yo me vaya no estará mejor". "Sólo los hombres debemos estar metidos en este cerco".

"Ya sé lo que quieres: escaparte. Me has prometido matrimonio y ahora quieres escaparte".

Y rieron. El había estado en la defensa del sector Norte cuando los norteamericanos pusieron la traición sobre la mesa. Cuando no fue ya más posible defenderlo y tuvieron que cruzar las líneas por la oscuridad de las cloacas; por la pestilencia de las cloacas. De los muchos que eran, pocos apenas lograron hacerlo. Quedaron atrás los cuerpos de los que fueron sus amigos, alimento del fuego o de las moscas.

Y la llegada a la zona, el trozo de Ciudad convertido en fortaleza. Y la búsqueda. Y el abrazo. Y las manos que se juntaron. Y el silencio. Y las lágrimas.

Y la conversación que comenzó con risas y que fue haciendo espesa la intimidad hasta convertirla en el acto de amor. Inconscientemente de parte de él, casi como un resultado del cansancio; pero conscientemente por parte de ella; anhelosa, como empeñada en hacer florecer una violeta en aquel mundo de pólvora.

Más tarde el remordimiento: "No debimos hacerlo". "Por qué no? No siento vergüenza. Sólo alegría. Si quieres lo grito ahora mismo a los cuatro vientos, que todo el mundo lo sepa: nos amamos, nos amamos, nos amamos".

"Una locura".

"Una realidad".

Sí. Esta guerra repartida entre los dos resultaba más soportable. Importaba menos el peligro y era más sólida la alegría.

Todos los días él le preguntaba: "Nada nuevo?" Ella le contestaba que no, y él con un "bien, bien", ronco, dejaba escapar el alivio. Maruja sabía lo que él preguntaba con su "Nada nuevo?" y qué significaba su "Bien, bien"; por eso siempre negó. Negó, lo que, dentro de una o dos semanas ya no hubiera podido negarle. Lo que pensó decirle mañana, antes de que partiera para esa misión:

"Marcelo, estoy encinta".

Tanto pensó en decirlo. Tanto dudó. Preguntó a sus amigas qué debía hacer y ellas le dijeron que esperara. Esperó. Esperó dos meses teniendo el secreto en su vientre; sintiéndolo crecer imperceptiblemente.

Hace unos días alguien le dijo: "Es una manera de obligarlo a casarse contigo; díselo". Pero Maruja no quiso que fuera así, como un chantaje. Quería casarse con él, pero cuando él comprendiera que así debía ser; que los humanos que se aman deben unirse porque es la mejor forma de luchar; la única.

Por eso calló, inclusive, esta misma noche: "Por qué lloras?" "Por nada". "Te ha vuelto a molestar el Gordo?" "No". "Dímelo y verás como le parto la cara". "No me ha vuelto a molestar, te digo". "Y entonces?" "Lloro porque te vas mañana; porque tengo miedo por ti". "Nada pasará; todo está muy bien planeado". "Nunca las cosas pueden planearse demasiado bien". "Verás como regresamos con el arroz y bien en salud".

"Te vas y me dejas sola entre tantos hombres que sólo han tenido por meses. . . armas en sus manos". "Por qué te niegas?. . . estoy seguro de que el Gordo ha vuelto a enamorarte". "Si yo fuera tu esposa. . . me respetarían más". "Nos casaremos, querida; ya todo está pronto a terminar. Celebraremos nuestra boda como debe ser: sin miedo. . . Pero lo que es a esa bola de carne. . . " Y fue adonde el Gordo y lo insultó y casi llegan a los puños si no es por el Comandante.

Hubiera sido tan fácil decirle: "Vas a ser padre". Hubiera sido tan fácil. . . Pero todo habría perdido el sentido que ella le quería dar.

Una vez que estuvo a punto de enterarlo, el color huyó de las mejillas de él y casi temblando dijo: "No irás a confesarme que has salido embarazada?" Y fue tan triste la expresión de sus ojos, que Maruja una vez más le dijo: "no", y pasó a discutir quién sabe cuál tontería.

Tener una familia, amarla, eso era lo que ella quería. Algo tan sencillo como eso. . . O tal vez no fuera tan sencillo. El prisionero yanqui por momentos lo hacía aparecer así, y por momentos no. "Sabe? Vivo en un pueblecito del suroeste de los Estados Unidos. El clima es más frío, naturalmente, pero el mar, la vegetación. . . casi se podría decir que se parece a éste. . . Allá me espera mi esposa que en estos días parirá. A veces me desvelo pensando si será mujercita o machito; qué tontería, verdad? Después de todo lo querré igualmente, no importa el sexo que tenga. . . Me gustaría estar allá cuando nazca. . . pero. . . "

Y de repente le asaltaba el temor y se demudaba y preguntaba, como preguntó mil veces mientras estuvo allí amarrado: "Me fusilarán?"

El Gordo le dijo cuando lo apresaron: "Tú vas a pagar por todas las muertes que hemos tenido. Te pondremos en el paredón; pero antes sabrás cuán bueno es que torturen a uno". Y le dio una patada por la cintura que lo mantuvo retorciéndose por minutos.

Marcelo lo llamó aparte y le dijo: "No debes hacer eso". Pero ya el golpe estaba dado y las palabras dichas, y a cada momento le volvían a la memoria.

"Mi casa es pequeña; una casa de pobre. Todas las casas de mi pueblo son pobres. . . menos una. Casi se podría decir que es un pueblo totalmente pobre si no fuera por el dueño de esa casa, que es el dueño de la única factoría, y que es también dueño del pueblo. . . Es una casa modesta pero arreglada con mucho gusto. Mi esposa tiene mucho gusto. Ha puesto cortinas por todas partes y ha sembrado flores en el jardín, y como sólo tenemos un dormitorio lo ha hecho dividir con planchas de playwood y le hizo un cuartito pequeño al niño. Está como loca. Tan pronto se enteró de que estaba encinta comenzó a trabajar y a hacer cosas, porque dijo que más tarde cuando la barriga le creciera, tenía que estarse tranquila".

Y entonces volvía a temblar ligeramente, cada vez más ligeramente, como si fuera acostumbrándose a la idea de ser blanco de las balas frente a un paredón.

Y tanto se acostumbró, que de su temor sólo quedó una triste sonrisa; una sonrisa vieja y cansada que no cuadraba con los veintiún años que decía tener.

Y mientras más se acostumbraba él a la idea, más se desacostumbraba ella. Le dio de comer con sus propias manos, como si fuera un chiquillo. Antes había pedido permiso para desatarlo, pero el Gordo se negó: "Estas gentes son peligrosas. Mejor que no coma. Total, para lo que va a durar". Y ella, mientras le metía la cuchara en la boca le dijo en voz baja: "No te fusilarán". El solamente sonrió, y más tarde le dijo: "Gracias. Es usted muy buena".

Solamente hablaba con ella, tranquilamente, como si en la paz estuvieran, con su anciana sonrisa de resignación. Y por eso el Gordo la acusó de traidora; porque según él, ella estaba coqueteando con el invasor, y con él, que es dominicano, se comportaba de una manera despectiva. Y esos tal vez no tan importantes detalles, unidos a la incertidumbre por la partida de Marcelo, fuéronle creando una melancolía casi sólida que le hacía salir aisladas lágrimas, y que cuando llegó Marcelo de su primera guardia le produjo un estallido de llanto incontenible.

Pensó decirlo todo; explicarle que por dos meses había guardado silencio para que él no pensara que era una trampa; pero nuevamente el miedo fue mayor, y nuevamente guardó silencio. Simplemente se prometió dentro de sí decírselo temprano en la mañana, antes de que él se fuera, por si. . .

Era una empresa tan peligrosa: debían interceptar un camión con arroz que se dirigía hacia las bases del otro bando. Debían interceptarlo y luego agenciarse para pasar las líneas divisorias de los yanquis. En otra ocasión lo habían hecho; pero precisamente ahí estaba el mayor peligro. Ahora estarían pendientes, sobreavisados. Seguramente la guardia del camión estaría doblada. Era algo prácticamente imposible. Y suponiendo que no los mataran allí en plena calle, los tomarían prisioneros.

Tomarían prisionero a Marcelo y lo torturarían y luego lo fusilarían y le cortarían la cabeza para tirar el cuerpo al río, como esos muchos cuerpos que fueron a encallarse en las playas. A Marcelo que le hicieran eso! Que con Marcelo se vengaran de todo el mal que se había desencadenado ¡No!

Se quedarían para siempre sin su pequeña casa. La casa modesta pero bien arreglada. Ella también pondría cortinas por todas partes y sembraría flores en el jardín, si la casa tenía jardín. Y dividiría su habitación con playwood para que el pequeño pudiera tener una propia, cerca de ella y de él.

Cuidarse no, porque la guerra no permite que una mujer en estado se cuide, sobre todo si tiene su amor encerrado en un cerco de odio.

-Ahora estarás contenta, verdad?. . .

El Gordo ha entrado. La mira desde la puerta, apenas resguardándose de las balas que por ella podrían entrar. La mira con despecho. La mira con odio.

-. . .Nos van a acabar a todos esta noche. Nos van a acabar a todos, y por tu culpa. Es el ataque más fuerte que nos han hecho desde que comenzó esto. . . Eres una estúpida, sabes? No eres más que una estúpida. De no ser por el Comandante te hubiera roto la cara a culatazos. . . y puede que todavía lo haga. Antes de que nos maten a todos puede que todavía lo haga.

Se mueve hacia las habitaciones interiores y ella queda nuevamente sola. Apenas acompañada por la mirada ausente y la sonrisa desganada de Marcelo.

-Es por mi culpa?

Y él guarda silencio. No. No es su culpa; ella misma se responde en sus pensamientos. Cómo iba a saber que las cosas serían así? . . .Es verdad que el Comandante dijo: "Es nuestra seguridad. Mientras lo tengamos aquí no dispararán... Debemos conservarlo con vida y pasearlo por las mañanas para que lo vean sus amigos; que se enteren de que todavía está vivo". Pero eso lo dijo hace mucho tiempo. Lo dijo como respondiendo a uno de los exabruptos del Gordo cuando quería que fuera fusilado frente a las trincheras. Y pasaron muchas horas y todas esas horas fueron amargas, llenas de conversaciones y pensamientos. Horas demasiado cortas para resolver nada, pero demasiado largas para conservar la calma, o para recordar nada que no fuera la próxima partida de Marcelo.

Y el prisionero yanqui le dijo: "Comprendo la lucha de ustedes. Si fuera mi país el invadido lucharía contra los invasores. Pero, ¿qué hacer?... Yo era feliz en mi hogar al suroeste de los Estados Unidos. Estaba recién casado, y me mandaron a buscar. "Fort Brag" fue el sitio adonde me llevaron. Allí me desinfectaron como le hacen a las vacas. Me desnudaron. Me examinaron. Me afeitaron la cabeza como a un preso, y me dieron un uniforme y unas botas que pesaban demasiado. Vueltas y más vueltas: uno, dos, tres, cuatro, uno, dos tres cuatro; millones de veces -lo mismo- agáchense, tírense, firmes; y de repente, como si hubiéramos aprendido todo lo que hay que saber sobre la muerte, nos metieron en un avión sin siquiera decirnos hacia dónde íbamos. A los dos días me enteré dónde estaba; o mejor dicho, me enteré de un nombre. Y los comandantes me dijeron: "Dispara, son tus enemigos; hay que exterminarlos". Y yo disparé, porque era la única forma de conservar la vida. Era la única forma de volver a mi hogar y de conocer a mi hijo... que tal vez esté naciendo esta misma noche...

El día anterior a la partida, les fue permitido a los familiares una hora de visita, y mi esposa no quería llorar, pero acabó llorando. Me dijo: "Te llevan. Vuelve". Y yo pienso:

Por qué tienen que sucedernos estas cosas'? Por qué no es posible ser feliz, si uno nunca se ha metido con nadie? Qué me importa a mí que ustedes tumben o pongan un gobierno? Es su país y en él pueden hacer lo que les venga en ganas".

-El también tenía derecho a ser feliz, verdad?

-Le hablas?...

El Gordo ha vuelto y la mira con mirada divertida. Ella no le pone caso. Está leyendo la respuesta en el rostro de Marcelo, que pronto comienza a estar cerúleo.

-Ya me parecía a mí que te estabas volviendo loca.

Y aquellos ojos no le dicen nada.

-Hice mal en ayudarlo a escapar?

Y el Gordo pone todo su odio en la voz para contestar la pregunta que no le ha sido dirigida:

-Sí. Hiciste mal... El no te va a responder porque está muerto, pero yo te lo digo.

-Cállate.

Se inclina para cerrar sus ojos y que ya no vean nada en este mundo.

-No lo toques. Si está muerto fue porque tú soltaste a nuestro rehén.

-Silencio.

Y se levanta como si fuera a saltarle y arañarle y morderle. Y el Gordo quisiera agregar algo, pero nada se le ocurre. Hace un montón de gestos y va a salir.

-Vine a buscar municiones, porque esta noche se necesitarán todas.

Sale.

Ella escuchó cuando Marcelo daba ánimos a Alberto hace unas pocas horas; unos pocos minutos; justo antes de que comenzara el bombardeo. "Ya todo terminará pronto. Me dijeron en el Palacio que las negociaciones habían llegado a su punto final. Sólo hace falta firmar. Un asunto de mañana o pasado. Mañana o pasado... y vendrá la paz. Entonces verás cómo todo cambia. Ten esperanza... Ten fe."

Y ella se inclina sobre él casi como si fuera a besarlo en los labios.

-Un esfuerzo más y hubiéramos llegado al final... Marcelo... Yo sólo quise ser buena con él... Yo quería que fueran buenos contigo... que fueran buenos con nosotros dos... Pero quién puede saber nada en esta guerra... Quién puede saber nada en ninguna parte? Qué importancia tienen nuestros sentimientos?...'

Sus manos se extienden hasta el rostro de él y cierran sus ojos.

-...Te lo iba a decir mañana. Vamos a tener un hijo...

Lentamente se recuesta sobre el cuerpo y pone su vientre cálido sobre su vientre frío. Pone la vida que nace por donde la vida se escapó.

-...Lo sientes? Creo que ya se mueve... Cuando termine todo esto, él será feliz. Y será como tú. Nunca se venderá... Lo sientes... Dios quiera que no tenga nunca que tomar un fusil en sus manos...

II UNIDAD REGIONAL
MÉXICO Y AMÉRICA CENTRAL

CAPÍTULO III

MÉXICO

En el territorio que hoy corresponde a México se había desarrollado una de las culturas precolombinas más avanzadas: la azteca. Superiores en las artes bélicas los aztecas fueron conquistando pueblos vecinos extendiendo sus dominios hasta las costas del Pacífico, el golfo de México y casi toda América Central. Cuando se apoderaron del Valle del Anáhuac fundaron allí su capital, Tenochtitlán, en 1325, en el mismo sitio donde hoy se encuentra la Ciudad de México. Su imperio duró casi doscientos años.

Diego Velázquez, gobernador de la isla de Cuba, habiendo oído hablar de las riquezas de México, envió dos expediciones a explorar esa región. La tercera, dirigida por Hernán Cortés (1519), triunfó en sus objetivos y Cortés logró la conquista del país ayudado por Malintzin, conocida entre los españoles como doña Marina. El conquistador español le dio el nombre de Nueva España a estos territorios y desde allí otros capitanes españoles llevaron a cabo la conquista de la América Central.

Ya en los primeros años del siglo XIX, habían germinado en los criollos, ansias de emancipación colonial. Al saberse en México la sublevación de los españoles contra la invasión francesa en la península, hubo agitación entre los criollos que vieron una oportunidad de romper de manera definitiva los vínculos con la metrópoli. El 16 de septiembre de 1810, el sacerdote Miguel Hidalgo y Costilla, cansado de soportar el yugo de los "gachupines" y los abusos que éstos cometían con los indios, encabezó el levantamiento conocido como El Grito de Dolores. Hidalgo fue vencido meses después en la batalla de Puente Calderón, y fusilado en julio de 1811. Mientras tanto, José M. Morelos, otro sacerdote mexicano, había dirigido con éxito algunos levantamientos. Siguiendo órdenes de Hidalgo, se había lanzado a la insurrección de 1810 por la parte sur del país. Tras encuentros sangrientos y ciudades tomadas, cayó prisionero de un ejército español aún más fortalecido y fue fusilado en septiembre de 1815.

Después de los intentos de Hidalgo y Morelos, los patriotas mexicanos, encabezados por Agustín de Uturbide, elaboraron el Plan de Iguala. El Plan, creador del Ejército Trigarante, proponía: 1) reconocimiento de la iglesia católica; 2) independencia del país, en preferencia a un gobierno monárquico que sería ofrecido a Fernando VII de Borbón; y 3) igualdad entre criollos y peninsulares. Al rechazar Fernando VII el plan, Iturbide tomó el poder con un golpe militar y se proclamó emperador del país (1822), siendo coronado como Agustín I. Antonio López de Santa Anna, jefe de la oposición a Iturbide, logró la abdicación del emperador. El General Guadalupe Victoria, primer presidente electo de México, ocupó la silla presidencial de 1824 a 1829. Al terminar su período presidencial fue sucedido por su vice-presidente, Vicente Guerrero. Santa Anna derrocó a Guerrero por golpe militar y gobernó el país dictatorialmente de 1833 a 1855. Durante estos años gobiernos extranjeros y banqueros de Inglaterra, Francia y Estados Unidos, le habían estado prestando asistencia económica a México. La mala administración de fondos, unida a la grave situación política, llevaba a la nación, a pasos agigantados, hacia la ruina.

Uno de los problemas más serios del país durante el gobierno de Santa Anna fue la guerra con los Estados Unidos y la pérdida de gran parte del territorio mexicano. México perdió Texas en 1836, en la revuelta de los texanos, apoyados después por el ejército norteamericano; en 1848, por el Tratado de Guadalupe Hidalgo, los territorios entre Texas y el océano Pacífico fueron anexados a los Estados Unidos; así como en 1853, por el Tratado de Gadsden, el valle de Mesilla cayó en manos norteamericanas. En 1855, amenazado por rebeliones de los líderes del norte, Santa Anna abandonó el gobierno y el país. La nación, insurrecta, propone reformas y establece un gobierno liberal presidido por Ignacio Comonfort. La reacción del Partido Liberal fue proclamar, de acuerdo con la nueva constitución mexicana de 1857, a Benito Juárez,

Presidente del Tribunal Supremo, como presidente provisional. Opuestos a este nombramiento, los conservadores subvencionaron en 1860 la Guerra de Reforma.

Juárez fue elegido presidente del país en 1861. En su labor legislativa, en la que se cuentan las Leyes de Reforma, Juárez se proponía eliminar los privilegios y la explotación y establecer la igualdad de derechos para todos los mexicanos. El clero y los conservadores reaccionaron contra estas leyes apoyados por Napoleón III, emperador de Francia, quien envió una fuerza militar de seis mil hombres. En 1865 la república se vio sustituida por un imperio, ocupando el trono el archiduque Maximiliano de Austria. Juárez se refugió en El Paso, Texas, donde estableció un gobierno reconocido por Washington y desde allí organizó su regreso a México en 1867, con la rendición de Maximiliano en Querétaro. Juárez fue reelegido presidente en 1868 y 1872. Murió mientras ocupaba este alto cargo y fue sucedido por su vice-presidente Lerdo de Tejada.

Incapaz de resistir la oposición de los conservadores dirigidos por Porfirio Díaz, de Tejada abandonó el poder. Díaz gobernó el país durante más de treinta años y, aunque demostró tener la inteligencia y la energía necesarias para hacer de México una nación próspera, ignoró las necesidades de los humildes. La política económica de Díaz de suscribir préstamos internacionales y otorgar concesiones a inversionistas extranjeros, perjudicó grandemente los intereses de la nación. Las reformas de Juárez fueron olvidadas, y los indios fueron discriminados y sometidos a vejaciones, especialmente en asuntos relacionados con las tierras. Los ejidos, como consecuencia, fueron devorados por los grandes hacendados.

La época de 1910 a 1920 se conoce como los años de la revolución en México. El mérito y el contraste de la Revolución Mexicana con otras revoluciones en la América Hispana descansa en su espontaneidad: surge sin injerencia de ideologías extrañas, impulsada por una fuerza nacida de las necesidades de las masas. Los primeros ímpetus revolucionarios se manifiestan en un líder de aldea, Emiliano Zapata, quien antes de estallar la revolución de 1910 se había alzado en el sur iniciando la lucha por los derechos del indio y por la libertad. Zapata esboza el Plan de Ayala y, derribando cercas y ocupando haciendas, se dedica a la distribución de tierras entre los campesinos pobres.

La oposición, dirigida por Francisco I. Madero, forzó a Díaz a renunciar. El 7 de junio de 1911 entró Madero victorioso en la capital. Quince meses después, el General Victoriano Huerta, encarnación de la sublevación latifundista, se proclamó presidente provisional. Madero y su vice-presidente fueron asesinados. A partir de ese momento, y durante los próximos diez años, reinaron la anarquía y el caos en el país. En el norte luchaban Pancho Villa y Venustiano Carranza contra la tiranía huertista. En el sur continuaba la lucha de Zapata. Entre las fuerzas combinadas de este último, Pancho Villa, Carranza, y el general Álvaro Obregón, Huerta se vio obligado a abandonar el gobierno. A pesar de que Carranza asumió el poder, continuaron los problemas suscitados por Villa y Zapata. Carranza se vio obligado a huir, ocupando Villa y Zapata la silla presidencial por algún tiempo. Carranza reasumió su gobierno y promulgó en 1917 la Constitución mexicana que todavía se mantiene vigente. Luego del régimen interino de Adolfo de la Huerta, se le encomendó el gobierno del país a Obregón, el cual procuró continuar la obra de Carranza.

Plutarco Elías Calles tomó las riendas del poder a continuación, por cuatro años, durante los cuales el país se vio envuelto en luchas internas con el clero y los burgueses, culminando con el asesinato de Obregón, entonces candidato presidencial. Después de Calles ocuparon la presidencia Portes Gil, Ortiz Rubio y Lázaro Cárdenas. Este último continuó las reformas agrarias demandadas por Zapata, entregando la tierra a los que la trabajaban y enfrentándose a los monopolios norteamericanos con la nacionalización del petróleo en 1937. A continuación desfilaron por el poder los gobiernos de derecha de Manuel Ávila Camacho y Miguel Alemán, consolidados por los militares. Seguidamente, el Partido Revolucionario Institucional (PRI) volvió a tomar las riendas, entregándolas a Adolfo Ruiz Cortines. Adolfo López Mateos, también postulado por el PRI, ganó los comicios electorales de 1958. Entre las medidas de su dinámico gobierno se cuenta la nacionalización de la compañía de electricidad, hecho de gran estímulo industrial para el país. Gustavo Díaz Ordaz, el presidente ulterior, aceleró la lucha contra el analfabetismo y promovió la industria.

La presidencia de Luis Echeverría de 1970 a 1976, se destacó por una política exterior de inclinaciones izquierdistas. Programas de redistribución de la tierra se pusieron en práctica en 1976, descontinuados por las administraciones posteriores. En las elecciones de 1976 José López Portillo, candidato del PRI, obtuvo 94.4% del voto popular en

contra de varios candidatos independientes. López Portillo introdujo un
programa de reforma política por el cual se crearon tres partidos de
oposición reconocidos, incluyendo el Partido Comunista Mexicano
(PCM).

Miguel de Lamadrid Hurtado ganó las elecciones de 1982. El
gobierno de Lamadrid se caracterizó por abogar por la autonomía de los
países centroamericanos y por la abierta oposición a la política de
injerencia norteamericana en los asuntos de la América Latina. Carlos
Salinas de Gortari, el actual presidente, fue elegido en 1989. Ganó por
una pequeña mayoría (50.7 %) en las que se consideran las elecciones
más reñidas de su partido. Salinas, quien contaba con 39 años al tomar
el poder, es graduado de Harvard con Maestrías en Economía y
Administración Pública. Ha sido el presidente más joven del país en los
últimos 50 años, así como también el más educado de los presidentes
mexicanos hasta el momento.

México es el único país de la OEA que siempre ha mantenido
relaciones con Cuba. Apoyó el gobierno sandinista de Nicaragua y
reconoció el Frente Farabundo Martí de Liberación Nacional (FMLN)
junto al Frente Democrático Revolucionario (FDR) salvadoreños como
fuerzas representativas políticas, listas para asumir sus obligaciones y
ejercer sus derechos. México tiene problemas con los Estados Unidos
en cuanto al control del tráfico de drogas, las leyes o regulaciones que
atañen la contaminación del ambiente y el cese de la inmigración ilegal.

En México la tasa de desempleo es elevadísima, a pesar de que
el país cuenta con grandes recursos naturales, como el petróleo. La
inflación y la caída de precio del petróleo en 1982 agravaron la crisis
económica en un país sumergido en la creciente deuda externa. Como
consecuencia, los bancos privados fueron nacionalizados y el peso
continuó devaluándose. En 1986 la economía mexicana alcanzó un
punto crítico, al elevarse la deuda extranjera a los 100 billones. En 1987
el país tuvo la tasa inflacionaria más alta de su historia (159.2 %). Sin
embargo, en 1989, mejoró algo la situación; la inflación alcanzó la cifra
más baja en los últimos diez años (19.7 %). En 1990 (5 de marzo), se
firmó un convenio entre el Tesoro de los Estados Unidos, representado
por su Secretario Nicholas Brady, y el gobierno mexicano, que pudiera
ser provechoso para la economía de ese país. Entre los beneficios a
México deben citarse la reducción a una tercera parte en el pago de
intereses a bancos comerciales (1.5 billones al año), y la cancelación de

42 billones de la deuda.

La crisis económica ha estado acompañada de oposición al control político del PRI. Durante los últimos años el PRI ha tenido pérdidas electorales frente al Partido de Acción Nacional (PAN) derechista. Grupos de derecha e izquierda han hecho demostraciones pidiendo reformas electorales y nuevas medidas para combatir la corrupción política. A principios del 90 se reportó un aumento en los casos de violencia contra la oposición militante, admitiendo el gobierno que la violación de los derechos era uno de los problemas mayores que enfrentaba entonces el país.

En enero del 92 se reunieron representantes de los Estados Unidos, el Canadá y México para negociar el Tratado de Libre Comercio (NAFTA, North American Free Trade Agreement). Este, presentado a finales de mes del mismo año será finalizado con todos los arreglos y concesiones necesarios el 25 de julio de 1993. Los puntos principales de NAFTA incluyen: reducción de tarifas; regulaciones del origen de la materia prima en sectores de textiles, automóviles, energía y agricultura; procedimientos legales; financiamiento; garantías de inversión, conciliación y arbitraje. A fines del 92 las condiciones de la deuda han mejorado de tal manera, que México pudiera ser reclasificado por las Naciones Unidas y el Banco Mundial entre los países con menos necesidad de ayuda. En enero del 93 se cambió la unidad monetaria, desechando tres ceros del peso mexicano para facilitar las operaciones comerciales. El nuevo peso es equivalente a 1,000 del antiguo.

POESÍA

La protesta estética contra el modernismo surge en México con el famoso poema "Tuércele el cuello al cisne" de Enrique González Martínez cuando se prepara en el campo de la política el terreno para la revolución mexicana. En 1916 las voces líricas se aglutinan en rebeldía en el poemario de Juan B. Delgado, *Florilegio de poetas revolucionarios* y continúan en otras colecciones de poesía social. A mediados de los años 20, se nota la presencia de una vena poética con rezagos aburguesados de la revolución mexicana. Con el movimiento ferroviario de 1959 y los posteriores de maestros y telegrafistas, se delimita claramente la producción de tema social y las nuevas ideas revolucionarias de influencia marxista. Se destacan en esta protesta algunas de las poesías de Carlos Pellicer y más definidamente las de Octavio Paz. Por sobre ellos se alza violentamente la voz de Efraín Huerta, del grupo "Taller", con sus aires anti-imperalistas. En 1960, alrededor del libro *La espiga amotinada*, se aglutinan cinco poetas, Juan Bañuelos, Eraclio Zepeda, Jaime Labastida, Jaime Augusto Shelley y Oscar Oliva, y declaran que escriben poesía de testimonio, reafirmando su compromiso en un segundo libro en 1965, *Ocupación de la palabra*.

JAIME LABASTIDA (Los Mochis, Sinaloa, México. 1939)
Licenciado en Filosofía, profesor de esta materia, poeta, y escritor de ensayos literarios y políticos, ha recopilado una *Antología del cuento mexicano* publicada en Berlín. Es el más joven de los poetas del grupo rebelde mexicano "La espiga amotinada".

Obra. **Poesía:** *El descenso,* en *La espiga amotinada* (1960); *La feroz alegría,* en *Ocupación de la palabra* (1965).

Sobre su poesía declara Octavio Paz en *Poesía en movimiento*, donde es antologado el joven vate: "aún dentro de la cólera, la violencia, la apenas contenida ternura que expresa su poesía, sabe aliar un idioma encendido por el lirismo a la interpretación social de la realidad".[1]

En el primer poema antologado el poeta establece que los tiempos no son los mejores. El país rezuma de gusanos y el pueblo espera la navaja del castrador. Amenaza a los opresores y les anuncia el fin de las tiranías. En la distancia se ve el triunfo. En la poesía se mezclan imágenes del mundo natural. Fusión del hombre con animales, transformación vertiginosa en que la naturaleza se dará cita con el hombre, le insuflará su sabiduría y hará llegar el poder a sus manos. "Por el agonizante que nadie sabe socorrer" es poema de denuncia a los conformes e inconformes en el que Labastida instiga al hombre a desconfiar. El poeta se interioriza, crece, y se levanta triunfante en ferocidad llameante de navajas, estableciendo con firmeza que la libertad no puede ser amortajada.

En "Dialecto y quemadura" las palabras, la escritura, y la firma, deben ser lengua viva de fuego y no cenizas. La substancia y la fuerza del verbo deben ser utilizadas en toda su virilidad.

LA ESPIGA AMOTINADA (1960)
EL DESCENSO
No es tiempo de reír.
La espalda de este país hecho cadáver,
y azul ya tan muerto,
rezuma de gusanos.

---

[1] Octavio Paz, *Poesía en movimiento* (México: Siglo XXI Editores, 1986), p. 54.

Insisto en que no es tiempo de reír.
Hay un hato de borregos que espera la navaja cruel
          del capador.
Y digo, por fin:
¡Opresores de pueblos, hijos de la llama del carbón,
para ustedes no habrá misericordia!
Día llegará en que la luz galope.
Porque todo lo que digo existe,
porque todo es verdad y nada invento.
Día llegará en que triunfen mis dioses ancestrales:
la mariposa de navajas que rasga corazones,
los bebedores de la noche que humean en los espejos,
los murciélagos que huyeron del guacamayo, vástago
          del sol,
los hombres comidos por los tigres,
los hombres zarandeados por el viento,
los hombres que huyen del fuego haciéndose aves,
los hombres hechos peces
para no ser ahogados en este país en que la sed
          calcina.

Y llegará el poder.
Y será grande.
Será la palabra de maíz.
Será la sangre de la culebra
y el espasmo del ave.
Será el poderío de nuestros huesos.

¡Toquen los atabales de la guerra,
resuenen los tambores!
¡Desnudos de palabras,
acabemos con lo que acaba!

Que perdonen los siglos nuestra fiereza.

POR EL AGONIZANTE QUE NADIE SABE SOCORRER

Por el agonizante que nadie sabe socorrer,
por todo lo que sucede bajo el sol,
te instigo a desconfiar del hombre que no habla,
o del que habla y nada dice.
¡Hay siniestros crímenes satisfechos
bajo este manto pálido de estrellas!
El cansacio es una forma de morir, afirmo,
no hay tumbas que amortajen la libertad.

Tengo derecho a entristecerme.
Perdí la fe en un buey que ahora mastica y rumia
          su silencio,
la fe es un potro que galopa contra el mar.
Repito lo que todos saben:
Hay desgracias que la gramática no entiende.
Y en retazos,
me duele el verbo,
me duele la palabra,
duéleme la vida.
Humano soy, salobre, ferocidad llameante de navajas.

DIALECTO Y QUEMADURA

Hoy se inicia en este sitio la escritura.
Hoy se muerde el presagio.
Hoy se tienden poco a poco las palabras
como la cuerdas de las que penden los ahorcados.
Sobre la firma de mis uñas crece una raíz de espanto.
La ceniza hecha pedernales me golpea.

¿A dónde van estas palabras huecas y vacías?
Juro yo,
el radical de dientes,
no escribir más cosas semejantes.
Hay que hablar lengua de fuego y no dialecto de
          ceniza.

Y es que a ratos digo cosas verdaderas pero miento:
¿Comprendes, animal de la sombra?
¿Te extraña esto, acróbata divino?
¡Ábranse fosas a los castrados de la vida!
¡Calle aquel que no tenga nada que decir!
¡Calle yo ahora!

NARRATIVA

El primer cuentista mexicano es también el primer novelista hispanoamericano, José Joaquín Fernández de Lizardi, quien comenzó a ensayar su narrativa en 1814. Durante el romanticismo, los narradores mexicanos no siguieron los modelos de Lizardi, imitando en su lugar a los costumbristas españoles. No fue hasta Ignacio Manuel Altamirano que se continuó la narrativa nacional iniciada por Lizardi. A fines del siglo XIX dos discípulos de Altamirano, José María Rosa Bárcena y Vicente Riva Palacio, escribieron los primeros relatos que pueden considerarse verdaderos cuentos. Subsecuentemente, los modernistas, a pesar de tener el mérito de haber creado un nuevo estilo, volvieron los ojos hacia Europa, alejándose nuevamente del producto nacional. Se destaca en este período la producción cuentística de Manuel Gutiérrez Nájera y Amado Nervo, de alto nivel artístico.

En la vertiente realista-naturalista sobresalieron José López Portillo y Rojas, Rafael Delgado, Federico Gamboa y Angel del Campo. A principios del siglo XX, Francisco Rojas González trató de presentar en forma de protesta la injusticia y otros problemas sociales del pueblo mexicano. Seguidores de esta misma línea fueron José Mancisidor, Mario Pavón Flores, Luis Córdova, Juan de la Cabada y Jorge Ferretis. A partir de 1906 surgió una generación agrupada alrededor de la revista *Savia Moderna*, influenciada por el cuento inglés y norteamericano. Integrantes de este grupo, llamado "Ateneo de la Juventud", fueron Julio Torri, Mariano Silva y Aceves y Alfonso Reyes.

Alrededor de 1913 comenzó a escribirse el cuento revolucionario. Rafael F. Muñoz fue uno de sus cultivadores más destacados, seguido por Mariano Azuela y Martín Luis Guzmán. Azuela, famoso novelista, es uno de los primeros cuentistas de la revolución mexicana. Otros cuentistas destacados de este período fueron Gerardo Murillo, autor de *Cuentos de todos colores* (1933-1941) y Nellie Campobello con sus relatos de los conflictos armados en *Cartucho* (1931). Jaime Torres

Bodet y Bernardo Ortiz de Montellano, del grupo "Los Contemporáneos", dieron nueva inspiración al estilo de la cuentística revolucionaria. Efrén Hernández y Agustín Yáñez escribieron en la vertiente revolucionaria también, e influenciaron a autores posteriores como Juan Rulfo. Alrededor de 1940 apareció una nueva desazón expresada en las obras de Paz y José Revueltas. El libro de cuentos de este último, *Dios en la tierra* (1944), representó un nuevo estilo en el cuento mexicano que influenciaría a los tres grandes autores que aparecieron más tarde, Juan José Arreola, Rulfo y Carlos Fuentes. Desde la primera colección de Arreola, *Varia invención* (1949) y la única de Rulfo, *El llano en llamas* (1953), se abrieron nuevos caminos en el cuento de México. La nueva narrativa mexicana parte de estos dos autores. Debe destacarse en la cuentística mexicana de protesta social, a pesar de sus dimensiones poéticas, la antología de Eraclio Zepeda *Andando el tiempo* (1984).

No es hasta finales de los años 20 que empieza la revolución mexicana como tema en sus novelas. John Brushwood encuentra lógica la demora, ya que la revolución consistió en una serie de rebeliones, que finalmente culminaron en guerra civil. Brushwood alega que era necesario el paso del tiempo para que todos estos hechos alcanzaran categoría heroica; a partir de lo cual fue posible la asimilación literaria. [2] Azuela escribió la novela revolucionaria por antonomasia, *Los de abajo* (1915). Otros ejemplos de la novela de la revolución fueron *Campamento* (1931) y *Tierra* (1932), de Gregorio López y Fuentes, donde se narra el segmento revolucionario dirigido por Zapata. *Al filo del agua* (1947), de Agustín Yáñez, presenta el período abocado a la revolución mexicana y por lo tanto contiene elementos sociales y políticos.

El agua envenenada (1961), de Fernando Benítez, es una obra de gran violencia en la que se ataca a las tiranías. La novela se basa en un incidente ocurrido en Michoacán en 1959 con motivo de una revuelta en la que se intenta matar al cacique del pueblo. En las obras de Revueltas aparece la revolución mexicana en su perspectiva histórica. A pesar de ser un activista, Revueltas le da más importancia en sus novelas a los conflictos del hombre, creando personajes dinámicos y laberínticas situaciones políticas. Su novela, *El luto humano* (1943), presenta los efectos de la revolución mexicana.

---

[2] John Brushwood, *The Spanish American Novel* (Austin: University of Texas Press, 1975), p. 86.

Luis Spota en *El tiempo de la ira* (1960) trata la brutalidad y el salvajismo existentes en la América Latina encontrados por el protagonista en su ruta política a través de conspiraciones militares y revolucionarias. Luisa Josefina Hernández en *La primera batalla* (1965), expone hechos sobre la historia de México de 1900 a 1940 y de Cuba durante el período revolucionario. La novela de Arturo Azuela *Manifestación de silencios* (1979), trata de la reacción violenta de un grupo político radical y sus consecuencias. En *La Línea dura* (1971), de Gerardo de la Torre, un rebelde que no encuentra apoyo en las masas se lanza solo a la revolución.

Agustín Ramos, uno de los novelistas jóvenes de México, resume las esperanzas frustradas de los años 60 en una utopía marxista, al presentar en *Al cielo por asalto* (1979), una revolución proletaria dirigida por estudiantes militantes que tratan de derrocar a la clase dominante. En *La vida no vale nada* (1982), la rebeldía sin dirección, de fines suicidas, indica rezagos de la masacre de Tlatelolco que ha dejado su huella en la juventud de los 70.

JORGE A. OJEDA (México, D.F., México. 1943)
Obtuvo su licenciatura en letras de la UNAM y estudió literatura alemana en Munich. Es autor de cuentos, novelas y ensayos. Ha publicado un guión cinematográfico, *La luz absoluta.*

Obra. **Cuento:** *Personas fatales* (1975). **Novela:** *Como la ciega mariposa* (1967), *De Itaca a Troya y Muchacho solo* (1976). **Ensayo:** *La lucha con el ángel* (sobre Juan J. Arreola), *Caminos*, *La tierra y el cielo de Troya, La cabeza rota* (1983). **Libro de viajes:** *Cartas alemanas.*

"Lorenzo", tomado de *Personas fatales*, presenta la conciencia política en las distintas clases sociales y como parte vital de la vida estudiantil, así como el control económico en manos de la minoría, que con su ambición incrementa las riquezas del extranjero. La conjugación de estas fuerzas y tensiones se patentizan en la historia como problemas nacionales que se salen de su radio y admiten la certeza de existir en cualquier otro país del tercer mundo. El idealismo del estudiantado actúa como fuerza de resistencia contra la injusticia y da lugar a cuadros de violencia y tortura que desembocan en el trauma sexual de Lorenzo. La historia incluye el aspecto homosexual en la literatura revolucionaria, situándose en un lugar y época determinados: la revuelta estudiantil de Tlatelolco.

PERSONAS FATALES (1975)
LORENZO

a Gustavo Sáinz.

¡COMPAÑEROS! NOSOTROS los estudiantes somos la minoría pensante del país. Aquel que dijo "Primero es México" al recibir la noticia de los movimientos de disensión con el régimen, se engaña con una ilusoria solidez y se olvida de que ni el campesino ni el obrero tienen conciencia política, mucho menos la clase media de amas de casa y burócratas. La burguesía que detenta los bienes de producción es la única que tiene conciencia y se arma por todos los medios para perpetuar su bonanza. Durante las últimas décadas nuestro país ha progresado en todos los aspectos: las estadísticas muestran riquezas en gran número, pero los pobres son cada vez más y junto a los millonarios contamos más terrible la miseria. ¿Dónde están los caudales? Unas cuantas manos de industriales y financieros dirigen nuestro destino, y son ellos los que venden la patria para que el extranjero multiplique su dinero y nosotros creamos en una apariencia de progreso. Importante es el campesino desposeído, importante es el obrero explotado, pero más importantes somos nosotros los estudiantes, porque somos los dueños de las ideas que deben transformar al país. Centros superiores públicos y privados forman una sola voz de protesta: la Universidad Nacional, el Politécnico, la Ibero, la de las Américas, La Salle, más de treinta universidades de distintos Estados; las vocacionales y las preparatorias se han unido. Todos nosotros le pedimos cuentas al gobierno.

Lorenzo hablaba con los brazos en alto, erguido el cuerpo, de pie sobre un autobús incautado que tenía un letrero: ¡Asesinos! Los estudiantes formaban muchedumbre sobre la explanada de piedras de basalto bajo el cielo despejado y azul.

Lorenzo tenía la palabra más sincera y elocuente, sustentada en ideales ortodoxos y prístinos. Fue uno de los que subieron a empujones a un camión militar en Tlatelolco. Cuando los soldados levantaban los cadáveres, él vio que una niña sólo estaba herida, y gritó: "¡Está viva!" Un soldado la echó sobre el montón de muertos y sobre ella cayeron otros más.

En el trayecto al Campo Militar número uno, la soldadesca comenzó a desnudar a los muchachos, tironeando cinturones, rasgando camisas, zafando botones. Cuando llegaron, el general ordenó que desfilara uno por uno de los noventa y tantos. Con un faro al lado izquierdo, miró el general el rostro gemebundo de cólera de Tito, uno de los principales del Comité de Huelga.

---¡General, usted no me puede responder como hombre!-gritó Tito.

El faro iluminó a Martín, quien se aproximó con un paso seco y echó un gargajo en la cara del general. Pero el general conservó el rostro de plomo, inmutable tomó un rebenque entre las manos, lo apretó conteniendo la furia, lo alzó a la altura del pecho haciendo fuerza, y dijo:

---A ti te voy a dar tu Che Guevara.

A Martín le cortaron un testículo. A Margarita le cortaron un pezón. A muchos muchachos los usaron como fundas sexuales.

Muy de mañana sacaron a los presos y los alinearon frente al paredón. El pelotón de fusilamiento se agrupó; y a las órdenes marciales, levantaron los soldados el fusil mosquetón, lo apoyaron en el hombro, estuvieron así diez segundos y se retiraron a una nueva orden del comandante. Las presuntas víctimas volvieron a la prisión conteniendo vómitos, llorando entre mareos. El simulacro de fusilamiento se repitió varias veces.

Después de veintiocho semanas, Lorenzo fue mandado a la bartolina. El cuarto es de un metro setenta centímetros por un metro setenta; una fosa pequeña basta para las necesidades fisiológicas, un palmo libre sobre el suelo, por donde pasa la comida, es la única iluminación. No se sabe si es de día o de noche, pues en el pasillo exterior están las bombillas eléctricas y el ruido es idéntico a todas horas. En ese cubo se pierde la noción del tiempo. Lorenzo contó los remaches metálicos de la puerta tantas veces que cayó rendido, gritando y llorando. Después volvió a contarlos en forma inversa y a pares y nones.

Cuando salió de la bartolina, cerró los ojos ante la luz que lo golpeaba. Sus compañeros se acercaron, pero él no pudo reconocer a nadie: masas difusas como aproximación de cabezas y cuerpos, puntos oscuros como ojos en un resplandecer y opacarse que se enchuecaba y hundía. Solamente el ruido era idéntico: voces y rechinidos que ahora se percibían con nitidez.

Lorenzo salió libre de la prisión después de nueve meses. A pesar de la matanza en la Plaza de las Tres Culturas de Nonoalco Tlatelolco, seguía firme en su pecho la idea de que la revolución estudiantil aún vivía . Una tarde, conversando en el café, les confesó a Carlos y a Luis:

Conocí a Manuel Rivas. Es un sicoanalista muy respetado. Se ofreció a tratarme gratuitamente. Soy impotente sexual. Mi impotencia no es generandi: a veces tengo una polución nocturna y una gota de semen marca la piyama. Nada me provoca lo suficiente, nadie me excita bien. Pero me queda la inteligencia.

-Pero es más importante la vida -dijo Carlos.

-No -respondió Lorenzo.

Entonces llegó Paco a la mesa del café y tomó asiento. -Mira -dijo Paco con voz declamatoria-, a todos nos ha ido de un modo o de otro, pero siempre mal. A ti te tocó el Campo Militar; a mí me tocó el palacio negro de Lecumberri. La comida era suficiente y a veces bien sazonada. Tuve tiempo de escribir mis mejores versos. Si yo ya gozaba de fama a los quince años y mi poesía era leída en Europa, imagínate cómo será ahora mi celebridad, ahora que Ginsberg comenta mi obra en Marruecos.

Luis lo interrumpió:

-Paco, te equivocas en la expresión. Debes decir: "Mi poesía, que irrigó al Viejo Continente. . ."

-Da lo mismo. Yo ya no debo preocuparme por el éxito, sólo por la inmortalidad. Mi poesía, que, escrita a los quince años, irrigó al. . .

Paco se levantó repentinamente de la silla para hablar con un amigo que cruzaba la puerta y se fue con él.

-Quiero ser sincero -dijo Lorenzo-. Nunca había sentido la necesidad de ser padre. Pienso que tener un hijo sería algo hermoso, pero ya perdí la esperanza.

-Pero si todo es puro trauma mental, te puedes curar- dijo Carlos.

Sí. Es mental. También físico: me dieron toques eléctricos en los testículos. No saben qué atrocidad es eso, qué cosa -Pero no te quedó dañado nada -dijo Luis.

-No, nada. Todo es mental- concluyó Lorenzo.

Hacía mucho tiempo que Lorenzo no deambulaba por los campos de la universidad. Los edificios altos tomaban justa medida en los desniveles del terreno. El mural de la torre de la rectoría, deteriorado, en lo alto. Allá, la cara extraña en rojo y blanco sobre la escuela de medicina. El pequeño refugio de árboles en el centro de la extensión de pasto y piedras de basalto. El viento comenzó a soplar muy fuerte conforme declinaba el día. Ese domingo no hubo concierto de música de cámara, así que la cantidad de gente era casi nula. Nadie bajo el cielo gris de la tarde se cruzó con él, que insistentemente andaba por veredas y daba vueltas. Se sentó en los escalones de la entrada sur de la biblioteca, dando la espalda a los famosos colores de sus muros. Bajó la cabeza, y el cabello se volcó sobre la cara.

Lorenzo se reincorporó y fue a tomar un autobús hacia el centro de la ciudad. En una tienda de ultramarinos compró un coñac, y enfrente, en un hotel modesto, pidió una habitación. Abrió la botella y comenzó a beber. Todos los compañeros habían abandonado el movimiento. Los únicos fieles eran los que habían sufrido vejación y dolor, pero ésos ya eran inservibles, como desechos de guerra; todos ellos y él mismo eran chatarra humana. Siguió bebiendo de la botella tragos pequeños y espaciados. Y al fin de cuentas qué vale sacrificarse, adónde nos lleva tener un ideal. Somos unos idiotas, nosotros los que nos dejamos arrastrar por las palabras ardientes de catedráticos que no sintieron ni el menor rasguño en la piel. Nosotros, al inicio de la juventud, somos los cándidos que sirven de bulto para recibir los embates. Siempre han utilizado los traidores y los canallas la generosidad juvenil. Nuestra fe en el bien y en la justicia nos condujo en manada a ofrendarnos inútilmente. Estoy equivocado: he creído en mentiras. . . ha sido todo un error.

Lorenzo echó un grito lamentoso, tomó la botella por el cuello, la volteó bocabajo, estrelló la base, sacó con la mano izquierda el pene macilento y con las puntas de vidrio comenzó a raspar entre los pelos del pubis; con saña volvió a encajar y mover hasta que cayó de espaldas, desmayado sobre la colcha.

Al día siguiente, el conserje del hotel abrió la puerta autorizando a la sirvienta para que hiciera el aseo, y en lugar de preguntar por el pago pendiente, miró en silencio el cuerpo del muchacho y una gran mancha de sangre absorbida por las telas de la cama.

Por la Zona Rosa camina Juan José del Real, joven ejecutivo de una empresa semicentralizada, en compañía del director de la misma y un industrial extranjero. Tendrán en el Focolare una comida de negocios, pero realmente amistosa, según le afirmó Juan José al industrial.

Oye, oye, ¿no me recuerdas? -dijo una voz tipluda, acercándose.

Una persona madura pero bastante bien conservada, sonreía. El pelo recogido en forma de cola de caballo, la boca roja, unos aretes de color lila en las orejas, muy frecuentes en las sirvientas, los ojos vivos y parpadeantes, volvieron a ser marco para otra sonrisa que con sorpresa hizo que Juan José reconociera a Lorenzo.

¿No me recuerdas? De la facultad. . . en la universidad. . . compañeros en el curso de historia de las ideas políticas. . . Préstame cincuenta pesos. Juan José del Real se ruborizó súbitamente, metió la mano al saco buscando la cartera, pero la mano se le engarrotó al mirar al director de su empresa y al industrial.

No tengo -dijo volviéndose de espaldas para seguir su camino.

Está bien respondió un gesto de prostituta rogona haciendo torceduras de charamusca con la boca.

En la zona Rosa, en recuerdo de la actriz italiana, le dicen la Loren.

Teatro

A principios del siglo XX alternaron en el teatro mexicano las influencias del drama español y francés. Sin embargo, durante la revolución mexicana la capital se aisló del resto del país así como de Europa, a causa de la Primera Guerra Mundial, y como consecuencia el teatro se orientó hacia representaciones de más valor estético, con acciones ajenas a los conflictos que se estaban viviendo, impulsándose en esos momentos la ópera. A pesar de todo, pueden encontrarse durante la revolución mexicana antecedentes claros del teatro revolucionario. Este tipo de teatro tomó como base las luchas armadas de 1910 al 1917 y fue una manifestación de las inquietudes sociales de principios de siglo. Se reflejaron en él situaciones tomadas directamente de las luchas y disensiones entre varios líderes y figuras políticas. Debe mencionarse a Marcelino Dávalos, poeta y cuentista de principios de siglo, quien presentó, junto a su teatro burgués, el tema social y político. Su experimento dramático *Lo viejo* (1911), coloca a Dávalos en el sitio de fundador del teatro revolucionario. *Águila y estrellas* (1916), su obra posterior, también contiene matices sociales y políticos. El punto de partida iniciado por *Lo viejo* es continuado por autores como Vicente A. Galicia, Alberto Michel, Carlos Ortega, Santiago J. Sierra y Gustavo Solano. Tienen valor documental las obras de Ricardo Flores Magón *Tierra y libertad* y *Verdugos y víctimas*. El período bélico dio nacimiento a un impulso de renovación en todos los sectores, que aún persiste en la década de los ochenta y es una aspiración nacional. Este teatro continúa todavía planteando problemas y juzgando a sus caudillos y héroes. En una toma de conciencia hace tarea de denuncia y persiste en resaltar los aspectos negativos y obscuros de la revolución y la frustración del pueblo mexicano ante promesas incumplidas.

El teatro frívolo surgió en la primera década y se cultivó hasta 1927. Aparecieron en este género personajes populares, pero no hubo cambio fundamental en cuanto a los lineamientos del teatro español. Apareció la tendencia, que continuaría en años posteriores, a presentar revistas de crítica política en las que se hacían alusiones directas a problemas y situaciones del momento. Se destacaron en este grupo los autores Francisco Benítez, Luis Echeverría, José F. Elizondo, Carlos M. Ortega y Pablo Prida. La decadencia de la revista ocurrió alrededor de 1940 al finalizar el gobierno de Lázaro Cárdenas. Continuó, mientras tanto, la influencia del teatro español en la forma del género chico. Alrededor de 1925 surgió el teatro "de altura" con el grupo de los siete: Víctor Manuel Díez Barroso, José Joaquín Gamboa, Francisco Monterde, Carlos Noriega Hope, Ricardo Parada León y los hermanos Lázaro y Carlos Lozano García. Estos últimos, que organizaron lecturas, traducciones y discusiones de obras teatrales, iniciaron la temporada Pro-Arte Nacional (1925) y se concretaron en la Comedia Mexicana (1929). Conocidos también como "los Pirandellos", impulsaron el teatro nacional en la forma del color local y lograron interesar al público en el espectáculo, pero verdaderamente no entraron en la experimentación. Sobresalen en esta época Amalia de Castillo Ledón con su obra de crítica política *Cubos de noria* (1934); Catalina D'Erzell con *Cumbres de nieve* (1935), drama sentimental con alusiones revolucionarias; Guillermo Prieto Yeme con *Granos de anís* (1924), en la que se culpa a la revolución de la corrupción del ambiente social; Agustín Haro y Tamariz que trata el tema revolucionario en sus dramas *Luz de estrellas* (1935) y *Aquiles Serdán* (1949).

Es importante destacar la labor del Teatro Ulises, que comenzó sus presentaciones en 1928 y se fundó bajo la égida de Antonieta Rivas Mercado. Este teatro fue producto del esfuerzo del grupo de poetas mexicanos conocido como los "Contemporáneos" que contribuyeron grandemente al impulso absoluto de la escena mexicana. El Ulises se consideró teatro experimental, gracias a que incluía actores deseosos de un nuevo estilo de representar, siendo ellos mismos actores, escenógrafos y directores, que ensayaron adaptaciones de los grandes maestros europeos. Entre los creadores del Ulises se cuentan, además de su propulsora Rivas Mercado, Celestino Gorostiza, Salvador Novo, Gilberto Owen y Xavier Villaurrutia. Se unieron al grupo Julio Jiménez Rueda, autor ya conocido, y los pintores Roberto Montenegro, Manuel Rodríguez Lozano y Julio Castellanos. Este teatro, que se opuso a las tendencias nacionalistas de la comedia mexicana, es un punto de referencia importante para las nuevas generaciones. A partir de Ulises se renovaron el repertorio y el estilo de actuar y surgió un concepto nuevo en el teatro mexicano. Se elevó la jerarquía artística del género al considerar los valores estéticos y críticos de la obra literaria muy por encima de los fines de diversión y lucro. Julio Bracho fundó en 1931, con la subvención del gobierno, el grupo Escolares del Teatro. Sus integrantes representaban en una sala llamada Teatro de Orientación, la cual más tarde le daría nuevo nombre al grupo. Los Escolares se inauguraron con *Proteo* de Francisco Monterde, siendo ésta la primera obra de autor mexicano puesta en escena por un grupo experimental, que hasta entonces representaba a John M. Synge y a August Strindberg. En 1932 se inauguró el Teatro de Ahora, por Mauricio Magdaleno y Juan Bustillo Oro, siguiendo las teorías de Piscator. Monterde, autor producto de la revolucción mexicana, junto a los anteriores, trató de darle a las anécdotas de la revolución una categoría espiritual. Para este teatro escribieron, Magdaleno, *Emiliano Zapata* (1932) y *Pánico 137* (1931); y Bustillo Oro, *Masas* y *Justicia S.A.*, ambas de 1931. El Teatro de Ahora, más didáctico que estético, cultivó la vertiente socio-política de tema nacionalista. Continuaron escribiéndose obras a través de los años con esta tendencia educativa y de propaganda. El tercer grupo de transición y renovación en la escena mexicana del siglo XX fue el Teatro de Orientación (1932). Le correspondió a éste, en sus siete años de duración, lograr la culminación del ciclo precursor con la absorción total del teatro europeo moderno llevando el teatro mexicano a la consecución del verdadero teatro experimental. Su creador y director Celestino Gorostiza se convirtió en el maestro de los jóvenes. Intentó Gorostiza hacer del teatro un laboratorio donde se presentaran problemas colectivos o individuales, pero de un universalismo humano; y orientar e involucrar al público, que debía convertirse en participante del juego escénico. Más tarde pasaron a ser directores Xavier Villaurrutia, Julio Bracho y Rodolfo Usigli. Usigli, como dramaturgo político y de la revolución tiene *Medio tono* (1937). Su obra maestra, *El gesticulador*, presenta los desastres de la revolución. En 1936 Usigli y Villaurrutia estuvieron becados en Yale. Cuando regresaron a México impartieron los conocimientos aprendidos y durante ese período aparecieron nuevos autores dramáticos entre los que pueden citarse Luis Spota, que critica situaciones políticas en *De cuerpo presente*; Miguel Lyra, que destaca al líder revolucionario Máximo Tépatl en *Linda* (1941), y Luis G. Basurto, el más prolífico de los dramaturgos jóvenes.

Los años del 38 al 42 son de crisis en el teatro mexicano. Para mantener el interés del público se hicieron ciertas concesiones y, renunciando a su intención universal, el teatro cae en el nacionalismo provinciano. El Teatro de México (1943) presentó a los dramaturgos más calificados de México, alternándolos con los extranjeros, pero no se preocupó por reconocer nuevos valores. En 1946, con la creación del Instituto Nacional de Bellas Artes (INBA), se percibe nuevamente el anhelo de la universalización del arte mexicano. El INBA presentó teatro de Max Aub, Agustín Lazo, Francisco Monterde, Rodolfo Usigli y Villaurrutia. De los experimentos del 46 surgieron La Linterna Mágica, el nuevo Teatro de Arte Moderno, y el Teatro Estudiantil Autónomo. Las actividades del INBA le abren el camino al Teatro del Caracol en 1949 y el Grupo Proa, de José J. Aceves, lo toma como sede. El Grupo Proa, surgido en 1942, continúa la labor del Teatro de Orientación. Proa, además de haberse ocupado de los nuevos talentos como Edmundo Báez, Basurto, Wilberto Cantón y Spota, repuso en escena los clásicos españoles.

Salvador Novo, Usigli y Villaurrutia, integran el núcleo vital del teatro contemporáneo mexicano. Alrededor de ellos se forjan los grandes cambios, y a ellos recurren como puntos de referencia las nuevas generaciones. Federico Schoerder Inclán, que comenzó sus actividades escénicas en 1950, personifica la síntesis del ambiente teatral de esos años. Schoerder, además de desarrollar todos los temas, ya sean frívolos, psicológicos, o sociales; sirvió de nexo entre las generaciones anteriores y la nueva. Los nuevos, en contraste con los dramaturgos autodidactas que los precedieron, tienen educación universitaria e incluso han tomado clases de Usigli. Han sido influenciados por algunos autores del momento: Chéjov, Tennessee Williams, García Lorca. Entre ellos se destacan Alfonso Anaya, Rafael Bernal, Cantón, Emilio Carballido, Luisa Josefina Hernández, Jorge Ibargüengoitia, Sergio Magaña, Carlos Prieto, Jorge Villaseñor, y otros. Las obras teatrales de Marco Antonio Montero y Rafael Villegas sobresalen, entre las de este grupo, como vehículos de propaganda.

De 1955 hasta 1963 funcionó el grupo "Poesía en Voz Alta", integrado por escritores como Juan José Arreola y Octavio Paz, y directores como José Luis Ibáñez y Héctor Mendoza. Se dedicó este teatro de búsqueda a la modernización de los clásicos españoles, y a poner en escena obras de vanguardia, enfatizando de forma dinámica el juego escénico y el poder verbal. Su meta era rescatar el teatro a través de la poesía por medio de la revalorización de la palabra. Este grupo fue importante porque amplió el panorama del teatro culto en México y muchos de sus integrantes pasaron a formar la vanguardia del teatro experimental durante los próximos veinte años. El teatro universitario, mientras tanto, falto de dirección, era controlado por la Federación Universitaria de Teatro Experimental (FUTE). De la compañia Teatro Universitario de 1952, dirigida por Carlos Solórzano e integrada por autores profesionales, surgió en 1954 el Teatro de Coapa. Este teatro, dirigido por Héctor Azar, fue creado por alumnos universitarios inspirados en Julio Torri y sus clases de literatura española. Sus obras fueron producto del trabajo de equipo y se representaban en los jardines del plantel. A ellos se unieron los esfuerzos de "Poesía en Voz Alta" y del grupo "La Preparatoria Cinco", contribuyentes a la excelencia del género; esfuerzos que derivaron en la fundación del Centro Universitario de Teatro (1963), el Centro de Teatro Infantil (1964), el Teatro Trashumante (1965) y el Centro de Arte Dramático (1972). Los universitarios demostraron su gran potencial a través de los años 60, destacándose talentos nuevos y afirmándose algunos antiguos. El INBA y el Instituto Mexicano del Seguro Social (IMSS), acogieron durante los años 60 las actividades teatrales de los grupos experimentales, continuando la tarea renovadora de los Teatros de Ulises y de Orientación. Actualmente existen tres tipos de teatro en México, el Oficial, el Comercial y el Experimental. El teatro comercial, además de tratar de representar obras de calidad, explota la vertiente musical importando los éxitos de Broadway, traducidos al español y con actores mexicanos. Es importante notar que al margen del teatro comercial sobresalen de manera positiva las actividades de la Universidad Autónoma Metropolitana (UAM) y de la UNAM, renovando la escena con obras de vanguardia y nacionales. Entre los dramaturgos serios que destacan en la actualidad hay que mencionar a Vicente Leñero y Emilio Carballido.

VICENTE LEÑERO (Jalisco, México. 1933)

Ingeniero graduado de la UNAM y periodista, se dedicó más tarde a las tareas de novelista, ensayista y dramaturgo. En 1958 recibió el Premio Nacional del Cuento y en 1963 el Premio Seix Barral por su novela *Los albañiles*. A partir de 1968 escribió su primera obra teatral dedicándose desde entonces a este género con prioridad.

Obra. **Novela:** *La voz adolorida* (1961), *Estudio Q* (1965), *El Evangelio de Lucas Gavilán* (1979). **Teatro:** *Pueblo rechazado* (1968), *Los albañiles* (1969), (Premio Juan Ruiz de Alarcón de la Asociación Nacional de Críticos Teatrales); *Compañero* (1970), *La carpa* (1971), *El juicio* (1972), *Jesucristo Gómez* (1986).

Leñero es uno de los dramaturgos más importantes de su generación que, sin romper con la tradición realista le da un vigor nuevo al teatro nacional. Ya en *Compañero*, teatro documental, o teatro novela, sigue Leñero la línea biográfica y sicológica. El personaje en conflicto, el Che Guevara, es desnudado y expuesto ante el público en un desdoblamiento de personalidad en su auto-recriminación y lucha interna. Leñero ha confesado que lo lleva a este personaje un anhelo de "desmitificación." Intenta en la figura de Guevara, a quien ve como un Cristo del siglo XX, enfrentar al hombre de acción, con el hombre de reflexión, y la traslada a la dicotomía que en cada persona existe. Continúa en esta línea con *Jesucrito Gómez* en el cual, nuevamente rompiendo el mito, presenta a un Jesús mexicano, un hombre con los problemas de nuestro siglo (que son los problemas de siempre) y un interés en la justicia y la libertad. La obra se basa en *El Evangelio de Lucas Gavilán*, especie de novela, clasificada como una paráfrasis del Evangelio de San Lucas, escrita bajo la influencia de la teología de la liberación, según el autor. La figura de Jesús se presenta bajo el hábito revolucionario, enfatizándose el aspecto político-religioso.

JESUCRISTO GÓMEZ (1986)

PRIMERA PARTE
VIDA OCULTA:

1. La anunciación
Jacal en San Martín el Grande

Tendida en un catre está María David, semidesnuda. Doña Gabi, la ausculta, tentaleándola.

DOÑA GABI: ¿Dices que el casorio es para junio?

MARÍA DAVID: Para agosto, doña Gabi.

DOÑA GABI: Uy no, entonces sí. Para agosto ya se va a notar un poquito.

MARÍA DAVID: ¿Está segura?

DOÑA GABI: ¿De que se va a notar un poquito?

MARÍA DAVID: De que estoy enferma, doña Gabi.

DOÑA GABI: Claro, muchacha; de eso no quepa la menor duda. En estas cosas yo nunca. . . óyelo bien: yo nunca me equivoco. Tu criatura vendrá a nacer para fines de diciembre. *(Transición)* Párate, ya te puedes vestir.

Doña Gabi se lava las manos en un aguamanil, mientras María David se amarra la falda y se compone la blusa.

DOÑA GABI: La verdad, quién entiende a la juventud de ora. Qué ansia la de ustedes de comerse la torta antes de tiempo. Sobretodo faltando tan poquito, ni que no se pudieran aguantar. . . Bueno, total, pal caso es lo mismo. *(Duda repentinamente. Se vuelve para mirar a María David.)* Fue José el que te hizo el chiste, ¿no? Es de José. . .

MARÍA DAVID *(completando)*: No, no es de él.

DOÑA GABI: ¿No es de él?

María David niega con la cabeza.

DOÑA GABI: Válgame la Virgen, ora sí que la amolamos. . . Muchacha del demonio, pues qué fuiste a hacer. ¿De quién es entonces la criatura?

María David no responde. Largo silencio.

DOÑA GABI: No, no me digas si no quieres, yo no pregunto. Yo nomás. . . *(Transición)* ¿Y piensas contárselo al José antes del casorio?

MARÍA DAVID: Sí.

DOÑA GABI: Eso sí va a estar peor, pa que veas. Yo mejor me quedaba callada. Que se entere luego, ya que el cura les haya echado la bendición. . . O bueno, quién sabe. José es un muchacho. . .

MARÍA DAVID *(interrumpe, al tiempo que le entrega un billete doblado)*: Aquí tiene, doña Gabi.

María David se encamina hacia afuera. Doña Gabi la alcanza.

DOÑA GABI *(maternal)*: No te afijas, María. *(Con malicia)*: Si quieres, yo puedo arreglarlo. Todavía eatamos a tiempo.

MARÍA DAVID: ¿Arreglar qué?
DOÑA GABI: Tú me entiendes. Te dejo como nueva, no te pasa nada.

Largo silencio.

DOÑA GABI: Piénsalo.
MARÍA DAVID: Yo quiero a mi niño, doña Gabi. Que se haga la voluntad de Dios.

María David se sale rápidamente del jacal.

2. La visitación
La casa pueblerina de Isabel

María David llega corriendo hasta donde se encuentra Isabel, quien la estrecha entre sus brazos durante largo rato. Al fin se apartan, Isabel exhibe un avanzado embarazo.

MARÍA DAVID: ¿Cómo estás?
ISABEL: Más regular que bien. Se me clava de este lado, y son unas punzadas que no puedo ni moverme. Ya no veo la hora.
MARÍA DAVID: ¿Para cuándo te alivias?
ISABEL: Todavía me faltan como dos meses. . . ¿Y a ti? *(Parece arrepentirse de lo dicho. Silencio. Transición.)* ¿Cómo estás?
MARÍA DAVID: Bien
ISABEL: Me lo dijo doña Gabi; ella me contó todo. También me contó que te aconsejó echarlo.
MARÍA DAVID: Pero yo no quise.
ISABEL: Hiciste muy bien, María, no hay nada como tener un niño. Es una felicidad del tamaño del cielo. Así sufras mucho y pases vergüenzas, no te arrepentirás. Es tuyo. Hiciste bien en defenderlo.
MARÍA DAVID: Yo le doy gracias a Dios y le pido fuerzas. Pero sí estoy contenta.

Silencio, Isabel muestra a María David una canasta que contiene ropa de niño.

ISABEL: Le he estado cosiendo en las tardes.
MARÍA DAVID: ¿Se va a llamar Zacarías?
ISABEL: Juan. . . Juan San Juan, como el hechicero; por él me puse mala. *(Sonríe)* Bueno, él me dio unas pócimas y unas hierbas, hasta que por fin. . .

Zacarías está de acuerdo. También para él fue un milagro tener una criatura a nuestra edad. *(Pausa)* Al tuyo ¿cómo le vas a poner?

MARÍA DAVID: Si es hombre le voy a poner Jesucristo.

ISABEL: ¿Jesucristo?. . . Así no se llama nadie, ¡estás loca! Sólo Dios, el que se murió en la cruz.

MARÍA DAVID: Precisamente por eso.

ISABEL: No te entiendo, María.

MARÍA DAVID: Jesucristo vino a luchar por los pobres y a pelear contra las injusticias. Maldijo a los ricos, combatió a los que nos explotan, acusó a los que nos quitan nuestro trabajo. . .

ISABEL: Nunca te había oído hablar así.

MARÍA DAVID: Jesucristo quería cambiar el mundo, y por estar de nuestro lado lo mataron.

ISABEL: ¿Dónde aprendiste esas cosas?

MARÍA DAVID: Por eso quiero que mi hijo se llame Jesucristo.

. . . .

4. La Infancia
La vivienda de José y María en San Martín el Grande

María David echa tortillas en el comal. Jesucristo Niño conversa con ella mientras come una mandarina.

JESUCRISTO NIÑO: ¿Y por qué se muere la gente, má?

MARÍA DAVID: Porque la vida se acaba, hijo. Como todo. . . Hay tiempo para todo. Tiempo para nacer. Tiempo para crecer. Tiempo para vivir. Tiempo para morir. . . Cuando llegas a viejo es cuando te llega el tiempo de morir.

JESUCRISTO NIÑO: No todos los que se mueren son viejos, má.

MARÍA DAVID: No, no todos. Es cierto. . . No todos llegan al final.

JESUCRISTO NIÑO: ¿Y yo cuándo me voy a morir?

MARÍA DAVID: ¿Tú?

JESUCRISTO NIÑO: ¿Joven o viejo?

MARÍA DAVID: No sé. Eso sólo Dios. . . Pero Dios quiera y te mueras muy grande, Cris, ya cuando seas muy viejito.

Silencio.

JESUCRISTO NIÑO: Oye má: ¿por qué el señor cura de San Martín es tan rico?

MARÍA DAVID: ¡Por ladrón! *(Pausa)* Es un ladrón, hijo, no tiene otro nombre: un ladrón. *(Pausa)* Esa es una de las tantísimas cosas que están mal en la Iglesia. Los curas no tienen por qué ser ricos. Tienen que ser pobres como los pobres para ayudarnos a luchar contra las injusticias. Eso es lo que Dios quiere de ellos y de todos: que no haya gente que tiene mucho y gente que no tiene nada.

Cuando María David habla entra José en la vivienda. Se limpia el sudor de la frente y se sirve un jarro de agua.

JESUCRISTO NIÑO: Pero si Dios quiere eso, ¿por qué hay pobres y por qué hay ricos, má?

JOSÉ *(interrumpiendo)*: Porque así es el mundo, muchacho, no le des más vueltas.

JESUCRISTO NIÑO *(exaltado)*: ¡Pues qué mundo tan pinche, carajo!

José parece alarmarse con la exclamación de Jesucristo Niño.

JOSÉ: ¿Qué dijiste?

Jesucristo Niño agacha la cabeza.

JOSÉ: ¿Qué dijiste?

JESUCRISTO NIÑO: Que que mundo tan. . . tan pinche.

JOSÉ: Tú vuelves a decir una majadería delante de tu madre, ¡escuincle malcriado!, y yo te parto la ca/

Mientras José, enfurecido, reprende a Jesucristo Niño, levanta el brazo con intención de cruzarle la cara de un manotazo. Al finalizar la frase suspende el ademán porque sus ojos se encuentran repentinamente con los ojos fijos de María David. En actitud derrotada, José deja caer el brazo y sale rápidamente de la vivienda. Jesucristo Niño continúa con la vista en el suelo.

5. El niño perdido
Atrio de la Basílica de Guadalupe

El atrio de la basílica de Guadalupe, un 12 de diciembre, atestado de fieles. Grupos familiares, peregrinos que cruzan de rodillas y con los brazos en cruz, penitentes heridos por cilicios o coronas de espinas, gente piadosa y paseantes; gente, gente. Se escuchan cánticos guadalupanos, como:

Cántico 1:

Del cielo una hermosa mañana,
del cielo una hermosa mañana,
la Guadalupana,
la Guadalupana,
la Guadalupana bajó al Tepeyac. *(etcétera)*

Cántico 2:

Mexicanos volad presurosos
del pendón de la Virgen en pos.
De la lucha saldréis victoriosos
defendiendo a la patria y a Dios. *(etcétera)*

En un ángulo del atrio Isabel encuentra a María David, muy afligida, acompañada por su comadre Pachita.

ISABEL: ¿Qué pasó, María?
MARÍA DAVID *(echándose a llorar)*: Se nos perdió el niño.
ISABEL: Cómo que se les perdió el niño. No puede ser.
MARÍA DAVID: Es que no lo encontramos, Chabela.
ISABEL: Pero no es posible.
MARÍA DAVID: Llevamos horas buscándolo y buscándolo, y nada.
ISABEL: Pues qué pasó, cómo estuvo.
MARÍA DAVID *(conteniendo los sollozos)*: El imbécil de José tuvo la culpa. Yo le dije: quédate con el niño, mientras yo me iba con Pachita a dejar los retablos, y el muy idiota dice que no oyó nada. El se metió a misa creyendo que yo estaba con Cristo, y yo me fui con Pachita segura de que Cristo andaba con su padre. En eso quedamos no faltaba más. *(A*

Pachita:) ¿Verdad que así fue, Pachita?

PACHITA: Así fue.

MARÍA DAVID: Pero es lo de siempre, lo de toda la vida. A mí me deja la responsabilidad y él muy campante. Y ya ves lo que pasó ahora. *(Vuelve a sollozar.)*

ISABEL: Va a aparecer, María, no llores.

MARÍA DAVID: Es que no aparece, Chabela. Ya hace como tres horas que lo andamos buscando, ¿verdad Pachita?

PACHITA: Como tres horas.

ISABEL: ¿Y Pepe dónde está?

MARÍA DAVID: Dizque fue a la delegación otra vuelta porque su compadre Feliciano tiene ahí un amigo, y a ver si podían hacer algo. Pero quién sabe.

José llega corriendo hasta María David

MARÍA DAVID: ¿Lo encontraste?

JOSÉ: ¿No ha llegado?

MARÍA DAVID: No, no ha llegado aquí, cómo piensas. . . ¿Qué arreglaste?

JOSÉ: No arreglé nada.

MARÍA DAVID: ¿Nada?

JOSÉ: Bueno, ya dieron aviso a todas las delegaciones y lo van a buscar por aquí en una patrulla. Feliciano se fue al cerrito; dice que ahí anda mucha gente también. Y Toño está buscando en el mercado.

ISABEL: Válgame la Virgen, qué martirio. Hay que comprar unas veladoras.

JOSÉ: Tiene que aparecer, Dios mío.

José muestra intenciones de embrazar a María, pero ella se sacude el ademán.

MARÍA DAVID: Esto tenía que pasar algún día por ser como eres, te lo dije.

JOSÉ: ¿Cómo que por ser como soy?

MARÍA DAVID: Nunca cuidas al niño ni te importa. Todo me lo dejas a mí.

JOSÉ: ¡Qué mentiras!

MARÍA DAVID: No son mentiras, es la verdad. La culpa es tuya.

JOSÉ: Sí cómo no.

MARÍA DAVID: Es tuya y sólo tuya; nada más que tuya.

JOSÉ *(exaltado)*: Está bien, la culpa es mía, pero ya cállate, ¡con una chingada!

María David va a replicar pero la ataja Isabel, quien señala hacia un punto, al fondo del atrio que se ha despejado momentáneamente de peregrinos. En el punto señalado por Isabel se advierte a Jesucristo Niño reunido con un grupo de jóvenes: un par de ellos viste sotana de seminaristas y otro porta el estandarte de una organización de acción católica. María David, José, Isabel y Pachita avanzan hacia donde Jesucristo Niño discute con los jóvenes.

JESUCRISTO NIÑO: Eso es lo que no se aguanta: los lujos: las iglesias repletas de oro mientras la gente se está muriendo de hambre allá afuera. En vez de tanto canto y tantos golpes de pecho, los curas debían enseñar a los pobres a pelear por sus derechos.

JOVEN 1: Pareces evangelista, cuate.

JOVEN 2: Chiquito pero picoso.

JOVEN 1: Así hablan los protestantes.

JESUCRISTO NIÑO: Pues si así hablan los protestantes, los protestantes tienen razón.

MARÍA DAVID *(irrumpiendo)* : ¡Cristo!

Al escuchar la voz de María David, Jesucristo Niño se vuelve. También giran hacia ella los integrantes del grupo juvenil.

MARÍA DAVID: Dónde andabas, hijo, ¿por qué nos haces esto? *(Pausa)* Tu padre y yo estábamos angustiados. Te buscamos por todas partes.

JESUCRISTO NIÑO: Para qué me buscaban.

MARÍA DAVID: Cómo que para qué, Cris.

JESUCRISTO NIÑO: Ustedes se largaron a sus cosas; y a mí me dejaron solo. Y yo no hice tanto escándalo. Yo me quedé aquí.

JOSÉ *(avanzando, amenazador)*: No le hables en ese tono a tu madre.

JESUCRISTO NIÑO: No le estoy hablando en ningún tono, nomás digo la verdad. Ustedes estaban en lo suyo y yo en lo mío. . . Esto es lo mío, ¡dejen de fregarme!

Exaltado, José golpea el rostro de Jesucristo Niño con una sonora cachetada.

6. El bautismo
Plaza pública

Subido en un templete (que lo mismo puede ser una tarima colocada sobre cajones de madera que el montacargas de un camión), Juan Bautista pronuncia un discurso, durante un mitin del "Frente Común". Junto a la improvisada tribuna se ve una manta con una leyenda que reza: Afíliate al Frente Común. Bajo la manta, dos miembros del Frente Común, Felipe y Bartolomé (futuros discípulos de Jesucristo) llevan a cabo las inscripciones. Felipe escribe a máquina el nombre del afiliado, y Bartolomé entrega después a éste una boleta sellada. Los solicitantes de afiliación forman fila frente a la "oficina" al aire libre, mientras un grupo numeroso de habitantes de la localidad escucha con atención el discurso ya iniciado de Juan Bautista.

JUAN BAUTISTA: No hablo por hablar, compañeros; si acuso a Horacio Mijares de latifundista, de abusivo, de acaparador, de ladrón, de asesino, es porque tengo los pelos de la burra en la mano. ¡Porque tengo pruebas, compañeros! Y con esas pruebas yo acuso a Horacio Mijares de haberse apropiado del setenta por ciento de las tierras de labor de este municipio, de haberse adueñado de la industria lechera, de usufructuar para su exclusivo beneficio, en connivencia con el gobernador, las tiendas Conasupo y todos los expendios destinados a atender las necesidades básicas del pueblo. Yo acuso a Horacio Mijares de haber mandado asesinar a José Carlos del Real y Gustavo Bustamante, los dos estudiantes de la Escuela Técnica Agrícola que luchaban en defensa de los ejidatarios. . . Compañeros, para acabar de raíz con la injusticia hay que empezar denunciándola a voz en cuello. Por eso es el momento de unirnos en el Frente Común, y unidos lanzarnos a pelear contra sátrapas y asesinos como Horacio Mijares.

MANIFESTANTE: ¡Mueran los explotadores del pueblo!

GENTE: ¡Mueran!

MANIFESTANTE: ¡Muera Horacio Mijares!

GENTE: ¡Muera!

Concluye el mitin entre gritos y comentarios ad libitum. Juan Bautista desciende del templete y es abordado por un pequeño grupo de campesinos, mientras Bartolomé llama la atención de la gente que empieza a dispersarse.

BARTOLOMÉ: Por aquí, compañeros. Afíliense. . . Afíliense al Frente

Común.

Los campesinos llevan aparte a Juan Bautista.

CAMPESINO JEFE: Nos gusta lo que andas diciendo. Por eso yo, y toda mi gente, pensamos que ya es hora que tu Frente Común agarre forma de un verdadero partido político.

CAMPESINO 1: Que no se quede todo en el puro voluntarismo.

JUAN BAUTISTA:*(señalando hacia la "oficina")* Justamente para eso son las firmas y las inscripciones.

CAMPESINO 2: Lo malo es que tú formas un grupo aquí y otro allá, y luego te vas.

CAMPESINO 1: No te quedas a consolidar lo que se va integrando.

JUAN BAUTISTA: Ese no es mi pedo.

CAMPESINO JEFE: Pues eso es lo que te queremos plantear: que sea tu pedo. Que de una buena vez formes ya tu partido, pa empujarlo hasta donde tope: a la lucha electoral o de plano a la revolución.

CAMPESINO 1: Tú tienes que ser el mero mero.

JUAN BAUTISTA: No, ni me digan. Yo no sirvo para encabezar un partido político, menos un alzamiento. Para eso se necesita un tipo con más güevos.

CAMPESINO 2: Tú los tienes.

JUAN BAUTISTA: Para despabilar a los jodidos, no para dirigir una revolución. Esas son palabras mayores y eso exige un líder.

CAMPESINO 2: ¿Y dónde está ese líder?

CAMPESINO 1: Yo no lo veo.

JUAN BAUTISTA: Ya vendrá, compañeros, ya/*(Se interrumpe de súbito. Transición.)* Pérenme tantito.

Con la mirada, Juan Bautista ha descubierto de pronto, en el primer turno de la fila, ya frente a la máquina de escribir de Felipe, a una persona al parecer conocida: es un hombre que viste de obrero: Jesucristo Gómez. Juan Bautista va rápidamente hasta él. Se saludan con gran afabilidad

JUAN BAUTISTA: Qué bueno que veniste. . . De veras.
JESUCRISTO: Aquí estoy.

Juan Bautista palmea a Jesucristo mientras Felipe hace las preguntas para la afiliación. Escribe a máquina.

FELIPE: ¿Nombre completo?
JESUCRISTO: Jesucristo Gómez.
FELIPE: ¿Edad?
JESUCRISTO: Treinta años.
FELIPE: ¿Ocupación u oficio?
JESUCRISTO: Albañil.
FELIPE: ¿Domicilio?
JESUCRISTO: Ejido La Cruz, San Martín el Grande.

Mientras Jesucristo daba sus datos, Juan Bautista se ha ocupado de preparar la boleta que sella personalmente y luego entrega a Jesucristo.

JUAN BAUTISTA: Esta es tu boleta. Ya eres uno de los nuestros.
JESUCRISTO: Gracias, Juan.
JUAN BAUTISTA: Gracias a ti. . . Bienvenido.
JESUCRISTO: Muchas gracias. *(Palmea a Juan, a modo de despedida.)* Luego te veo.

Jesucristo camina hacia afuera, hasta desaparecer. Todos los allí reunidos lo siguen con la mirada, con la misma atención que han presenciado la breve ceremonia que la predilección de Juan Bautista hacia el desconocido ha hecho resaltar. A poco tiempo que Jesucristo desaparece, mientras Juan Bautista regresa al grupo de campesinos y Felipe y Bartolomé prosiguen las afiliaciones, irrumpen en el sitio varios jóvenes que se lanzan a agredir y dispersar a la multitud golpeándola con largas varillas y macanas. La agresión es brutal y se desarrolla entre gritos, ayes y palabrotas. Dos o tres individuos vestidos de civil, que parecen comandar al grupo agresor, se lanzan de inmediato contra Juan Bautista. Lo golpean y lo atrapan, mientras Juan se resiste. Dos de los pistoleros son Toro Lagunes y Pecas Montoya.

JUAN BAUTISTA *(resistiéndose)*: Suéltenme, cabrones, suéltenme.
PECAS MONTOYA: Quieto porque te va peor.
JUAN BAUTISTA: Ustedes no tienen ningún derecho a agarrarme.
PECAS MONTOYA: Eso vas a decírselo a don Horacio Mijares, buey.
TORO LAGUNES: A ver si te atreves a gritarlo en su cara, cabrón.

Se llevan por la fuerza a Juan Bautista.

SEGUNDA PARTE
VIDA PÚBLICA

· · · · · · · · · · · · · · · · · · ·

4. *Las bienaventuranzas y la multiplicación de los panes*
Llanura

Grupos de gente urbana y gente campesina escuchan a Jesucristo. Con él se encuentran varios discípulos.

JESUCRISTO: Va a llegar esa sociedad de justicia que les digo, ténganlo seguro, va a llegar. Y hará felices a los que ahora sufren hambres, felices a los que ahora viven en la pobreza, felices a los que andan muy jodidos. *(Pausa)* Todos los que se parten el alma en la lucha por la justicia deben sentirse orgullosos si por esa causa los persigue el gobierno o se los llevan a la cárcel. Llegará el momento en que el pueblo los convertirá en héroes, ya verán. *(Pausa)* Hay que luchar a brazo partido pero no hay que odiar. Al contrario: hay que querer a los enemigos. . . Al que te pegue en un cachete dile que te pegue en el otro, y al que te robe un pañuelo regálale tu camisa. Dale de lo que tienes a cualquiera que te pida limosna, y al que te quite lo que es legítimamente tuyo no se lo reclames. Trata a los demás como quieres que a ti te traten. ¿Qué pinche mérito tiene amar a los amigos? Eso lo hace cualquiera, hasta el más egoísta. Tampoco tiene mérito hacerle favores o darle regalos al que sabemos que después nos va a ayudar. Así se portan los explotadores, los comerciantes, los políticos. Lo valioso, lo de veras de veras valioso es amar a los enemigos y hacer el bien sin esperar nada a cambio.

Jesucristo se aparta un poco de la gente. Algunos de sus discípulos llegan hasta él.

PEDRO SIMÓN: ¿Ya vas a acabar o les vas a seguir hablando todo el día? Se está haciendo tarde.
JUANCHO: Mejor diles que se vayan, maestro.
JESUCRISTO: Cómo les voy a decir que se vayan; vinieron de muy lejos.
JUSTO IRIGOYEN: Pues sí, pero aquí no hay dónde quedarse ni qué comer.
PEDRO SIMÓN: Y ya está haciendo hambre.
JESUCRISTO: Dénles un taco aunque sea.

JUSTO IRIGOYEN: De dónde, maestro. Nosotros traemos tlacoyos pero no alcanzan. Es un montón de gente.

PEDRO SIMÓN: Muchos de los que traen su pipirín ya empezaron a tragar, mire. Y se siente re feo.

Pedro Simón señala hacia un corrillo de campesinos que después de acomodarse en el suelo sacan viandas de sus itacates para empezar a comer. Jesucristo va rápidamente hacia el grupo y suspende la acción.

JESUCRISTO: No, así no se vale, compañero. Epale. Párenle. . . No se vale.

Los campesinos del grupo se sorprenden, se desconciertan, pero no se atreven a protestar ni a decir palabra. Jesucristo se yergue y habla en voz alta para ser escuchado por todos.

JESUCRISTO: A ver, miren. Óiganme bien todos. . . Vamos siendo parejos. Ya hace hambre, pero no es justo que unos coman y otros nomás se queden viendo. Yo digo que los que traigan algo, tortillas, nopalitos, tlacoyos, un quesito, mucho o poco, lo que sea, lo vengan a poner aquí delante, con Pedro Simón y Justo Irigoyen, y luego eso que se recoja lo repartimos entre todos para que a todos nos toque igual. . . ¿Les parece bien? ¿Están de acuerdo?

Los reunidos reaccionan con expresiones ad libitum, la mayoría de asentimiento.

Reunidos:
  -Sí, está bien. Claro.
  -Así es parejo.
  -Lo que no es parejo es que unos se aprovechen de otros.
  -Nadie se va a aprovechar. Es puro compartir.
  -Menos va a alcanzar.
  -Pero todos comemos.
  -Seguro.
  -Sí, yo pongo lo que traigo, *(Etcétera.)*

Los reunidos hacen lo indicado por Jesucristo: quienes traen viandas las llevan hasta donde se encuentran los discípulos. Estos recogen la comida en canastas y de inmediato empiezan a distribuirla. Mientras la comida se distribuye,

Jesucristo reanuda su plática caminando entre la gente, ya acomodada para comer.

JESUCRISTO: Tengan compasión de los demás como Dios tiene compasión de ustedes. No juzguen y no serán juzgados, no condenen y no serán condenados, perdonen y serán perdonados, den y recibirán. Con la misma medida con que midan a los demás serán medidos ustedes. *(Pausa)* Un ciego no puede guiar a otro ciego porque los dos caerían en un hoyo. Que entonces trate cada quien de mejorar, oyendo los consejos del que sabe y reconociendo que un alumno no está por encima de su maestro. Pero todo el que se supere llega a ser maestro algún día. *(Pausa)* No te atrevas a señalar la basura que hay en el ojo de tu amigo antes de ver la basura que hay en el tuyo... Cómo te atreves a decirle a tu amigo: a ver, deja quitarte esa basura. ¡Hipócrita! Limpia primero tu ojo y después podrás limpiar el de tu amigo. *(Pausa)* No hay árbol bueno que dé fruto malo, y al revés: no hay árbol malo que dé fruto bueno. Cada árbol se conoce por su fruto. No se recogen higos de los mezquites, ni de los huizaches se recogen guayabas. El hombre bueno saca lo bueno de su corazón bueno, y el malo: del corazón malo saca lo malo... El que quiere oir, que oiga, y al que le venga el saco que se lo ponga.

Jesucristo parece terminar su discurso y se aparta, mientras la concurrencia empieza a comer. El grupo de apóstoles llega hasta él.

JUSTO IRIGOYEN *(mientras entrega a Jesucristo un par de tlacoyos)*: Ya estuvo, maestro... Esta es tu parte.
PEDRO SIMÓN: Alcanzó muy bien. Nadie se va a quedar con hambre.
JUANCHO: Hasta sobró.
JUSTO IRIGOYEN: Te tocó tu mandarina...

Justo Irigoyen arroja por aire una mandarina que Jesucristo atrapa, sonriendo.

· · · · · · · · · · · · · · · · · · · ·

6. La Pecadora Perdonada
Restorán citadino

En una mesa come Jesucristo acompañando a Ventura Felguérez, próspero empresario. En otra mesa, al fondo, se advierte un grupo jubiloso formado por hombres y mujeres entre las cuales destaca Magdalena, interesada a la distancia en Jesucristo. Un mesero solemne atiende la mesa de Ventura y Jesucristo.

VENTURA: Yo entiendo que usted no trata de quitarle al pueblo su fe; lo entiendo perfectamente. . . Usted critica lo que criticamos todos: el fanatismo, los excesos de los curas, sus tonterías, ¡dígamelo a mí!, llevo siglos soplándome las estupideces del señor obispo. De acuerdo. Es intolerable. Como también es intolerable, y algún día le voy a platicar largo y tendido sobre ello, la desbarrada de un par de curas locos que en las últimas elecciones apoyaron en forma descarada a los candidatos de la oposición. Hágame usted el favor, apoyar a esos cretinos. . . No, maestro, ni me diga, hay muchas cosas que criticar en la Iglesia. De acuerdísimo. Nuestros sacerdotes andan mal: el que no tiene una querida anda haciendo negocios con las tierras o buscando acomodarse políticamente. Pero sacar eso a la luz y arrear parejo contra Dios y sus instituciones resulta muy peligroso, sobre todo aquí, porque la gente es muy ignorante como le digo, no sabe distinguir y se puede alebrestar fácilmente. Muy peligroso, maestro. Es como darle una pistola a un niño, de veras.

El mesero llega hasta la mesa con una botella de coñac. Hace referencia a Magdalena y a Jesucristo.

MESERO: La manda la señora. . . para el señor.

Ventura muestra intenciones de rechazar la botella, pero lo impide Jesucristo con un gesto aceptante.

JESUCRISTO: Gracias.

Con una inclinación de cabeza, a la distancia, Jesucristo agradece a Magdalena el envío. El Mesero sirve coñac a Ventura y Jesucristo.

JESUCRISTO: Buen coñac. *(Lo prueba, paladeándolo.)*

Magdalena abandona su mesa y va hasta la de Ventura.

MAGDALENA: Buenas noches, don Ventura. . . ¿Puedo sentarme un ratito con ustedes?
JESUCRISTO *(arrimando una silla)*: Claro que sí.
MAGDALENA *(toma asiento y habla en referencia a Jesucristo)*: Por

desgracia ando muy peda, maestro, pero tenía muchas ganas de conocerlo. Me han hablado maravillas de usted.

JESUCRISTO: ¿De veras?

MAGDALENA: Uy, maravillas, maravillas. Y dicen sobre todo que es usted muy bueno para dar consejos. . . Lástima que estoy así, porque me gustaría contarle lo que sufren las mujeres de por estos rumbos. Aquí no hay peor cosa que ser mujer, maestro, se lo juro por la Virgen Santísima. A las esposas les va como en feria porque los maridos se las traquetean de lo lindo y luego las llenan de hijos. A las jóvenes, ni se diga: violadas desde escuinclas y luego vendidas a los tratantes de blancas.

VENTURA *(interrumpiendo)*: Ya, Magdalena, el maestro/

MAGDALENA: No, y no hablo en general. Hablo de casos concretos. Ahí está el licenciado Cuéllar, secretario de Gobierno: compró a la hija de Nemorio. Y el curita Santiago. Le hizo un escuincle a su propia sobrina y la mandó luego a morirse de hambre a la ciudad.

VENTURA *(impaciente)*: Por favor, Magdalena. . .

MAGDALENA: Acuérdese de Rosa Casillas, don Ventura, y de la Güera Guzmán; y de Paquita, la sobrina del Pelón Jiménez. . . Sin ir más lejos, yo misma. A mí también me chingaron desde escuincla, comenzando por mi padrino que me metió mano antes de tener mi primera regla, y de ahí pal real. Hasta que me fajé las enaguas, y me rebelé, y dije al diablo la chilladera. *(Se interrumpe. Solloza brevemente, briaga.)* Yo he hecho muchas fregaderas en la vida, ni quién lo niegue. Yo no me puedo acercar a una iglesia para hablar con Dios porque todo el mundo sabe de dónde me viene mi lana, que no me falta, eso sí, tengo la que quiero, y si quisiera más tendría más. Pero la verdad yo no busco dinero ya ni siquiera la venganza. Ahora que estoy borracha le voy a parecer muy cursi, pero sabe ¿qué ando buscando?, maestro, ¿buscando como una loca? Como decía la otra vez la pobrecita aquella de la telenovela. . . ¿sabe qué decía? La pobre pendeja decía chille y chille que andaba buscando un poco de amor. Eso mero, maestro. Lo único, la verdad. . . Y usted me entiende, yo estoy segura, porque usted es así como otra clase de hombre, no porque tenga un pito más grande, eso yo ni sé, ni me importa, sino porque ahorita que me oye y me ve con esos ojos de santo sabe que yo no soy tan puta como soy, y de veras le digo la verdad cuando le digo que ando buscando un poco de amor. *(Reacciona. Deja de acariciar la mano de Jesucristo y se limpia los ojos con una servilleta. Apura de un trago su copa de coñac. Se levanta.)* Perdón por la escenita.

Magdalena regresa a la mesa de sus compañeros.

VENTURA: Pinche vieja, nos vino a fregar la cena.

JESUCRISTO: ¿Por qué lo dice?

VENTURA: Es putísima, maestro. . . Uh, si yo le contara.

JESUCRISTO: Si me contara qué, don Ventura.

VENTURA: La clase de piruja que es esta vieja.

JESUCRISTO: No necesita contarme nada, ella misma lo reconoció.

VENTURA: Tiene una casa con diez niñas y es protegida de don Horacio Mijares. *(Pausa. Bebe del coñac.)* Lo único que ahorita anda buscando esa vieja es lo que usted ya sabe, no necesito ni decírselo. Pero tenga cuidado, maestro. No es porque yo sea un santurrón; una vieja siempre es una vieja, sobre todo cuando lleva tantas horas de vuelo, pero yo ya tuve la experiencia y por eso se lo advierto. Usted se la coge hoy y mañana ya se enteró todo el mundo. Y el que se chinga es usted.

JESUCRISTO: ¿No tiene otra opinión de las mujeres, don Ventura?

VENTURA: ¿Cómo dice?

JESUCRISTO: ¿Que si no tiene otra opinión de las mujeres?

VENTURA: Esta es una puta.

JESUCRISTO: Por eso. Para usted sólo hay mujeres que son putas y mujeres que no lo son.

VENTURA: *(sonriendo)* Ya tuvo tiempo de calarla, no se haga guaje.

JESUCRISTO: También tuve tiempo de calarlo a usted, don Ventura ¿Y le digo la verdad? Ella fue más generosa conmigo.

VENTURA: ¿Porque le mandó una botella de coñac? *(Ríe)* Maestro por favor, es una buscona. Puro interés.

JESUCRISTO: El interesado fue usted, don Ventura, perdone que se lo diga. Me invitó a cenar para ablandarme, ¿no es cierto?, para que deje de alborotar.

VENTURA: No lo tome así, no exagere, yo quería cambiar impresiones.

JESUCRISTO: El interés de ella, en cambio, si es que hay alguno, es de tipo amoroso.

VENTURA *(riendo)*: Si usted confunde el amor con los acosones, de acuerdo.

JESUCRISTO: No me refiero a eso.

VENTURA: Pues es lo que ella quiere.

JESUCRISTO: Posiblemente, pero no sólo eso.

VENTURA: Para ella el amor consiste en encuerarse y abrir las piernas, si lo sabré yo.

JESUCRISTO: Porque no le han enseñado otra cosa, porque sólo la valoran por lo bien o lo mal que fornica.

VENTURA: Claro, es una puta.

JESUCRISTO: ¿Y se ha puesto a pensar por qué es una puta, don Ventura?

VENTURA: Ya va a salir con lo de siempre. *(Con acento burlón:)* Empujada por los hombres cayó en el arroyo.

JESUCRISTO: No, justamente lo contrario: se fue al arroyo para imponerse a los hombres. Ahí en la cama, en el prostíbulo, es el único sitio en donde ella manda.

Los miembros de la mesa vecina se dirigen a la puerta del restorán, ya de salida Magdalena se detiene en la mesa de Ventura.

MAGDALENA *(a Jesucristo, nuevamente frívola, con intención)*: ¿No quieres venir?

Jesucristo niega con la cabeza mientras le sonríe, afable. Ella le devuelve una sonrisa tierna. Va a alcanzar a sus compañeros.

JESUCRISTO *(a Magdalena, antes de que desaparezca)*: Y gracias por el coñac.

. . . .

8. Con los apóstoles
Campo

Jesucristo reunido con sus discípulos. Comen mandarinas.

FELIPE: Allá por la Huasteca oí hablar de ti.

BARTOLOMÉ: También por el sur de Veracruz se mienta mucho tu nombre.

MATEO: En el estado de México todo mundo te conoce.

JESUCRISTO: ¿Y qué dicen de mí?

BARTOLOMÉ: ¿Quiénes?

JESUCRISTO: Esos. . . Los que oyen ustedes hablar.

BARTOLOMÉ: La gente de los caciques dicen que eres un alzado.

MATEO: Según los del gobierno, eres un alborotador.

FELIPE: Los curas se la quitan fácil alegando que estás medio loco.

JUSTO IRIGOYEN: Dicen que andas queriendo formar un partido político. Pero que estás mal.

ANDRÉS: Porque te falta gente.

SANTIAGO: Y porque no tienes un programa.

JUANCHO: Para algunos es clave que no hablen de ti los periódicos.

ANDRÉS: Yo oí decir que para cambiar a un país, a este país, lo único que sirve, de plano, es una revolución. Eso dicen.

JESUCRISTO: ¿Y tú estás de acuerdo?

ANDRÉS: Yo no sé. Es verdad, yo no sé.

JESUCRISTO *(después de un breve silencio)*: ¿Ustedes qué piensan?

FELIPE: ¿De lo que estamos diciendo?

JESUCRISTO: Sí. . . ¿Qué piensan?

BARTOLOMÉ: Bueno, yo pienso que los cambios se hacen siempre poquito a poquito. Despacio.

SANTIAGO: Lo importante es ir convenciendo a la gente ¿no?; abriéndoles los ojos, como tú dices.

JUSTO IRIGOYEN: Ayudándola.

FELIPE: Sobre todo, oyéndola, ¿no? Primero que nada, oír a la gente. Eso, ¿no?

SIMÓN VÁZQUEZ: Si tú me pides mi opinión, maestro, lo que yo creo, yo te diré que para mí tú eres el más grande revolucionario que ha aparecido en este país en toda su historia. El hombre que nos va a lanzar a la lucha armada. El que va a rescatar a nuestra querida patria por el camino de la guerra: el único camino que /

PEDRO SIMÓN *(interrumpiendo colérico)*: ¡No! Eso es una pendejada, no es cierto, ¡mentira! Tú no eres un revolucionario, ni un líder guerrero, ni un caudillo. *(Pausa)* Tú no te llamas en balde como te llamas porque eres el mismísimo Jesucristo. . . Eres Jesucristo, maestro: ese que vino a salvarnos hace chorrocientos años.

Jesucristo se yergue de golpe y arroja la mandarina al suelo. Nervioso se aparta de sus discípulos. Entre ellos se instala un profundo silencio. Luego de un lapso, Pedro Simón se encamina lenta y cautelosamente hasta Jesucristo, ante la mirada expectante de sus compañeros. Parece que va a decirle algo, pero no se atreve. Es Jesucristo quien vuelve la mirada hacia Pedro y le habla con voz sorda, casi entredientes

JESUCRISTO: No vuelvas a decir eso, Pedro, nunca. . . Que no se te ocurra decírselo a nadie, jamás. Ni de broma.

9. Padre nuestro
Calles de un pueblo

Jesucristo se incorpora a un grupo de sus discípulos y echa a andar con ellos.

JUANCHO: ¿Dónde andabas, maestro?

JESUCRISTO: Me fui a caminar un poco. . . A rezar.

PEDRO SIMÓN: ¿Tú rezas?

JESUCRISTO: ¿Ustedes no?

PEDRO SIMÓN: En la iglesia, a veces.

SANTIAGO: Yo de chico rezaba el rosario con mi madre.

JUANCHO *(completando)*: En las tardes.

JUSTO IRIGOYEN: Yo me sé el avemaría.

TOMÁS: Yo el padrenuestro.

JUANCHO: ¿Tú cómo rezas, maestro?

JESUCRISTO: Pienso. . . Platico.

JUANCHO: ¿Con quién platicas?

PEDRO SIMÓN: ¿Platicas con Dios?

JESUCRISTO: Sí, con Dios.

JUSTO IRIGOYEN: ¿Y cómo le hablas?

JESUCRISTO: Igual que como le hablaba a mi padre cuando yo era niño.

JUANCHO: ¿Qué le dices?

JESUCRISTO: Le pido.

ANDRÉS: ¿Qué le pides?

JESUCRISTO: Que los hombres vivan con justicia y libertad, que a nadie le falte lo necesario.

SANTIAGO: ¿Nada más?

JESUCRISTO: Le pido que me perdone mis errores, como yo perdono a los que me ofenden. . . Le pido fuerzas para seguir viviendo, luchando.

PEDRO SIMÓN: ¿El te oye?

JUANCHO: ¿Te hace caso?

JESUCRISTO: Igual que como me hacía caso mi padre cuando me le ponía yo necio; o como hace cualquier fulano cuando un amigo lo está friegue y friegue para sacarle un favor. El fulano termina diciendo: está bien, ahí tienes esta lana o esta cosa, a veces nada más para quitarse la taralata del amigo, no tanto porque quiera hacerle de buena gana el favor.

JUANCHO: ¿A poco Dios es igual?

ANDRÉS: No me lo imagino así.

JESUCRISTO: Eso es lo de menos. . . Lo importante es estar convencido de que si uno pide con ganas, recibe; si uno busca, encuentra; si uno insiste, acaban por hacerle caso. Pónganse ustedes en el lugar de Dios. A ver, qué padre se atreverá a darle a su hijo una piedra cuando le está pidiendo un pan, o una víbora si le está pidiendo un juguete, o un alacrán si le está pidiendo un dulce. Si ustedes mismos, que no son santos ni muchos menos, dan lo mejor que tienen a sus hijos, qué no va a darnos Dios a nosotros si él es el mero padre de toda la humanidad.

JUANCHO: ¿Así te imaginas a Dios, maestro?

JESUCRISTO: Así me lo imagino.

Largo silencio. Continúan caminando.

JESUCRISTO: Nunca me cansaré de repetirles esto: no anden preocupados pensando qué vamos a comer o cómo vamos a vestirnos; el alma vale más que los alimentos y el cuerpo más que la ropa. Miren los pájaros: no siembran ni tienen propiedades y nunca les falta nada. ¿Y a poco son más listos los pájaros que ustedes. . . ? Además, por muchos esfuerzos que haga cualquiera, nadie puede añadir un año a su vida; para qué preocuparse entonces por lo secundario. Preocúpense ustedes por la justicia, por luchar a brazo partido para que se haga justicia en esta tierra, en este momento, y yo les garantizo que no les faltará lo indispensable. Hagan de la justicia su único tesoro, porque ahí donde esté su tesoro estará también su corazón.

Aparecen dos desconocidos, corriendo.

DESCONOCIDOS: ¡Maestro, maestro!

Los desconocidos llegan hasta Jesucristo y sus discípulos.

JESUCRISTO: ¿Qué pasa?

DESCONOCIDO 1: Don Horacio te anda buscando, maestro.

JESUCRISTO: ¿Quién dices?

DESCONOCIDO 1: Don Horacio Mijares, maestro. El que mató a Juan Bautista. . . Dice que andas alebrestando a la gente y poniéndola contra él. Te echa la culpa de la toma del palacio municipal.

DESCONOCIDO 2: Te quiere matar.

DESCONOCIDO 1: Vete de aquí, maestro.

JESUCRISTO *(interrumpiendo, iracundo)*: Díganle a ese miserable que no me venga con amenazas. . . Yo voy a seguir hasta donde tope, y si a él no le parece ya sabe dónde encontrarme. ¡Pero díganle también que no me voy a dejar agarrar tan fácilmente como piensa. . ! Díganselo así, con estas mismas palabras.

Los desconocidos enmudecen y se retiran con lentitud. Jesucristo se mantiene pensativo; luego estalla en reniegos ante la sorpresa de sus discípulos.

JESUCRISTO: ¡Malditos pueblos!, qué duro es sacudirlos. La gente se pasa oyendo hablar de libertad toda la vida y ahí sigue, aplastadota, soportando a sus verdugos. . . Por cuánto tiempo más, con un demonio, *(gritando:)* ¡por cuánto tiempo más!

Algunos discípulos cuchichean entre sí.

PEDRO SIMÓN: ¿Y ahora qué trae el maestro?
ANDRÉS: Quién sabe.
JUANCHO: Está de malas.

TERCERA PARTE
PASIÓN, MUERTE Y RESURRECCIÓN
. . . .

5. La última cena
Bodegón

En torno a una mesa improvisada con tablones cenan Jesucristo y sus discípulos. Toman pozole y beben cerveza. Frente al sitio de Jesucristo hay una bandeja con pambazos.

JESUCRISTO *(melancólico)*: Hacía mucho tiempo que tenía ganas de cenar así, con ustedes. Con suerte y ya nunca volveremos a estar juntos y me gustaría que no olvidaran esta cena. . . Para mí será la última, a lo mejor..

En un extremo de la mesa, Felipe llama la atención de Santiago el de Aguascalientes.

FELIPE: ¿Qué le pasa?. . . Está como agorzomado.

SANTIAGO EL DE AGUASCALIENTES: No entiendo.

SIMÓN VÁZQUEZ *(callando a sus compañeros)*: Dejen oír.

TOMÁS: No se oye por acá.

FELIPE: No se oye.

Jesucristo se pone en pie y toma la charola de pambazos.

PEDRO SIMÓN: ¿Qué decías, maestro?

JESUCRISTO: Que me gustaría que no se les olvidara esta cena. *(Transición)* Aquí hay pambazos. Se los voy a repartir.

JUANCHO: No, maestro, nomás eso faltaba. Déjelo. . . Nosotros los vamos pasando.

JESUCRISTO: No, se los reparto yo. Yo quiero hacerlo. . . Son mi cuerpo.

Los apóstoles no reaccionan y ven como Jesucristo entrega a cada quien, en su lugar, un par de pambazos. Así recorre la mesa.

JESUCRISTO: Cuando cenen luego, otras veces, con sus amigos acuérdense de esta noche.

Jesucristo termina de repartir los pambazos y regresa a su lugar.

FELIPE: Súbele al radio, Tomás, que se oiga bien la música.

MATEO: Sí, hay que echarle ambiente.

Tomás sube el volumen de la música del radio. Se escucha una melodía ranchera; tal vez un corrido revolucionario.

FELIPE: Eso, muy bien, ¡bravo!

ANDRÉS: ¡Bien por la música!

Desde su lugar, Jesucristo levanta su botella de cerveza.

JESUCRISTO: Hay que decir salud, compañeros. . . ¡Salud a todos!

APÓSTOLES *(en distintos tiempos)*:
-Salud.
-Salud, Jesucristo.

-Salud, maestro.

-Salud, compañeros.

-Salud.

JESUCRISTO: ¡Salud. . . ! Para que Dios me dé fuerzas.

PEDRO SIMÓN: Fuerzas para qué, maestro.

FELIPE *(bromeando)*: ¿Vamos a lanzarnos a otra caminata como en Veracruz?

TOMÁS: ¿Vamos a entrarles a los trancazos?

JESUCRISTO: Fuerzas para lo que viene. . . Van a agarrarme. Uno de ustedes me traicionó y me los echó encima.

ANDRÉS *(que no oye)*: ¿Qué dice?

SIMÓN EL DE AGUASCALIENTES: A ver, barájala más despacio, maestro. No se oye bien.

TOMÁS: Sí, sí. . . cómo está eso.

JESUCRISTO: Olvídenlo.

FELIPE *(a Mateo)*: Qué se me hace que eres tú.

MATEO: ¿Yo por qué?

FELIPE: Porque te las das de muy salsa y muy leído. . . Te sientes muy importante.

MATEO: No seas pendejo.

Parece que Mateo y Felipe van a empezar a pelear. Los interrumpe Jesucristo.

JESUCRISTO: Aquí nadie es más importante que nadie, ya se los he dicho mil veces. . . Esto no es un partido político ni un sindicato, ¿qué no entienden todavía? Entre nosotros, cada quien vale en la medida en que se pone al servicio de los demás como un criado. . . ¿No me puse yo mismo a sevirles la cena? ¿No fui por las cervezas? ¿No compré el pozole. . . ? ¿Entonces? *(Pausa.)* Para mí todos ustedes valen lo mismo, y me siento muy contento de que hayamos andado juntos tantos meses pasando todas las que hemos tenido que pasar. . . No ha sido en balde, de veras se los digo. Y estoy seguro/

Jesucristo se interrumpe porque descubre a Pedro Simón, discutiendo en voz baja con Bartolomé y Andrés.

JESUCRISTO: Ay Pedro, Pedro, tú siempre alegue y alegue. No sabes cómo le pido a Dios que te dé cacumen suficiente para ayudar a unir a tus compañeros.

PEDRO: No, maestro, permítame decirle, no es lo que usted cree. *(Transición)* Lo que pasa es que aquí nadie se da cuenta de que tú acabas de hablarnos de una traición, y eso es muy grave... A ti no van a agarrarte así como así, y necesitamos pensar o idear algo si es que las cosas se van a poner duras... Yo no sé qué piensen los demás, pero sí te digo una cosa delante de todos: yo estoy dispuesto a rifármela contigo hasta la muerte.

JESUCRISTO: No hables por hablar, Pedro.

PEDRO SIMÓN: No son habladas, maestro.

JESUCRISTO: Son habladas, Pedro... Si me agarran, tú vas a ser el primero en voltearme la espalda.

PEDRO SIMÓN: ¡Eso sí que no!

JESUCRISTO: Yo te lo digo.

PEDRO SIMÓN: Pues yo te digo a ti que no.

JESUCRISTO: Ojalá no, pero no es tan fácil seguir hasta el final, como piensas. No es tan fácil.

Silencio. Comen. Unos cuantos murmullos, pero predomina la música del tocadiscos.

JESUCRISTO: ¿Se acuerdan cuando los envié de pueblo en pueblo, a predicar solos?

JUANCHO: Cómo no me voy a acordar, maestro.

JESUCRISTO: Los mandé sin dinero, ¿se acuerdan?... Les dije que no llevaran nada para el camino ni pensaran en dónde iban a dormir o cómo conseguirían qué comer... ¿Les faltó algo entonces?

JUANCHO: Nada, maestro.

JUSTO DE SANTIAGO: Nos fue de maravilla.

ANDRÉS: Sí es cierto.

JESUCRISTO: Pues ahora les digo que los tiempos ya no son los mismos y que no esperen una buena respuesta de la gente... Si ahora alguien tiene forma de conseguir dinero, consígalo; y el que no consiga nada, que venda su camisa o chamarra para comprar un arma: una pistola, un fusil, de perdida un cuchillo... Porque ahora me persiguen como a un asesino y tratarán de acabar conmigo y con ustedes.

Súbitamente reaccionan los apóstoles. Se miran entre sí, como extrañados, y empiezan o hablar atropelladamente sobre el asunto (con frases ad líbitum). Entre las expresiones que se escuchan, sobresalen:

APÓSTOLES:
-Si se trata de pelear, yo puedo conseguir escopetas.
-Levantamos a la gente de Iztapalapa.
-Nos pelamos para el Ajusco.
-También para los trancazos nos pintamos solos, cómo de que no.
-Tenemos mucha gente de nuestra parte. Cientos.
-El pueblo todo nos sigue.
-A mí me la pellizcan.
-Yo puedo juntar, en una semana, por lo menos doscientos pelados.
-Entre los pepenadores la gente jala.
-Hacemos un frente común.

Sobre el escándalo atronador que producen comentarios como éstos (y muchos otros) se impone la voz de Jesucristo, cuando grita:

JESUCRISTO: ¡Basta, con un carajo. . ! ¡Ya cállense!
. . . .

9. *La declaración*
Delegación de policía

Toro Lagunes interroga a Jesucristo (sentado en un banquillo) ante un Secretario que escribe a máquina.

TORO LAGUNES: Dónde más estuviste, ¿en Guerrero?
JESUCRISTO: Unos meses nomás.
TORO LAGUNES: Con la gente de Ignacio Farías. . .
JESUCRISTO: A ése ni lo conozco.
TORO LAGUNES: Pero sí conoces a sus hombres: al Gato Sandoval, a Felipe Hurtado, al Roto Casillas. . . Tú eras su contacto en el Bajío, no te hagas.
SECRETARIO: ¿Escribo eso?
TORO LAGUNES *(al Secretario)*: Escríbele. *(Pausa. A Jesucristo)* Y de Chiapas ¿qué. . . ? Anduviste en la sierra.
JESUCRISTO: Estuve una temporada con los chamulas.
TORO LAGUNES: Alborotándolos.
JESUCRISTO: No.
TORO LAGUNES: Alborotándolos, cabrón, cómo de que no. Tú

estuviste en el levantamiento de Juan Lobo.

JESUCRISTO: Ya me había ido.

TORO LAGUNES: Pero los dejaste bien organizados. Hay pruebas... Si pendejo no eres. *(Al Secretario:)* Escribe eso también. Luego te doy la fecha exacta del levantamiento. . *(Pausa. A Jesucristo)* Del estado de México ya ni te pregunto. Se las debes muy gordas a don Horacio... ¿O me vas a decir que tampoco conoces a don Horacio?

JESUCRISTO: Personalmente no.

TORO LAGUNES: Ah qué chingón, ¿sí? *(Burlándose)* personalmente no. *(Transición.)* Mira buey, nomás con las denuncias de don Horacio tienes para pasarte la vida en el tambo..

JESUCRISTO: Yo también tengo muchas denuncias contra Mijares.

TORO LAGUNES: ¡Cállese pendejo! *(Cachetea a Jesucristo.)* No te quieras hacer el chistoso porque mando que te rompan la madre otra vuelta... ¿Quieres otra calentada?

JESUCRISTO: No.

TORO LAGUNES: ¡Entonces cállese! *(Nuevamente cachetea a Jesucristo.)*

SECRETARIO: ¿Qué escribo de don Horacio Mijares?

TORO LAGUNES *(al Secretario)*: Nomás pon ahí que se adjuntan las denuncias, luego te las paso. Son un chingo, carajo. Hasta los curas te acusan de no sé cuántas fregaderas... ¿Pues qué estabas pensando tú? ¿Querías armar la revolución? ¿Querías tumbar al gobierno?

JESUCRISTO: Quería que cambiaran las cosas.

TORO LAGUNES: ¿Qué cosas?

JESUCRISTO: Las injusticias.

TORO LAGUNES *(burlón)*: Ah qué bonito. *(Silencio)* Y cómo pensabas hacerlo, ¿alborotando a la gente? *(Pausa)* ¡Contesta, cabrón!

JESUCRISTO: Abriéndoles los ojos... Eso no es un delito.

TORO LAGUNES: Según y cómo. Las organizaciones clandestinas no están permitidas. Para eso existen los partidos políticos.

JESUCRISTO: Yo no trabajaba en ninguna organización clandestina.

TORO LAGUNES: Pero tenías un grupo, ¿no...? ¿Como de cuántos?

JESUCRISTO: Nomás de los que querían seguirme. Tratábamos de ayudar a la gente inspirados por Dios.

TORO LAGUNES: ¿Inspirados por quién? *(Ríe)* Ah carajo, eso sí que está de pelos... A ver, ¿cómo está eso?

SECRETARIO: ¿Escribo lo de Dios?

TORO LAGUNES: Tú escríbele todo. *(Transición. A Jesucristo:)* A ver, a ver, viene. . .

JESUCRISTO: Inspirados en el Evangelio.

TORO LAGUNES: Puta, madre, ¡pero si tú eres comunista. . ! ¿O no eres comunista? *(Silencio)* Conteste, buey, te estoy esperando. *(Silencio)* ¿No me oyes?

JESUCRISTO: No tengo más que decir. . . Ayudábamos a la gente inspirados en el Evangelio. Es todo.

TORO LAGUNES: Te sentías Jesucristo ¿o qué?

JESUCRISTO: Jesucristo es mi nombre.

TORO LAGUNES: Y te tomaste muy en serio lo del nombrecito, ¿verdad. . . ? Pa su mecha. Lo que se encuentra uno.

SECRETARIO: ¿Pongo otra hoja? Ya son las diez y media.

TORO LAGUNES *(al Secretario)*: No, párale ahi, con eso es bastante.

El Secretario desprende la hoja y la reúne con otras que luego le tiende al Toro Lagunes. Este las revisa rápidamente. Las pone en la mesa, frente a Jesucristo. Le tiende un bolígrafo.

TORO LAGUNES: Fírmale.

Jesucristo toma el bolígrafo y luego de dudarlo un poco estampa su firma al calce de una hoja.

. . . .

12. Otra vez el procurador
Alcoba

Desnuda, pero cubierta por una sábana, se advierte en una gran cama a una mujer. Ante ella habla, muy agitado, el Procurador. Sólo viste calzoncillos y se pasea de un lado a otro sacudiendo en su derecha unos papeles.

PROCURADOR: Nomás eso me faltaba, ¡con un demonio! Hasta cuándo dejaremos de hacernos bolas y hasta cuándo dejará cada policía de tomar las iniciativas que se le antoje. . . Yo estoy pintado o qué. A mí me vienen y me dicen, y yo digo, y como si hablara a las piedras; siempre hay un pretexto para torcer una orden o nunca falta un telefonazo para cambiar las cosas a beneficio de quién, ¿de quién diablos, carajo! Si a veces yo no entiendo, menos van a entender mis gentes, y así mejor renunciar. Dónde está el poder entonces. Cuál poder, o cuál justicia hasta para casos de segunda o de tercera. Es el colmo. . . Era clarísimo. Un pobre loco deschavetado y se acabó. Que lo encierren, y punto. Según yo, ni siquiera eso valía la pena, carambas, tanto escándalo para un caso de nada que a fuerzas enredan y enredan para convertirlo en el chivo expiatorio de otros casos a medias, no por mi culpa ni por culpa de nuestra dependencia, sino por la maldita culpa de ese montonal de policías y más policías cada vez más fuera de control, ¡quién iba a pensarlo! Pero en fin, yo ya no estoy para ésas ni voy a arriesgar mi puesto por un caso que ni siquiera vale el coraje. Ya me tienen hasta la coronilla. Primero me agarran los dedos entre la puerta, y con el pretexto de la aministía me hacen soltar a ese infeliz de Benito Barrera. Está bien. De acuerdo. Si es para ganar un poco de prensa, de acuerdo. Si es para conseguir que hasta los muy radicales nos dediquen por ahí un elogio, muy bien. . . Pero ahora me voltean la tortilla y a un pobre loco sin antecedentes penales me lo convierten en preso político. . . Pues qué buscan, caray. De veras quisiera saberlo, qué chingados buscan. ¿Volver a que siga habiendo presos políticos y lanzarme en contra a la izquierda para agarrarme de nuevo los dedos entre la puerta? ¿Eso quieren? ¿O ponerme de pique con Gobernación? ¡Y ahí sí no le entro, ni de chiste! Por un pobre diablo no voy a jugarme el prestigio ni el puesto. . . Cojan su preso y hagan con él lo que quieran. Llévenselo al Campo Militar, desaparézcanlo, mátenlo, yo no muevo un dedo más. Ni sé, ni me entero, ni oigo, ni nada. . . Es suyo. Ahí lo tienen. Yo me lavo las manos, como Pilatos.

13. El calvario
Una celda

Un Soldado lleva el rancho a dos presos encerrados tras una reja. Los presos empiezan a comer observados por el Soldado.

PRESO 1: Y de aquí a dónde nos van a llevar, mi cabo, ¿se puede saber?
SOLDADO: A la chingada.

El Soldado va a retirarse.

PRESO 1 *(a Preso 2)*: Cómo ha progresado la educación de la autoridad, hermano, ¿no te parece?

El Soldado regresa y amaga con golpear de un culatazo a Preso 1.

SOLDADO: ¡Cállese, pendejo!
PRESO 1: No se enoje, mi cabo.
SOLDADO: Pues cállese.

Llega el Pecas Montoya arrastrando de los cabellos a Jesucristo, sumamente maltratado. Lo arroja en el interior de la celda y desaparece. El Soldado sale y cierra la reja. Los presos permanecen en silencio, comiendo, mientras Jesucristo se queja suavemente. Preso 2 se aproxima a él.

PRESO 2: Carajo, compañero, se está usted muriendo. . . ¿Pues qué le hicieron?
PRESO 1: ¿No ves, buey? Trae una madriza de días. . . ¿O no?

Jesucristo asiente. Preso 1 le tiende un pocillo de agua y Jesucristo bebe.

PRESO 1 *(a Preso 2)*: Por ésas tú nunca has pasado, mi hijo.
PRESO 2: Tú qué sabes.
PRESO 1: Bueno, yo no. . . El día que me chinguen así, me cai que me muero *(ríe sin convicción)*.
PRESO 2: Son unos hijos de su pelona.
JESUCRISTO *(débilmente)*: Pobres de ellos. . . no saben lo que hacen.
PRESO 1: ¿Cómo que pobres?
PRESO 2: Claro que lo saben. Es cosa de todos los días. . . Con unos y con otros. Con los cabrones, lo mismo que con los inocentes. Arrasan parejo.

Silencio.

PRESO 1: ¿Y a ti por qué te agarraron. . . ? ¿Qué hiciste?

Jesucristo quiere responder, pero la fatiga lo vence. Sufre un acceso de tos. Escupe sangre.

PRESO 1: ¿Cómo te llamas?
JESUCRISTO: Jesucristo Gómez.
PRESO 2: ¿De veras tú eres Jesucristo Gómez? . . . No me digas, carajo, ¡mira qué cosa!
PRESO 1: ¿Lo conoces?

PRESO 2: Lo oí hablar una vez en Iztapalapa. *(A Jesucristo:)* Anduviste por Iztapalapa, ¿verdad?

JESUCRISTO: Por ahí anduve.

PRESO 2: Sí, me acuerdo rete bien. *(Transición.)* Pero no eres ni tu sombra, cabrón, ¡qué jodido estás!

PRESO1: ¿Era merolico?

PRESO 2: Más o menos.

PRESO 1: ¿Y qué vendía?

PRESO 2: No, no vendía nada. Hablaba de justicia y de quién sabe cuántas chingaderas. Se soltaba duro contra las autoridades, ¿no es cierto. . . ? Pero hubieras visto cómo hablaba de recio y de encabronado. Y la gente, pendeja como siempre, se quedaba con la bocota abierta, nomás oyéndolo. Los dejaba lelos. . . ¡Puta, hasta a mí me impresionó!

PRESO 1 *(A Jesucristo)*: ¿Y por eso te agarraron?

PRESO 2 *(A Jesucristo también, interrumpiendo)*: Pero ya viste para qué chingados te sirvió tanto discurso.

PRESO 1: Tú qué sabes.

PRESO 2: Le sirvió para una puta madre, cómo no voy a saber. ¿No lo estoy viendo?. . . A poco no, Jesucristo: hablabas de salvar a los jodidos y ni siquiera tú te pudiste salvar.

Jesucristo vuelve a sufrir un acceso de tos, con sangre.

PRESO 2: ¿O todavía tienes esperanzas? . . .Porque si todavía te sientes tan salsa como allá en Iztapalapa, a ver si te salvas de ésta y nos salvas a nosotros, ñero. *(Ríe.)*

PRESO 1: Deja de fregar, ¿Qué trais con él?

PRESO 2: Es que me chingan los redentores de los pobres.

PRESO 1: ¿Por qué, buey?

PRESO 2: Mira cómo acaban, por habladores.

PRESO 1: Si por eso acaban así, vale la pena. *(Transición. A Jesucristo:)* Me cai que sí.

Silencio. Vuelven a comer los presos. Preso 1 se aproxima a Jesucristo. Le da a beber más agua.

PRESO 1 *(quedamente)*: Si de pura chingadera sales de ésta y tienes por ahí una palanca, no te olvides de mí.

JESUCRISTO: Tú te vas a salvar.

PRESO 1: Dios te oiga y nos salvemos los dos. . . o los tres.

JESUCRISTO: Yo no. Yo ya estoy en las últimas. *(Pausa. Trabajosamente:)*
¿Y sabes qué me pasa. . . ? Que tu amigo tiene razón: fracasé.

PRESO 1: No digas eso, ñero.

JESUCRISTO: Fracasé. *(Un borbotón de sangre le sale de la boca. Se
ahoga:)* Fracasé, fracasé, ¡fracasé! *(Se pone en pie. Grita, estruendosamente:)*
Dios mío, ¡ayúdame!

*Jesucristo cae al suelo, como fulminado. Los presos no salen de su azoro. Por
fin se aproximan lentamente.*

PRESO 2 *(examinando a Jesucristo)*: Creo que ya se peló.

Preso 1 corre a la reja y grita.

PRESO 1: ¡Cabo, cabo! Muévanse. . . Aquí el preso que se está
muriendo, mi cabo. ¡Píquenle!

PRESO 2: Ya ni grites, ñero, ya está cuas.

Llega el Soldado.

SOLDADO: Qué pasa, por qué tanto grito.

PRESO 2: Mírele.

*El soldado confirma que Jesucristo está muerto. Mientras lo hace se produce
un fuerte sismo que hace temblar la celda.*

PRESO 1: Está temblando.

PRESO 2: Sí, está temblando. . . ¡Terremoto! ¡Terremoto!

*El Soldado parece asustado con el temblor. Preso 1 aprovecha el instante
para salir por la reja abierta.*

SOLDADO *(reaccionando)*: ¡Ey. . ! *(Se levanta y echa a correr, ya muy tarde,
tras el Preso 1).* ¡Se escapan los presos! ¡Se escapan los presos!

*Concluye el sismo. Preso 2 parece sonreír mirando hacia la reja por donde se
escapó su compañero. Regresa al sitio donde yace Jesucristo. Lo mira largo
rato.*

PRESO 2: Carajo, ñero. . . Carajo, Jesucristo Gómez.

14. Después de la resurrección
Cementerio

Entre las tumbas, muy lejos, se advierte apenas a un hombre comiendo mandarinas. Tres mujeres enlutadas cruzan por una callecita del cementerio. Dos sepultureros que caminan en dirección contraria se encuentran con ellas.

MAGDALENA *(llamando la atención de los sepultureros)*: Perdón. . . Perdón, señores, ¿ustedes trabajan aquí?
SEPULTURERO 1: ¿Qué se le ofrece?
MAGDALENA: ¿No saben dónde está la fosa común?
SEPULTURERO 1: Hay muchas fosas comunes en este panteón.
SEPULTURERO 2: ¿A quién buscan?
MAGDALENA: Nos dijeron que aquí enterraron al maestro, antier.
JUANA MORALES: En la fosa común.
MAGDALENA: Pero sin registro ni nada.
SEPULTURERO 1: ¿Qué maestro?
MARIA DE SANTIAGO: Jesucristo Gómez. *(Pausa)* ¿Ustedes no saben de casualidad?
SEPULTURERO 2: Si no tiene registro va a estar muy difícil saber. . . O a lo mejor en las oficinas les dan alguna información que/
SEPULTURERO 1 *(interrumpiendo)*: Yo conocí a Jesucristo Gómez.

Silencio.

MAGDALENA: ¿Lo conoció?
SEPULTURERO 1: Lo conocí muy bien.
JUANA MORALES: ¿Lo conoció de veras?
SEPULTURERO 1: Y supe todo lo que pasó.
MAGDALENA: ¿Supo cómo lo mataron?
SEPULTURERO 1: Para mí esos hombres no mueren nunca. Pueden matarlos, pero no se mueren. Al contrario, siguen cada día con más vida, como quien dice.

Magdalena irrumpe en llanto.

SEPULTURERO 1: Hay que echar la tristeza a la basura, señora. Acuérdese de lo que él decía: el camino es para adelante. . . Y él no ha dejado de caminar.

SEPULTURERO 2: Si está muerto, no tiene caso buscar un muerto.

Los sepultureros saludan y se retiran. Las mujeres permanecen inmóviles unos segundos. María de Santiago descubre de pronto al hombre de las mandarinas, al fondo del cementerio, entre las tumbas.

MARÍA DE SANTIAGO *(Llamando la atención de sus compañeros)*: Miren miren. Ahí. . .

Las tres mujeres miran hacia el fondo del cementerio, por donde el hombre cruza y desaparece.

CAPÍTULO IV

EL SALVADOR

El Salvador fue descubierto por Colón, al igual que los demás países de la América Central, en su cuarto viaje. Esta nación, la más pequeña de Centro América, se mantuvo incorporada a la capitanía general de Guatemala hasta que se estableció la independencia centroamericana en 1821. En 1841 El Salvador proclamó su separación de la República Federal Centroamericana. Durante los próximos setenta años el país fue escenario de luchas políticas entre liberales y conservadores, de golpes de estado, dictaduras, e invasiones de países vecinos.

En pleno siglo XX debe hacerse notar el golpe de estado de Maximiliano Hernández Martínez en 1931, frustrando con esta acción la elección presidencial de Arturo Araujo. El gobierno de Hernández Martínez, a pesar de su política agraria en la que repartió tierras entre los desposeídos, fue responsable de la masacre de 30,000 campesinos en 1932. Hernández Martínez fue derrocado por una revuelta popular en 1944 y sustituido por una Junta Militar de tres coroneles. Salvador Castañeda Castro ocupó el poder de 1944 a 1948. La nueva junta militar encabezada por Oscar Osorio tomó el mando. Osorio, elegido presidente dos años después, gobernó hasta 1958 cuando fue destituido por una nueva junta de coroneles que llevó al poder al coronel José María Lemus. Lemus fue derrocado por la Junta Cívico Militar encabezada por el coronel César Yáñez en 1960, hecho que llevó al país a un largo período de inestabilidad. La pobreza de las masas, la extrema riqueza de una pequeña oligarquía, la represión, y la corrupción política, son las bases de un problema social que todavía existe en El Salvador. La chispa que enciende la revolución es el rápido crecimiento económico en las décadas de 1960 y 1970. Como resultado de este incremento la minoritaria clase media, que carecía de representación política, se alía con los militares para proteger sus intereses.

En enero de 1962 es promulgada una nueva constitución. En las elecciones convocadas en abril fue elegido presidente el coronel Julio Adalberto Rivera, del recién organizado Partido de Conciliación Nacional (PCN). Como medida de su gobierno, puso en práctica los principios de la Alianza para el Progreso, y redujo el poder de las catorce familias que por tradición habían controlado la economía del país. Las victorias continuas del PCN llevan al poder a los coroneles Fidel Sánchez en 1967, y Arturo Armando Molina en 1972, que intentan seguir una política reformista.

Las elecciones de 1972 marcan un hito importante en la política salvadoreña. Los militares intervienen en el cómputo electoral y anuncian como presidente a su candidato, robándoles el triunfo a los verdaderos ganadores, José Napoleón Duarte, reformista del Partido Demócrata Cristiano (PDC) y Guillermo Ungo, representante de los partidos de izquierda, socialista y comunista. Duarte, hecho prisionero, fue torturado y enviado al exilio. Como reacción, los campesinos, trabajadores, representantes de la iglesia y algunos elementos de la clase media, protestaron de distintas maneras. El gobierno respondió con represiones violentas.

La situación se deterioró aún más durante el gobierno del General Carlos Humberto Romero de 1977 a 1979, del PCN, acusado por el gobierno del presidente norteamericano Jimmy Carter de violar los derechos humanos. En 1978 se organizaron huelgas y levantamientos campesinos apoyados por la iglesia. En 1979 Romero fue destituido por la Junta Militar dirigida por los coroneles Jaime Abdul Gutiérrez y Adolfo Arnoldo Majano. En marzo de 1980 Duarte regresó del exilio para unirse a la Junta y en diciembre fue nominado presidente del país.

El 24 de marzo de 1980 Monseñor Oscar Arnulfo Romero, Arzobispo de San Salvador, fue asesinado en un acto terrorista. Mientras que la Junta acusó a fuerzas izquierdistas del acto, se asume que los perpetradores fueron elementos de derecha. En 1980 y con el fin de oponerse a la coalición militar del PDC, se concierta la Coordinación Revolucionaria de las Masas (CRM) con el Partido Comunista Salvadoreño (PCS), convirtiéndose esta alianza más adelante en el

Frente Democrático Revolucionario (FDR). La más potente organización guerrillera forma el Frente Farabundo Martí para la Liberación Nacional (FMLN) para servir con el FDR como la base de un gobierno demócrata revolucionario. También en los 80 se estrecharon las relaciones entre El Salvador, Guatemala y Honduras en un intento de protección mutua, ante alegaciones de apoyo del gobierno sandinista al FMLN. Duarte fue sucedido por el Presidente Provisional Alvaro Magaña en 1982. En 1984 Duarte fue reelegido presidente. En 1986 la inflación es rampante; el costo de la vida ha aumentado desde 1980 a un 125%. El descontento público aumentó con el plan de austeridad económica de 1986, por el cual se devaluó la moneda, se limitaron las concesiones salariales, subió el costo de la gasolina y se elevaron los impuestos. Ante estas medidas, los hombres de negocios acusaron a Duarte de plegarse a los dictados del Fondo Monetario Internacional. En octubre de 1988 se revitalizó, a instancias del gobierno norteamericano, el Consejo de Defensa de Centro América (CONDECA), para defenderse de cualquier agresión marxista-leninista.

En las elecciones de 1989 salió victorioso Alfredo Cristiani, candidato del partido Alianza Republicana Nacionalista (ARENA) de extrema derecha. Esta elección ha definido aún más la separación entre la izquierda y la derecha.

Las guerrillas izquierdistas han sido un factor importante en la política de El Salvador a partir de 1968 cuando anunciaron su compromiso incondicional con el marxismo de Castro. En los años setenta las guerrillas urbanas crearon problemas universitarios durante el mando del presidente Arturo Armando Molina. Ante las amenazas del comunismo, el gobierno salvadoreño ha tenido una política de acercamiento a los Estados Unidos, aún cuando el sentimiento anti-americano ha aumentado en el pueblo y hasta la iglesia se ha vuelto contra el régimen.

A fines de 1991 y como resultado de la intervención de Javier Pérez de Cuéllar, Secretario de la ONU, se firmó un acuerdo de paz entre el FMLN y el gobierno de Cristiani, cuyo objetivo era la desintegración de dicha organización guerrillera. El 15 de diciembre de 1992, unos 8,000 combatientes del FMLN depusieron sus armas y se reintegraron a la vida civil. El FMLN se ha convertido en un nuevo partido político que debe formar parte, de manera legal, en el proceso electoral de marzo del 93. Según encuestas recientes, conducidas por la Universidad

Centroamericana (UCA), el FMLN ocupa el segundo lugar en las preferencias populares después de ARENA, el partido del gobierno.

La guerra civil salvadoreña, que ha durado 12 años, ha costado 75,00 vidas y causado pérdidas económicas de más de 1 billón de dólares.

Poesía

Francisco Gavidia, considerado el primer autor nacional de El Salvador, domina el campo de la poesía a principios del siglo XX. A pesar de conocer la obra de Darío, Gavidia mantiene su estilo romántico liberal durante el modernismo, lo cual le facilita adoptar con más facilidad las corrientes vanguardistas. Dentro de este movimiento, Gavidia escribe lo que puede considerarse poesía de protesta en los años veinte. Alfredo Espino y Claudia Lars, ambos en la vertiente regionalista, aparecen a continuación en el horizonte poético. Lars se destaca como disidente política en 1932, y es precursora de las poetas centroamericanas más recientes. El año 1932 es clave en la historia revolucionaria salvadoreña. Entre otros hechos históricos se incluye La Matanza. De esta época es el poeta vanguardista de inclinaciones leninistas Gilberto González Contreras. Dos poetas contemporáneos de González, Geoffroy Rivas y Escobar Velado le dieron una mayor dimensión a la poesía de protesta salvadoreña y anticiparon la Teología de la Liberación en los años cuarenta.

Nuevas tendencias literarias entraron en El Salvador desde Guatemala a partir de la revolución de octubre de 1954. Otto René Castillo, el poeta guatemalteco producto de esas orientaciones, se exilió en El Salvador en 1954, influyendo en los escritores del recién creado Círculo Literario Universitario. Estos jóvenes, llamados inicialmente Grupo de Octubre, en solidaridad con Guatemala, más tarde se auto-denominaron Generación Comprometida. Se destacan entre ellos Roque Dalton, José Roberto Cea, Manlio Argueta, Roberto Armijo, Tirso Canales y Alfonso Quijada Urías. En su manifiesto "Entredicho" estos poetas declararon que su función literaria es destruir sus pasos para crear una nueva senda y se agruparon alrededor de la publicación *La Pájara Pinta*. Son ellos los que integran el núcleo que dominará la poesía salvadoreña de las próximas dos décadas a partir de 1960.

La tendencia en la expresión poética después de los ochenta es la testimonial. En esos años se destaca un grupo de autores íntimamente ligados al FMLN tales como Carlos Aragón y Eduardo Sancho Castañeda.

Entre las poetas femeninas, continuadoras de Lars, pueden mencionarse Liliam Jiménez, Matilde Elena López y Mercedes Durand, de la "Generación Comprometida". En la poesía y la prosa sobresale Claribel Alegría. Alegría, a pesar de ser nicaragüense, se identifica completamente con la literatura salvadoreña de los últimos tiempos. La poesía y el testimonio continúan siendo importantísimos en la poesía salvadoreña más reciente. Continuando la trayectoria de Dalton han aparecido dos jóvenes poetas cuya obra se publica a fines de los ochenta: Rafael Menjívar Ochoa y Otoniel Guevara.[1]

ROQUE DALTON (San Salvador, El Salvador. 1933-75)

      Estudió el bachillerato en San Salvador en el Externado San José con los jesuítas y más tarde las carreras de Leyes y Antropología en las universidades de El Salvador, Chile y México. Perteneció al grupo literario "La Generación Comprometida", escribiendo artículos, cuentos y poemas. En 1955 se declaró miembro del partido comunista de su país. Estuvo en prisión varias veces y vivió exiliado en Guatemala, México, Checoslovaquia y Cuba. En La Habana defendió junto a Regis Debray la teoría de "revolución en la revolución". En Praga fue editor de la Revista Internacional del movimiento comunista. Fue fusilado por el Ejército Revolucionario del Pueblo (ERP) en el Salvador. Su muerte fue condenada por Debray y Julio Cortázar en sendos artículos. Este último calificó su muerte de monstruosa, en manos de sus mismos camaradas.

      Obra. **Poesía:** *La ventana en el rostro* (1961), *El mar* (1962), *El turno del ofendido* (1963), (Premio Casa de las Américas); *Los testimonios* (1964), *Poemas* (1967), *La taberna y otros lugares* (1969), (Premio Casa de las Américas); *Poemas clandestinos* (1986). **Crítica:** *Vida y obra de César Vallejo* (1963).

      Dalton creía que la inspiración poética debería estar íntimamente ligada al entorno social y político del individuo. En sus declaraciones a Ricardo Villares aparecidas en *La Pájara Pinta*, reveló: "llegué a la revolución por la vía de la poesía y a la poesía por la vía de la revolución".[2] A continuación aparecen algunos de sus *Poemas clandestinos*. Dalton expresa su arte poética en las dos primeras composiciones. No solamente hay poesía en la palabra, sino también en la acción. La poesía de Dalton es una flor, como la siempreviva. En medio

---

[1] Para más información sobre la poesía salvadoreña consultar la introducción crítica de José Roberto Cea a su *Antología general de la poesía de El Salvador*, (San Salvador: Editorial Universitaria, 1971); así como el detallado estudio de Marc Zimmerman, y John Beverly, *Literature and Politics in Central American Revolutions*, (Austin: University of Texas Press, 1990).

[2] Villares, "Roque Dalton," *La Pájara Pinta*, XXXVIII (nov. 1969), 7.

de la tempestad o la sequía, el odio o la cólera, sube a buscar el aire. En "Dos religiones" se refiere a la teología de la liberación. Se habla del nuevo concepto de la caridad hacia las masas oprimidas y de la lucha contra los dos grandes males: el hambre y la opresión.

POEMAS CLANDESTINOS (1986)
SOBRE NUESTRA MORAL POÉTICA
No confundir, somos poetas que escribimos
desde la clandestinidad en que vivimos.

No somos, pues, cómodos e impunes anonimistas:
de cara estamos contra el enemigo
y cabalgamos muy cerca de él, en la misma pista.

Y al sistema y a los hombres
con nuestra vida les damos la oportunidad de que se
cobren,
día tras día.

ARTE POÉTICA 1974
Poesía
Perdóname por haberte ayudado a comprender
que no estás hecha sólo de palabras.

COMO LA SIEMPREVIVA
Mi poesía
es como la siempreviva
paga su precio
a la existencia
en término de asperidad.

Entre las piedras y el fuego,
frente a la tempestad
o en medio de la sequía,
por sobre las banderas
del odio necesario

y el hermosísimo empuje
de la cólera,
la flor de mi poesía busca siempre
el aire,
el humus,
la savia,
el sol,
de la ternura.

DOS RELIGIONES
Cuando en el horizonte se perfila la revolución
se alborota el viejo caldero de las religiones.

En épocas normales
la religión era ir a misa,
pagar diezmos a la casa de Dios,
bautizar a los hijos
y confesar los pecados para arreglar cuentas con uno
                                                    mismo.

Cuando en el horizonte se perfila la revolución
las iglesias recuerdan a las masas,
bajan a ellas desde las nubes y los misterios
y desde la tranquilidad dominical.

Los pastores cachetones hablan del fin del mundo
cuando lo que se acerca es el fin de la explotación;
los profetas histéricos hablan de definirse entre el
                                        Bien y el Mal
cuando el pueblo necesita definirse
contra la opresión y el hambre.

Cuando la revolución social comienza a desplegar
sus banderas
los herederos de quienes crucificaron a Cristo
nos dicen que Cristo es la única esperanza
y precisamente porque nos espera

allá en su Reino, que no es de este mundo.

Esta es la religión que fue señalada por Marx
como "opio de los pueblos"
ya que en esa forma es una droga más para tupir la
                                    cabeza de los hombres
e impedirles encontrar su camino en la lucha social.

Pero Camilo Torres, entre otros,
nos dejó dicho que también hay una religión positiva
que surge del alma de la revolución
a la manera de los poemas y los cánticos,
y que se juega la vida en este mundo
y no hasta después de la muerte.
En esta religión militan hombres que son
(como los verdaderos comunistas)
la sal de la tierra.

Capítulo V

Guatemala

Guatemala fue colonia española hasta 1821, pasando a formar parte de México por algunos años y de la Confederación de Repúblicas Centroamericanas más adelante. La República de Guatemala fue proclamada en 1839. En la segunda mitad del siglo XIX Guatemala estuvo sometida a las dictaduras de Rafael Carrera (1847-65) y de Manuel Estrada Cabrera (1898-1920). Durante el gobierno de Carrera ocurre la cesión de los derechos plenos sobre Belice a los ingleses. Miguel García Granados y Justo Rufino Barrios, cabecillas del movimiento revolucionario gestado entre ambas dictaduras, gobernaron sucesivamente.

En 1944 una alianza de estudiantes, liberales y miembros disidentes del cuerpo militar, conocidos como "los revolucionarios de octubre", depusieron al General Jorge Ubico, dictador de 1931 a 1944. La deposición de Ubico inició un período de reformas. En 1944 se hicieron las primeras elecciones libres en el país siendo elegido presidente Juan José Arévalo. A partir de entonces el país se orientó hacia el socialismo. El próximo presidente, Jacobo Arbenz, gobernó desde 1952 hasta 1954, al ser derrocado por la rebelión encabezada por el coronel Carlos Castillo Armas. Ese mismo año, las luchas entre facciones de izquierda y derecha provocaron la muerte de Castillo Armas. Miguel Ydígoras gobernó de 1958 a 1963, reprimiendo durante su mandato un movimiento popular que intentaba reponer a Arévalo. En 1963 el coronel Enrique Peralta Azurdia, con el pretexto de controlar la inestabilidad política e impedir la reposición de Arévalo, dio un golpe militar y estableció una Junta de Gobierno.

En 1966 fue elegido presidente Julio César Méndez Montenegro, quien también debió enfrentarse a guerrillas izquierdistas. En 1970, el coronel Carlos Arana Osorio fue elegido presidente, declarando inmediatamente "estado de sitio" en su intento de controlar la situación caótica del país. El general Kjel Eugenio García sucedió a Arana Osorio en 1974; siendo a su vez substituído en la silla presidencial por el general Fernando Romero Lucas García en 1978. En 1982, miembros disidentes del ejército tomaron el poder, denunciando las últimas elecciones presidenciales como fraudulentas y estableciendo Junta Militar de tres miembros. Efraín Ríos Montt, uno de los miembros, disolvió la Junta y estableció su autoridad como Presidente y Comandante de las Fuerzas Armadas. En 1983 asumió la presidencia el general Oscar Mejía Victores por golpe militar, quien prometió una vuelta al gobierno civil en 1984. En las elecciones de ese año, el candidato del Partido Demócrata Cristiano (PDCG), Mario Vinicio Cerezo Arévalo, derrotó al candidato de la Unión del Centro Nacional (UCN) Jorge Nicole Carpio. La elección de Cerezo alejó a Guatemala del radio directo del control militar y comenzó a fortalecer algunas de las instituciones políticas, tales como los partidos y organizaciones laborales. Entre sus planes de gobierno, Cerezo nombró una comisión encargada de vigilar el respeto a los derechos humanos y de investigar miles de desapariciones. El carisma de Cerezo, fue esfumándose hacia los últimos años de su presidencia, siendo atacado entonces tanto por la Democracia Cristiana como por los derechistas e izquierdistas. A partir de la presidencia de Cerezo la Comisión de Derechos Humanos ha estado investigando la situación de las personas desaparecidas después de haber sido arrestadas por fuerzas de seguridad. También se está investigando al ex-Presidente Cerezo por violación de los derechos humanos.

La economía de Guatemala se halla en un estado desastroso a causa de los precios bajos del café, el azúcar y el algodón, sus productos principales. En 1989 la deuda externa alcanzó la cifra de $2.3 billones y la tasa de desempleo llegó al 40%. En mayo de 1990 el quetzal, tradicionalmente a la par del dólar, se devaluó (5: $1).

Uno de los problemas grandes del país es el terrorismo, rampante desde los años 60. La cuestión de las guerrillas comenzó a hacerse notable a partir de la Junta de Peralta, cuando se destacó el comando organizado en la Sierra de las Minas por Yon Sosa, ex-oficial del ejército. Dos grupos, las Fuerzas Armadas Revolucionarias (FAR) y el Movimiento del 13 de noviembre, habían estado operando en el área rural al nordeste del país. Después de 1966 sus ataques se han trasladado a las ciudades. Un nuevo grupo izquierdista, el Ejército Guerrillero de los Pobres (EGP), fundado en 1975, ha mantenido luchas constantes incorporando grandes segmentos indios. En 1979 se creó un nuevo grupo guerrillero, Organización del Pueblo en Armas (ORPA). En 1981, los cuatro grupos principales guerrilleros se coordinaron en la Unidad Revolucionaria Nacional de Guatemala (URNG).

En los comicios presidenciales celebrados a fines de 1990, se enfrentaron los candidatos derechistas Jorge Serrano, del Movimiento de Acción Solidaria (MAS), y Carpio (UCN). Los miembros de los partidos "Alianza, no venta", que apoyaron la candidatura de Ríos Montt, votaron por Serrano. El Movimiento de Liberación Nacional (MLN) y el Movimiento Emergente de Concordia (MEC) también favorecieron a Serrano que asumió la presidencia el 13 de enero de 1991.

Se ha cuestionado el triunfo de Serrano, presentando la alegación que solamente el 40% del electorado votó en esas elecciones. La apatía de la población india guatemalteca (60%) se trasluce en el análisis de las urnas electorales. Tal vez esa apatía sea una manera de protestar ante la falta de representación de este sector, mayormente analfabeto, en las instituciones políticas del país. La URNG, por su parte, hizo patente su descontento inmediatamente, iniciando la presidencia de Serrano con un aumento en los ataques contra compañías y las fuerzas armadas.

En enero de 1992 los representantes del gobierno guatemalteco y de las guerrillas de la URNG se reunieron en México para discutir los derechos humanos. Los delegados de la URNG han visitado las capitales europeas buscando apoyo internacional para las negociaciones de paz con el presidente Serrano. Uno de los dirigentes guerrilleros, Rodrigo Asturias, hijo del novelista guatemalteco ganador del Premio Nobel, Miguel Angel Asturias, ha declarado que las negociaciones están siendo obstruidas por sectores de la sociedad, el gobierno y el ejército y sólo serán productivas si se ejercen presiones externas. A fines del 92 no se percibe adelanto alguno en las negociaciones entre el gobierno y la URNG, persisten las acciones insurgentes, y los escuadrones de la muerte aún continúan en sus actividades.

POESÍA

El grupo literario "Los Tepeus", inició en 1930 el interés en la poesía guatemalteca por lo indígena y el comienzo de la denuncia social. Otto Raúl González escribió contra la dictadura de Ubico y como consecuencia fue obligado a exiliarse en México. La generación del 40 será la encargada de realizar la revolución cuatro años más tarde. Se destacan entonces dos grupos literarios "Acento" y "Saker Ti", que albergaron en sus filas a artistas y poetas, revolucionarios e inconformes con el gobierno. "Saker Ti" proclamó nuevos lineamientos literarios y políticos, continuadores del programa de "Los Tepeus". En 1954 surgió la "Generación Comprometida", perpetuadora de los lineamientos anteriores, ya definitivamente revolucionaria, cuyos integrantes se enfrentaron con la pluma y el fusil a la situación existente. Coincidió esta generación en el tiempo con la violencia de los años sesenta. En este grupo se incluye a Otto René Castillo quien encontró la muerte mientras participaba activamente en las guerrillas. Siguieron de cerca a Castillo, continuando la misión del poeta guerrillero, Fausto Aguilera, Marco Antonio Flórez y Carlos Zipfel.

OTTO RENÉ CASTILLO (Quetzaltenango, Guatemala. 1936-1967)

Castillo dividió su vida entre la poesía y el compromiso político. Literariamente perteneció al grupo "Generación Comprometida". Se destacó como dirigente estudiantil desde los 17 años; y se exilió por primera vez cuando la deposición de Jacobo Arbenz. En 1958 regresó a su país y comenzó los estudios de abogacía en la Universidad de Guatemala. En 1959 partió nuevamente al destierro, esta vez a la República Democrática Alemana, donde estudió cinematografía en la Universidad de Leipzig. Su estancia en Leipzig le acercó a la nueva estética de Brecht. Ha sido recipiente del premio Autonomía de Guatemala, compartió el Premio Centroamericano de Poesía con Dalton y también recibió menciones honoríficas en el Festival Mundial de la Juventud. En 1966, durante el gobierno del presidente Peralta Azurdia, Castillo se exilió nuevamente incorporándose al movimiento guerrillero guatemalteco, donde desempeñó el cargo de Director de Propaganda de las Fuerzas Armadas Revolucionarias (FAR). En 1967, al regresar al país como parte de un grupo guerrillero, fue capturado y eliminado.

Obra. **Poesía:** *Tecún Umán* (1964) y *Vámonos patria a caminar* (1965).

La obra de Castillo, de tendencia militante, le confirió un lugar destacado en la poesía comprometida de la América Hispana. Se observan influencias de Pablo Neruda en su obra temprana, aproximándose más tarde a Nazin Hikmet. La obra de Castillo es un constante encuentro entre el poeta, identificado con el dolor de los demás hombres, y su patria. A pesar de que el sufrimiento del poeta impregna su poesía, el tono es optimista. En esta poesía de tipo conminatorio el hombre, por la lucha, es capaz de llegar a la liberación. La impresión que deja la lectura de la obra de Castillo es que la libertad y el amor son fuerzas indestructibles. Su poesía trasciende límites y se universaliza en los temas reiterativos del patriotismo, la libertad, el amor y la humanidad. Según Francisco Alarcón la obra de Castillo "es un alto exponente de la unificación de la poesía, el amor, la acción y la vida".[1] En el primer poema antologado la revolución prepara al hombre y alerta sus sentidos aún más, para mejor comprender los tiempos futuros. Expone Castillo lo que idealmente debe ser la revolución: cambiar, revivir, detener injusticias y enterrar el odio, para que mañana sea posible amar la palabra.

En "Invencibles" aparece el hombre como constructor de su historia. El tono optimista se refuerza porque el triunfo y la victoria son posibles. En "Libertad" las ansias de liberación se encuentran en todo y en todos. A pesar de las represiones siempre existe el ansia de libertad que, cual llama viva, surge en cualquier momento y es invencible e inextinguible. Nada hay más bello que un pueblo triunfante y erguido, vencedor de un sistema dictatorial. En "El gran inconforme" el poeta está dispuesto a dar la vida por su país. En un tono triste que recuerda al de Vallejo, padece con la patria y sufre el hambre y el frío de todos sus hermanos. Al final habla del pueblo, preparado para la lucha y la victoria. En "Frente al espejo" el hombre descubre el paso del tiempo, la angustia de la vida y la muerte. El poeta alude al dolorido sentir del siglo XX: la edad del combate. Finalmente les envía un mensaje a los hombres del año 2,000, el de amarse los unos a los otros.

TOMORROW TRIUMPHANT (1984)
REVOLUCIÓN

Los que no ven
nos dicen ciegos,
pero tú nos has enseñado
a ver el color
del tiempo que viene.

Los que no oyen
nos dicen sordos,
pero tú nos has enseñado
a escuchar en todas partes
el ágil sonido
de la ternura humana.

---

[1] Francisco Alarcón, "Introduction," *Tomorrow Triumphant. Selected Poems of Otto René Castillo* (San Francisco: Night Horn Books, 1984), p. VIII.

Los cobardes nos dicen cobardes,
pero contigo nos enfrentamos
a las sombras
y les cambiamos el rostro.
Los criminales nos dicen criminales,
pero contigo revivimos la esperanza,
le marcamos el alto al crimen,
a la prostitución,
al hambre.
Y le ponemos ojos,
voz,
oídos,
alma,
al corazón del hombre.
Los racistas nos dicen antihumanos,
pero contigo le damos al odio
su tumba mundial
en la ciudad de los abrazos.
Nos dicen tantas cosas.

Y los que las pronuncian
olvidan,
estúpidos que son,
que sus nietos
amarán mañana
jubilosamente la palabra
estrellada
de tu nombre:
                    revolución.

INVENCIBLES
Amor, nosotros somos invencibles.
De historia y pueblo estamos hechos.
Pueblo e historia conducen al futuro.
Nada es más invencible que la vida;
su viento infla nuestras velas.

Así triunfarán pueblo, historia y vida

cuando nosotros alcancemos la victoria.
Amanece ya en la lejanía de nuestras manos.
Y la aurora se despierta en nosotros,
porque somos los constructores
de su casa, los defensores de sus luces.
Ven con nosotros que la lucha continúa.
Levanta tu orgullo miliciano, muchacha.

¡Nosotros venceremos, mi dulce compañera!

LIBERTAD
Tenemos
por ti
tantos golpes
acumulados
en la piel,
que ya ni de pie
cabemos
en la muerte.

En mi país,
la libertad no es sólo
un delicado viento del alma,
sino también un coraje de piel.

En cada milímetro
de su llanura infinita
está tu nombre escrito:
libertad.
En las manos torturadas.
En los ojos,
abiertos al asombro
del luto.
En la frente,
cuando ella aletea dignidad.
En el pecho,
nos crece en grande.

En la espalda y los pies
que sufren tanto.
En los testículos,
orgullecidos de sí.
Ahí tu nombre,
tu suave y tierno nombre,
cantando en esperanza y coraje.

Hemos sufrido
en tantas partes
los golpes del verdugo
y escrito en tan poca piel
tantas veces su nombre,
que ya no podemos morir,
porque la libertad
no tiene muerte.

Nos pueden
seguir golpeando,
que conste, si pueden.
Tú siempre serás la victoriosa,
libertad.
Y cuando nosotros
disparemos
el último cartucho,
tu serás la primera
que cante en la garganta
de mis compatriotas,
libertad.
Porque nada hay más bello
sobre la anchura
de la tierra,
que un pueblo libre,
gallardo pie,
sobre un sistema
que concluye.
La libertad,
entonces,

vigila y sueña
cuando nosotros
entramos a la noche
o llegamos al día,
suavemente enamorados
de su nombre tan bello:
libertad.

EL GRAN INCONFORME
Nunca preguntéis
a un hombre
si sufre,
porque siempre
se está sufriendo
en alguna forma
y en algún camino.

Hoy,
por ejemplo,
sufro tu dolor,
patria mía,
hasta lo más alto
de mi alma.
Y no puedo
escapar,
llagado
como estoy,
de tu tragedia.

Debo vivirte,
porque no he nacido
para darte
el contrapecho
de mi vida,
sino lo más noble
y provechoso que tengo:
la vida de mi vida,
la dignidad y su ternura.

Si alguien sufre tanto contigo,
ese pobre hombre
tengo que ser yo,
yo que sufro tus limosneros,
tus prostitutas,
tus hambrientos,
tus ásperas colonias populares,
donde tienen sus nidos
los buitres
del hambre y del frío.
Pero yo no te sufro
sólo con los ojos
abiertos,
sino con toda la herida,
tanto del alma
como del cuerpo,
porque soy, antes que nada,
el gran inconforme
que anda
debajo de la piel
esperando su hora,
porque nadie
como los pueblos
saben,
que no se puede
renunciar jamás
a la lucha,
porque tampoco
se puede renunciar
nunca a la victoria.

FRENTE AL ESPEJO
En la vigilia y en el sueño,
agotamos el tiempo
que se nos dio sobre la tierra.
Poco a poco uno se vuelve
ceniciento, de la piel al alma.

Cada día llega más lleno de dolores,
sin que podamos evitar su paso ciego.
Cada gesto nuestro, cotidiano,
nos acerca a la muerte cavilosa.
Frente al espejo descubrimos
repentinamente nuestra edad.
Tenemos tantos soles y lluvias
acumulados en el rostro,
que podríamos alumbrar
todas las sombras
y regar todos los desiertos.
Cada cirio que llega
es un año que se aleja.
Largo y amargo es el camino
de la cuna a la tumba.
Pero también se viven,
sin exagerar, ratos
agradables y dulces.

Nos ha tocado vivir
el minuto más hiel
de todos los siglos.
Si pudiera ponerle nombre
al siglo veinte, le pondría:
combate. Y lloraría después.
Se nos murieron tantas cosas
en las manos y en el alma,
para que otras nacieran,
que puedo gritar con orgullo
a los hombres del año dos mil:
amadnos un poco más,
que aún sufrimos
nuestra vida inconclusa.

Se piensan tantas cosas
frente al espejo,
cuando descubrimos la edad
de nuestra cabellera

y vemos las lunas
ocultas en ella,
que uno puede consolarse,
diciendo o escribiendo:
los nuestros amarán
mañana
la ceniza de los suyos,
humeante de protestas
todavía.

Y luego puede reírse
uno de su tiempo
y seguir viviendo,
sin pensar en el frío
que nos espera,
en cualquier parte,
para sellarnos el alma
con los dedos morados.

Capítulo VI

Nicaragua

Gil González Dávila fue el primero en explorar Nicaragua, narrando sus encuentros con las tribus de los caciques Nicoya y Nicarao. El capitán Francisco Hernández de Córdoba colonizó el territorio, fundando las ciudades de León y Granada. Durante la época colonial las incursiones de piratas y corsarios se hicieron frecuentes. Los piratas ingleses fueron poseedores casi absolutos de la Costa de Mosquitos durante más de un siglo, llegándose a reconocer oficialmente esta área como protectorado británico por el gobernador de Jamaica en 1687. A fines del siglo XIX, bajo la dictadura del general José Santos Zelaya, Nicaragua recuperó la totalidad de su territorio.

Al desintegrarse la República Federal Centroamericana en 1838 se estableció la República de Nicaragua con capital en León. La lucha entre liberales y conservadores, que duraría veinte años, propició la invasión del país por el norteamericano William Walker, quien apoyado por liberales nicaragüenses e inversionistas norteamericanos, llegó a proclamarse presidente. Los nicaragüenses, ayudados por los demás países centroamericanos, lograron expulsarlo. Walker terminó fusilado en 1860 cuando, desde Honduras, trataba de recuperar el control. Con la desaparición de Walker y la unión aparente de liberales y conservadores, Managua se estableció como capital del país. A partir de 1863 se sucedieron treinta años de gobiernos conservadores que trajeron cierta estabilidad política y económica a Nicaragua. En 1893 una revolución liberal colocó al general José Santos Zelaya en la presidencia de la república. Zelaya, de tendencias nacionalistas, se opuso al proyecto estadounidense de construir el canal interoceánico y se vio forzado a abandonar el poder bajo la presión norteamericana.

El gobierno norteamericano desembarcó tropas en Nicaragua en 1912 a petición del entonces presidente Adolfo Díaz, ocupando el país hasta 1925. Un año después de retirarse la marina norteamericana, ocurrió un nuevo desembarco con la intervención subsiguiente hasta 1933. De 1927 a 1933 Augusto César Sandino combatió las fuerzas extranjeras desde las montañas. Lograda la expulsión de las tropas norteamericanas Sandino fue asesinado. A partir de 1933 comienza la dinastía de los Somoza. Anastasio Somoza gobernó dictatorialmente durante 23 años hasta su asesinato en la ciudad de León. Su hijo Luis, continuó su gobierno hasta 1963, cuando René Schick Gutiérrez lo sustituyó como presidente electo. En 1966, aprovechando la muerte de Shick, Anastasio Somoza hijo, jefe de las fuerzas armadas, se hizo cargo nuevamente del poder después de una sangrienta campaña electoral.

La estabilidad del régimen somocista se puso a prueba en octubre de 1977 cuando el Frente Sandinista de Liberación Nacional (FSLN) ejecutó levantamientos coordinados a través de la nación para instigar la revolución. El asesinato de Pedro Joaquín Chamorro, editor del diario conservador *La Prensa*, en enero de 1978, generó de manera definitiva una poderosa fuerza ofensiva por parte de la opinión pública en contra del régimen de Somoza. El 22 de agosto de 1978, el FSLN ocupó el Palacio Nacional en Managua. El Frente Amplio de Oposición (FAO), integrado por conservadores, liberales, profesionales y hombres de negocios, tomó la ofensiva exigiendo la renuncia del dictador.

Ante lo infructuoso de varios intentos por derrocar la dictadura y la creciente represión política, las fuerzas sandinistas aumentaron, integrándose en coalición con otros grupos anti-somocistas. Una ofensiva sandinista con fuerzas rebeldes de 5,000 a 7,000 hombres, ocupó varios pueblos y ciudades en los alrededores de Managua, en junio de 1979. Somoza, con un ejército desmoralizado, y presionado por los Estados Unidos, renunció a favor de un Presidente Interino, el Dr. Francisco Urcuyo Maliaños, abandonando el país el 17 de julio del mismo año. Tres miembros de la Junta Provisional del FSLN volaron de Costa Rica a León el 18 de julio, y al día siguiente aceptaron la rendición incondicional de la Guardia Nacional. El 19 de julio asumió el poder el comandante Daniel Ortega Saavedra, dirigente de la Junta original de cinco miembros, el cual anunció en agosto de 1980 que el FSLN continuaría en el poder hasta 1985. Los dirigentes sandinistas, Daniel Ortega y Sergio Ramírez, fueron elegidos Presidente y Vice-Presidente respectivamente, en las elecciones de noviembre de l985.

La sandinista fue una de las revoluciones más importantes de Hispanoamérica. El movimiento fue subvencionado por varias naciones latinoamericanas, entre ellas Panamá y Cuba, y sus dirigentes operaban desde Costa Rica. Se estima que la revolución dejó varias ciudades y pueblos arrasados, 600,000 personas sin viviendas, 40,000 huérfanos, 100,000 heridos, y un estimado de 40,000 a 50,000 muertos; computándose un saldo de $1.3 billones en daños.

El gobierno de Ortega tuvo que confrontar presiones internas y externas. Mientras que se lograron ciertos avances en la reforma agraria, la educación y los servicios sociales, las incursiones de los "contras" aumentaron los problemas económicos y políticos. El gobierno de Managua tuvo que destinar más fondos para gastos militares y restringir aún más las libertades individuales hasta declararse en estado de emergencia. La nueva constitución, emitida en 1986 y puesta en vigor un año después, proveía una serie de garantías civiles. Irónicamente estas nuevas garantías no pudieron ser reconocidas en esos momentos debido al estado de emergencia en que se encontraba el país.

El Partido Unido Nicaragüense de Oposición (UNO) eligió a Violeta Chamorro, viuda del director de *La Prensa*, como su candidato para las elecciones presidenciales de febrero de 1990. Chamorro, quien tuvo la ardua tarea de encabezar nominalmente una coalición de 14 partidos políticos que no se sobrellevaban, basó su campaña presidencial en el ofrecimiento de mejoras económicas y salió elegida por el pueblo en comicios avalados por observadores de las Naciones Unidas. Entre otras reformas necesarias para reconstruir el país, el nuevo gobierno debe luchar contra 10 años de devastación causada por una combinación de desastres naturales, guerra civil, embargo económico y mala administración.

La estabilización de la economía y el control de la inflación son de vital importancia, ya que Nicaragua es el país latinoamericano de más alta tasa inflacionaria durante 1988 y 1990 (35,500% y 13,500% respectivamente). Aunque económicamente el país ha mejorado, bajando el índice de inflación de un 674% en 1991 hasta el 12.4% a fines del

1992, Chamorro ha tenido que contender con tensiones políticas engendradas por las fuerzas de derecha, representadas por miembros del sector privado y los antiguos "contras" ahora reorganizados en los "recontras"; y por la izquierda, encarnada en las uniones de trabajadores, las fuerzas militares y los sandinistas, algunos en el gobierno, otros con nueva fuerza unidos y reconocidos como los "recompas". Un punto álgido de disensión en el gobierno de Chamorro ha sido el de la devolución de las propiedades incautadas durante el régimen sandinista, a los dueños originales. La lentitud de este proceso, y los obstáculos que constantemente se presentan para interferir con las devoluciones, han ocasionado fuertes disputas con UNO, el partido que más enfáticamente apoya la vuelta a la privatización, y que tiene mejores relaciones con el gobierno americano. En 1992 los Estados Unidos tomaron medidas al respecto, bloqueando la ayuda económica a Nicaragua.

En julio del 92, se presentaron cargos contra dos de los oficiales de más alto rango del gobierno nicaragüense: el Ministro de la presidencia, yerno de Chamorro, Antonio Lacayo; y el Jefe de las Fuerzas Armadas, general Humberto Ortega. Lacayo fue acusado de divergir más de un millón de dólares de los fondos públicos para sobornar a los integrantes de UNO. Humberto Ortega ha recibido acusaciones de encubrir el asesinato, en octubre de 1990, de Jean Paul Jenie Lacayo, y de dirigir un ejército paralelo al oficial, el de los "recompas". Por otra parte, el presidente anterior, Daniel Ortega, amenaza públicamente al país con una revuelta si se intentara remover a los oficiales sandinistas de los cuerpos del ejército y la policía.

POESÍA

La poesía de protesta nicaragüense se inicia desde el modernismo con la famosa "Oda a Roosevelt" de Rubén Darío, que también serviría como punto de partida de la literatura anti-imperialista que se escribiría a partir de entonces. Entre los poetas nicaragüenses post-modernistas se destacan José Coronel Urtecho, Salomón de la Selva y Azarías Pallais. De la Selva puede considerarse el poeta que más influencia ha ejercido en la poesía política del país; Pallais, en su denuncia y condena del capitalismo y la corrupción, desde su tribuna sacerdotal, es el precursor de la Teología de la Liberación. A la vanguardia nicaragüense, que surge en 1927, se sumarían Pablo Antonio Cuadra y Joaquín Pasos. El deseo de estos poetas de liberar la poesía de la influencia europea demuestra de manera velada su deseo de erradicar cualquier tipo de intervención extranjera en el país. En los años cuarenta, Cuadra organiza en Granada talleres de poesía, de los cuales surge la publicación *Cuadernos de San Lucas*, aglutinante del grupo poético "Generación del 40". Los poetas más destacados de este grupo son: Carlos Martínez Rivas, Ernesto Mejía Sánchez y Ernesto Cardenal, cuya extensa obra evoluciona del poema de protesta al de reafirmación revolucionaria. Martínez fue el más rebelde, Mejía Sánchez fue el que con más fuerza expresó la oposición al régimen con sus obras.

Fundado en 1960 por Fernando Gorillo y Sergio Ramírez, y ligado al FSLN, el "Grupo Ventana" aspiraba a dirigir el nuevo movimiento ideológico y cultural entre los jóvenes. Los poetas comprometidos de Ventana, en la publicación del mismo nombre, atacaban a los de la *Prensa Literaria*, cuyos integrantes eran la versión nicaragüense de la generación "Beat" norteamericana. A fines de los años sesenta, el FSLN intentaba expresar sus problemas y anhelos a través de la literatura, con el fin de atraer más simpatizantes políticos. Es lógico que en esos momentos los hombres de letras sean al mismo tiempo líderes sandinistas, tal como ocurrió con Tomás Borge y Daniel Ortega. Dos figuras destacan en la poesía de esos tiempos: Ricardo Morales Avilés y León Rugama. Mientras que el mérito de Morales Avilés descansa más en su papel de teórico que de poeta, el de Rugama estriba en la conjugación perfecta de la militancia y la poesía. Rugama, asesinado en 1970 a la edad de veinte años por la Guardia Nacional de Managua, dejó como testimonio "La tierra es un satélite de la luna", posiblemente uno de los poemas nicaragüenses más ampliamente traducido y reproducido de todos los tiempos.

Es un hecho que Nicaragua es un país acostumbrado a revelarse a través de sus signos poéticos. No es extraño, por lo tanto, que al triunfo de la Revolución en 1979, el Ejército Sandinista haya utilizado como himno de entrada "La marcha triunfal" de Darío. Es además sobresaliente la profusión de mujeres poetas en la poesía contemporánea de Nicaragua. Puede afirmarse que la liberación o revolución de la mujer nicaragüense ha comenzado por la poesía. Es creación dual en que la mujer se rebela contra su papel sumiso y delata a toda fuerza en su canto el problema político. Muchas de ellas vivieron la revolución sandinista, fueron encarceladas y torturadas, o sufrieron el exilio. Las sobrevivientes han ocupado cargos importantes en el gobierno. Entre ellas sobresalen

Rosario Murillo, compañera de Daniel Ortega; Daisy Zamora (Vice-Ministro de Cultura); Vidaluz Meneses, Michele Najlis y Gioconda Belli.[1]

GIOCONDA BELLI (Managua, Nicaragua. 1948)
Belli se educó en Europa y los Estados Unidos donde obtuvo un título en Publicidad de la Universidad de Philadephia. Las actividades políticas de Belli con el FSLN le crearon problemas dentro de su país y tuvo que exiliarse. Desde diciembre de 1975 estuvo incorporada al Comité de la Solidaridad en México, y a la Comisión de Asuntos Extranjeros del FSLN en Costa Rica. Su compromiso con la poesía le ha dado oportunidad de luchar por la causa sandinista en Europa, y de ser escuchada por los intelectuales a nivel internacional. Desde el triunfo de la revolución, en 1979, Belli ha colaborado en la publicación sandinista *Barricada*, y ha estado directamente involucrada en el gobierno, con el Ministro de Planificación, así como en el proceso electoral. En los últimos tiempos trabaja para la Asociación de Mujeres Nicaragüenses para la Emisora Nacional de Nicaragua.
Obra: **Poesía:** *Línea de fuego* (1978), *Amor insurrecto* (1984), *De la costilla de Eva* (1987). **Novela:** *La Mujer habitada* (1988), *Sofía de los Presagios* (1990).

Belli ocupa una posición de importancia dentro de la poesía nicaragüense en general. Su lugar es compartido por otras poetas de gran valor, entre ellas Rosario Murillo, como representantes del papel activo de la mujer dentro de la revolución, dispuestas a establecer con firmeza la realidad e identidad femeninas.

La poesía de Belli, altamente poderosa y coherente, se enraíza en sus orígenes. En estos momentos es posible distinguir una fina línea demarcatoria en la obra de Belli entre su poesía de compromiso político y otra definitivamente erótica. Los poemas a continuación "Con premura nicaragüense" y "La orquídea de acero" pertenecen a la colección *Línea de fuego*, poesía que en su mayoría es comprometida. Es preciso aclarar que su obra, aún la que se encuentra imbuida de la preocupación socio-política y el apoyo incondicional a la revolución sandinista, es en primer lugar feminista. En lo que pudiera considerarse poesía revolucionaria, la autora se manifiesta como ser social, involucrado con su

---

[1] Es necesario referirse, para consulta de la poesía femenina en la América Hispana en general, al extenso y profundo estudio del crítico colombiano Ramiro Lagos, *Mujeres poetas de Hispanoamérica* (Bogotá: Ediciones Tercer Mundo, 1986). Para la obra de creación femenina, feminista y revolucionaria de Nicaragua, referirse al libro de Margaret Randall, *Sandino's Daughters. Testimonies of Nicaraguan Women in Struggle* (Vancouver, B.C.: New Star Books, 1981).

compromiso político, mezclado al ser personal, totalmente femenino, que lucha por expresar su intimidad de manera abierta y sincera. El amor y la guerra se funden en gran parte de la poesía de Belli en una dependencia simbiótica. Este amor , siempre presente, es la panacea sanadora, el elemento vital que sirve de aliento y sostén a la mujer y al hombre.

CON PREMURA NICARAGÜENSE. . . .
Carlos Martínez Rivas

Con premura nicaragüense vivimos,
como magos,
sacándonos de la manga la desesperanza,
echándola a volar
sin darle cabida
y produciendo desde el sombrero
la inacabable fila de pañuelos de colores
para sonreír
para que brote la risa como guitarra del monte,
para reírnos
hasta de nuestra propia desgracia.

Así caminamos,
descalzos sobre esta tierra labrada
--de lágrimas y muertos--
como caballos
pero siempre caminando
inventando alquimias
para que brote el pan nuestro de cada día
y no muramos hoy
y sigamos luchando.

LA ORQUÍDEA DE ACERO
Amarte en esta guerra que nos va desgastando
y enriqueciendo.
Amarte sin pensar en el minuto que se escurre
y que acerca el adiós al tiempo de los besos.
Amarte en esta guerra que peleamos, amor,

con piernas y brazos.
Amarte sin saber el día de adiós o del encuentro.
Amarte porque hoy salió el sol entre nuestros cuerpos
   apretados
y tuvimos una sonrisa soñolienta en la mañana.
Amarte porque pude oír tu voz
y ahora espero verte aparecer saliendo de la noche.
Amarte en toda esta incertidumbre,
sintiendo que este amor es un regalo,
una tregua entre tanto dolor y tanta bala,
un momento inserto en la batalla,
para recordar cómo necesita la piel de la caricia
en este quererte, amor,
encerrada en un triángulo de tierra.

ERNESTO CARDENAL (Granada, Nicaragua. 1925)

En 1948 estudió literatura norteamericana en la Universidad de Columbia, Estados Unidos. Allí tradujo a varios poetas norteamericanos al español. En 1962 ingresó al monasterio de Our Lady of Gethsemani en Kentucky, siendo ordenado sacerdote en 1965. Al regresar a su país fundó una colonia agricultora en la isla de Solentiname en el lago Nicaragua, donde organizó talleres de artesanía y de poesía. Con sus alumnos estudió la Teología de la Liberación y juntos decidieron unirse al Ejército de Liberación Sandinista. Su viaje a Cuba en 1970 hizo de él un revolucionario definitivo. Al principio de la revolución sandinista en el poder ocupó la posición de Ministro de Cultura de su país. Su obra ha sido traducida a más de 15 idiomas.

Obra. **Poesía:** *Salmos* (1954), *Gethsemany, Ky.* (1960), *Homenaje a los indios americanos* (1960), *Oración por Marilyn Monroe y otros poemas* (1965), *El estrecho dudoso* (1966), *Antología* (1967), *Mayapán* (1968), *La hora cero y otros poemas* (1971), *Epigramas* (1972), *Oráculo sobre Managua* (1973).

Este poeta nicaragüense, una de las figuras más importantes del poema testimonial, es un fuerte exponente de la poesía exteriorista, que define como la única poesía que pudiera expresar la realidad latinoamericana, alcanzar a la gente y ser revolucionaria. Dice Cardenal que "los poetas son la voz de la tribu. Si los poetas no realizan el panamericanismo nadie lo hará". [2] Cardenal ha reconocido la influencia que los poetas norteamericanos Ezra Pound y

---

[2] Ramiro Lagos, *Mester de rebeldía de la poesía hispanoamericana* (Madrid: Editorial Dos Mundos, 1973), p. 11

Thomas Merton han ejercido en su poesía. *La hora cero*, que señala el punto de partida de la nueva tendencia, puede considerarse uno de los poemas políticos más vigorosos que se han producido en la América Hispana. El libro, escrito en Nicaragua, contiene cuatro composiciones poéticas que cubren el período comprendido desde la rebelión de abril de 1954 hasta el asesinato de Somoza en septiembre de 1956. El poeta, como un Cristo-caudillo, se lanza a fustigar y a combatir las injusticias y los abusos. El oráculo, o pronunciamiento público de la palabra de Jehová, que aparece encabezando la poesía, está tomado del Libro de Isaías. El mensaje que contiene es el anuncio de la caída de Babilonia y la cercanía de la hora de la destrucción. En el poema se profetiza el fin inminente de la dictadura somocista. Aparecen en su texto los nombres de las distintas compañías norteamericanas en la América Central y la gran influencia que los extranjeros tienen en el gobierno del país a causa de los intereses del capital. El uso del inglés indica las relaciones amistosas entre los gobiernos de los Estados Unidos y Nicaragua y el apoyo económico y político a Somoza. El lenguaje empleado, visionario y profético, le da al poema un tono de urgencia revolucionaria.

LA HORA CERO

> *¡Centinela! ¿Qué hora es de la noche?*
> *¡Centinela! ¿Qué hora es de la noche?*
> *Isaías, 21, 11*

Noches Tropicales de Centroamérica,
con lagunas y volcanes bajo la luna
y luces de palacios presidenciales,
cuarteles y tristes toques de queda.
"Muchas veces fumando un cigarrillo
he decidido la muerte de un hombre,"
dice Ubico fumando un cigarrillo . . .
en su palacio como un queque rosado
Ubico está resfriado. Afuera el pueblo
fue dispersado con bombas de fósforo.
San Salvador bajo la noche y el espionaje
con cuchicheos en los hogares y pensiones
y gritos en las estaciones de policía.
El palacio de Carías apedreado por el pueblo.
Una ventana de su despacho ha sido quebrada,
y la policía ha disparado contra el pueblo.
Y Managua apuntada por las ametralladoras

desde el palacio de bizcocho de chocolate
y los cascos de acero patrullando las calles.

¡Centinela! ¿Qué hora es de la noche?
¡Centinela! ¿Qué hora es de la noche?

Los campesinos hondureños traían el dinero en el
      sombrero
cuando los campesinos sembraban sus siembras
y los hondureños eran dueños de su tierra.
Cuando había dinero.
Y no había empréstitos extranjeros
ni los impuestos eran para Pierpont Morgan & Cía.
y la compañía frutera no competía con el pequeño
      cosechero.
Pero vino la United Fruit Company
con sus subsidiarias la Tela Railroad Company
y la Trujillo Railroad Company
aliada con la Cuyamel Fruit Company
y Vaccaro Brothers & Company
más tarde Standard Fruit & Steamship Company
de la Standard Fruit & Steamship Corporation:
      la United Fruit Company
con sus revoluciones para la obtención de concesiones
y exenciones de millones de impuestos en importaciones
y exportaciones, revisiones de viejas concesiones
y subvenciones para nuevas explotaciones,
violaciones de contrato, violaciones de la Constitución. . .
Y todas las condiciones son dictadas por la Compañía
con las obligaciones en caso de confiscación
(obligaciones de la nación, no de la Compañía),
y las condiciones puestas por ésta (la Compañía)
(dadas gratis por la nación a la Compañía)
 a los 99 años. . .
"y todas las otras plantaciones pertenecientes
a cualquier otra persona o compañía o empresas
dependientes de los contratantes y en las cuales
esta última tiene o puede tener más adelante

interés de cualquier clase quedarán por lo tanto
incluidas en los anteriores términos y condiciones. . ."
(Porque la Compañía también corrompía la prosa.)
La condición era que la Compañía construyera el Ferro-
      carril,
pero la Compañía no lo construía,
porque las mulas en Honduras eran más baratas que el
      Ferrocarril,
Y "un Diputado más barato que una mula.''
      -como decía Zemurray-
aunque seguía disfrutando de las exenciones de impuesto
y los 175,000 acres de subvención para la Compañía,
con la obligación de pagar a 1a nación por cada milla
que no construyera, pero no pagaba nada a la nación
aunque no construía ninguna milla (Carías es el dictador
que más millas de línea férrea no construyó)
y después de todo el tal ferrocarril de mierda no era
de ningún beneficio para la nación
porque era un ferrocarril entre dos plantaciones
y no entre Trujillo y Tegucigalpa.

Corrompen la prosa y corrompen el Congreso.
El banano es dejado podrir en las plantaciones,
o podrir en los vagones a lo largo de la vía férrea,
o cortado maduro para poder ser rechazado
al llegar al muelle, o ser echado en el mar;
los racimos declarados golpeados, o delgados, o
marchitos, o verdes, o maduros, o enfermos:
para que no haya banano barato,
      o para comprar banano barato.
Hasta que haya hambre en la Costa Atlántica de
      Nicaragua.
Y los campesinos son encarcelados por no vender a 30
      ctvs.
Y sus bananos son bayoneteados
y la Mexican Trader Steamship les hunde sus lanchones,
y los huelguistas dominados a tiros.
(Y los diputados nicaragüenses invitados a un garden

party.)
Pero el negro tiene siete hijos.
Y uno qué va a hacer. Uno tiene que comer.
Y se tienen que aceptar sus condiciones de pago.
    24 ctvs. el racimo.
Mientras la subsidiaria Tropical Radio cablegrafía a
        Boston:
"Esperamos que tendrá la aprobación de Boston
la erogación hecha en diputados nicaragüenses de la
        mayoría
por los incalculables beneficios que para la Compañía
        representa."
"Y de Boston a Galveston por telégrafo
y de Galveston por cable y teléfono a México
y de México por cable a San Juan del Sur
y de San Juan del Sur por telégrafo a Puerto Limón.
y desde Puerto Limón en canoa hasta adentro en la
        montaña
llega la orden de la United Fruit Company:
"La Iunai no compra más banano."
Y hay despido de trabajadores en Puerto Limón.
Los pequeños talleres se cierran.
Nadie puede pagar una deuda.
Y los bananos pudriéndose en los vagones del ferrocarril.
        Para que no haya banano barato
        y para que haya banano barato.
        -19 ctvs. el racimo
para la devolución de las plantaciones a la nación.
Los trabajadores reciben vales en vez de jornales.
En vez de pago, deudas.
Y abandonadas las plantaciones, que ya no sirven para
        nada,
y dadas a colonias de desocupados.
Y la United Fruit Company en Costa Rica
con sus subsidiarias la Costa Rica Banana Company
y la Northern Railway Company
y la International Radio Telegraph Company
y la Costa Rica Supply Company

    pelean en los tribunales contra un huérfano.
El costo del descarrilamiento son 25 dólares de
    indemnización
(pero hubiera sido más caro componer la línea férrea).

Y los diputados más baratos que las mulas. -decía
    Zemurray.
Sam Zemurray, el turco vendedor de bananas al menudeo
en Mobile, Alabama, que un día hizo un viaje a Nueva
    Orleáns
y vio en los muelles de la United echar los bananos al mar
y ofreció comprar toda la fruta para fabricar vinagre,
la compró, y la vendió allí mismo en Nueva Orleáns
y la United tuvo que darle tierras en Honduras
con tal de que renunciara a su contrato en Nueva Orleáns,
y así fue como Sam Zemurray puso presidentes
    en Honduras.
Provocó disputas fronterizas entre Guatemala y Honduras
(que eran la United Fruit Company y su compañía)
"una pulgada de tierra no sólo en la franja disputada,
sino también en cualquier otra zona hondureña
(de su compañía) no en disputa. . ."
(mientras la United defendía los derechos de Honduras
de la United de Honduras, en su litigio con Nicaragua
Lumber Company-no Nicaragua: Nicaragua Lumber
    Company
¡el tal "Territorio en Litigio"!) hasta que cesó la disputa
(la de Guatemala y Honduras) porque Sam se alió con la
    United
y después le vendió todas sus acciones a la United
y con el dinero de la venta compró acciones en la United.
y con las acciones cogió por asalto la presidencia de
    Boston
(juntamente con sus empleados presidentes de Honduras)
y ya fue dueño igualmente de Honduras y Guatemala
y quedó abandonada la disputa de las tierras agotadas
que ya no le servían ni a Guatemala ni a Honduras.
Había un nicaragüense en el extranjero,

un "nica" de Niquinohomo,
trabajando en la Huasteca Petroleum Co., de Tampico.
Y tenía economizados cinco mil dólares.
Y no era ni militar ni político.
Y cogió tres mil dólares de los cinco mil
y se fue a Nicaragua a la revolución de Moncada.
Pero cuando llegó, Moncada estaba entregando las armas.
Pasó tres días, triste, en el Cerro del Común.
Triste, sin saber qué hacer.
Y no era ni político ni militar,
Pensó, y pensó, y se dijo por fin:
Alguien tiene que ser.
             Y entonces escribió su primer manifiesto.

El Gral. Moncada telegrafía a los americanos:
TODOS MIS HOMBRES ACEPTAN LA RENDICIÓN
             MENOS UNO.
Mr. Stimpson le pone un ultimátum.
             "El pueblo no agradece nada. . ."
                  le manda a decir Moncada.
El reúne a sus hombres en el Chipote:
29 hombres (y con él 30) contra EE. UU.
                  MENOS UNO.
                  ("Uno de Niquinohomo. . .")
-Y con él 30!
"El que se mete a redentor muere crucificado,"
le manda otra vez a decir Moncada.
Porque Moncada y Sandino eran vecinos;
Moncada de Masatepe y Sandino de Niquinohomo.
Y Sandino le contesta a Moncada:
"La muerte no tiene la menor importancia."
Y a Stimpson: "Confío en el valor de mis hombres .."
Y a Stimpson, después de la primera derrota:
"El que cree que estamos vencidos
no conoce a mis hombres."
Y no era ni militar ni político.
Y sus hombres:
             muchos eran muchachos,

"con sombreros de palma y con caites
o descalzos, con machetes, ancianos
de barba blanca, niños de doce años con sus rifles,
blancos, indios impenetrables, y rubios y negros
     murrucos,
con los pantalones despedazados y sin provisiones,
los pantalones hechos jirones,
desfilando en fila india con la bandera adelante
-un harapo levantado en un palo de la montaña-
callados debajo de la lluvia, y cansados,
chapoteando las caites en los charcos del pueblo.
       ¡Viva Sandino!
y de la montaña venían, y a la montaña volvían,
marchando, chapoteando, con la bandera adelante.
Un ejército descalzo o con caites y casi sin armas
que no tenía ni disciplina ni desorden
y donde ni los jefes ni la tropa ganaban paga
pero no se obligaba a pelear a nadie:
y tenían jerarquía militar pero todos eran iguales
sin distinción en la repartición de la comida
y el vestido, con la misma ración para todos.
Y los jefes no tenían ayudantes:
más bien como una comunidad que como un ejército
y más unidos por amor que por disciplina militar
aunque nunca ha habido mayor unidad en un ejército.
Un ejército alegre, con guitarras y con abrazos.
Una canción de amor era su himno de guerra:
     Si Adelita se fuera con otro
     La seguiría por tierra y por mar
     Si por mar en un buque de guerra
     Y si por tierra en un tren militar
"El abrazo es el saludo de todos nosotros,"
decía Sandino-y nadie ha abrazado como él.
Y siempre que hablaban de ellos decían todos:
"Todos nosotros. . ." "Todos somos iguales."
"Aquí todos somos hermanos," decía Umanzor.
Y todos estuvieron unidos hasta que los mataron a todos.
Peleando contra aeroplanos con tropas de zacate,

sin más paga que la comida y el vestido y las armas,
y economizando cada bala como si fuera de oro;
con morteros hechos con tubos
y con bombas hechas con piedras y pedazos de vidrios,
rellenas con dinamita de las minas y envueltas en cueros;
con granadas fabricadas con latas de sardinas.

"He is a *bandido*," decía Somoza, "a *bandolero*."
Y Sandino nunca tuvo propiedades.
Que traducido al español quiere decir:
Somoza le llamaba a Sandino bandolero.
Y Sandino nunca tuvo propiedades.
Y Moncada le llamaba bandido en los banquetes
y Sandino en las montañas no tenía sal
y sus hombres tiritando de frío en las montañas,
y la casa de su suegro la tenía hipotecada
para libertar a Nicaragua, mientras en la Casa
          Presidencial
Moncada tenía hipotecada a Nicaragua.
"Claro que no es"-dice el Ministro Americano
riendo- "pero le llamamos bandolero en sentido técnico."
¿Qué es aquella luz allá lejos? ¿Es una estrella?
Es la luz de Sandino en la montaña negra.
Alla están él y sus hombres junto a la fogata roja
con sus rifles al hombro y envueltos en sus colchas,
fumando o cantando canciones tristes del Norte,
los hombres sin moverse y moviéndose sus sombras.

Su cara era vaga como la de un espíritu,
lejana por las meditaciones y los pensamientos
y seria por las campañas y la intemperie.
Y Sandino no tenía cara de soldado,
sino de poeta convertido en soldado por necesidad,
y de un hombre nervioso dominado por la serenidad.
Había dos rostros superpuestos en su rostro:
una fisonomía sombría y a la vez iluminada;
triste como un atardecer en la montaña,
y alegre como la mañana en la montaña.

En la luz su rostro se le rejuvenecía,
y en la sombra se le llenaba de cansancio.
Y Sandino no era inteligente ni era culto,
pero salió inteligente de la montaña.
"En la montaña todo enseña" decía Sandino
(soñando con las Segovias llenas de escuelas)
y recibía menajes de todas las montañas
y parecía que cada cabaña espiaba para él
(donde los extranjeros fueran como hermanos
todos los extranjeros hasta los "americanos")
        -"hasta los yanquis. . ."
Y: "Dios hablará por los segovianos. . ." decía.
"Nunca creí que saldría vivo de esta guerra
pero siempre he creído que era necesaria . . ."
Y: "¿Creen que yo voy a ser latifundista?"

Es medianoche en las montañas de las Segovias.
¡Y aquella luz es Sandino! Una luz con un canto. . .
        Si Adelita se fuera con otro
Pero las naciones tienen su sino.
Y Sandino no fue nunca presidente
sino que el asesino de Sandino fue el presidente
¡y 20 años presidente!
        Si Adelita se fuera con otro
        La seguiría por tierra y por mar
Se firmó el desarme. Cargaron las armas en carretas.
Guatuceros amarrados con cabuyas, rifles sarrosos
y unas cuantas ametralladoras viejas.
Y las carretas van bajando por la sierra.
        Si por mar en un buque de guerra
        Y si por tierra en un tren militar
Telegrama del Ministro Americano (Mr. Lane)
al Secretario de Estado-depositado en Managua
el 14 de febrero de 1934 a las 6:05 P.M.
y recibido en Washington a las 8:50 P.M.:
        "Informado por fuente oficial
        que el avión no pudo aterrizar en Wiwilí
        y por tanto la venida de Sandino se retrasa"

El telegrama del Ministro Americano (Mr. Lane)
al Secretario de Estado el 16 de febrero
anunciando la llegada de Sandino a Managua
Not Printed
no fue publicado en la memoria del Depto. de Estado.
Como la guardatinaja que salió del matorral
a la carretera y es acorralada por los perros
y se queda parada delante de los tiradores
porque sabe que no tiene para donde correr. . .
"I talked with Sandino for half an hour"
-dijo Somoza al Ministro Americano-
"but I can't tell you what he talked about
because I don't know what he talked about
because I don't know what he talked about."

"Y ya verán que yo nunca tendré propiedades . . ."
Y: "Es in-cons-ti-tu-cio-nal," decía Sandino.
"La Guardia Nacional es inconstitucional."
"An insult!" dijo Somoza al Ministro Americano
el VEINTIUNO DE FEBRERO a las 6 de la tarde.
"An insult! I want to stop Sandino."

Cuatro presos están cavando un hoyo.
"¿Quién ha muerto?" dijo un preso.
"Nadie," dijo el guardia.
"¿Entonces para qué es el hoyo?!'

"Qué perdés," dijo el guardia, "seguí cavando."

El Ministro Americano está almorzando con Moncada.
"Will you have coffee, sir?
It's very good coffee, sir."
"What?" Moncada aparta la mirada de la ventana
y mira al criado:
"Oh, yes, I'll have coffee."
Y se ríe. "Certainly."

En un cuartel cinco hombres están en un cuarto cerrado

con centinelas en las puertas y en las ventanas
A uno de los hombres le falta un brazo.
Entra el jefe gordo con condecoraciones y les dice: "Yes,"

Otro hombre va a cenar esta noche con el Presidente
(el hombre para el que estuvieron cavando el hoyo)
y les dice a sus amigos: "Vámonos. Ya es hora."
Y suben a cenar con el Presidente de Nicaragua.
A las 10 de la noche bajan en automóvil a Managua.
En la mitad de la bajada los detienen los guardias.
A los dos más viejos se los llevan en un auto
y a los otros tres en otro auto para otro lado.
A donde cuatro presos estuvieron cavando un hoyo.
"¿Adónde vamos?"
preguntó el hombre para el que hicieron el hoyo.
                    Y nadie contestó.
Después el auto se paró y un guardia les dijo:
"Salgan." Los tres salieron,
y un hombre al que le faltaba un brazo gritó "¡Fuego!"

"I was in a Concierto," dijo Somoza.
Y era cierto había estado en un concierto
o en un banquete viendo bailar a una bailarina
o quien sabe qué mierda sería.
Y a las 10 de la noche, Somoza tuvo miedo.
De pronto afuera repicó el teléfono.
"¡Sandino lo llama por teléfono!"
Y tuvo miedo. Uno de sus amigos le dijo:
"¡No seas pendejo, jodido!"
Somoza mandó no contestar al teléfono.
La bailarina seguía bailando para el asesino.
Y afuera en la oscuridad siguió repicando y repicando el
        teléfono.

A la luz de una lámpara tubular
cuatro guardias están cerrando un hoyo.
Y a la luz de una luna de febrero.
Es hora en que el lucero nistoyolero de Chontales

levanta a las inditas a hacer nistoyol,
y salen el chiclero, el maderero y el reicillero
con los platanales todavía plateados por la luna,
con el grito del coyotesolo y el perico melero
y el chiflido de la lechuza a la luz de la luna.
La guardatinaja y la guatuza salen de sus hoyos
y los pocoyos y cadejos se esconden en los suyos.
La Llorona va llorando a la orilla de los ríos:
"¿Lo hallaste?" "¡No!" "¿Lo hallaste?" "¡No!"
Un pájaro se queja como el crujido de un palo,
después la cañada se calla como oyendo algo,
y de pronto un grito . . . El pájaro pronuncia
la misma palabra triste, la misma palabra triste.
Los campistos empiezan a totear sus vacas:
Tóooo-tó-tó-tó; Tóoo-tó-tó-tó, Tóoo-tó-tó-tó;
los lancheros levantan las velas de sus lanchas;
el telegrafista de San Rafael del Norte telegrafía:
BUENOS DÍAS SIN NOVEDAD EN SAN RAFAEL DEL
    NORTE
y el telegrafista de Juigalpa: SIN NOVEDAD EN JUIGALPA,
Y las tucas van bajando por el Río Escondido
con los patos gritando cuá-cuá-cuá, y los ecos, los ecos,
mientras el remolcador va con las tucas
resbalando sobre el verde río de vidrio
hacia el Atlántico . . .

Y mientras en los salones del Palacio Presidencial
y en los patios de las prisiones y en los cuarteles
y la Legación Americana y la Estación de Policía
los que velaron esa noche se ven en el alba lívida
con las manos y las caras como manchadas de sangre.

"I did it," dijo después Somoza.
"I did it, for the good of Nicaragua."
Y William Walker dijo cuando lo iban a matar:
"El Presidente de Nicaragua es nicaragüense."

En abril, en Nicaragua, los campos están secos.

Es el mes de las quemas de los campos,
del calor, y los potreros cubiertos de brasas,
y los cerros que son de color de carbón;
del viento caliente, y el aire que huele a quemado,
y de los campos que se ven azulados por el humo
y las polvaredas de los tractores destroncando;
de los cauces de los ríos secos como caminos
y las ramas de los palos peladas como raíces;
de los soles borrosos y rojos como sangre
y las lunas enormes y rojas como soles,
y las quemas lejanas, de noche, como estrellas.

En mayo llegan las primeras lluvias.
La hierba tierna renace de las cenizas.
Los lodosos tractores roturan la tierra.
Los caminos se llenan de mariposas y de charcos,
y las noches son frescas, y cargadas de insectos,
y llueve toda la noche. En mayo
florecen los malinches en las calles de Managua.
Pero abril en Nicaragua es el mes de la muerte.

En abril los mataron.
Yo estuve con ellos en la rebelión de abril
y aprendí a manejar una ametralladora Rising.
            Y Adolfo Báez Bone era mi amigo:
Lo persiguieron con aviones, con camiones,
con reflectores, con bombas lacrimógenas,
con radios, con perros, con guardias;
y yo recuerdo las nubes rojas sobre la Casa Presidencial
como algodones ensangrentados,
y la luna roja sobre la Casa Presidencial.
La radio clandestina decía que vivía.
El pueblo no creía que había muerto.
            (Y no ha muerto.)
Porque a veces nace un hombre en una tierra
            que es esa tierra.
Y la tierra en que es enterrado ese hombre
            es esa tierra.

Y los hombres que después nacen en esa tierra
                son ese hombre.
Y Adolfo Báez Bone era ese hombre.

"Si a mí me pusieran a escoger mi destino
(me había dicho Báez Bone tres días antes)
entre morir asesinado como Sandino
o ser Presidente como el asesino de Sandino
yo escogería el destino de Sandino.
                        Y él escogió su destino.
La gloria no es la que enseñan los textos de historia:
es una zopilotera en un campo y un gran hedor.
 Pero cuando muere un héroe
                        no se muere:
sino que ese héroe renace
                        en una Nación.

Después EE. UU. le mandó más armas a Somoza;
como media mañana estuvieron pasando las armas;
camiones y camiones cargados con cajones de armas;
todos marcados U.S.A., MADE IN U.S.A.,
armas para echar más presos, para perseguir libros,
para robarle a Juan Potosme cinco pesos.
Yo vi pasar esas armas por la Avenida Roosevelt.
Y la gente callada en las calles las veía pasar:
el flaco, el descalzo, el de la bicicleta,
el negro, el trompudo, aquella la de amarillo,
el alto, el chele, el pelón, el bigotudo,
el ñato, el chirizo, el murruco, el requeneto,
y la cara de toda esa gente
                era la de un ex teniente muerto.

La música de los mambos bajaba hasta Managua.
Con sus ojos rojos y turbios como los de los tiburones
pero un tiburón con guardaespaldas y con armamentos
(Eulamia nicaragüensis)
Somoza estaba bailando mambo
                        mambo mambo

que rico el mambo
cuando los estaban matando.
Y Tachito Somoza *(el hijo)* sube a la Casa Presidencial
a cambiarse una camisa manchada de sangre
por otra limpia.
Manchada de sangre con chile.
Los perros de la prision aullaban de lástima.
Los vecinos de los cuarteles oían los gritos.
Primero era un grito solo en mitad de la noche,
y después más gritos y más gritos
y después un silencio. . . Después una descarga
y un tiro solo. Después otro silencio,
y una ambulancia.

¡Y en la cárcel otra vez están aullando los perros!
El ruido de la puerta de hierro que se cierra
detrás de vos y entonces empiezan las preguntas
y la acusación, la acusación de conspiración
y la confesión, y después las alucinaciones,
la foto de tu esposa relumbrando como un foco
delante de vos y las noches llenas de alaridos
y de ruidos y de silencio, un silencio sepulcral,
y otra vez la misma pregunta, la misma pregunta,
y el mismo ruido repetido y el foco en los ojos
y después los largos meses que siguieron.
¡Ah, poder acostarse uno esta noche en su cama
sin temor a ser levantado y sacado de su casa,
a los golpes en la puerta y al timbre de noche!

Suenan tiros en la noche, o parecen tiros.
Pasan pesados camiones, y se paran,
y siguen. Uno ha oído sus voces.
Es en la esquina. Estarán cambiando de guardia.
Uno ha oído sus risas y sus armas.
El sastre de enfrente ha encendido la luz.
Y pareció que golpearan aquí. O donde el sastre.
¡Quien sabe si esta noche vos estáis en la lista!
Y sigue la noche. Y falta mucha noche todavía.

Y el día no será sino una noche con sol.
La quietud de la noche bajo el gran solazo.

El Ministro Americano Mr. Whelan
asiste a la fiesta de la Casa Presidencial.
Las luces de la Presidencial se ven desde toda Managua
La música de la fiesta llega hasta las celdas de los
                   presos
en la quieta brisa de Managua bajo la Ley Marcial.
Los presos en sus celdas alcanzan a oír la música
entre los gritos de los torturados en las pilas.
Arriba en la Presidencial Mr. Whelan dice: "*¡Fine
           Party!*"
Como le dijo a Sumner Welles el sonofabich de Roosevelt:
"Somoza is a sonofabich
           but he's ours."
Esclavo de los extranjeros
              y tirano de su pueblo
impuesto por la intervención
              y mantenido por la no intervención:
SOMOZA FOREVER.

El espía que sale de día
el agente que sale de noche
y el arresto de noche:
los que están presos por hablar en un bus
o por gritar un Viva
o por un chiste.
"Acusado de hablar mal del Sr. Presidente. . . "
Y los juzgados por un juez con cara de sapo
o en Consejos de Guerra por guardias con cara de perro;
a los que han hecho beber orines y comer mierda
(cuando tengáis Constitución recordadlos)
los de la bayoneta en la boca y la aguja en el ojo,
las pilas electrizadas y el foco en los ojos.
  -"Es un hijueputa, Mr. Welles, pero es de nosotros."
Y en Guatemala, en Costa Rica, en México,
los exiliados de noche se despiertan gritando,

soñando que les están aplicando otra vez la maquinita,
o que están otra vez amarrados
y ven venir a Tachito con la aguja.
". . .Y galán, hombre. . ."
                              (decía un campesino).
"Sí, era él. Y galán, hombre. . .
Blanco, con su camisita amarilla
de manga corta.
                         Galán, el jodido."

Cuando anochece en Nicaragua la Casa Presidencial
se llena de sombras. Y aparecen caras.
Caras en la oscuridad.
                              Las caras ensangrentadas.
Adolfo Báez Bone; Pablo Leal sin lengua;
Luis Gabuardi mi compañero de clase al que quemaron
           vivo
y murió gritando "¡Muera Somoza!"
La cara del telegrafista de 16 años
(y no se sabe ni siquiera su nombre)
que transmitía de noche mensajes clandestinos
a Costa Rica, telegramas temblorosos a través
de la noche, desde la Nicaragua oscura de Tacho
(y no figurará en los textos de historia)
y fue descubierto, y murió mirando a Tachito;
su cara lo mira todavía.
El muchacho al que encontraron de noche pegando
           papeletas
     SOMOZA ES UN LADRÓN
y es arriado al monte por unos guardias riendo. . .
Y tantas otras sombras tantas otras sombras;
las sombras de las zopiloteras de Wiwilí;
la sombra de Estrada; la sombra de Umanzor;
la sombra de Sócrates Sandino;
y la gran sombra, la del gran crimen,
la sombra de Augusto César Sandino;
Todas las noches en Managua la Casa Presidencial
se llena de sombras.

> Pero el héroe nace cuando muere
> y la hierba verde renace de los carbones.

PABLO ANTONIO CUADRA (Managua, Nicaragua. 1912)

Su obra abarca poesía, teatro y ensayo. Pertenece a la generación poética de Coronel Urtecho que conduce a la poesía nicaragüense por el camino del postmodernismo a la vanguardia. Ha sido Director del diario *La Prensa* de Managua y de la revista *El Pez y la Serpiente*. También ha fungido como catedrático de Historia de la Cultura en la Universidad Centroamericana de su país y Director de la Academia Nicaragüense de la Lengua. Es representante de la corriente revolucionaria social- cristiana. Su obra poética ha sido galardonada con el Premio Internacional de Poesía de España e Hispanoamérica (1965) y el Premio Centroamericano Rubén Darío del mismo año. Sus poesías han sido traducidas al inglés, portugués, italiano y rumano.

Obra. **Poesía:** *Canciones de pájaro y señora* (1929), *Poemas nicaragüenses* 1930-33 (1934), *Canto temporal* (1943), *El jaguar y la luna* (1959), *Zoo* (1962), *Noche de América para un poeta español* (1965), *Poesía escogida* (1968), *Personae* (1968), *Los cantos de Cifar* (1969) y *Doña Andreíta y otros retratos* (1971).

Cuadra impone el vanguardismo literario y espiritual, siendo uno de los grandes propulsores de la poesía rebelde en su país. Su poesía, sin compromisos partidistas, aboga por los derechos de los humildes. José María Valverde opina que la poesía de Cuadra está invadida de un americanismo cristiano, en contraste con el americanismo más radical y de distinto signo de Vallejo y Neruda. [3]

"Por los caminos van los campesinos" es un lamento poético que sintetiza el paisaje humano hispanoamericano ocupado reiteradamente por movimientos de liberación. Poesía altamente visual en la que los ejércitos de campesinos descalzos y con fusil avanzan perpetuamente a las guerras civiles. Miles han ido y caído, abandonando el rancho. Los números, que se multiplican con rapidez vertiginosa, dan la idea del ejército eterno, que una y otra vez se prepara para una lucha por la libertad que parece inalcanzable. La repetición del estribillo refuerza la idea reiterativa del tiempo circular. "Urna con perfil político" representa en forma breve, directa y certera, al caudillo-dictador de cualquier país del mundo.

---

[3] José Olivio Jiménez, *Antología de la poesía hispanoamericana contemporánea* (Madrid: Alianza Editorial, 1973), p. 430.

POESÍA ESCOGIDA (1968)

POR LOS CAMINOS VAN LOS CAMPESINOS. . .

De dos en dos,
de diez en diez;
de cien en cien,
de mil en mil,
descalzos van los campesinos
con la chamarra y el fusil.

De dos en dos los hijos han partido,
de cien en cien las madres han llorado,
de mil en mil los hombres han caído,
y hecho polvo ha quedado
su sueño en la chamarra, su vida en el fusil.

El rancho abandonado,
la milpa sola, el frijolar quemado.
El pájaro volando sobre la espiga muda
y el corazón llorando
su lágrima desnuda.

De dos en dos, de diez en diez,
de cien en cien,
de mil en mil,
descalzos van los campesinos
con la chamarra y el fusil.

De dos en dos,
de diez en diez,
de cien en cien,
de mil en mil,
¡por los caminos van los campesinos
a la guerra civil!

URNA CON PERFIL POLÍTICO

El caudillo es silencioso
(dibujo su rostro silencioso).
El caudillo es poderoso

(dibujo su mano fuerte).

El caudillo es el jefe de los hombres armados
(dibujo las calaveras de los hombres muertos).

III UNIDAD REGIONAL
AMÉRICA DEL SUR

Capítulo VII

Argentina

La ciudad de Buenos Aires fue el centro del virreinato del Río de la Plata fundado en el siglo XVIII. En 1810 los porteños exigieron la destitución del Virrey español, mientras que España, ocupada por los franceses en esos momentos, se vio impedida de enviar tropas a América. Los argentinos se gobernaron por varios años sin haberse separado formalmente de España hasta que finalmente proclamaron su independencia en 1816. A partir de entonces el país se vio agitado hasta 1862 por las luchas civiles entre los bonaerenses o porteños y los habitantes de provincias. Los primeros querían un gobierno centralizado en la capital; mientras que los segundos deseaban la autonomía, o un gobierno para cada provincia.

Los grupos opositores estaban representados por Bernardino Rivadavia, bonaerense, quien se esforzó en que prevaleciera el partido Unitario dándole vigencia a la Constitución de 1826; y Juan Facundo Quiroga, el caudillo de la pampa que, apoyado por los gobernadores de provincias, mantuvo el régimen Federal. Con la caída de Rivadavia en 1827 se apoderaron del gobierno los federales bajo el mando del coronel Manuel Dorrego.

A partir del movimiento revolucionario, dirigido por el unitario Juan Lavalle, que fusila a Dorrego, se desencadena el caos. Juan Manuel Rosas, caudillo rural, aprovechó el desorden reinante y se proclamó Gobernador de Buenos Aires en 1829. Rosas impuso el lema "Federación o muerte" y juzgó como traidores a todos los simpatizantes de los unitarios. Bajo el gobierno de Rosas cundieron las guerras civiles y la anarquía. Rosas gobernó dictatorialmente de 1835 a 1852.

En 1853 se aprobó una nueva constitución bajo la cual las provincias se organizaron como estados autónomos y se confió el poder ejecutivo a un presidente. El primer presidente de la nueva república fue Justo José de Urquiza. Los porteños se resistieron a aceptar la categoría de estado en la organización nacional y se lanzaron a la guerra civil. Después del triunfo de la Batalla de Pavón, Bartolomé Mitre, del lado porteño, fue proclamado presidente de Buenos Aires en 1862 y logró que su autoridad fuera reconocida en toda la república argentina. En 1868 Domingo Faustino Sarmiento, presidente electo, substituyó a Mitre. Sarmiento, escritor distinguido y fuerte opositor de la tiranía de Rosas, luchó contra la ignorancia, modificando el sistema de enseñanza, creando numerosas escuelas primarias, escuelas normales, bibliotecas, academias, colegios; e instituyendo becas para los estudiantes pobres. Con el gobierno de Nicolás Avellaneda, que sustituyó al de Sarmiento, el país progresó en todos los aspectos y quedaron resueltos los conflictos en la organización nacional.

Desde 1930 el país ha sufrido una serie de cambios de gobierno violentos. Hipólito Irigoyen, presidente de 1916 a 1922, fue reelegido en 1928. El desencanto en su régimen llevó a su deposición por el golpe de estado de José F. Uriburu en 1930. Los generales y la oligarquía tomaron el control supremo. El gobierno de Uriburu, continuador de los planteamientos de Mussolini, contaba con el apoyo intelectual del poeta Leopoldo Lugones. La década de 1945 a 1955 señaló el advenimiento del peronismo cuando se agruparon las clases trabajadoras. Juan Domingo Perón apareció en la escena política ocupando el lugar de Ramón I. Castillo. En 1955 el general Pedro E. Aramburu fue designado Presidente Provisional por la Junta Militar que depuso a Perón. Mientras tanto, crecía el poder de la Unión Cívica Radical (UCR). La UCR data del siglo XIX y representa a la izquierda moderada en la política argentina. Al ser depuesto Perón, el partido se dividió en dos facciones, la Unión Cívica Radical del Pueblo (UCRP) y la Unión Cívica Radical Intransigente (UCRI). Arturo Frondizi, titular de la UCRI apoyado por los peronistas, asumió el poder presidencial en 1958. Estos, al retirarle su apoyo a Frondizi, aceleraron la crisis institucional que culminó con el derrocamiento presidencial por las Fuerzas Armadas.

Arturo Illia asumió la presidencia en 1963. Su gobierno

atravesó años difíciles y se vio plagado por agitaciones frecuentes en la universidad y huelgas generales apoyadas por la Confederación General de Trabajadores (CGT). El General Carlos Onganía, depositor del gobierno de Arturo Illia, gobernó de 1966 a 1970. La inquietud social siguió en aumento bajo Onganía. El 20 de mayo estalló en Córdoba una insurrección obrera y estudiantil. Entre los actos de terrorismo y sabotaje cometidos se cuenta el asesinato del líder obrero Augusto Vendor. El general Roberto Marcelo Levingston sustituyó a Onganía. Durante su gobierno, incapaz de controlar la inestabilidad política creciente, ocurrió el secuestro y asesinato de Pedro Eugenio Aramburu. El gobierno breve de Levingston fue continuado por el del general Alejandro Lanusse. Este último entregó el gobierno nuevamente a Perón en 1973.

Con el regreso de Perón del exilio y su elección como presidente constitucional, el país se enfrentó a una nueva situación política. La Argentina, Perón, y los peronistas, habían cambiado con los años. Los simpatizantes de Perón comenzaron a dividirse. La generación vieja aceptó la dirección del presidente; la nueva esperaba que Perón apoyara los cambios revolucionarios, necesarios para la estructura socio-económica del país. Perón, viejo y enfermo, en vez de la guerra de clases quería terminar con la inflación y fortalecer la economía proporcionándoles un nivel de vida más alto a las clases trabajadoras. Perón murió en 1974 sin ver realizados sus planes y su viuda Isabel Martínez tomó las riendas del gobierno. Martínez, acusada por los Montoneros de traicionar la revolución, perdió el control del gobierno, iniciándose una nueva fase de violencia en la nación. Además del Ejército Revolucionario del Pueblo (ERP) surgió la Alianza Argentina Anticomunista (AAA). El terrorismo era rampante y la inflación alcanzó el punto más alto en la historia argentina hasta ese momento (334.0%).

En 1976 se estableció la Junta Militar, que tomó la ofensiva para erradicar a los terroristas. Entre 10,000 y 15,000 argentinos desaparecieron. En 1978 el general Jorge Videla asumió la presidencia. La deuda nacional siguió en aumento. En 1980, al expirar el término de Videla, la Junta eligió otro oficial, el general Jorge Viola, quien renunció un año después. El general Leopoldo Galtieri asumió entonces el poder de un país cuya tasa inflacionaria era de un 100% y un 40% de la fuerza trabajadora se hallaba desempleada. Durante el gobierno de Galtieri también la Argentina sufrió la derrota de la guerra contra Inglaterra, por la posesión de las Malvinas. El pueblo exigió la renuncia de Galtieri que fue substituido por el general Reynaldo Bignone.

En 1983 se reinstauró el gobierno constitucional. En las elecciones de ese año el candidato anti-peronista del Partido Radical, Raúl Alfonsín, fue elegido presidente. En 1985 la tasa inflacionaria había subido a más de 1,000%. Un año después se puso en vigencia el Plan Austral con intenciones de sacar adelante la economía argentina. La nación, cansada y desencantada de los programas económicos fallidos de Alfonsín estaba lista para el cambio. La respuesta la tenían en Carlos Menem, peronista de carácter populista. Menem se enfrentó en la carrera presidencial al radical Eduardo Angeloz, prometiendo en su programa de gobierno combatir la creciente inflación. En las elecciones del 14 de mayo de 1989 fue elegido presidente Menem, tomando el poder antes del tiempo señalado a causa de la situación caótica de la economía. Ese año el país alcanzó la más alta tasa inflacionaria de toda Hispanoamérica, 5,000 %. Entre las medidas para mejorar la economía, Menem creó una nueva divisa, el peso, equivalente a 10,000 australes, introducido a principios del 92.

A pesar de que la política económica de Menem ha sido efectiva, reduciendo la tasa inflacionaria (1990, 1,343.9%; 1991, 84%; 1992, 18%), el presidente argentino ha tenido que enfrentarse, entre otros problemas, con huelgas de grupos laborales opuestos a sus reformas económicas y con la corrupción a altos niveles de su gobierno. Los escándalos de corrupción fueron constantes durante 1991; entre ellos se destacan el fraude al Banco de la Nación argentina y el caso del lavado de dinero que llevó a la renuncia del consejero y cuñado de Menem. Este caso, donde se vio la familia Yoma involucrada, es conocido en la América Latina como el "Yomagate".

A fines de 1992, entre el creciente descontento laboral, se reporta la creación de un nuevo grupo terrorista, la Organización Revolucionaria del Pueblo (ORP), al cual se le achacan varios atentados.

NARRATIVA

Los autores argentinos del siglo anterior, Esteban Echeverría, Enrique Larreta y Roberto Payró, ya habían cultivado el cuento en sus dos formas: el cuento artístico y el reformista. Fue en los semanarios *Caras y caretas*, *Papel y tinta*, *Fray Mocho*, y *PBT*, que comenzó a aparecer el cuento argentino con signos de modernidad, coincidente con los años de 1888 a 1910. Se caracterizó esta producción por la aparición de autores casi desconocidos que junto a nombres ya famosos iban a darle forma a un género literario de signos diversos.

El grupo Boedo, admirador de los novelistas rusos, hizo énfasis en la literatura comprometida e influyó a los novelistas sociales que surgieron después como Bernardo Verbitsky y David Viñas. En el grupo Boedo se destacó Alvaro Yunque, también poeta. En sus novelas *Bichofeo* (1929), *Espanta-pájaros* (1930) y *Zancadilla* (1926), de fuerte conciencia social, se mezclaron el ideal revolucionario y la anarquía. Bernardo González Arrilí también presentó en sus novelas, *Los charcos rojos* (1927) y *Pobres habrá siempre*, huelgas y trabajadores de ideales revolucionarios.

Los autores argentinos de los años 50 y 60 escribieron, entre otros temas, sobre problemas sociales. Su neorrealismo estribó principalmente en la aspiración por definir el espíritu nacional. La generación del 50 escribió inmersa en la vida política del peronismo y en las relaciones entre la dictadura y los trabajadores. Se agrupó alrededor de las circunstancias políticas y se vio influida por Sartre, Faulkner, Hemingway, los realistas italianos y la ideología marxista. Estos autores no simpatizaron con Borges ni con Mallea y no se concretaron a lo literario esencial, sino que cuestionaron en sus obras la política, la metafísica y hasta la mística.

Beatriz Guido escribió sobre la adolescencia y la desintegración política de la Argentina en la época moderna durante los años del peronismo. Su colección de cuentos *Rojo sobre rojo* (1967) es un recuento de la juventud post-peronista y sus revuelos políticos. *Fin de fiesta* (1958) tiene de fondo la política argentina en los años de la oligarquía del 1930 al 1945. Aparece en esta novela la revuelta militar de 1943. En su otra novela, *El incendio y las vísperas* (1964), se cuentan la violencia de las revueltas y las luchas políticas en la historia del peronismo.

Viñas se opuso con violencia al dogmatismo y la hipocresía del gobierno peronista en la Argentina desde sus publicaciones en la revista *Contorno* en 1954 hasta sus cuentos y novelas escritos posteriormente. En su colección de cuentos *Las malas costumbres* (1963) presenta el conflicto entre la literatura y el pensamiento político. En sus novelas *Cayó sobre su rostro* (1955), *Los años despiadados* (1956), *Un dios cotidiano* (1957), *Los dueños de la tierra* (1958), y *La semana trágica* (1966), expuso la depravación del gobierno buscando las causas de la ruina política de su país en el siglo XX y expresó a través de sus personajes el deseo de cambiar el sistema. Su obra no ha sido de denuncia sino de exposición. En *Los hombres de a caballo* (1968) demuestra que en la cima del poder está el signo de la derrota. La novela, ganadora del Premio Casa de las Américas, trata de las luchas del ejército contra un grupo de guerrilleros del Perú, aprovechándose el ejército de su inexperiencia para diezmarlos. La influencia política de los Estados Unidos se hace evidente. El hombre argentino aparece, en contraste con los héroes de la independencia, como cómplice y defensor del gobierno norteamericano en detrimento de la libertad nacional.

Pedro Gandsky Orgambide también instigó la creación de una literatura nacional orientada hacia los problemas sociales. En *Memorias de un hombre de bien* (1964) habla irónicamente de "los buenos tiempos" en que hace resaltar la hipocresía de una sociedad enferma.

Marta Lynch presentó la desilusión política post-peronista, y la búsqueda de los protagonistas de una realidad viable, en sus novelas *La alfombra roja* (1962), y *Al vencedor* (1965). Hay un sentimiento revolucionario que se refleja en la idea que el orden establecido debe ser cambiado. En el fondo de la trama de su novela, *La última versión de la Colorada Villanueva* (1978) está el problema de "los desaparecidos" y la represión política. *La última conquista del ángel* (1984), de Elvira Orphée, es también novela de denuncia política. La colección de cuentos de Martha Mercader, *Decir que no* (1983), denuncia la represión política y refleja la pena de la nación ante "los desaparecidos".

Julio Cortázar es el más famoso de los novelistas argentinos del siglo XX. Cortázar ha combinado lo poético y lo satírico creando un mundo lleno de fantasía e imágenes en sus cuentos y novelas. Algunas de las narraciones de *Final de juego* (1956), son anti-peronistas. Sus cuentos "Pesadilla", en *Deshoras* (1983), "Recortes de prensa" y "Grafitti", de *Queremos tanto a Glenda*, son de indiscutible corte político. Sobre su novela, *El libro de Manuel* (1973), expresa Fernando Alegría que "no puede ser leído como el testamento de una célula de expatriados argentinos; requiere una atención más amplia y más honda. . . Todos vamos embarcados en el viaje de la Joda, el grupúsculo de acelerados que complota contra la dictadura lejana. . . "[1] Haroldo Conti en *Mascaró, el cazador americano* (1975), presentó la lucha revolucionaria contra la tropa

---

[1] Fernando Alegría, *Nueva historia de la novela hispanoamericana* (Hanover: Ediciones del Norte, 1986), p.358.

de rurales. Todo un pueblo, un país, se ha levantado y sale a la calle
incendiada, a dar la cara. Considera Alegría que este libro es un llamado
hacia el futuro, una cartilla para aprender la lucha revolucionaria, un mapa
indispensable para salir a la guerrilla sabiendo que ella no tendrá fin.[2] En
Cuarteles de invierno (1982), de Osvaldo Soriano, su novela más lograda,
se destaca la solidaridad revolucionaria. *No habrá más pena ni olvido*
(1973), también del mismo autor, es novela testimonial.

LUISA VALENZUELA (Buenos Aires, La Argentina. 1938)
En 1958 fue a París como corresponsal de *El Mundo*. Allí escribió
programas para la televisión y conoció a autores del grupo Tel Quel. Regresó a
Buenos Aires en 1961 a trabajar en *La Nación*. Ha sido recipiente de la beca
Fullbright 1966 de la Universidad de Iowa para el Programa Internacional de
Escritores y de la beca Guggenheim 1983. Ha dictado cursos de literatura
latinoamericana en las universades de Columbia y Nueva York.
Obra. **Cuento:** *Los heréticos* (1967), *Aquí pasan cosas raras*(1975),
Cambio de armas (1982) y *Donde viven las águilas* (1983) *Cola de lagartija*
(1983). **Novela:** *Hay que sonreír* (1966), *El gato eficaz* (1972), *Como en la
guerra* (1977).
Luisa Valenzuela intenta y logra presentar una visión socio-política
de su país en gran parte de su obra. Crea un ambiente de terror en el que se
proyectan, en alta tensión, los sentimientos de inseguridad y desconfianza hacia
los demás, y el miedo a ser delatado o descubierto. La intención de Valenzuela
en la mayor parte de sus cuentos políticos es dejar testimonio de la situación
presente. Se nota en la autora la influencia del teatro del absurdo y de la crueldad
en sus descripciones de situaciones terroríficas o violentas.
En "Sursum corda", de la colección *Aquí pasan cosas raras*, se hacen
una serie de observaciones y se emiten juicios en dosis concentradas sobre la
situación actual de la sociedad. El juego de palabras, el doble sentido, el lenguaje
elíptico, sirven para decir muchas cosas, lanzar verdades al viento, que pueden
ser interpretadas de muchas maneras, salvaguardando la objetividad. También
el estilo reafirma la denuncia de una sociedad en la que expresar claramente lo
que se piensa puede ser muy peligroso. En "El lugar de su quietud", de la misma
colección, la autora observa y cuenta, desde su punto de mira, lo que está
ocurriendo en su país. Estas percepciones son registradas en una especie de
diario por Valenzuela, que se siente obligada a ser el vocero de los de la ciudad
y los del interior. Los patrullajes, los tiroteos, se han vuelto acontecimientos
habituales. La violencia continúa escalando mientras se hacen especulaciones
en los cafés y se sigue escribiendo. La forma narrativa, o de documento, es

---

2 Ibid., p. 375.

interrumpida por acciones represivas que tocan de cerca a la autora: un allanamiento y una delación. Escribir es la única libertad que queda, pero hay que ocultar lo que se escribe. Escribir es también una forma de existir, de mantener la esperanza, de hacer historia, o de cambiarla. En el diario se mencionan cuentos que aparecen en la misma colección.

"De noche soy tu caballo", del libro *Cambio de armas*, es una narración breve y llena de acción, en la que se presenta el tema del amor dentro de la revolución. En contraste con los fragmentos anteriores tiene diálogos de connotaciones dramáticas: el reencuentro de los amantes, la noche de amor, el allanamiento, la tortura. Queda la duda final sobre lo ocurrido; si ha sido sueño o realidad.

AQUÍ PASAN COSAS RARAS (1975)
SURSUM CORDA

Hoy en día ya no se puede hacer nada bajo cuerda: las cuerdas vienen muy finas y hay quienes se enteran de todo lo que está ocurriendo. Cuerdas eran las de antes que venían tupidas y no las de ahora, cuerdas flojas. Y así estamos, ¿vio? bailando en la cuerda floja y digo vio no por caer en un vicio verbal caro a mis compatriotas sino porque seguramente usted lo debe de haber visto si bien no lo ha notado. Todos bailamos en la cuerda floja y se lo siente en las calles aunque uno a veces crea que es culpa de los baches. Y ese ligero mareo que suele aquejarnos y que atribuimos al exceso de vino en las comidas, no: la cuerda floja. Y el brusco desviarse de los automovilistas o el barquinazo del colectivero, provocados por lo mismo pero como uno se acostumbra a todo también esto nos parece natural ahora. Sobre la cuerda floja sin poder hacer nada bajo cuerda. Alegrémonos mientras las cosas no se pongan más espesas y nos encontremos todos con la soga al cuello.

EL LUGAR DE SU QUIETUD

> *"Toda luna, todo año, todo día, todo viento camina y pasa también. También toda sangre llega al lugar de su quietud".*
> *(Libros del Chilam Balam).*

Los altares han sido erigidos en el interior del país pero hasta nosotros (los de la ciudad, la periferia, los que creemos poder salvarnos) llegan los efluvios. Los del interior se han resignado y rezan. Sin embargo no hay motivo aparente de pánico, sólo los consabidos tiroteos, alguna que otra razzia policial, los patrullajes de siempre. Pero oscuramente ellos deben saber que el fin está próximo. Es que tantas cosas empiezan a confundirse que ahora lo anormal imita a lo natural y viceversa. Las sirenas y el viento, por ejemplo: ya las sirenas de los coches policiales parecen el ulular del viento, con idéntico sonido e idéntico poder de destrucción.

Para vigilar mejor desde los helicópteros a los habitantes de las casas se está utilizando un tipo de sirena de nota tan aguda y estridente que hace volar los techos. Por suerte el Gobierno no ha encontrado todavía la fórmula para mantener bajo control a quienes no viven en casas bajas o en los últimos pisos de propiedad horizontal. Pero éstos son contadísimos: desde que se ha cortado el suministro de energía ya nadie se aventura más allá de un tercer piso por el peligro que significa transitar las escaleras a oscuras, reducto de maleantes.

Como consuelo anotaremos que muchos destechados han adoptado el techo de plexiglass, obsequio del Gobierno. Sobre todo en zonas rurales, donde los techos de paja no sólo se vuelan a menudo por la acción de las sirenas sino también por causa de algún simple vendaval. Los del interior son así: se conforman con cualquier cosa, hasta con quedarse en su lugar armando altares y organizando rogativas cuando el tiempo -tanto meteoro como cronológico- se lo permite. Tienen poco tiempo para rezar, y mal tiempo. La sudestada les apaga las llamas votivas y las inundaciones les exigen una atención constante para evitar que se ahogue el ganado (caprino, ovino, porcino, un poquito vacuno y bastante gallináceo). Por fortuna no han tenido la osadía de venirse a la ciudad como aquella vez siete años atrás, durante la histórica sequía, cuando los hombres sedientos avanzaron en tropel en busca de la ciudad y del agua pisoteando los cadáveres apergaminados de los que morían en la marcha. Pero la ciudad tampoco fue una solución porque la gente de allí no los quería y los atacó a palos como a perros aullantes y tuvieron que refugiarse en el mar con el agua hasta la cintura, donde no los alcanzaban las piedras arrojadas por los que desde la orilla defendían su pan, su agua potable y su enferma dignidad.

Es decir que ellos no van a cometer el mismo error aunque esto no ocurrió aquí, ocurrió en otro país cercano y es lo mismo porque la memoria individual de ellos es muy frágil pero la memoria de la raza es envidiable y suele aflorar para sacarlos de apuros. Sin embargo no creemos que el renacido sentimiento religioso los salve ahora de la que se nos viene; a ellos no, pero quizá si a nosotros, nosotros los citadinos que sabemos husmear el aire en procura de algún efluvio de incienso de copal que llega de tierra adentro. Ellos pasan grandes penurias para importar el incienso de copal y según parece somos nosotros quienes recibiremos los beneficios. Al menos -cuando los gases de escape nos lo permiten- cazamos a pleno pulmón bocanadas de incienso que sabemos inútil, por si acaso. Todo es así, ahora: no tenemos nada que temer pero tememos; éste es el mejor de los mundos posibles como suelen decirnos por la radio y cómo serán los otros- el país camina hacia el futuro y personeros embozados de ideologías aberrantes nada podrán hacer para detener su marcha, dice el Gobierno, y nosotros para sobrevivir hacemos como si creyéramos. Dejando de lado a los que trabajan en la clandestinidad -y son pocos- nuestro único atisbo de rebeldía es este husmear subrepticiamente el aire en procura de algo que nos llega desde el interior del país y que denuncia nuestra falta de fe. Creo -no puedo estar seguro, de eso se habla en voz muy baja- que en ciertas zonas periféricas de la ciudad se van armando grupos de peregrinación al interior para tratar de comprender -y de justificar- esta nueva tendencia mística. Nunca fuimos un pueblo demasiado creyente y ahora nos surge la necesidad de armar altares, algo debe de haber detrás de todo esto. Hoy en el café con los amigos (porque no vayan a creer que las cosas están tan mal, todavía puede reunirse uno en el café con los amigos) tocamos con suma prudencia el tema (siempre hay que estar muy atento a las muchas orejas erizadas): ¿qué estará pasando en el interior? ¿será el exceso de miedo que los devuelve a una búsqueda primitiva de esperanza o será que están planeando algo? Jorge sospecha que el copal debe de tener poderes alucinógenos y por eso se privan de tantas cosas para conseguirlo. Parece que el copal no puede ser transportado por ningún medio mecánico y es así como debe venir de América Central a lomo de mula o a lomo de hombre; ya se han organizado postas para su traslado y podríamos sospechar que dentro de las bolsas de corteza de copal llegan armas o por lo menos drogas o algunas instrucciones si no fuera porque nuestras aduanas son tan severas y tan lúcidas. Las aduanas internas, eso sí, no permiten el acceso del copal a las ciudades. Tampoco lo queremos; aunque ciertos intelectuales disconformes hayan declarado a nuestra ciudad área de catástrofe psicológica. Pero tenemos problemas mucho más candentes y no podemos perder el tiempo en oraciones o en disquisiciones de las llamadas metafísicas. Jorge dice que no se trata de eso sino de algo más profundo. Jorge dice, Jorge dice. . . ahora en los cafés no se hace más que decir porque en muchos ya se prohíbe escribir aunque se consuma bastante. Alegan que así las mesas se desocupan más rápido, pero sospecho que estos dueños de cafés donde se reprime la palabra escrita son en realidad agentes de provocación. La idea nació, creo, en el de la esquina de Paraguay y Pueyrredón, y corrió como reguero de pólvora por toda la ciudad. Ahora tampoco dejan escribir en los cafés aledaños al Palacio de la Moneda ni en algunos de la Avenida do Rio Branco. En Pocitos sí, todos los cafés son de escritura permitida y los intelectuales se reúnen allí a las seis de la tarde. Con tal de que no sea una encerrona, como dice Jorge, provocada por los extremistas, claro, porque el Gobierno está por encima de estas maquinaciones, por encima de todos, volando en helicópteros y velando por la paz de la Nación.

Nada hay que temer. La escalada de violencia sólo alcanza a los que la buscan, no a nosotros humildes ciudadanos que no nos permitimos ni una mueca de disgusto ni la menor señal de descontento (desconcierto sí, no es para menos cuando nos vuelan el techo de la casa y a veces la tapa de los sesos, cuando nos palpan de armas por la calle o cuando el olor a copal se hace demasiado intenso y nos da ganas de correr a ver de qué se trata. De correr y correr; disparar no siempre es cobardía).

Acabamos por acostumbrarnos al incienso que más de una vez compite con el olor a pólvora, y ahora nos llega lo otro: una distante nota de flauta que perfora los ruidos ciudadanos. Al principio pensamos en la onda ultrasónica para dispersar manifestaciones, pero no. La nota de flauta es sostenida y los distraídos pueden pensar que se trata de un lamento; es en realidad un cántico que persiste y a veces se interrumpe y retoma para obligarnos a levantar la cabeza como en las viejas épocas cuando el rugido de los helicópteros nos llamaba la atención. Ya hemos perdido nuestra capacidad de asombro pero el sonido de la flauta nos conmueve más que ciertas manifestaciones relámpago los sábados por la noche a la salida de los cines cuando despiertan viejos motivos de queja adormecidos. No estamos para esos trotes, tampoco estamos como para salir corriendo cuando llegan los patrulleros desde los cuatro puntos de la ciudad y convergen encima de nosotros.

Sirenas como el viento, flautas como notas ultrasónicas para dispersar motines. Parecería que los del interior han decidido retrucar ciertas iniciativas del poder central. Al menos así se dice en la calle pero no se especifica quiénes son los del interior: gente del montón, provincianos cualquiera, agentes a sueldo de potencias extranjeras, grupos de guerrilla armada, anarquistas, sabios. Después del olor a incienso que llegue este sonido de flauta ya es demasiado. Podríamos hablar de penetración sensorial e ideológica si en algún remoto rincón de nuestro ser nacional no sintiéramos que es para nuestro bien, que alguna forma de redención nos ha de llegar de ellos. Y esta vaguísima esperanza nos devuelve el lujo de tener miedo. Bueno, no miedo comentado en voz alta como en otros tiempos. Este de ahora es un miedo a puertas cerradas, silencioso, estéril, de vibración muy baja que se traduce en iras callejeras o en arranques de violencia conyugal. Tenemos nuestras pesadillas y son siempre de torturas aunque los tiempos no estén para estas sutilezas. Antes sí podían demorarse en aplicar los más refinados métodos para obtener confesiones, ahora las confesiones ya han sido relegadas al olvido: todos son culpables y a otra cosa. Con sueños anacrónicos seguimos aferrados a las torturas pero los del interior del país no sueñan ni tienen pesadillas: se dice que han logrado eliminar esas horas de entrega absoluta cuando el hombre dormido está a total merced de su adversario. Ellos caen en meditación profunda durante breves períodos de tiempo y mantienen las pesadillas a distancia; y las pesadillas, que no son sonsas, se limitan al ejido urbano donde encuentran un terreno más propicio. Pero no, no se debe hablar de esto ni siquiera hablar del miedo. Tan poco se sabe -se sabe la ventaja del silencio- y hay tanto que se ignora. ¿Qué hacen, por ejemplo, los del interior frente a sus altares? No creemos que eleven preces al dios tantas veces invocado por el Gobierno ni que hayan descubierto nuevos dioses o sacado a relucir dioses arcaicos. Debe tratarse de algo menos obvio. Bah. Esas cosas no tienen por qué preocuparnos a nosotros, hombres de cuatro paredes (muchas veces sin techo o con techo transparente), hombres adictos al asfalto. Si ellos quieren quemarse con incienso, que se quemen; si ellos quieren perder el aliento soplando en la quena, que lo pierdan. Nada de todo esto nos interesa: nada de todo esto podrá salvarnos. Quizá tan sólo el miedo, un poco de miedo que nos haga ver claro a nosotros los hombres de la ciudad pero qué, si no nos lo permitimos porque con un soplo de miedo llegan tantas otras cosas: el cuestionamiento, el horror, la duda, el disconformismo, el disgusto. Que ellos allá lejos en el campo o en la montaña se desvivan con las prácticas inútiles. Nosotros podemos tomar un barco e irnos, ellos están anclados y por eso entonan salmos.

Nuestra vida es tranquila. De vez en cuando desaparece un amigo, sí, o matan a los vecinos o un compañero de colegio de nuestros hijos o hasta nuestros propios hijos caen en una ratonera, pero la cosa no es tan apocalíptica como parece, es más bien rítmica y orgánica. La escalada de violencia: un muerto cada 24 horas, cada 21, cada 18, cada 15, cada 12, no debe inquietar a nadie. Más mueren en otras partes del mundo, como bien señaló aquel diputado minutos antes de que le descerrajaran el balazo. Más, quizá, pero en ninguna parte tan cercanos.

Cuando la radio habla de la paz reinante (la televisión ha sido suprimida, nadie quiere dar la cara) sabemos que se trata de una expresión de deseo o de un pedido de auxilio, porque los mismos locutores no ignoran que en cada rincón los espera una bomba, y llegan embozados a las emisoras para que nadie pueda reconocerlos después cuando andan sueltos por las calles como respetables ciudadanos. No se sabe quiénes atentan contra los locutores, al fin y al cabo ellos sólo leen lo que otros escriben y la segunda incógnita es ¿dónde lo escriben? Debe ser en los ministerios bajo vigilancia policial y también bajo custodia porque ya no está permitido escribir en ninguna otra parte. Es lógico, los escritores de ciencia ficción habían previsto hace años el actual estado de cosas y ahora se trata de evitar que las nuevas profecías proliferen (aunque ciertos miembros del Gobierno -los menos imaginativos- han propuesto dejarles libertad de acción a los escritores para apoderarse luego de ciertas ideas interesantes, del tipo nuevos métodos de coacción que siempre pueden deducirse de cualquier literatura.) Yo no me presto a tales manejos, y por eso he desarrollado y puesto en práctica un ingenioso sistema para escribir a oscuras. Después guardo los manuscritos en un lugar que sólo yo me sé y veremos qué pasa. Mientras tanto el Gobierno nos bombardea con slogans optimistas que no repito por demasiado archisabidos y ésta es nuestra única fuente de cultura. A pesar de lo cual sigo escribiendo y trato de ser respetuoso y de no

La noche anterior escuché un ruido extraño y de inmediato escondí el manuscrito. No me acuerdo qué iba a anotar; sospecho que ya no tiene importancia. Me alegro eso sí de mis rápidos reflejos porque de golpe se encendieron las luces accionadas por la llave maestra y entró una patrulla a registrar la casa. La pobre Betsy tiene ahora para una semana de trabajo si quiere volver a poner todo en orden, sin contar lo que rompieron y lo que se deben de haber llevado. Gaspar no logra consolarla pero al menos no ocurrió nada más grave que el allanamiento en sí. Insistieron en averiguar por qué me tenían de pensionista, pero ellos dieron las explicaciones adecuadas y por suerte, por milagro casi, no encontraron mi tablita con pintura fosforescente y demás parafernalia para escribir en la oscuridad. No sé qué habría sido de mí, de Betsy y de Gaspar si la hubieran encontrado, pero mi escondite es ingeniosísimo y ahora pienso si no sería preferible ocultar allí algo más útil. Bueno, ya es tarde para cambiar; debo seguir avanzando por este camino de tinta, y creo que hasta sería necesario contar la historia del portero. Yo estuve en la reunión del consorcio y vi cómo se relamían interiormente las mujeres solas cuando se habló del nuevo encargado: 34 años, soltero. Yo lo vi los días siguientes esmerándose por demás con los bronces de la entrada y también leyendo algún libro en sus horas de guardia. Pero no estuve presente cuando se lo llevó la policía. Se murmura que era un infiltrado del interior. Ahora sé que debí haber hablado un poco más con él, quizá ahora deshilachando sus palabras podría por fin entender algo, entrever un trozo de la trama. ¿Qué hacen en el interior, qué buscan? Ahora apenas puedo tratar de descubrir cuál de las mujeres solas del edificio fue la que hizo la denuncia. Despechadas parecen todas y no es para menos ¿pero son todas capaces de correr al teléfono y condenar a alguien por despecho? Puede que sí, tantas veces la radio invita gentilmente a la delación que quizá hasta se sintieron buenas ciudadanas. Ahora no sólo me da asco saludarlas, puedo también anotarlo con cierta impunidad, sé que mi escondite es seguro. Por eso me voy a dar el lujo de escribir unos cuentitos. Ya tengo las ideas y hasta los títulos: *Los mejor calzados, Aquí pasan cosas raras, Amor por los animales, El don de la palabra*. Total, son sólo para mí y, si alguna vez tenemos la suerte de salir de ésta, quizá hasta puedan servir de testimonio. O no, pero a mí me consuelan y con mi sistema no temo estar haciéndoles el juego ni dándoles ideas. Hasta puedo dejar de lado el subterfugio de hablar de mí en plural o en masculino. Puedo ser yo. Sólo quisiera que se sepa que no por ser un poco cándida y proclive al engaño todo lo que he anotado es falso. Ciertos son el sonido de la flauta, el olor a incienso, las sirenas. Cierto que algo está pasando en el interior del país y quisiera unirme a ellos. Cierto que tenemos -tengo- miedo.

Escribo a escondidas, y con alivio acabo de enterarme que los del interior también están escribiendo. Aprovechan la claridad de las llamas votivas para escribir sin descanso lo que suponemos es el libro de la raza. Esto es para nosotros una forma de ilusión y también una condena: cuando la raza se escribe a sí misma, la raza se acaba y no hay nada que hacerle.

Hay quienes menosprecian esta información: dicen que los de la ciudad no tenemos relación alguna con la raza ésa, qué relación podemos tener nosotros, todos hijos de inmigrantes. Por mi parte no veo de dónde el desplazamiento geográfico puede ser motivo de orgullo cuando el aire que respiramos, el cielo y el paisaje cuando queda una gota de cielo o de paisaje, están impregnados de ellos, los que vivieron aquí desde siempre y nutrieron la tierra con sus cuerpos por escasos que fueran. Y ahora se dice que están escribiendo el libro y existe la esperanza de que esta tarea lleve largos años. Su memoria es inmemorial y van a tener que remontarse tan profundamente en el tiempo para llegar hasta la base del mito y quitarle las telarañas y demitificarlo (para devolverle a esa verdad su esencia, quitarle su disfraz) que nos quedará aún tiempo para seguir viviendo, es decir para crearles nuevos mitos. Porque en la ciudad están los pragmáticos, allá lejos los idealistas y el encuentro ¿dónde?

Mientras tanto las persecuciones se vuelven cada vez más insidiosas. No se puede estar en la calle sin ver a los uniformados cometiendo todo tipo de infracciones por el solo placer de reírse de quienes deben acatar las leyes. Y pobre del que se ofenda o se retobe o simplemente critique: se trata de una trampa y por eso hay muchos que en la desesperación prefieren enrolarse en las filas con la excusa de buscar la tranquilidad espiritual, pero poco a poco van entrando en el juego porque grande es la tentación de embromar a los otros.

Yo, cada vez más calladita, sigo anotando todo esto aún a grandes rasgos (¡grandes riesgos!) porque es la única forma de libertad que nos queda. Los otros todavía hacen ingentes esfuerzos por creer mientras la radio (que se ha vuelto obligatoria) transmite una información opuesta a los acontecimientos que son del dominio público. Este hábil sistema de mensaies contradictorios ha sido montado para enloquecer a la población a corto plazo y por eso, en resguardo de mi salud mental, escribo y escribo siempre a oscuras y sin poder releer lo que he escrito. Al menos me siento apoyada por los del interior. Yo no estoy como ellos entregada a la confección del libro pero algo es algo. El mío es un aporte muy modesto y además espero que nunca llegue a manos de lector alguno: significaría que he sido descubierta. A veces vuelvo a casa tan impresionada por los golpeados, mutilados, ensangrentados y tullidos que deambulan ciegos por las calles que ni escribir puedo y eso no importa. Si dejo de escribir, no pasa nada. En cambio si detuvieran a los del interior sería el gran cataclismo (se detendría la historia). Deben de haber empezado a narrar desde las épocas más remotas y hay que tener paciencia. Escribiendo sin descanso puede que algún día alcancen el presente y lo superen, en todos los sentidos del verbo superar: que lo dejen atrás, lo modifiquen y hasta con un poco de suerte lo mejoren. Es cuestión de lenguaje.

Capítulo VIII

Colombia

A pesar de que Colombia adoptó su nombre en honor a Colón, es curioso notar que el país fue descubierto por Rodrigo de Bastidas quien llegó a tierra por la costa atlántica en 1500. Durante la época de la colonia esta región, conocida como Nueva Granada, era sede del virreinato del mismo nombre. En 1819, cuando Bolívar liberó este país, formó junto al actual territorio de Panamá, Venezuela y Ecuador la Federación de la Gran Colombia El ideal bolivariano era unir todos los estados de la América Hispana en una federación semejante a los Estados Unidos de América; pero con la muerte de El Libertador en 1830 se disolvió la República de la Gran Colombia. En 1831 se constituyó la República de Nueva Granada y su primer presidente fue Francisco de Paula Santander. En la segunda mitad del siglo XIX comenzaron las rivalidades por el poder entre el partido liberal y el conservador. En 1886 bajo el gobierno del presidente Rafael Núñez se promulgó una constitución que dio al país su nombre actual de República de Colombia. Los conservadores mantuvieron el poder hasta 1930.

Varias medidas gubernamentales tomadas por el presidente liberal Eduardo Santos, tales como el apoyo a los aliados en 1942 y el pacto con el Vaticano para controlar la influencia de la iglesia en la educación, le crearon disensiones con su propio partido. Santos tuvo que enfrentarse con la oposición de Jorge Eliécer Gaitán, dirigente liberal, y otros líderes nacionalistas. La división del Partido Liberal les permitió a los conservadores retomar el poder en 1946 al ser elegido

Mariano Ospina Pérez. La década de 1948 a 1958 marcó uno de los períodos conocido como "la violencia" que costó alrededor de 300,000 vidas. La violencia fue tal que se declaró estado de sitio en partes del país. La Conferencia de los Estados Americanos, que tuvo su sede en Colombia en abril de 1948, sirvió de catalizador para un gran número de demostraciones populares en la capital. Como consecuencia de estas manifestaciones el 9 de abril fue asesinado Gaitán. A partir de entonces el terror y la destrucción reinaron por varios días en Bogotá. Más de 2,000 personas perdieron la vida en actos de protesta. Estos actos sangrientos se conocen con el nombre de "el bogotazo".

En 1950 Laureano Gómez fue elegido presidente por el Partido Conservador en una elecciones en las que los liberales no presentaron candidato. Poco pudo hacer Gómez para calmar al país y fue depuesto en 1953 por Gustavo Rojas Pinilla. Hacia 1957 se logró algo de paz, cuando los liberales y conservadores establecieron un sistema, en el Pacto de Sitges, por el cual acordaron alternar sus gobiernos en el poder ejecutivo hasta 1970, creando el Frente Nacional (FN). Alberto Lleras Camargo fungió como presidente durante los primeros cuatro años de gobierno del FN. Guillermo León Valencia y Carlos Lleras Restrepo sucedieron a Lleras Camargo en el sillón ejecutivo. La existencia del FN se convalidó y extendió hasta 1974 por reforma constitucional. Misael Pastrana Borrero gobernó de 1970 a 1974. Las elecciones presidenciales de 1974 fueron ganadas por Alfonso López Michelsen. En 1978 fue elegido Alfonso César Turbay Ayala, candidato liberal, derrotando a su contendiente conservador Belisario Betancur Cuartas. Betancur, nuevamente nominado por los conservadores, ganó las elecciones de 1982.

Durante 1985 una serie de treguas fueron acordadas con grupos rebeldes, especialmente con las Fuerzas Armadas Revolucionarias Colombianas (FARC); mientras que otros grupos se dedicaron a actos de violencia, incluyendo la captura del Palacio de Justicia de Bogotá por el M-19. En diciembre del mismo año la mayor parte de las fuerzas insurgentes se habían unido en la Coordinadora Nacional Guerrillera (CNG). En 1986 Virgilio Barco Vargas se convirtió en el nuevo presidente colombiano. El partido liberal de Barco había estado controlando la presidencia y ambas cámaras del congreso durante los últimos veinte años. En 1987 se encontraron evidencias de que algunas unidades rebeldes se habían asociado con narcotraficantes.

En 1989 la economía colombiana sufrió sus mayores reveses en los útimos cinco años. Otros problemas azotaron al país. Según reportes oficiales de The Washington Office in Latin America (WOLA) en los primeros seis meses de ese año hubo más de 1,000 asesinatos políticos; la mayoría de ellos perpetrados contra campesinos y líderes unionistas laborales. Hay evidencia de que miembros de las fuerzas de seguridad y militares, que aparentemente deben enfocar sus esfuerzos en combatir las drogas, se involucran en la violencia también. Las elecciones del 90 se vieron marcadas por la violencia. Tres candidatos presidenciales, todos de izquierda, fueron asesinados durante la campaña, entre ellos se cuenta Carlos Pizarro Leongómez. Pizarro aparecía como un símbolo de la paz y la reconciliación en un país destrozado entre la violencia militar, la insurgencia izquierdista y los narcotraficantes. La tasa de homicidios de 1986, 35 al día, subió en el 90 a 55 diarios. De este horror no se libró el director de campaña del candidato presidencial por el Partido Liberal (PL) César Gaviria Trujillo, Federico Estrada Vélez, asesinado en Medellín en mayo de ese año. En su campaña política Gaviria trató de desligarse de Barco a quien se le acusaba del desorden social del país conducente al asesinato de los candidatos presidenciales. Gana finalmente las elecciones Gaviria (47.5 % de los votos) frente a los candidatos Alvaro Gómez-Hurtado, disidente Conservador del Movimiento de Salvación Nacional (MSN) (23.8 %); Antonio Navarro del M-19 (12.6 %); y Rodrigo Lloreda Caicedo (2.2 %). Los votos alcanzados por los candidatos del MSN y del M-19 abrieron las posibilidades de negociación del presidente electo con los Carteles y con el grupo guerrillero mayor de Colombia: el FARC.

A principios de 1992, Gaviria declara ante el Foro de Economía Mundial de Suiza que el verdadero milagro económico de la América Latina había sido Colombia, aludiendo al aumento en las ganancias de los productos exportados y en las reservas internacionales, además de la disminución en la tasa inflacionaria (1990, 32.63%; 1991, 26.82%; 1992, 22%). Las negociaciones iniciadas en febrero de 1992, entre el gobierno de Gaviria y la CNG, se vieron interrumpidas a mediados del mismo año; reportándose a partir de entonces severas divisiones y luchas entre los grupos guerrilleros. Las entregas del Cartel de Medellín no fueron más allá que la entrega de Pablo Escobar, el narcotraficante, y sus terratenientes. El Cartel de Cali continúa activo y hay luchas constantes entre los remanentes de Medellín y Cali. Todos estos conflictos dejan un saldo anual, en 1992, de 26,000 homicidios (71 muertes diarias). El pueblo, irritado con Gaviria, le hace las inculpaciones siguientes: la escapatoria de Escobar, la paralización en las negociaciones con los núcleos guerrilleros, y la falta de éxito en el programa de liberación económica, conocida como "la apertura".

NARRATIVA

Se escribieron cuentos de violencia partidista en Colombia cuyos argumentos comprendían el período histórico de 1948 a 1957. Entre ellos se encuentran "Vivan los compañeros" (1954) de Carlos Arturo Truque, "Bomba de tiempo," de Leal, "El aire turbio" (1964) de Antonio Montaña, "¿Pero Margarita Restrepo, dónde está?" (1965) de Darío Ruiz Gómez, y "El día que enterraron las armas" (1972), de Plinio Apuleyo Mendoza. El autor más importante de la generación del nuevo realismo social es Luis Fayad, con sus colecciones *Los sonidos del fuego* (1968) y *Olor de lluvia* (1974). Arturo Alape, autor de "Las muertes de tirofijo" (1971) se considera escritor de cuentos de violencia ideológica. *El festín* (1973), de Policarpo Varón; *Son de máquina* (1968) y *A golpes* (1974), de Oscar Collazos; y *Las raíces de la ira* (1975), de Carlos Bastidas Padilla, son colecciones de inquietudes revolucionarias. Gustavo Alvarez Gardeazábal y Germán Santamaría también escriben cuentos de tono rebelde.

La novela proletaria expresó la violencia colombiana en *El día del odio* (1954) de José Antonio Lizarazo. Asimismo, Eduardo Caballero Calderón en *El Cristo de espaldas* (1952) presentó el problema social político y religioso. *La calle 10* (1960), de Manuel Zapata Olivella se basa en el asesinato de Jorge Eliécer Gaitán y la consiguiente insurrección de 1948. Igualmente *La rebelión de las ratas* (1962), de Fernando Soto Aparicio, es novela de protesta social en la que el hombre se rebela contra los explotadores.

PLINIO APULEYO MENDOZA (Tunja, Colombia. 1932)
Autor de cuentos, novelas y artículos periodísticos, se graduó de bachiller del Colegio Cervantes de Bogotá, y realizó estudios superiores en Ciencias Políticas, Artes Gráficas y Publicidad en la Sorbona de París. Ha representado a su país en cargos diplomáticos en Francia.
Obras. **Cuento:** *El desertor* (1974). **Novela:** *Años de fuga* (1979), (Primer Premio Literario Plaza y Janés). **Ensayo:** *Primeras palabras* (1946), *El*

olor de la guayaba, reportaje a Gabriel García Márquez (1982), *La llama y el hielo* (1984).

En "El día que enterramos las armas", de la colección de Eduardo Pachón Padilla, se narran los acontecimientos de un grupo guerrillero durante las contiendas que azotaron al país de 1949 a 1953. La tropa, engañada con falsas promesas, es eliminada. El desencanto producido por la dispersión y la pérdida de la fe en la victoria, cada vez más lejana, invade la narración, que puede traducir el general desencanto hispanoamericano ante la traición y las promesas incumplidas.

EL CUENTO COLOMBIANO, II (1980)
EL DÍA QUE ENTERRAMOS LAS ARMAS

A Eduardo Franco, el general

Cuatro años peleando, sí señor; cuatro años echándonos candela con los patones. Si no fuera por los muertos y por la muerte, que de tiempo en tiempo pasaba rozándonos el ala del sombrero, diría que tuvimos la gran fiesta. Acostúmbrense a la idea, decía a mis chusmeros: se van a morir, están muertos, cosa de no extrañarse cuando los tiemplen de un balazo. Al principio éramos pocos y andábamos descalzos, mal armados con revólveres y escopetas, escurriéndonos por caminos de duendes, lejos de los trapiches y pasos reales donde estaba la tropa. Guindábamos los chinchorros en los varales de los ranchos abandonados y para no ser delatados por ningún ruido teníamos que descabezar gallos y ahorcar los perros del monte. Después se animó el baile. El gobierno envió más tropa, la tropa llegó quemando ranchos y a la vuelta de un año largo no éramos docenas sino miles. Todo el llano, de Arauca a San Martín, estaba hirviendo de chusmeros. No daban abasto los patones, ni aviones ni bombas les valían.

¡Qué años! Todavía me acuerdo de aquellas madrugadas de la guerrilla, del café cerrero y la brisa soplando en los pajonales cuando se apagaban las últimas estrellas. Me acuerdo de las fogatas, las conversaciones en la noche de chinchorro a chinchorro. Cuando más duro era el acoso, más hermanos, más camaritas nos sentíamos. No sé por qué empezamos a llamarnos asi, camaritas. ¡Adiós, camarita!, ¡Qué hubo camarita!. . . con eso nos decíamos todo. ¡Qué época! Pensar que tuvimos la revolución a tiro de soga. Pensar que nos la cambiaron por un cuartelazo, pobre chusma.

Me acuerdo, como si fuera ayer, del día que enterramos las armas. La víspera, en vez de bombas, los aviones militares habían largado sobre el campamento paquetes de diarios y un diluvio de hojas volantes. Los periódicos hablaban de la dictadura, de la paz, de la amnistía, de la entrega pacífica de las guerrillas en todo el llano. Y no era mentira, allí estaban las fotos de Guadalupe, de Aluma, los Galindo y el Negro Miguel Suárez al frente de su columnas de chusmeros bien formados, entregándole sus armas al Ejército. Paz. Amnistía. Dos palabras y todos se habían ido de jeta. Y nosotros, ¿qué podíamos hacer? Eramos el comando guerrillero que más cerca operaba de la frontera, el más remoto, el último. Por un momento creíamos posible continuar la lucha. Pero qué va, nos habrían aplastado. Lo vimos claro cuando llegaron los estafetas contando que en los pueblos había ambiente de fiesta, por todos lados banderas y el himno nacional, y la gente, nuestra gente, cambiando sus armas por bultos de sal y panela; a veces por menos, por un discurso y un ramito de flores que les entregaban las niñas de la escuela. Así que nosotros decidimos acabar la fiesta de otra manera. Decidimos enterrar las armas y dispersarnos para siempre.

Me acuerdo que madrugamos a recoger chinchorros y a guardar trastos. Antes de ensillar las bestias, di orden de tumbar las horquetas de los fogones y echar tierra sobre las cenizas para que no quedara ni rastros del campamento. Cuando llegó el momento de dispersarnos llamé a mis hombres. Los veía callados, cerreros. Llevábamos tanto tiempo en el mismo paseo. . . Muchos habían llegado al llano desde el principio, cuatro años antes, sin más idea que salvar el pellejo, con hambre, miedo, llenos de piojos. Para vivir habían tenido que ponerse inteligentes, señor: el que no, se moría. Habían aprendido a moverse en manada por toda la llanura. Habían aprendido a estar un día aquí y otro allá, a escurrirse por el monte igual que los indios y armar trampas para cazar a los patones como venados. Y ahora les salía yo con el cuento triste: se acabó la fiesta, dejen las armas y vuélvase cada cual por su lado sin más compañía que su caballo y una muda de ropa. Razón tenían de andar retrecheros. Para que no perdieran tan pronto la costumbre, resolví darles de adiós mis últimas órdenes.

-Quítense de encima toda prenda militar -les dije-. Nada de cascos, chacós o pañuelitos rojos al cuello. Nada de disfraces.

Poca gracia les hizo que ordenara a Puntería, mi segundo; recoger las armas. Se miraban inquietos. Alguien, hablando por todos, se atrevió a preguntarme qué pensaba hacer con los fierros. Ahí mismo sentí que habían tenido atorada la pregunta, se les salía por los ojos.

-Enterrarlos- les dije.

-¿Dónde?- me preguntaron.

-En sitio seguro. Digamos que es secreto militar.

-Será la guaca de la chusma- dijo Puntería sin dejar de recoger los fusiles para colocarlos sobre un trozo de tela encerada. Pero nadie se rió. Seguían mirándome, cada uno atisbando sus propias dudas en la cara del otro.

-Así es, la guaca de la chusma -les dije-. Y no pasará mucho tiempo antes de que los fierros vuelvan a sus manos. Lo de ahora no es sino un respiro.

-Pero el llano es grande, coronel -me dijo alguno.

-Por grande que sea, no hay tiro en el Arauca que no se escuche en San Martín. Para encontrarnos será pequeño.

Me acuerdo que hubo un silencio y que, mientras ese silencio duró, escuchamos en alguna parte, cerca del río, un clamor de guacharacas.

-Nos vamos- les anuncié para terminar de una vez aquel coloquio-. A la guerrillera, sin despedidas.

Se fueron desgranando del círculo para echarse al hombro las capoteras, de mala gana y despacio, como si les doliera. Y así terminó todo.

Puntería me ayudó a llevar las armas a la orilla del río. Puntería era un chusmero de los buenos: pequeño y taimado como un gato y también con algo de gato en los ojos amarillos, que apenas se le veían bajo el sombrero de fieltro. Era el último y el único que quedaba vivo, de cuatro hermanos que bajaron de la cordillera al llano cuando la policía al norte de Boyacá arrasando pueblos liberales.

-La verdad es que nadie quiere regresar a los hatos y a los pueblos para tascar otra vez el freno -me decía-. Se dispersan pero no saben adónde.

Ahora que la guerra había terminado, a Puntería le atraía la manigua, quería irse al Vichada. Tampoco yo sabía exactamente dónde iría a colgar mi chinchorro.

-Quizá me vaya a Venezuela -le dije-. Venezuela está ahí mismo, a la otra orilla del río.

El bote estaba listo, con su motor fuera de borda instalado y la proa encallada en el playón. Manolo Sandoval nos estaba aguardando con una caneca, tres palas y un talego de cal. Todo estaba dispuesto para el entierro. Cuando trajimos el resto de las armas, contamos diez fusiles, un F. A. y una ametralladora Thompson, que colocamos en el fondo del bote, envueltos en tela encerada.

Río abajo encontramos un lugar que nos pareció bueno. Podría reconocerlo todavía por el enorme higuerón que se levanta en un promontorio, sobre la hojarasca de la ribera. Frente al higuerón, en la orilla opuesta, hay un barranco amarillo. Examiné con cuidado los rastrojos. Luego, para llegar al pie del árbol, tuvimos que abrir trocha. Puntería, poniéndose en cuclillas, tomó un terrón y lo observó. Nos dijo que era tierra seca y a buen nivel; no había peligro de inundaciones. Manolo se había quedado escuchando el grito de los guacamayos en el monte.

-Es un lugar de brujos- dijo.

Cavamos a cinco pasos del higuerón para que el hoyo no estuviera al alcance de sus raíces. Trabajamos por espacio de una hora. Primero limpiamos el terreno con un machete; luego nos pusimos a cavar como sepultureros, hundiendo las palas con el apoyo de las botas, porque la tierra parecía endurecida por el verano, hasta cuando el hoyo tuvo una profundidad de metro y medio. Entonces colocamos dentro la caneca, que había sido curada con pendare. Vertimos en ella la cal y en seguida depositamos las armas. Finalmente cerramos la caneca con cuidado y la cubrimos con cuarenta centímetros de tierra bien apisonada. Cuando terminamos, más de dos palmos de sol habían salido fuera de la sabana. Recuerdo que Manolo, secándose el sudor del pecho con su propia camisa que había guindado de la rama de un árbol, me dijo: "Coronel, es el momento de rezar un Padrenuestro por esta revolución que se le acaba de morir". Manolo siempre andaba con burlas. Era un niño bien, un hijo de familia que resultó sumándose a la guerrilla por travesura, cuando ocupamos el hato de la vieja Victoria Amaya, su tía. Se había peleado con la novia, creo. Escribía versos. . . La guerrilla fue para él una gran juerga. Y por seguir la juerga se fue conmigo a Venezuela.

Navegamos todo el día. Me parece estar viendo todavía los barrancos de la ribera y el resplandor del sol en el agua del río. Era tiempo de verano. Los pastos de la sabana estaban amarillos. A veces cruzábamos falcas que remontaban el Meta con su acostumbrada carga de sal y tambores de gasolina. Los marineros nos saludaban al pasar. Acabé durmiéndome, amodorrado por el ruido del motor. Tuve un sueño raro, recuerdo. Soñé que a mis hombres los había capturado el Ejército, que iban en una falca con los brazos atados a la espalda y que al pasar cerca del bote se quejaban diciéndome: "Coronel, nos dan pocillos de tinto, luego nos rompen los huesos".

Cuando desperté, las riberas se habían alejado. El sol, del lado de Colombia, estaba rojo; parecía un incendio. Del lado de Venezuela había unos inmensos peñascos encendidos como brasas. La corriente se estrellaba contra ellos levantando olas. Soplaba un viento muy fuerte. Por el olor, comprendí que habíamos llegado al Orinoco. Me lo confirmó Puntería a gritos, sentado junto a la caña del motor. Manolo, despabilándose, señaló una bandada de loros que volaban hacia la orilla colombiana.

-Despídase de sus paisanos -me dijo.

Al fin divisamos las luces de las plantas eléctricas de Puerto Páez, en la orilla venezolana, brillando entre rocas y techos de zinc. Era el pueblo más grande que había visto en mucho tiempo desde que había empezado la guerra. Pensé que por primera vez en mucho tiempo podría tomar un baño caliente, comer tres veces al día. ¡Caramba, y beberme un vaso de agua helada! Cosas así se le ocurren a uno cuando llega del monte después de tanto tiempo.

Atracamos en un banco de arena, a cien metros de las primeras casas.

Puntería no quiso quedarse con nosotros en Venezuela. Nos dejó en el playón y se fue navegando hacia la otra orilla. Todavía veo su camisa blanca y su sombrero de fieltro alejándose en la oscuridad del río. Nunca llegó al Vichada, creo. Lo mataron en una cantina de Villavicencio. De un tiro. Como a Guadalupe y al Negro Suárez. A todos fue cobrándoles el Ejército su cuenta, uno por uno. Es tan fácil quebrar una ramita suelta. . . Los que se dieron cuenta del engaño y se volvieron al monte, tuvieron que quedarse para siempre con el rótulo de bandoleros. Y con ese rótulo de epitafio se murieron también. Pero esa es otra historia.

Yo me quedé en Venezuela. Manolo, que no era hombre de exilios, volvió a su casa. Cogió el paso a la muerte de su padre. Hoy es un ganadero rico, gordo, con un hijo estudiando en la Naval: ni sombra del chusmero que fue. Y a mí, bueno. . . a mí se me fueron los años sin saber a qué horas. Hice de todo, trabajé en Caracas, en Puerto Cabello, hasta busqué diamantes en Guayana.

A veces, detrás de un mostrador, en una bomba de gasolina o manejando un camión, encuentro a un chusmero de los míos, de los antiguos. Nos bebemos una cerveza conversando de la revolución y brindamos por la otra, por la que ha de venir. ¡Pero qué va! Ahora que hay tanto muchacho hablando de Fidel Castro y del Che y con ganas de meterse al monte, comprendo que es tarde para nosotros. Nada qué hacer, el tren nos dejó. Está pitando lejos. Vea, el pelo se me ha puesto gris, la barriga me abulta. El mes pasado tuve que comprar lentes para leer el periódico. Y aquí estoy, en este pueblo, vendiendo licores como cualquier bodeguero. Por las noches, cuando hace mucho calor y es difícil dormir en el cuarto, saco un taburete a la calle. Pienso muchas cosas. Caramba, me pregunto a veces, ¿qué pasó con usted Emilio Santos? ¿A qué horas se le fueron los años en tropel?

De la guerra sólo me queda vivo, bien vivo el recuerdo del día que enterramos las armas. Y lo peor es que las armas están ahí, aguardándonos. Al pie del higuerón. Quisiera encontrar a los muchachos que han sido picados hoy por el mismo avispón que me picó a mí. Quisiera llevarlos allá lejos, al río Meta, donde hace tantos años dejamos enterrada la guaca. Diez fusiles, un F. A., una ametralladora Thompson sirven de mucho para empezar. Quisiera decirles: "Ahí tienen, síganla, muchachos, síganla, que ahora la fiesta es de ustedes".

Capítulo IX

Chile

En 1817, cuando José de San Martín y Bernardo O'Higgins invadieron el territorio chileno, encontraron el apoyo total del pueblo en las luchas por la independencia. El triunfo sobre las tropas españolas en las batallas de Chacabuco y Maipú le dieron la libertad definitiva al país. O'Higgins fue nombrado jefe de gobierno de Chile independiente. La fuerza del ejército libertador dirigido por San Martín fue decisiva en la liberación de la Argentina y el Perú.

Durante el resto del siglo XIX se sucedieron los gobiernos de O'Higgins y otro héroe de la independencia, Ramón Freire. Hubo además gobiernos anárquicos y guerras civiles continuas entre liberales o pipiolos y conservadores o pelucones. Los conservadores ganaron la guerra civil de 1830 y promulgaron la Constitución de 1833. Se destacó en esta época la figura de Diego Portales, Ministro del Interior del presidente José Tomás Ovalle, símbolo de la autocracia en Chile. Después de la desaparición de Portales sobresalió Manuel Bulnes, cuya política presidencial de paz favoreció el movimiento intelectual del país. En esta época el profesor venezolano Andrés Bello, fundó la Universidad de Chile (1843) y creó la Escuela Normal de Preceptores con Domingo Sarmiento como su Director. El próximo presidente, Manuel Montt, adelantó el país económicamente concentrándose en la explotación minera.

La República Liberal (1861-1891), comenzó con la elección del presidente José Joaquín Pérez y continuó con Federico Errázuriz y

José Manuel Balmaceda. Durante estos años Chile amplió su territorio, se involucró y ganó guerras navales y terrestres contra España, y más tarde luchó contra el Perú y Bolivia en la Guerra del Pacífico. El dinámico presidente Balmaceda, de propósitos nacionalistas, mantuvo la prosperidad en el país hasta la guerra civil de 1891.

Los regímenes parlamentarios continuaron hasta 1920 en que Chile renació bajo el gobierno enérgico de Arturo Alessandri Palma. En 1925 se aprobó una nueva constitución y se establecieron leyes que favorecían a los trabajadores. Alrededor de 1938 las clases populares se aglutinaron en sindicatos y organizaciones. El Frente Popular (FP), coalición de los partidos Radical, Socialista y Comunista, y la Confederación de Trabajadores, llevaron a la presidencia a Pedro Aguirre Cerda. Este fue sucedido por Juan Antonio Ríos Morales (1942-46). En 1946 retornó al poder el candidato del FP, Gabriel González Videla, el cual como presidente dio un giro total de la izquierda a la derecha, declarando ilegal el Partido Comunista y encarcelando a sus dirigentes.

En 1952 subió al poder el general Carlos Ibáñez del Campo, quien había competido en las elecciones, entre otros con Salvador Allende, candidato de socialistas y "camaradas" unificados. Seis años más tarde, fue elegido Jorge Alessandri Rodríguez. En los comicios presidenciales de 1964 fue derrotado nuevamente Allende, líder del Frente de Acción Popular (FRAP). La contienda electoral entre Allende y el candidato ganador por el Partido Demócrata Cristiano (PDC), Eduardo Frei, atrajo la atención del mundo, pues existía la posibilidad de que Chile llegara al marxismo de modo democrático. Frei no pudo conseguir los cambios sociales que se había propuesto, y al terminar su mandato el PDC se hallaba totalmente fragmentado.

En las elecciones de 1970 concurrieron los candidatos Radomiro Tomic, del PDC, Jorge Alessandri, del Partido Nacional (PN), y Allende de la coalición de partidos marxistas, conocida como la Unidad Popular (UP). Siguiendo la tradición constitucional Allende fue aceptado como ganador por haber sido el candidato con más votos, a pesar de contar con sólo una tercera parte de la totalidad. El nuevo presidente declaró 1972 "año de la independencia de Chile" y se propuso transformar la estructura constitucional del país. Mientras avanzaba la revolución desde el poder la lucha de clases se intensificó, el país no producía lo suficiente y la inflación ascendió a más del 100% al año. A fines de 1972 ya era imposible satisfacer a la población con productos de primera necesidad. Comenzaron las huelgas, los enfrentamientos de campesinos con el ejército y las manifestaciones estudiantiles violentas, hasta que el 11 de septiembre de 1973 un golpe militar finalizó el gobierno de Allende.

El general Augusto Pinochet se apoderó de la presidencia al mando de una Junta Militar. Para darle cierta legitimidad al gobierno se convocaron elecciones llevando como candidato único a Pinochet quien ascendió al poder en 1974. El nuevo gobierno asumió poderes absolutos y disgregó los partidos marxistas. Bajo Pinochet se aprobó una nueva constitución en 1980.

Los años ochenta fueron de fuertes movimientos partidistas. A principios de 1983 fue creado el grupo más visible y cohesivo de la oposición, la Multipartidaria, asumiendo poco tiempo después el nombre de Alianza Democrática (AD). Este partido incluía dos de los grupos más importantes anteriores a Pinochet, el Partido Radical (PR), no marxista, que apoyó a Allende, y el PDC. El Movimiento Democrático Popular (MDP) se inició en septiembre de 1983. Entre sus miembros se incluyen el Partido Comunista de Chile (PCC), dos facciones del Partido Socialista (PS) y el Movimiento de la Izquierda Revolucionaria (MIR). El PCC ha endosado al Frente Patriótico Manuel Rodríguez (FPMR), el que, manteniendo un dirigente clandestino, es considerado la vertiente militar del PCC. En agosto 25 de 1985 y bajo las iniciativas del nuevo Cardenal de Santiago, Juan Francisco Fresno, 11 partidos de centro y centro-derechistas firmaron el Acuerdo para la Transición a la Plena Democracia (Acuerdo Democrático Nacional, ADENA), el cual exigía que Pinochet terminara el estado de emergencia del país, restaurara las libertades civiles, y pusiera en función procedimientos electorales más liberales. Para presionar aún más al presidente chileno, en julio 2 y 3 de 1986 se declaró la huelga general, organizada por la Asamblea de la Civilidad, un grupo de más de 20 organizaciones profesionales, estudiantiles y laborales. Se unieron a ellos casi todos los partidos políticos del país, incluyendo el PC y otros grupos izquierdistas que no habían participado en ADENA.

De acuerdo con la Constitución del 80, el país volvería a la democracia dentro de los próximos 8 años, señalando una fecha definitiva, diciembre de 1989, para las elecciones presidenciales. Pinochet permanecería como presidente hasta esa fecha y estaría a cargo de las fuerzas armadas del país hasta 1997. En los dos plebiscitos realizados apoyando la candidatura de Pinochet, durante octubre de 1988 y julio de 1989, el país votó en contra de la continuidad presidencial.

A principios de 1989 el PDC seleccionó como candidato a Patricio Aylwin, el cual ganó las elecciones (55.2% de votos) sobre su contrincante Hernán Büchi (28.9%). Aylwin tomó posesión el 11 de marzo de 1990 bajo airadas protestas por parte del pueblo chileno a causa de la ostensible presencia de Pinochet en el acto. El presidente chileno ha tenido que enfrentarse durante su gobierno a las investigaciones de los desaparecidos y las acusaciones y juicios militares relacionados con problemas de Derechos Humanos. El sistema económico todavía vigente a fines del 1992, heredado de Pinochet, a quien se le reconoce el mérito, está basado en el mercado libre, la poca intervención por parte del gobierno y restricciones mínimas sobre las inversiones extranjeras y las exportaciones, lo que ha resultado en un influjo masivo de capital extranjero. Aunque económicamente el país parece estar solidificándose, (tasa inflacionaria: 1990, 27.3%; 1991, 18.7%; 1992, 14%), se pone en duda el éxito de este programa comercial.

En 1992 los integrantes del MIR han creado un nuevo grupo guerrillero, el Ejército Guerrillero del Pueblo-Patria Libre (EGP-PL). Su intención es unirse con el FPMR y el Mapu-Lautaro bajo una nueva organización englobadora de todos: la Coordinadora Nacional Revolucionaria (CNR). El año 92 ha sido escenario de masivas protestas por parte de los médicos y otros trabajadores en el campo de la salud ante la carestía de fondos económicos suministrados por el gobierno, lo que llevó a la renuncia del Ministro de Salubridad. Mientras que el país se prepara para las elecciones presidenciales en junio del 93, los observadores políticos cuentan, de una parte, con los candidatos del partido gobernante, Concertación (PDC; PS; Partido por la Democracia, PPD; PR; Partido Humanista Verde, PHV) y de la otra, con el conglomerado de la Oposición (Renovación Nacional, RN; Unión Demócrata Independiente, UDI; Centro-Centro; Movimiento de Izquierda Demócratica Allendista, MIDA).

POESÍA

Chile es uno de los países destacados por la abundancia y calidad de su poesía de protesta. En este país surgió la primera generación vanguardista con sus representantes más sobresalientes, Vicente Huidobro y Pablo Neruda. Huidobro le abrió la puerta a la libertad poética con su exaltado creacionismo. Neruda fundamentó su *Canto general* (1940-1950) en la historia política de Latinoamérica. Esta obra se considera la fuente donde el resto de la protesta americana ha encontrado inspiración de una manera u otra. Pueden agregarse los nombres de Rosamel del Valle y Pablo de Rokha. Este último, contemporáneo de Neruda, y altamente influenciado por él, irrumpió en el escenario poético con versos revolucionarios y es uno de los primeros en abogar por la democratización del arte. Nicanor Parra señala nuevos rumbos en la aventura poética, y surge con su antipoesía para romper con lo corriente. Opuesto al surrealismo trata de entablar un diálogo directo con el hombre del pueblo. Fernando Alegría intenta asimismo presentar el mundo hispanoamericano en toda su verdad en su poesía de protesta, así como Enrique Lihn y Gonzalo Rojas. Entre los grupos poéticos destaca "La Mandrágora", de orientación surrealista.

PABLO NERUDA (Parral, Chile. 1904-1973)

En 1917 publicó su primera obra poética en el diario de Temuco, *La Mañana*. Ocupó posiciones consulares en distintas ciudades del mundo, Rangún, Barcelona, México y París. Desde 1945 se definió políticamente al ser elegido senador por el partido comunista chileno. En 1946 cambió oficialmente su nombre de Ricardo Neftalí Reyes por el de Pablo Neruda, en honor del poeta checo Jan Neruda. En 1948 fue destituido de su cargo por el entonces presidente de Chile, González Videla, a causa de campañas en contra de su gobierno. Abandonó el país y durante los años siguientes se dedicó a viajar extensamente por Europa y Asia, asistiendo a homenajes personales y a congresos auspiciados por organizaciones comunistas. En 1953 recibió el Premio Mundial Stalin (actual Premio Lenin). En 1971 recibió el Premio Nobel de Literatura.

Obra. **Poesía:** *Crepusculario* (1923), *Veinte poemas de amor y una canción desesperada* (1924), *Residencia en la tierra* (1935), *España en el corazón* (1937), *Canto General* (1940-1950), *El canto de amor a Stalingrado* (1942), *28 de enero* (1947), *Odas elementales* (1954), *Estravagario* (1958), *Memorial de Isla Negra* (1964), *La Barcarola* (1967), *El libro de las preguntas* (1974).

La poesía política nerudiana se encuentra en *España en el corazón*, *Canto General*, *El canto de amor a Stalingrado*, y *28 de enero*. En ella el poeta se desplaza de la oscuridad metafórica del surrealismo y las expresiones del dolor personal hacia la militancia y la manifestación pública de su descontento con el orden del mundo. *Canto General*, selecciones del cual aparecen a continuación, es la obra fundamental de Neruda. Su composición tomó diez años de la vida del poeta y en él comienza la simplificación del lenguaje, sentando el precedente para la obra posterior. Se compone de 15 partes. Comienza con la creación de la tierra y lo que en ella va apareciendo, la vegetación, los pájaros y los ríos. Continúa con las "Alturas de Macchu Picchu", lo mejor de su poesía no erótica. Siguen, en orden de aparición, las figuras de conquistadores, libertadores, dictadores, etc. En "El canto general de Chile", se adentra en la patria, donde analiza regiones y hombres. En el resto del poema, en el que se incluyen datos autobiográficos, le canta a la tierra, al pueblo, a la mina, a los amigos.

El valor literario de la poesía política de Neruda ha sido muy debatido. El crítico español, Amado Alonso, abordó el tema de la manera siguiente: "su poesía es la del hombre con los hombres, encerradas y selladas las angustiosas preguntas que el hombre se hace a solas consigo mismo; una poesía social de combate político, de adhesión y repulsión para el prójimo, de alegato y execración, de esperanza y rabia: de acción". [1]

A continuación se presenta, como parte del *Canto General*, la rebelión de los Comuneros del Socorro (1781). Esta histórica insurrección es narrada por Neruda en forma de poesía narrativa expositoria de injusticias. El levantamiento de los comuneros, la traición del Arzobispo, el fusilamiento de los cabecillas, son semillas que incuban insurrecciones futuras. "América insurrecta" (1800), narra el comienzo de los movimientos de independencia del siglo XIX. Neruda trata de darle vigencia a América insurrecta cuando expresa: hoy nacerás del pueblo como entonces. . . y surgirás armada para la lucha. "Llegará el día" continúa la idea anterior y conmina a la continuación de la batalla. El pueblo junta sus raíces. La ideología política del poeta le hace pensar que en los soldados de hoy descansa la obligación de liberar a América. Nuevamente aparece el tono conminatorio en "El pueblo victorioso". El pueblo debe llenar las calles. La victoria está próxima. En "La tierra se llama Juan", éste es el símbolo de todos los hombres que trabajaron para construir la patria y lucharon por su libertad. Juan es el artesano, el ingeniero, el campesino y el soldado que ha renacido. Sale de las cenizas y levanta la bandera de la victoria.

CANTO GENERAL **(1950)**
XVII
COMUNEROS DEL SOCORRO (1781)
Fue Manuela Beltrán (cuando rompió los bandos
del opresor, y gritó "Mueran los déspotas")
la que los nuevos cereales
desparramó por nuestra tierra.
Fue en Nueva Granada, en la villa
del Socorro. Los comuneros

---

[1] *Poesía y estilo de Pablo Neruda: Interpretación de una poesía hermética* (Buenos Aires: Editorial Sudamericana, 1966), p.320.

sacudieron el virreinato
en un eclipse precursor.

Se unieron contra los estancos,
contra el manchado privilegio,
y levantaron la cartilla
de las peticiones forales.
Se unieron con armas y piedras,
milicia y mujeres, el pueblo,
orden y furia, encaminados
hacia Bogotá y su linaje.
Entonces bajó el Arzobispo.

"Tendréis todos vuestros derechos,
en nombre de Dios lo prometo. "

El pueblo se juntó en la plaza.

Y el Arzobispo celebró
una misa y un juramento.

El era la paz justiciera.

"Guardad las armas. Cada uno
a vuestra casa", sentenció.

Los comuneros entregaron
las armas. En Bogotá
festejaron al Arzobispo,
celebraron su traición,
su perjurio, en la misa pérfida,
y negaron pan y derecho.
Fusilaron a los caudillos,
repartieron entre los pueblos
sus cabezas recién cortadas,
con bendiciones del Prelado
y bailes en el Virreynato.

Primeras, pesadas semillas
arrojadas a las regiones,
permanecéis, ciegas estatuas,
incubando en la noche hostil
la insurrección de las espigas.

XIX
AMÉRICA INSURRECTA (1800)
Nuestra tierra, ancha tierra, soledades,
se pobló de rumores, brazos, bocas.
Una callada sílaba iba ardiendo,
congregando la rosa clandestina,
hasta que las praderas trepidaron
cubiertas de metales y galopes.

Fue dura la verdad como un arado.

Rompió la tierra, estableció el deseo,
hundió sus propagandas germinales
y nació en la secreta primavera.
Fue calllada su flor, fue rechazada
su reunión de luz, fue combatida
la levadura colectiva, el beso
de las banderas escondidas,
pero surgió rompiendo las paredes,
apartando las cárceles del suelo.

El pueblo oscuro fue su copa,
recibió la substancia rechazada,
la propagó en los límites marítimos,
la machacó en morteros indomables.
Y salió con las páginas golpeadas
y con la primavera en el camino.
Hora de ayer, hora de mediodía,
hora de hoy otra vez, hora esperada
entre el minuto muerto y el que nace,
en la erizada edad de la mentira.

Patria, naciste de los leñadores,

de hijos sin bautizar, de carpinteros,
de los que dieron como un ave extraña
una gota de sangre voladora,
y hoy nacerás de nuevo duramente,
desde donde el traidor y el carcelero
te creen para siempre sumergida.

Hoy nacerás del pueblo como entonces.

Hoy saldrás del carbón y del rocío.
Hoy llegarás a sacudir las puertas
con manos maltratadas, con pedazos
de alma sobreviviente con racimos
de miradas que no extinguió la muerte,
con herramientas hurañas
armadas bajo los harapos.

EL PUEBLO VICTORIOSO
Está mi corazón en esta lucha.
Mi pueblo vencerá. Todos los pueblos
vencerán, uno a uno.
                              Estos dolores
se exprimirán como pañuelos hasta
estrujar tantas lágrimas vertidas
en socavones del desierto, en tumbas,
en escalones del martirio humano.
Pero está cerca el tiempo victorioso.
Que sirva el odio para que no tiemblen
las manos del castigo,
                              que la hora
llegue a su horario en el instante puro,
y el pueblo llene las calles vacías
con sus frescas y firmes dimensiones.

Aquí está mi ternura para entonces.
La conocéis. No tengo otra bandera.

XLIII
LLEGARÁ EL DÍA
Libertadores, en este crepúsculo
de América, en la despoblada
oscuridad de la mañana,
os entrego la hija infinita
de mis pueblos, el regocijo
de cada hora de la lucha.

Húsares azules, caídos
en la profundidad del tiempo,
soldados en cuyas banderas
recién bordadas amanece,
soldados de hoy, comunistas,
combatientes herederos
de los torrentes metalúrgicos,
escuchad mi voz nacida
en los glaciares, elevada
a la hoguera de cada día
por siempre deber amoroso:
somos la misma tierra, el mismo
pueblo perseguido,
la misma lucha ciñe
            la cintura
de nuestra América:
            Habéis visto
por las tardes la cueva sombría
del hermano?
            Habéis traspasado
su tenebrosa vida?
            El corazón disperso
del pueblo abandonado y sumergido!

Alguien que recibió la paz del héroe
la guardó en su bodega, alguien robó los frutos
de la cosecha ensangrentada
y dividió la geografía
estableciendo márgenes hostiles,

zonas de desolada sombra ciega.

Recoged de las tierras el confuso
latido del dolor, las soledades,
el trigo de los suelos desgranados:
algo germina bajo las banderas:
la voz antigua nos llama de nuevo.

Bajad a las raíces minerales
y a las alturas del metal desierto
tocad la lucha del hombre en la tierra,
a través del martirio que maltrata
las manos destinadas a la luz.

No renunciéis al día que os entregan
los muertos que lucharon. Cada espiga
nace de un grano entregado a la tierra,
y como el trigo, el pueblo innumerable
junta raíces, acumula espigas,
y en la tormenta desencadenada
sube a la claridad del universo.

XVII
LA TIERRA SE LLAMA JUAN
Detrás de los libertadores estaba Juan
trabajando, pescando y combatiendo,
en su trabajo de carpintería o en su mina mojada.
Sus manos han arado la tierra y han medido
los caminos.
                    Sus huesos están en todas partes.
Pero vive. Regresó de la tierra. Ha nacido.
Ha nacido de nuevo como una planta eterna.
Toda la noche impura trató de sumergirlo
y hoy afirma en la aurora sus labios indomables.
Lo ataron, y es ahora decidido soldado.
Lo hirieron, y mantiene su salud de manzana.
Le cortaron las manos, y hoy golpea con ellas.

Lo enterraron, y viene cantando con nosotros.

Juan, es tuya la puerta y el camino.
                                    La tierra
es tuya, pueblo, la verdad ha nacido
contigo, de tu sangre.
                        No pudieron exterminarte. Tus raíces,
árbol de humanidad
árbol de eternidad,
hoy están defendidas con acero,
hoy están defendidas con tu propia grandeza
en la patria soviética, blindada,
contra las mordeduras del lobo agonizante.

Pueblo, del sufrimiento nació el orden.

Del orden tu bandera de victoria ha nacido.
Levántala con todas las manos que cayeron,
defiéndelas con todas las manos que se juntan:
y que avance a la lucha final, hacia la estrella
la unidad de tus rostros invencibles.

NICANOR PARRA (Chillán, Chile. 1914)

En 1937 publicó su primer libro de poemas, *Cancionero sin nombre,* y en 1938 ganó el Premio Municipal de Poesía. En ese año se graduó del Instituto Pedagógico de la Universidad de Chile en Santiago y comenzó su labor de maestro en la escuela secundaria. De 1943 a 1945 vivió en los Estados Unidos y estudió mecánica avanzada en la Universidad de Brown. En 1948 fue Director de la Escuela de Ingeniería de la Universidad de Chile. De 1949 a 1952 estudió en Inglaterra en la Universidad de Oxford, con beca otorgada por el Consulado Británico. Al regresar a su país recibió el cargo de Profesor de Física Teórica de la Universidad de Chile donde ha ejercido durante los últimos años. En 1963 visitó la Unión Soviética. Ha hecho visitas esporádicas a los Estados Unidos como profesor invitado de las universidades de Louisiana (1966), New York, Columbia y Yale (1971).

Obra. **Poesía:** *Poemas y anti-poemas* (1954), (Premio del Sindicato de Escritores); *La cueca larga* (1958), (Premio Municipal); *Versos de salón y Discursos,* con Pablo Neruda (1962); *Canciones rusas* (1967), *Obra gruesa* (1969), (Premio Nacional de Literatura); *Artefactos* (1972).

Parra no solamente ha tenido éxito con su poesía de tradición popular, sino que ha contribuido grandemente a la producción poética contemporánea con sus antipoemas. [2] En Parra se reúnen el creacionismo de Huidobro y el ritualismo de Neruda, acercando más el poema a la vida diaria. Las creaciones de Parra son una aleación de lo ilógico, el humor negro y la angustia. Los antipoemas, que parecen juegos de azar, son el producto de una gran conciencia artística y colocan a Parra en un lugar destacado entre los poetas chilenos modernos. Estas creaciones, de un neorromanticismo rebelde, adscriben su poesía a las últimas vanguardias poéticas. Parra admite las influencias de la poesía inglesa. Su obra ha sido comparada a la beatnik norteamericana, así como a la de Lawrence Ferlinghetti y Alan Ginsberg.

El poema "Tiempos modernos" menciona las calamidades y los delitos cometidos en esta época. Se alude al Pentágono, símbolo del gobierno de los Estados Unidos, y a Cuba, asiento de la revolución que en esos años atraía las miradas del mundo. No hay alternativa posible, y se indica que el único camino a seguir es el de la revolución. El aire irrespirable, así como la mención de nubes, pájaros y árboles malditos son imágenes que van más allá de la contaminación física del ambiente. "Los límites de Chile" aparenta pequeña cápsula de geografía socio-política que conduce a la sorprendente detonación de los versos finales. El "Manifiesto" de Parra es en sí una revolución poética. Los poetas han bajado del Olimpo y son hombres como todos. Deben ser castigados los románticos y los burgueses. Ataca a algunos poetas que a pesar de ser comunistas basaron su poesía en la revolución de la palabra, cuando ésta debe fundamentarse en la revolución de las ideas. Proclama la poesía para todos, la de tierra firme, la poesía de plaza pública y de protesta social.

POEMAS DE EMERGENCIA (1972)
TIEMPOS MODERNOS

Atravesamos unos tiempos calamitosos
imposible hablar sin incurrir en delito de contradicción
imposible callar sin hacerse cómplice del Pentágono.
Se sabe perfectamente que no hay alternativa posible
todos los caminos conducen a Cuba
pero el aire está sucio
y respirar es un acto fallido.

El enemigo dice
es el país el que tiene la culpa
como si los países fueran hombres.

---

[2] El antipoema no fue creado por Parra, ya que sus elementos existían en otros poetas. Vicente Huidobro al declarar "el poeta es un pequeño Dios", prepara la poesía chilena para toda clase de experimentaciones y le permite crear lo imposible al poeta en cuanto al juego de imágenes. También Huidobro acuña el término antipoeta en su "Altazor".

Nubes malditas revolotean en torno a volcanes malditos
embarcaciones malditas emprenden expediciones malditas
árboles malditos se deshacen en pájaros malditos:
todo contaminado de antemano.

LOS LÍMITES DE CHILE

No es Chile el que limita con la Cordillera de los Andes,
con el Desierto del Salitre, con el Océano Pacífico, con
la unión de los dos océanos: la cosa es al revés. Es la
Cordillera de los Andes la que limita con Chile, el Océano
Pacífico es el que llega hasta la cumbre del Aconcagua.
Son los 2 Océanos los que rompen en mil pedazos
la monotonía del paisaje sureño. El río Valdivia es el
lago más largo de Chile. Chile limita al Norte con el
Cuerpo de Bomberos, al Sur con el Ministerio de Educación,
al Este con la Cordillera de Nahuelbuta y al Oeste con el
vacío que producen las olas del Océano que se nombró más
arriba, al Sur con González Videla. En el medio hay una
gran plasta rodeada de militares, curas y normalistas que
suecunan a través de cañerías de cobre.

MANIFIESTO

Señoras y señores
Esta es nuestra última palabra.
-Nuestra primera y última palabra-
Los poetas bajaron del Olimpo.

Para nuestros mayores
La poesía fue un objeto de lujo
Pero para nosotros
Es un artículo de primera necesidad:
No podemos vivir sin poesía.

A diferencia de nuestros mayores
-Y esto lo digo con todo respeto-
Nosotros sostenemos
Que el poeta no es un alquimista
El poeta es un hombre como todos

Un albañil que construye su muro:
Un constructor de puertas y ventanas.
Nosotros conversamos
En el lenguaje de todos los días
No creemos en signos cabalísticos.

Además una cosa:
El poeta está ahí
Para que el árbol no crezca torcido.

Este es nuestro mensaje.
Nosotros denunciamos al poeta demiurgo
Al poeta Barata
Al poeta ratón de biblioteca.

Todos estos señores
-Y esto lo digo con mucho respeto-
Deben ser procesados y juzgados
Por construir castillos en el aire
Por malgastar el espacio y el tiempo
Redactando sonetos a la luna
Por agrupar palabras al azar
A la última moda de París
Para nosotros no:
El pensamiento no nace en la boca
Nace en el corazón del corazón.

Nosotros repudiamos
La poesía de gafas obscuras
La poesía de capa y espada
La poesía de sombrero alón.
Propiciamos en cambio
La poesía a ojo desnudo
La poesía a pecho descubierto
La poesía a cabeza desnuda.

No creemos en ninfas ni tritones.
La poesía tiene que ser esto:

Una muchacha rodeada de espigas
O no ser absolutamente nada.
Ahora bien, en el plano político
Ellos, nuestros abuelos inmediatos,
¡Nuestros buenos abuelos inmediatos!
Se refractaron y se dispersaron
Al pasar por el prisma de cristal.
Unos pocos se hicieron comunistas.
Yo no sé si lo fueron realmente.

Supongamos que fueron comunistas,
Lo que sé es una cosa:
Que no fueron poetas populares,
Fueron unos reverendos poetas burgueses.
Hay que decir las cosas como son:
Sólo uno que otro
Supo llegar al corazón del pueblo.
Cada vez que pudieron
Se declararon de palabra y de hecho
Contra la poesía del presente
Contra la poesía proletaria.

Aceptemos que fueron comunistas
Pero la poesía fue un desastre
Surrealismo de segunda mano
Decadentismo de tercera mano,
Tablas viejas devueltas por el mar.
Pesía adjetiva
Poesía nasal y gutural
Poesía arbitraria
Poesía copiada de los libros
Poesía basada
En la revolución de la palabra
En circunstancias de que debe fundarse
En la revolución de las ideas.
Poesía de círculo vicioso
Para media docena de elegidos:
"Libertad absoluta de expresión."

Hoy nos hacemos cruces preguntando
Para qué escribirían esas cosas
¿Para asustar al pequeño burgués?
¡Tiempo perdido miserablemente!
El pequeño burqués no reacciona
Sino cuando se trata del estómago.

¡Qué lo van a asustar con poesías!

La situación es ésta:
Mientras ellos estaban
Por una poesía del crepúsculo
Por una poesía de la noche
Nosotros propugnamos
La poesía del amanecer.
Este es nuestro mensaje,
Los resplandores de la poesía
Deben llegar a todos por igual
La poesía alcanza para todos.

Nada más, compañeros
Nosotros condenamos
-Y esto sí que lo digo con respeto-
La poesía de pequeño dios
La poesía de vaca sagrada
La poesía de toro furioso.

Contra la poesía de las nubes
Nosotros oponemos
La poesía de la tierra firme
-Cabeza fría, corazón caliente
Somos tierrafirmistas decididos-
Contra la poesía de salón
La poesía de la plaza pública
La poesía de protesta social.

Los poetas bajaron del Olimpo.

NARRATIVA

Augusto D'Halmar y Baldomero Lillo, ambos modernistas, tienen el mérito de haber sacudido la narrativa chilena de los rezagos románticos y neoclásicos del siglo anterior. *Juana Lucero* (1902), experimento naturalista de D'Halmar que agitó la opinión pública, fue el transmisor literario de la crisis social chilena a principios del siglo XX. Asimismo, Baldomero Lillo es el cuentista chileno que más tempranamente enfoca los problemas sociales. Sus cuentos mineros de *Sub-terra* (1907), le otorgan lugar pionero en el realismo social de su país.

Manuel Rojas, quien comenzó escribiendo dentro del regionalismo criollista, marcó el final de este movimiento en la literatura chilena iniciando el neorrealismo. No hay otro novelista de su generación que haya logrado la proyección universal y la expresión angustiosa del mundo contemporáneo, pero sus novelas no pueden catalogarse de revolucionarias. No es hasta *Tungsteno* (1931), del poeta César Vallejo, que se emprende una tarea de denuncia social en la novela.

Alrededor de 1940 ocurrieron una serie de cambios políticos que se reflejaron en la narrativa chilena, inclusive puede hablarse de una generación del 40. Los neocriollistas o neorrealistas reflejaron su preocupación en sus obras. Reinaldo Lomboy en *Ranquil* (1942), presenta una rebelión de campesinos. En *La sangre y la esperanza* (1942), de Nicomedes Guzmán, el protagonista se identifica con el hombre común y ataca la sociedad. La rebeldía en forma de actos políticos y huelgas apareció en la novela, convirtiéndose en escenario de las luchas obreras y santiaguinas contra el gobierno.

Hijo del salitre (1952), de Volodia Teitelboim, de tono social y político, es la biografía de Elías Lafferte, líder laboral chileno. En *La guerra interna* (1979), delata medidas represivas del gobierno chileno. *Cerco de púas* (1977), literatura testimonial, narra los recuerdos de prisiones y torturas sufridas por su autor Aníbal Quijada. *Relato en el frente chileno* (1977), de Ilario Da, es un reportaje directo de índole política del movimiento obrero chileno. Otros autores chilenos que han escrito obra política, de fondo o intención, son Isabel Allende, Poli Délano, Ariel Dorfman, Jorge Edwards, Enrique Lafourcade y Antonio Skármeta.

ANTONIO SKÁRMETA (Antofagasta, Chile. 1940)

Skármeta, de antecedentes yugoslavos por parte de padre, y de madre chilena, posee un doctorado en Filosofía y Literatura Latinoamericana de la Universidad de Chile en Santiago y una maestría de la Universidad de Columbia en Nueva York. Ha enseñado en la Universidad de Chile y en la Católica de Santiago. Después de la caída de Allende, en cuya causa había militado, se exilió en Alemania. Se mudó para Berlín en 1975 donde trabajó como Profesor de Dramaturgia en la Academia de Cine. Ha escrito guiones de cine y obras para la radio. Su drama "La búsqueda" fue ganador en 1976 en Alemania Federal del premio a la mejor producción radial; y representó a ese país en 1977 en el concurso de la Unión de Emisoras Europeas, cuando compitió con otras 16 naciones y le fue otorgado el premio a la mejor obra.

Obra. **Cuento:** *El entusiasmo* (1967), *Desnudo en el tejado* (1969), (Premio Casa de las Américas); *Tiro libre* (1973), *Novios y solitarios* (1975). **Novela:** *Soñé que la nieve ardía* (1975), *No pasó nada* (1978). **Teatro:** *La mancha* (1978), *La composición* (1979).

Skármeta, a pesar de no haber vivido la revolución sandinista, se documentó sobre ella y escribió lo que originalmente fuera el guión de una película filmada en Nicaragua en 1979. Más tarde ésta sería llevada al cine bajo la dirección de Peter Lilienthal (Bundesfilmpreis, 1980). Después convertiría este material en *La insurrección*, la mejor novela sobre el derrocamiento de una de las dictaduras más largas de la América Latina. El interés del público por esta obra a nivel mundial se refleja en sus traducciones al alemán, danés, holandés, portugués, ruso y sueco. Ariel Dorfman señala el sentido de trascendentalismo que perdura en la obra del escritor chileno al presentar el triunfo de una revolución fuera de su país, cuando alega que Skármeta está llenando su libro de futuro. En él propone que todo sucede en cada país y que cada país es el país de la esperanza. "Debajo de los dichos nicaragüenses, de las nubes centroamericanas, muy adentro de los corazones de los seguidores de Sandino, está profetizando lo que va a pasar en el Chile de mañana cuando el pueblo y sus poetas utilicen por fin a fondo aquellas metáforas que deberían ser más fieras que las peores ametralladoras."[3]

Skármeta presenta en la novela, por medio de imágenes aisladas, misivas, y noticias de la radio, los últimos momentos de la lucha entre la guerrilla sandinista y el ejército somocista. Al fondo la ciudad de León y el complot para tomarla, utilizando la bomba de fuego para incendiar la ciudad y como consecuencia destruir gran parte del Comando militar. El protagonista de la novela es la

---

[3] Ariel Dorfman, "Antonio Skármeta: la derrota de la distancia", *Hacia la liberación del lector latinoamericano* (Hanover: Ediciones del Norte, 1984), p. 178.

insurrección. El movimiento revolucionario en su embestida final contra la dictadura de Somoza es el elemento catalizador y el núcleo alrededor del cual se desarrollan las diversas acciones. Se desenvuelven en la trama las historias de familias y personajes cuyos miembros son jalonados en distintas direcciones por la tensión política. Es importante la familia Menor. Mientras que Antonio, el padre, es simpatizante activo de las fuerzas sandinistas, sus hijos se enfrentan con circunstancias diferentes. Agustín es recluta del ejército y auxiliar del capitán Flores y Victoria es hecha prisionera y violada por los somocistas. De un lado el capitán Flores, amigo del Chigüín Somoza, el sargento Cifuentes y el abogado Rivas. De la otra parte, numerosos personajes e historias que se desenvuelven alrededor del ideal revolucionario. Se destaca Leonel Castillo, el poeta-guerrillero, cuyo amor por Victoria trasciende todas las penalidades. Sus cartas informan sobre los avances de la revolución. El cartero, Sublime Salinas, que retrasa o no entrega cartas, simboliza un país en el que los medios de comunicación se han obliterado. El obispo, el cura Pedro, el barbero don Chepe, el bombero Plutarco, Ignacio, Miriam, la mujer más vieja del pueblo, y otros, identificados por nombre, o por su oficio, contribuyen en mayor o menor medida al derrocamiento del dictador. Es tarea de todos, y **todos** lo logran al final.

LA INSURRECCION (1982)

XI

El civil Jorge Alfaro ha encontrado en una de las operacioones de cateo un mapa de León donde el tramo que va desde la Catedral hasta más allá del Comando aparece descrito con minuciosidad caligráfica. Sorprendentemente se fija la altura de los edificios, desde el cine González hasta la del Penal 21. El civil Alfaro atribuye, primero, al azar el haber hurgado en un rollo de este tipo, y segundo, a cierta intuición -que no acierta a precisar- el hecho de hacer llegar dicho mapa a la Alta Comandatura para que se haga cargo de él, si la Alta Comandatura lo estima procedente. El civil Alfaro, tomando una espontánea iniciativa que este departamento ha estado presto a agradecer, se hizo presente una vez más en la casa donde fuera hallado el curioso mapa para procurar obtener información adicional sobre el objeto de autos. El inmueble pertenece a don Salvador Ramírez, antiguo habitante de esta localidad y padre de Plutarco Ramírez, de profesión bombero, conocido en el barrio como D'Artagnan, nombre que no tiene relación con apodos clandestinos, sino que define su extravagante bigote que recuerda ya sea al pintor surrealista Dalí o al mosquetero homónimo.

La conversación con el señor Ramírez transcurrió plácida y no hubo en su voz sobresalto cuando el civil Alfaro planteó abruptamente la función del plano de la ciudad de León que procedió a desenrollar de la banda elástica que lo oprimía. El señor Ramírez admiró la caligrafía y finura del trazo, concluyendo, sin que se lo presionara a ello, que tal mapa no podía provenir sino de la dotada mano de su hijo, el dicho bombero Plutarco Ramírez. Invitado cortésmente el señor Ramírez a juzgar por qué su hijo tendría un tan preciso mapa -*autoconfesionado*- de la ciudad, se limitó a responder que desde pequeño Plutarco había mostrado marcada predilección por la geografía, obteniendo la más alta calificación en dicha materia. Con ternura -que al licenciado Alfaro no le pareció fingida- evocó los tiempos de primaria de su hijo y en especial cómo sus modestas mesadas las consumía en reglas, compases, escuadras y lápices Faber No 2, con los cuales ejecutaba toda clase de figuras geométricas. El diálogo concluyó cuando ambos alabaron una vez más la fina descripción de la ciudad conseguida en el plano de Plutarco. Como es de suyo sospechoso que un ciudadano común y corriente posea ese don de observación y lo plasme en un documento cuya finalidad no parece agotarse en el simple ejercicio de un talento geográfico-geométrico, el civil Alfaro sugiere en carta a la jefatura -y al capitán Flores de la EEBI- que se investigue al susodicho Plutarco Ramírez con toda la discreción del caso. El señor bombero, don Plutarco Ramírez, escribió una carta que entregó personalmente -para evitar la huelga de correos- en el Comando de la Guardia Nacional. El portador exigió ser transportado hasta alguien con autoridad invocando su rango de bombero de la patria y la seriedad del asunto que traía. Complacido en sus deseos, fue conducido hasta la oficina del teniente don Gonzalo Ebers. Allí sostuvo el siguiente diálogo, que reconstituimos en versión grabada en la máquina a casette Philips de esta repartición:

SEÑOR PLUTARCO RAMÍREZ (en lo sucesivo llamado para los efectos de la transcripción RAMÍREZ): -Señor Teniente. Tengo algo grave que denunciar, y siendo yo hombre de labia parca, le pido autorización para leer en su presencia esta carta redactada con ayuda de personas cultas y de confianza.

SEÑOR TENIENTE DON GONZALO EBERS (en lo sucesivo llamado para los efectos de la transcripción TENIENTE EBERS): -¿Es muy larga?

RAMÍREZ: -Una página, pues.

TENIENTE EBERS: -Léela, entonces.

RAMÍREZ: -"Ciudad de León, 25 de mayo. . . "
TENIENTE EBERS: -Eso te lo podés saltar.
RAMÍREZ: -Es que. . .
TENIENTE EBERS:-Decí etcétera.
RAMÍREZ: -"Señor Teniente. Vengo a denunciar que a mi local de trabajo de la compañía de bomberos, ubicada. . ."
TENIENTE EBERS: -. . . al lado de la plaza. Esto te lo podés saltar.
RAMÍREZ: -"Este. . . patatín, patatán. . . se hizo presente una patrulla de la Guardia portando el plano de un sector de la ciudad de León, cuya paternidad me pidieron admitir con tono ya no altanero sino directamente amenazante. Yo les expresé a los señores soldados, del modo más cordial, que en efecto ese mapa provenía de mi mano y que qué inconveniente veían los señores soldados en ello. Tras un momento que me pareció de confusión, como si los señores soldados no supieran qué más preguntar, o como si ignoraran el sentido de su visita, uno de ellos me tomó del brazo izquierdo y aplicándome una dolorosa llave me hizo quedar de rodillas sobre el piso entre ambos carromatos, mientras gritaba (pido perdón por las palabras): "Ya te jodiste, cabrón. Ahora vas a confesar para qué hiciste el mapa éste". En medio del dolor y la humillación que me procuró semejante tratamiento, sólo atiné a quejarme sin que me saliera palabra. Los señores soldados, interpretando acaso este gesto como un silencio obstinado de quien algo oculta, me proporcionaron puntapiés y golpes con los puños que me causaron fuerte daño. Al ser golpeado, incluso en los testículos, perdí por un momento el conocimiento. Al despertar, los señores soldados me pusieron en una silla y reiteraron sus preguntas, esta vez en tono amable, y yo diría con arrepentimiento. Pero los golpes ya habían sido dados y ésos no podían arrepentirse ni dejaban de dolerme. Ya tratado como la gente, pues, contesté lo único que hay que contestar, y que contesto hoy ante usted, señor Teniente: dibujé el plano de este sector del pueblo con toda minuciosidad porque soy un perfeccionista. Mi oficio de bombero quiero cumplirlo a cabalidad. Así como usted anhela por el bien de la patria llegar a General, a mí me agradaría ser un día Comandante General de la Compañía y el mejor estratega en la lucha contra el fuego. En dicha perspectiva, enriquezco mi cultura profesional hora a hora explorando cada trecho del territorio a mi cargo. En caso de que un día estalle un siniestro -como tantas veces ha pasado en los atentados sandinocomunistas o en las réplicas patrióticas de la Guardia Nacional

-conoceré los puntos sensibles como la palma de mi mano. Sé, por ejemplo, qué altura tiene el Seguro Social y cuál juego de escaleras es el más fluido. Sé qué edificios están hechos de materia combustible y cuáles de concreto en caso de tener que decidir urgentemente prioridades. Etcétera, etcétera, etcétera. Este celo profesional, señor Teniente, que en cualquier lugar del mundo sería estimulado y recompensado con medallas, ascensos de grado y aumentos de sueldo, aquí en Nicaragua merece sospecha, apremio y violencia sobre el cuerpo y el alma del funcionario. Más duele, cuando esta agresión proviene de colegas uniformados, quienes como yo, debieran hacer de la disciplina y del sentido de la justicia un culto. Sin otro particular, solicito respetuosamente de esta Jefatura de la Guardia Nacional que se me exima de sospechas e interrogatorios brutales y que en la medida de lo posible los hechores de este atentado se excusen ante mi persona y ante la de mi señor padre, quien curó mis heridas como viudo que es. No pido castigo para ellos, porque no soy hombre rencoroso, pero aprovecho la ocasión para mandar duplicado de esta carta a la Comandancia General del Cuerpo de Bomberos con el objeto de que se reconozcan mis méritos, se considere la triste verdad de mi sueldo tras seis años de servicio (adjunto liquidación del mes de enero, ya que febrero, marzo, abril y mayo están aún impagos), se proceda a la cancelación de mis honorarios adeudados, y se ponga en estudio un reajuste que me favorezca.

Sin más, saluda respetuosamente a usted, Plutarco Ramírez."
[PAUSA.]
TENIENTE EBERS: -Está bueno, pues. Vamos a hacerte caso y cualquier novedad que haya te avisamos.
RAMÍREZ: -Gracias, teniente.
TENIENTE EBERS: -De nada, hombre, de nada. Para servirte, pues.
[FIN DE LA GRABACIÓN.]

El capitán Flores terminó de leer el material archivado en la carpeta de color rosa y aplastó la última hoja con el tipo de golpe con que se mata un mosquito. Puso el dossier junto a otros tantos, y apretando el tabique de su nariz entre las yemas de dos dedos, agrediendo el núcleo de su neuralgia, le dijo a nadie:-Esta guerra ya la perdimos, mi General.

XXVI

. . . .

El grito de Myriam se remonta más alto y veloz que el primer proyectil.

-¡Traen rehenes!

-¡Traemos rehenes! -gritan los guardias tapujados en sus cuerpos. En la puerta del cuartel enmarcada en fuego, ahora nadie adelanta. Los presos esperan con sus rostros suplicantes acallar las balas, presienten los balazos que desde atrás les astillarán las vértebras si intentan la fuga, la nuca tumbada como una marioneta sin amo. Los proyectiles van desmayando largamente. En los techos los sandinistas se miran con los FAL ansiosos, el pulso ávido, piensan a gritos, los rostros ardientes sobre las tejas, si es un momento para dudas. A gritos retuercen las armas que piden telón, final, abismo para la Guardia, un sepulcro de zarza que arde. No hay detonaciones. Sólo vaivenes y descompases del fuego. Los rehenes vagos en el humo sin transparencia.

-¡Salen los rehenes! -grita la Guardia.

-¡Salen los rehenes! -ruge también Flores, levantándose en el jeep con el cuello de Vicky enredado en su brazo, la nuca de Antonio crispada por sus dedos.

Es Flores, piensan los muchachos. El gatillo les late, la respiración se les repliega en trance, suspensa como la de don Chepe en la puerta, la de los sindicalistas de Matagalpa. El proyectorista se acerca a Myriam con la levedad de una sombra que resbala sobre el muro.

-¿Qué hacemos?

Myriam cree adivinar los ojos de todos alertas a su orden de desatar las balas, como si fuera posible filtrar por los imprecisos pliegues del humo el tiro exacto para la Guardia, fruncir los caños de los rifles para desgranar las cabezas asesinas y rescatar la inimitable agudeza de la frente de don Chepe, el peluquero que tuvo tantas veces sus propias testas entre sus dedos ágiles, agenciándoles brillantina, perfume para las fiestas de los sábados, domando el mechón proletario para el matrimonio del domingo.

-¿Qué pensás vos?

El proyectorista se limpió de un manotazo el sudor de la frente:

-Vos mandás-dijo.

Myriam se adelantó hasta el medio de la calle, alzó el fusil con el pañuelo rojinegro, expuesta, inconfundible, y disparó una descarga al aire.

-Nadie más dispara-gritó.

Dentro del cuartel el jeep de Flores toreó las nalgas de don Chepe y su guardia.

-¡Avancen, cabrones!

La curiosidad en los techos reemplazó la destreza en los digitales. La tensión se concentró en las retinas. ¿Quién viene? ¿Quién salía?

Don Chepe gritó:

-No disparen.

Aunque nadie disparaba. Los sindicalistas de Matagalpa colgaban desmayados en los brazos de los carceleros como telas y los soldados debían levantarles las barbillas para alcanzar a cubrirse. Tallados en la tortura, hasta la inconciencia. Cuando el frontis del jeep de Flores atravesó el portón, Myriam supo que uno a uno todos los fusiles iban a ser más rápidos que sus dueños. Que los tiros volarían antes que la conciencia frenara a los muchachos. Comprendió sin embargo la parálisis cuando vio al lado de Flores, ahogada en el duro sistema de sus huesos, el rostro teñido de humo de Vicky, su manso cuello, y la expresión de cachorro abatido de don Antonio.

-¡Vicky! gritó. ¡Soy yo, Myriam!

La voz la alcanzó con el mismo vigor de un proyectil, la fuerza del revólver de Flores que le apremiaba la mejilla:

-¡Disparen! -gritó Vicky.

La caravana de los dos vehículos surgió de lleno a la calle, pesada, el tanque una carraca, los guardias maniobrando de escudos a los rehenes, torpes como bañistas por la arena ardiente. Parecían traer con ellos el humo del incendio, trazos de llamas en sus dorsos, jirones de tela calcinada que ondeaban en las notas absurdas del órgano que el cura oprimía, los pies hechos un vendaval sobre los pedales, las escalas recorridas por el brazo o por el puño antes que por sus dedos contaminados de lucha. Avanzaron en un espejismo, casi sin movimientos. Los sandinistas en los dinteles y en los tejados, las caras ardientes sobre las cunetas, cosquillearon las yemas sobre los gatillos, buscaron una y otra vez la orden alternativa de Myriam, pidieron que la garganta de ella se contagiara de esas llamas, que por una vez confiase en la puntería sagaz que sabría discriminar el corazón del guardia fascista del ojo del vecino, la frente aceitosa de Flores de la mejilla codiciada de Vicky, el mero corazón de Vulcano, que ahora palpitaría a patadas, de las sienes compañeras de don Antonio.

Los victimarios y los cautivos fueron empantanándose hacia el pequeño puente que los abriría hacia la carretera y de allí al fortín, y del fortín a la fuga. Los guardias libres. Las uñas de los pies de Somoza, sus pezuñas familiares a merced de las balas nuestras y ganándose centímetro a centímetro la fuga, pensó Myriam, avanzando junto con la caravana, corrigiendo con cada milímetro, con cada salto del empedrado, la mira del arma empeñada en el trecho de nuca que Flores ofrecía entre sus dos prisioneros. Disparen, había gritado Vicky. Pero de qué valdría dentro de una hora la victoria si ella muriese, si a don Antonio lo aplastase el tanque.

-Myriam -le imploró el proyectorista.

Y Myriam oyó lo que la voz del proyectorista pedía. Era simple: oía la frustración en los corazones de su escuadra tan clara como las explosiones del jeep, el arrastre del tanque. A pesar de que el grito la compelía, se quedó callada. Por toda respuesta se despegó de la muralla y volteándose hacia la calle, se expuso para que el operador y cada uno de los compañeros no tuvieran duda de su decisión. Esa era Myriam caminando a la vera del jeep, familiar y rutinaria por la calle de su pueblo, como si ya Flores y sus secuaces les pertenecieran, como si ya todo hubiera acabado y los somocistas no estuvieran a metros de la libertad, no pudiesen huir de pronto masacrando a los rehenes en cuanto alcanzaran el puente. Si todos pensaran como yo, pensó Myriam, estaríamos todos muertos.

Intentó discernir la táctica de Flores. Uno, pasar el riachuelo. Dos, acelerar. Allí debían necesariamente soltar los rehenes. Ganaban a los compañeros y perdían a los torturadores. Estos reforzarían otras unidades militares. O quizás se dispersaran, aparecieran después del triunfo tirando una bomba contra un puesto de milicianos, clavando fría una bala en el pulmón de una alfabetizadora, prendiéndole fuego a la cosecha, echando arena en el tanque de bencina de los buses. O quizás antes de huir les brindaran el último regalo, el cadáver de sus hermanos dispersos sobre el puente. ¿Con qué vehículo perseguirlos? ¿Cómo Plutarco, el buen Plutarco, no había extendido su plan con la elasticidad que cuando niño usó la honda para quebrar los vidrios de sus rivales amorosos?

El jeep de Flores alcanzó el puente. Por primera vez desde hacía media hora el aire le llegó a los pulmones. El corazón le daba una tregua a ese asedio de la sangre, a esa ráfaga convulsiva.

Una vez alcanzó a respirar antes de que su mirada se petrificara en la esquina opuesta del puente. Una vez en que el aire quedó suspenso en sus bronquios. Allí estaba el obstáculo, verde y sucio. Sigiloso y sibilino, escamudo, erizado lagarto. Una sola vez pensó el capitán Flores en el jeep que lo enfrentaba como un animal, una boa hecha de la misma materia de ese polvo licuado, ese barro del que parecían hechos los cholos. Había clavado al otro lado del puente su osamenta con la velocidad de un espectro, el rumor de un fantasma. Una vez, un segundo, Flores se dijo que hubo algo que jamás entendió en la tierra, algo que hasta los cienpiés, los insectos, los pájaros, las espantosas cucarachas, parecían comprender. Una clave, un puente inaccesible, que lo uniese con ese pueblo por el cual había hecho tanto.

Pero al segundo siguiente, al ver a Agustín bajar del jeep opuesto con la pasmosa arrogancia de los diecisiete años, la soberbia del pañuelo rojinegro, chulito del barrio, un lustrabotas de León que se deja deslumbrar por la coquetería revolucionaria, un galán de dos córdobas pitando despacio a la salida del González mientras mira los muslos resbalosos como peces de las chicas estudiantes, su verdadera imagen apareció en el líquido mágico del laboratorio. Recuperó su peso, su aplomo. Aterrizó dueño, patrón, monarca, ídolo en el paisaje acechante. Sintió cada fusil y cada mirada sobre su nuca, presintió las balas que vendrían a volarle los ojos, a dejárselos vacíos como las cuencas de esos ciegos que una vez había visto por decenas en una visita de caridad escoltando al Tacho, y se elevó por encima del pueblo, como un monumento, un submarino que emerge desde ese mar de mierda y guano, de guaro circulante por esa sangre sandinista que le entregaría Nicaragua a los rojos que alimentarían meses más tarde a sus hijos con mierda según los cálculos más optimistas -los vestirían con ruines telas de saco, no tendrían jabón para lavarle el culo a sus bebés que nacerían como callampas, sus mujeres olerían a pachulí ordinario, los desodorantes se quedarían en Miami, en Colón, en San José, los jerarcas conseguirían tres mujeres pringadas de hongos, amebas, tricomonas por un par de dólares o un simple par de medias. Se alzó del jeep con el orgullo de una flecha. Se erigió a sí mismo en el cuerpo de piedra y mármol que en un futuro no lejano levantarían en homenaje a su lucha leal contra el comunismo, a su respeto consecuente del mundo occidental cristiano y familiar, sin muros estranguladores, sin sindicatos con cuerpos grasosos nadando en las piscinas de las hosterías de lujo. Ya otros mejores que él se alzarían contra esa plaga que había calentado el nicaragüense con ese delirio que un día fueron sólo gargantas que gritaban revolución y que de pronto habían sido balas, y más balas, y el Tacho, con su gran corazón, hasta última hora jugando a la democracia. Se irguió como ahora Somoza estaría, vertical en el centro de su bunker, repartiendo frases de estratega que por los teléfonos, radios, cables, alcanzarían a otros capitanes fraguados en la navaja patriótica de la Academia, que aplastarían a la indiada como los bichos negros que eran, como las crujientes baratas rojas hechas para sus bototos. Se elevó sobre el jeep en el nimbo, la embriaguez de la gloria, la barbilla altanera, las pupilas relampagueantes, las retinas ardiendo, y suspendió la imagen de Agustín un instante, un segundo de benevolencia, de altiva magnificencia y paz consigo mismo.

-A vos te andaba buscando, cabrón -le dijo.

Agustín vio subir el arma hasta ser tensa extremidad del brazo de Flores. La dirección del caño, un soplo en su corazón. Todavía caminó un par de pasos con la prestancia desganada que da conocer cada tramo del puente, los sobresaltos y resquicios de sus piedras, el color y la humedad de la mirada de cada vecino que ahora lo aureolaban de una cosa familiar, la tibia intimidad de ese cielo abusivamente azul que tantas veces quiso alcanzar cuando niño pedaleando en el único lujo que tuvo en su vida, esa bicicleta Record regalada por papá Antonio para la navidad del 70, que hizo crecer sus muslos como troncos, que lo llevaba hasta la casa de las muchachas con la celeridad que envidiaban los choferes de taxi atascados en los discos "pare", hechos piedra en los semáforos, que le dio abdomen de atleta, que hizo su espinazo flexible, una pantera, ese lomo que un día se inclinó sobre las tetas de Myriam en la hamaca veraniega del traspatio y las llenó de una saliva sonora, la exacta sinopsis de la eyaculación que ella desvió sobre su estómago cobrizo: ando sin la píldora.

Distinguió a su amiga de entonces a un costado, el arma vacilante entre los cuerpos de don Antonio y Vicky. Agustín no vio la sonrisa de su hermana, porque ella lo miraba grave, una señora que viene de comulgar. Como la mujer más vieja del pueblo cuando él le traía desde Poneloya en su bicicleta la caja con mostazas y tes ingleses. Pero fue la sonrisa de ella, exactamente el rictus de Vicky, calcado con la ferocidad del grafito, la que apareció en su boca, llenándosela de un aleteo, la vibración plateada de una trucha eléctrica en el río, cuando dijo:

-Soltá a mi familia, cobarde.

Antes de que el balazo lo tumbara con la profesional precisión de la artillería de Flores, Agustín alcanzó a percibir el grito de alerta en la mirada de Myriam. "Me pusieron la sangre hervida" pensó, pero su arma la levantó más como un saludo que como una defensa, como si viniera saliendo de un mar lento en que todos los recuerdos estuvieran hundidos entre los tesoros de infancia soñados en los buceos filibusteros con Vicky e Ignacio, y él los estuviera viendo pasar a su alrededor con la suspensión de un astronauta, con una invisible escafandra tallada de olores, atardeceres en el dintel de la puerta, pavoneo de pecho acompañando desde el liceo de vuelta a casa a la chica más linda del pueblo. En el asfalto del puente, no alcanzó a percibir que esa turbia emoción, confundida con tantas cosas, era la muerte.

Don Antonio y Vicky se despeñaron sobre el muchacho. Flores, expuesto a la metralla sandinista como los monigotes donde los reclutas practicaban al blanco, alcanzó a percibir la precisa justicia de morir así, impactado por los balazos que vinieron a rajarlo desde todos los puntos cardinales, todas las alturas, los niveles y las rabias. Sintió que todo el plomo del mundo se convocaba en su arrogante esternón y que la fuerza de los impactos lo hacía caer y lo meneaba: un leño que se hundía y resurgía en el oleaje caliente que lo desvaneció. Antes de que Myriam le disparara el primer proyectil, se había dicho: -"Cada bala, una medalla".

TEATRO

El teatro chileno comercial floreció en el país desde el siglo XIX. Aún a principios del siglo XX el público continuaba yendo al teatro para entretenerse, pero alrededor de los años 30 se perciben indicios de decadencia en el género. La inestabilidad económica y política del país, así como la creciente popularidad del cine, disminuyeron el interés del público por el teatro. Señala un punto importante en la historia y evolución de este género, la elección del presidente Pedro Aguirre Cerda y la consiguiente ascensión al poder del Frente Popular, acontecimientos que propiciaron el estímulo de las artes. Esta actitud resultó en la creación de la Orquesta Sinfónica y el Ballet Nacional, fenómenos importantes en la escena cultural. La llegada a Chile de

Margarita Xirgu en 1938 y su permanencia en Santiago, donde fundó su Academia de Arte Dramático, despertó en el público el gusto por la magia y la poesía del teatro de Federico García Lorca. Contribuyó también al refinamiento del género la visita de Louis Jouvet, con la representación de obras de Claudel y Giraudoux. En 1939 el gobierno del Frente Popular dio impulso a los Teatros Carpas, o teatros móviles, en su empeño de difusión cultural. El teatro de esa época fue, por lo tanto, el producto de un movimiento socio-cultural, durante el cual la clase media influyó y participó en las creaciones artísticas y se intentó la difusión del género en todas las clases sociales.

Con la fundación del Teatro Experimental de la Universidad de Chile (TEUCH) en 1941 empezó el verdadero teatro nacional. La generación del 41, fundadora del TEUCH, fue clave en cuanto al avance en la escenografía, la iluminación, la música, y otros perfilamientos de las tareas del director, que van a ser compartidas por todos los participantes. Pedro de la Barra, su primer director, logró que en 1949 se contara con una Escuela de Teatro dependiente de la Universidad donde se dictaban clases de especialización teatral. En 1959 este grupo se fusionó con el Departamento del Teatro Nacional y se convirtió en el Instituto del Teatro de la Universidad de Chile (ITUCH). Más tarde el ITUCH, de marcada tendencia socialista, se dividió en dos compañías que se dedicaron a representar en las provincias y en los barrios pobres. Surgió del Teatro Experimental la Comisión Sindical, que más tarde se convertiría en la Sección de Extensión Teatral, encargada de la difusión y fomento del arte, así como de orientar y ayudar a grupos de aficionados en el país. De ahí que en 1955 se inicie la serie de Festivales Nacionales de Teatros Aficionados; y que en 1960 se organice el Primer Festival del Teatro Obrero, y se continúe la tarea de los teatros-carpas. Otro grupo de importancia, emulador del Teatro Experimental, fue el Teatro de Ensayo de la Universidad Católica (TEUC), creado desde 1943, de donde salieron grandes directores, escenógrafos y actores. De los anteriores núcleos teatrales surgieron todas las actividades del género en esos años y se caracterizaron principalmente por su orientación didáctica y cultural y por la jerarquía artística de las obras representadas.

Aún cuando al iniciarse la década de los 60, el teatro chileno mostraba un alto calibre y contaba con un público preparado e interesado, era notable la falta de una dirección ideológica, social o política, definida hasta esos momentos. Fueron esos los años en que Julio Durán-

Cerda percibió una promoción de dramaturgos, cada vez más dueños de su oficio y más conscientes de la función social del teatro, que buscaba dar nueva forma al drama chileno basándose en las producciones del género 30 años atrás, "obra de arte sustentada en un tema vital, generalmente vinculado a un asunto social en vigencia".[4] Esta clara conciencia social fue apoyada por el TEUCH y coincidió con la aparición de escritores que visualizaban una nueva manera de representar la realidad nacional. El realismo psicológico de los 60 fue por lo tanto una continuación de las tendencias nacionalistas ya observables desde los teatros universitarios. A Luis A. Heiremans, Sergio Vodánovic, y Fernando Debesa, autores de los años 50, se unen Alejandro Sieveking, Egon Wolf, Juan Guzmán Améstica y David Benavente, que continuaron cultivando esta tendencia dramática, la cual, aún derivando hacia el realismo crítico y otras formas experimentales, constituye hasta nuestros días la base creativa del drama chileno.

Es importante destacar en esta época la importancia de Ictus. Este grupo teatral, surgido en 1956 y ampliamente reconocido en Santiago a fines de los 60, se dedicaba a representar obras de dramaturgos del absurdo como Pinter, Schisgal y Dürrenmartt usualmente ignoradas por los grupos universitarios. Tiene el mérito de descubrir a Jorge Díaz, figura de importancia del teatro chileno, y por consiguiente tuvo la exclusiva de sus primeras obras. Ictus y El Taller, otro grupo del momento, a pesar de mantenerse dentro del estilo de teatros de arte, presentaron en sus experimentaciones teatrales temas nuevos donde se movía el angustiado hombre contemporáneo. En 1976 Ictus se subdividió y surgió el teatro La Feria. Este último consideraba a las clases populares protagonistas del cambio social.

Es digno de destacarse en el teatro de rebelión social *El umbral* de Chesta, obra producida en 1960 con beca del Taller Literario de la Universidad de Concepción, cuya trama se inspira en el movimiento huelguístico de los mineros de Lota y Coronel. También de actitudes revolucionarias es *Conflicto* (1963), producto de los autores Enrique Gajardo Velázquez y Miguel Littin Kukumidis. También de Littin, ya dentro de la órbita del vanguardismo, se encuentra la muestra histórico-social de opresores y oprimidos *La mariposa debajo del zapato* (1965).

---

[4] "Julio Curuchaga iniciador del realismo crítico en el teatro chileno," *Ideologies and Literature*, Nº. 17, Vol. IV (Sept.-Oct. 1983), 78-93.

Deportivo el Guerrillero, de Victoria Cereceda, ofrece el testimonio de las luchas obreras. Elizalde Rojas produce en la misma vertiente *Tierra de Dios* (1961), inspirado en la matanza de campesinos en Lonquimay en 1934. Sus otras obras *Santa María* (1966), y *Recuento* (1967), utilizan como núcleo de tensión dramática las masacres obreras. Produce obra de crítica social y rebelión Isidora Aguirre en *Población esperanza* (1959), escrita en colaboración con el novelista Manuel Rojas; y *Los papeleros* (1963). Culminan las intenciones de Aguirre al crear teatro documental en *Los que van quedando en el camino* (1968), testimonio de la matanza de campesinos en Ranquil y Lonquimay. Esta última obra, cuyo título se basa en palabras del Che Guevara, es la contribución del Departamento de Teatro de la Universidad de Chile (DETUCH) a la campaña política de Salvador Allende en 1970. *El evangelio según San Jaime*, de Jaime Silva, constituye otro aporte del DETUCH al teatro de problemática social. En esta obra controversial, especie de alegoría bíblica, se denuncia la religión en su apoyo a las clases privilegiadas.

El movimiento de reforma universitaria a nivel mundial alcanzó a Chile y afectó a sus dos teatros. El Teatro de Ensayo creó un taller para reemplazar a su antigua compañía y de él se derivaron obras como la colectiva *Peligro a 50 metros* (1968), combinación de teatro documental y de agitación. La obra, carente de argumento definido, consiste en comentarios por parte de los actores de asuntos de actualidad internacional. La primera parte, *Obras de misericordia* de José Pineda, es de tono didáctico, al sugerir su autor el ejercicio de la misericordia como posible solución a los problemas y a la salvación del hombre moderno. La segunda parte, *Una vaca mirando el piano*, es la aportación de Sieveking.

Es importante el estreno en 1963 de la obra de Wolff *Los invasores*, una de los dramas más difundidos y comentados del teatro chileno contemporáneo. Su actitud revolucionaria es innegable al presentar la lucha abierta entre la burguesía acomodada y la gente "del otro lado del río". El personaje de China, de la clase pobre, presenta la idea del cambio por medios pacíficos; pero indudablemente Wolff intenta alertar a la burguesía acerca del fin de una manera de vivir, la suya, y el inicio de modos nuevos. El orden establecido aparece en los momentos de subversión, alcanzando gran patetismo la angustia y la tensión social.

Jorge Díaz, aunque nace en la Argentina, es ciudadano chileno y su obra se incluye en esta sección. Sus obras vanguardistas destacan el problema social latinoamericano. Díaz tradujo sus preocupaciones sociales y políticas en *Topografía de un desnudo* (1966) y *La víspera del degüello* (1967). En 1968 Ictus estrenó su obra documental *Introducción al elefante y otras zoologías*, con temas y lugares variados, en los que aparecen torturas, derrocamientos dictatoriales, actividades del Banco Internacional y de la CIA y movimientos guerrilleros. *Americaliente*, estrenada en 1971 en San Juan de Puerto Rico y en Nueva York por el Teatro del Nuevo Mundo, parte asimismo del intento del autor de presentar el espectáculo de miseria y represión latinoamericano. También en *La orgástula* (1969), *La pancarta* (1970), *Las hormigas* (1973), *Mear contra el viento* (1974), *La corrupción del ángel cibernético* (1974), *El paraíso ortopédico* (1975), *Toda esta larga noche* (1976), *Mata a tu prójimo como a tí mismo* (1977) y *La Puñeta* (1977), se representan el acontecer social y político de Chile.

SERGIO VODÁNOVIC (Yugoslavia. 1926)

Nació en Yugoslavia pero vivió en Chile desde la infancia. Estudió en las universidades de Yale y Columbia en 1957 y 1958 respectivamente. Comenzó escribiendo teatro de vodevil que después se convirtió en teatro serio. A partir de 1959 escribió las obras que lo harían famoso dentro de la tendencia neorrealista social. Su primera obra en esta vertiente, *Deja que los perros ladren*, fue llevada más tarde al cine. En ella se presentan los ideales social-democráticos de la época y se expone el conflicto entre la honradez y la corrupción.

Obra. **Teatro:** *El príncipe azul* (1947), *Mi mujer necesita marido* (1953), *La cigüeña también espera* (1955), *El senador no es honorable* (1952), *Deja que los perros ladren* (1959), (Premio Municipal); *Viña. Tres comedias en traje de baño* (1964), *Los fugitivos* (1965), *Nos tomamos la Universidad* (1969), (Premio Teatro Chileno); *Cuántos años tiene un día* (1978).

Nos tomamos la Universidad, presentada por primera vez por el Teatro de Ensayo, fue la segunda obra representada por el Taller de Experimentación Teatral de la Universidad Católica. Son protagonistas del drama los jóvenes universitarios que participaron en los movimientos estudiantiles y también el mismo autor Vodánovic. La obra causó gran conmoción, pues salió a la escena durante la época de las reformas universitarias. En ella los distintos estudiantes que ocupaba el centro docente parecen movidos por intereses personales y dan una visión múltiple de la realidad social y política del país.

Conocedor de las diversas clases sociales Vodánovic gusta de profundizar en ellas. En *Viña. Tres comedias en traje de baño*, presentada por el Club de Teatro El Callejón, Vodánovic intenta superar su teatro realista anterior. La trilogía que compone el drama: *El delantal blanco, La gente como nosotros,* y *Las exiladas,* versa en posturas sociales antitéticas. *El delantal blanco,* a continuación, presenta las relaciones entre ama y sirvienta. Estos personajes son a la vez símbolos respectivos del dominio y la sumisión. Los papeles se intercambian hacia el final de la obra quedando los personajes como ejemplo de la inversión de las clases sociales. Es interesante notar cómo la doncella, aprovechando la oportunidad que se le presenta, hace su propia revolución, única salida que le permitirá mejorar su status social El drama, de valor universal, pudiera estar desarrollándose en cualquier parte del mundo. En Viña, microcosmos del mundo, los dos personajes principales, sin nombre, simbolizan dos clases: la burguesa y la proletaria. El diálogo permite captar la conducta altanera y soberbia de quien se siente superior, la dueña, hacia su sirvienta. La falta de comprensión es absoluta haciendo imposible encontrar un compromiso plausible. El gran atractivo de la obra radica en el grado ascendente de extrañeza que va adquiriendo la situación que se desenvuelve rápidamente ante el espectador, la cual alcanza su tensión más alta al final cuando aparece como un cambio irreversible.

VIÑA (1964)
EL DELANTAL BLANCO

ACTO ÚNICO

La playa. Al fondo, una carpa. Sentadas frente a ella, La Señora y La Empleada. La Señora lleva, sobre el traje de baño, un blusón de toalla. La tez está tostada por un largo veraneo. La Empleada viste su delantal blanco.

LA SEÑORA: *(Gritando hacia su pequeño hijo que se supone está a la orilla del mar.)* ¡Alvarito! ¡Alvarito! ¡No le tire arena a la niñita! ¡Métase al agua!! ¡Está rica... ! ¡Alvarito, no! ¡ No le deshaga el castillo a la niñita! Juegue con ella. . . Sí, mi hijito. . . , juegue. . .

LA EMPLEADA: Es tan peleador. . .

LA SEÑORA: Salió al padre. . . Es inútil corregirlo. Tiene una personalidad dominante que le viene de su padre, de su abuelo, de su abuela. . . ¡sobre todo de su abuela!

LA EMPLEADA: ¿Vendrá el caballero mañana?

LA SEÑORA: *(Se encoge de hombros con desgano.)* No sé. Ya estamos en marzo, todas mis amigas han regresado y Alvaro me tiene todavía aburriéndome en la playa. El dice que quiere que el niño aproveche las vacaciones, pero para mí que es él quien está aprovechando. *(Se saca el blusón y se tiende a tomar el sol.)* ¡Sol! ¡Sol! Tres meses tomando sol. Estoy intoxicada de sol. *(Mirando inspectivamente a La Empleada.)* ¿Qué haces tú para no quemarte?

LA EMPLEADA: He salido tan poco de la casa. . .

LA SEÑORA: ¿Y qué querías? Viniste a trabajar, no a veranear recibiendo sueldo, no?

LA EMPLEADA: Sí, señora. yo solo contestaba su pregunta. *(La Señora permanece tendida recibiendo el sol. La Empleada saca de su bolsa de género, una revista de historietas fotografiadas y principia a leer.)*

LA SEÑORA: ¿Qué haces?

LA EMPLEADA: Leo la revista.

LA SEÑORA: ¿La compraste tú?

LA EMPLEADA: Sí, señora.

LA SEÑORA: No se te paga tan mal, entonces, si puedes comprarte tus revistas, ¿eh? *(La Empleada no contesta y vuelve a mirar la revista.)* ¡Claro! Tú leyendo y que Alvarito reviente, que se ahogue. . .

LA EMPLEADA: Pero si está jugando con la niñita. . .

LA SEÑORA: Si te traje a la playa es para que vigilaras a Alvarito y no para que te pusieras a leer. *(La Empleada se incorpora para ir donde está Alvarito.)* ¡No! Lo puedes vigilar desde aquí. Quédate a mi lado, pero observa al niño. ¿Sabes? Me gusta venir contigo a la playa.

LA EMPLEADA: ¿Por qué?

LA SEÑORA: Bueno. . . , no sé. . . Será por lo mismo que me gusta venir en el auto, aunque la casa esté a dos cuadras. Me gusta que vean el auto. Todos los días, hay alguien que se detiene para mirarlo y comentarlo. . . Claro, tú no te das cuenta de la diferencia. Estás acostumbrada a lo bueno. . . Dime. . . , ¿Cómo es tu casa?

LA EMPLEADA: Yo no tengo casa.

LA SEÑORA: No habrás nacido empleada, supongo. Tienes que haberte criado en alguna parte, debes haber tenido padres. . . ¿Eres del campo?

LA EMPLEADA: Sí.

LA SEÑORA: Y tuviste ganas de conocer la ciudad, ¿eh?

LA EMPLEADA: No. Me gustaba allá.

LA SEÑORA: ¿Por qué te viniste, entonces?

LA EMPLEADA: Al papá no le alcanzaba. . .

LA SEÑORA: No me vengas con ese cuento. Conozco la vida de los inquilinos en el campo. Lo pasan bien. Les regalan una cuadra para que la cultiven, tienen alimentos gratis y hasta les sobra para vender. Algunos tienen hasta sus vaquitas. . . ¿Tu padre tenía vacas?

LA EMPLEADA: Sí, señora. Una.

LA SEÑORA: ¿Ves? ¿Qué más quieren? ¡Alvarito!, no se meta tan allá, que puede venir una ola. ¿Qué edad tienes?

LA EMPLEADA: ¿Yo?

LA SEÑORA: A ti te estoy hablando. No estoy loca para hablar sola.

LA EMPLEADA: Ando en los veintiuno. . .

LA SEÑORA: ¡Veintiuno! A los veintiuno yo me casé. ¿No has pensado en casarte? *(La Empleada baja la vista y no contesta.)* ¡Las cosas que se me ocurre preguntar! ¿Para qué querías casarte? En la casa tienes de todo: comida una buena pieza, delantales limpios…, y, si te casaras…¿Qué es lo que tendrías? Te llenarías de chiquillos, no más.

LA EMPLEADA: *(Como para sí.)* Me gustaría casarme. . .

LA SEÑORA: ¡Tonterías! Cosas que se te ocurren por leer historias de amor en revistas baratas. . . Acuérdate de esto: Los príncipes azules ya no existen. No es el color lo que importa sino el bolsillo. Cuando mis padres no me aceptaban un pollito poque no tenía plata, yo me indignaba, pero llegó Alvaro con sus industrias y sus fondos y no quedaron contentos hasta que lo casaron conmigo. A mí no me gustaba porque era gordo y tenía la costumbre de sorberse los mocos, pero, después del matrimonio, una se acostumbra a todo. Y se llega a la conclusión de que todo da lo mismo, salvo la plata. Yo tenía plata, tú no tienes. Esa es toda la diferencia entre nosotros. ¿No te parece?

LA EMPLEADA: Sí, pero. . .

LA SEÑORA: ¡ Ah! ¿Lo crees? Pero es mentira. Hay algo que es más importante que la plata: la clase. Eso no se compra. Se tiene o no se tiene. Alvaro no tiene clase. Yo, sí la tengo, podría vivir en una pocilga y todos se darían cuenta de que soy alguien. No una cualquiera. Alguien.

LA EMPLEADA: Sí, señora.

LA SEÑORA: A ver. . . Pásame esta revista. *(La Empleada lo hace. La señora la hojea. Mira algo y se ríe abiertamente.)* ¿Y esto lees tú?

LA EMPLEADA: Me entretengo, señora.

LA SEÑORA: ¡Qué ridículo! ¡Qué ridículo! Mira a este roto vestido de smoking. Cualquiera se da cuenta que está tan incómodo en él como un hipopótamo con faja. *(Vuelve a mirar en la revista.)* ¡Y es el Conde Lamarquina! ¡El conde Lamarquina! A ver. . . ¿Qué es lo que dice el Conde? *(Leyendo.)* "Hija mía, no permitiré jamás que te cases con Roberto. El es un plebeyo. Recuerda que por nuestras venas corre sangre azul". ¿Y ésta es la hija del conde?

LA EMPLEADA: Sí. Se llama María. Es una niña sencilla y buena. Está enamorada de Roberto, que es el jardinero del castillo. El conde no lo permite. Pero. . ., ¿sabe? Yo creo que todo va a terminar bien. Porque en el número anterior, Roberto le dijo a María que no había conocido a sus padres, y cuando no se conoce a los padres, es seguro que ellos son gente rica y aristocrática que perdieron al niño cuando chico o lo secuestraron. . .

LA SEÑORA: ¿Y tú crees todo eso?

LA EMPLEADA: Es tan bonito, señora. . .

LA SEÑORA: ¿Qué es tan bonito?

LA EMPLEADA: Que lleguen a pasar cosas así. Que un día cualquiera, uno sepa que es otra persona, que en vez de ser pobre, se es rica; que en vez de ser nadie, se es alguien, así como dice usted. . .

LA SEÑORA: ¿Pero no te das cuenta que no puede ser? Mira a la hija. . . ¿Me has visto a mí usando alguna vez unos aros así? ¿Has visto a alguna de mis amigas con una cosa tan espantosa? ¿Y el peinado? Es detestable. ¿No te das cuenta que una mujer así no puede ser aristócrata? A ver. . . ¿Sale fotografiado aquí el jardinero?

LA EMPLEADA: Sí. En los cuadros finales. *(Le muestra en la revista. La Señora ríe divertida.)*

LA SEÑORA: ¿Y éste crees tú que puede ser el hijo de un aristócrata? ¿Con esa nariz? ¿Con ese pelo? Mira. . . Imagínate que mañana me rapten a Alvarito ¿Crees tú que va a dejar por eso, de tener su. . . aire de distinción?

LA EMPLEADA: ¡Mire, señora! Alvarito le botó el castillo de arena a la niñita de una patada.

LA SEÑORA: ¿Ves? Tiene cuatro años y ya sabe lo que es mandar, lo que es no importarle los demás. Eso no se aprende. Viene en la sangre.

LA EMPLEADA: *(Incorporándose.)* Voy a ir a buscarlo.

LA SEÑORA: Déjalo. Se está divirtiendo. *(La Empleada se desabrocha el primer botón de su delantal y hace un gesto que demuestra estar acalorada.)* ¿Tienes calor?

LA EMPLEADA: El sol está picando fuerte.

LA SEÑORA: ¿No tienes traje de baño?

L A EMPLEADA: No.

LA SEÑORA: ¿No te has puesto nunca un traje de baño?

LA EMPLEADA: ¡Ah, sí!

LA SEÑORA: ¿Cuándo?

LA EMPLEADA: Antes de emplearme. A veces, los domingos, hacíamos excursiones a la playa en el camión del tío de una amiga.

LA SEÑORA: ¿Y se bañaban?

LA EMPLEADA: En la playa grande de Cartagena. Arrendábamos trajes de baño y pasábamos todo el día en la playa. Llevábamos de comer y. . .

LA SEÑORA: *(Divertida.)* ¿Arrendaban trajes de baño?

LA EMPLEADA: Sí. Una señora que arrienda en la misma playa.

LA SEÑORA: Una vez nos detuvimos con Alvaro en Cartagena a echar gasolina al auto y miramos a la playa. ¡Era tan gracioso! ¡Y los trajes de baño arrendados! Unos eran tan grandes que hacían bolsas por todos los lados, y otros quedaban tan chicos que las mujeres andaban con medio traste afuera. ¿De cuáles arrendabas tú? ¿De los grandes o de los chicos? *(La empleada mira al suelo taimada.)* Debe ser curioso. . . Mirar el mundo desde un traje de baño arrendado o envuelta en un vestido barato o con un uniforme de empleada, como tú. Algo parecido le debe pasar a esa gente que se fotografía para estas historietas: se ponen un smoking o un traje de baile y debe ser diferente a la forma como se sienten ellos mismos, como miran a los demás. . . Cuando yo me puse mi primer par de medias, el mundo entero cambió para mí. Los demás eran diferentes, yo era diferente y el único cambio efectivo era que tenía puesto un par de medias. Dime. . . , ¿cómo se ve el mundo cuando se está vestida con un delantal blanco?

LA EMPLEADA: *(Tímidamente.)* Igual. . . , la arena tiene el mismo color. . . las nubes son iguales. . . Supongo. . .

LA SEÑORA: Pero no. . . Es diferente. Mira. Yo, con este traje de baño, con este blusón de toalla, tendida sobre la arena, sé que estoy en mi "lugar", que esto me pertenece. En cambio, tú, vestida como empleada, sabes que la playa no es tu lugar, y eso te debe hacer ver todo distinto.

LA EMPLEADA: No sé.

LA SEÑORA: Mira. Se me ha ocurrido algo. Préstame tu delantal.

LA EMPLEADA: ¿Cómo?

LA SEÑORA: Préstame tu delantal.

LA EMPLEADA: Pero. . . , ¿para qué?

LA SEÑORA: Quiero saber cómo se ve el mundo, qué apariencia tiene la playa, vista desde un delantal de empleada.

LA EMPLEADA: ¿Ahora?

LA SEÑORA: Sí. Ahora.

LA EMPLEADA: Pero es que. . . No tengo vestido debajo.

LA SEÑORA: *(Tirándole el blusón.)* Toma. Ponte esto.

LA EMPLEADA: Voy a quedar en calzones.

LA SEÑORA: Es lo suficientemente largo para cubrirte. Y en todo caso, vas a mostrar menos que lo que mostrabas con los trajes de baño que arrendaban en Cartagena. *(Se levanta y obliga a levantarse a La Empleada.)* Ya. Métete en la carpa y cámbiate. *(Prácticamente obliga a La Empleada a entrar a la carpa y luego lanza al interior el blusón de toalla. Se dirige al primer plano y le habla a su hijo.)* Alvarito, métase un poco al agua. Mójese las patitas siquiera. . . No sea tan de rulo. . . ¡Eso es! ¿Ve que es rica el agüita? (Se vuelve hacia la carpa, y habla al interior de ella.) ¿Estás lista? (Entra a la carpa. Después de un instante, sale La Empleada vestida con el blusón de toalla. Se ha prendido el pelo y su aspecto ya difiere algo de la tímida muchacha que conocemos. Con delicadeza se tiende sobre la arena. Sale La Señora abotonándose aún su delantal. Se va a sentar delante de La Empleada, pero se vuelve de inmediato.)* No. Adelante no. Una empleada, en la playa se sienta siempre un poco más atrás que su patrona. *(Se sienta sobre sus pantorrillas y mira divertida en todas direcciones. La Empleada cambia de postura con displicencia. La Señora toma la revista de la empleada y principia a leerla. En un comienzo hay una sonrisa irónica en sus labios que desaparece al irse interesando en la lectura. La Empleada, con naturalidad, toma de la bolsa de playa de La Señora un frasco de aceite bronceador y principia a extenderlo con lentitud por sus piernas. La Señora la ve. Intenta una reacción reprobatoria, pero no atina a decir sino. . .)* ¿Qué haces? *(La Empleada no contesta. La Señora opta por seguir la lectura, vigilando, de vez en vez, con la vista, lo que hace La Empleada. Esta se ha sentado ahora, y se mira detenidamente las uñas.)* ¿Por qué te miras las uñas?

LA EMPLEADA: Tengo que arreglármelas.

LA SEÑORA: Nunca antes te había visto mirarte las uñas.

LA EMPLEADA: No se me había ocurrido.

LA SEÑORA: Este delantal acalora.

LA EMPLEADA: Son los mejores y más durables.

LA SEÑORA: Lo sé. Los compré yo.

LA EMPLEADA: Le queda bien.

LA SEÑORA: *(Divertida.)* Y tú no te ves nada de mal con esa tenida. *(Se ríe.)* Cualquiera se equivocaría. Más de un jovencito te podría hacer la corte. . . ¡Sería como para contarlo!

LA EMPLEADA: Alvarito se está metiendo muy adentro. Vaya a vigilarlo.

LA SEÑORA: *(Se levanta rápidamente y se adelanta.)* ¡Alvarito! ¡Alvarito! No se vaya tan adentro. Puede venir una ola. *(Recapacita de pronto y se vuelve desconcertada hacia la empleada.)* ¿Por qué no fuiste tú?

LA EMPLEADA: ¿A dónde?

LA SEÑORA: ¿Por qué me dijiste que yo fuera a vigilar a Alvarito?

LA EMPLEADA: *(Con naturalidad.)* Usted lleva el delantal blanco.

LA SEÑORA: Te gusta el juego, ¿eh? *(Una pelota de goma, impulsada por un niño que juega cerca, ha caído a los pies de La Empleada. Ella mira y no hace ningún movimiento. Luego, mira a La Señora. Esta, instintivamente, se dirige a la pelota y la tira en la dirección en que vino. La Empleada busca en la bolsa de La Señora y se pone sus anteojos para el sol. La Señora dice molesta.)* ¿Quién te ha autorizado para que uses mis anteojos?

LA EMPLEADA: ¿Cómo se ve la playa vestida con un delantal blanco?

LA SEÑORA: Es gracioso. ¿tú, cómo ves la playa ahora?

LA EMPLEADA: Es gracioso.

LA SEÑORA: ¿Dónde está la gracia?

LA EMPLEADA: En que no hay diferencia.

LA SEÑORA: ¿Cómo?

LA EMPLEADA: Usted con el delantal blanco es la empleada; yo con este blusón y los anteojos oscuros, soy la señora.

LA SEÑORA: ¿Cómo? ¿Cómo te atreves a decir eso?

LA EMPLEADA: ¿Se hubiera molestado en recoger la pelota si no estuviese vestida de empleada?

LA SEÑORA: Estamos jugando.

LA EMPLEADA: ¿Cuándo?

LA SEÑORA: Ahora.

LA EMPLEADA: ¿Y antes?

LA SEÑORA: ¿Antes?

LA EMPLEADA: Sí. Cuando yo estaba vestida de empleada. . .

LA SEÑORA: Eso no es un juego. Es la realidad.

LA EMPLEADA: ¿Por qué?

LA SEÑORA: Porque sí.

LA EMPLEADA: Un juego. . . , un juego más largo. . . , como el "pacoladrón". A unos les corresponde ser "pacos"; a otros "ladrones".

LA SEÑORA: *(Indignada.)* ¡Usted se está insolentando!

LA EMPLEADA: No me grites. La insolente eres tú.

LA SEÑORA: ¿Qué significa eso? ¿Usted me está tuteando?

LA EMPLEADA: ¿Y acaso no me tratas de usted?

LA SEÑORA: ¿Yo?

LA EMPLEADA: Sí.

LA SEÑORA: ¡Basta ya! ¡Se acabó este juego!

SEÑORA: ¡A mí me gusta!

LA SEÑORA: ¡Se acabó! *(Se acerca amenazadoramente a La Empleada.)*

LA EMPLEADA: *(Firme.)* ¡Retírese! *(La Señora se detiene, sorprendida.)*

LA SEÑORA: ¿Te has vuelto loca?

LA EMPLEADA: Me he vuelto señora.

LA SEÑORA: Te puedo despedir en cualquier momento. *(La Empleada explota en grandes carcajadas como si lo que hubiera oído fuera el chiste más gracioso que jamás haya escuchado.)* ¿De qué te ríes?

LA EMPLEADA: *(Sin dejar de reír.)* ¡Es tan ridículo!

LA SEÑORA: ¿Qué? ¿Qué es tan ridículo?

LA EMPLEADA: Que me despida. . . ¡Vestida así! ¿Dónde se ha visto a una empleada despedir a su patrona?

LA SEÑORA: ¡Sácate esos anteojos! ¡Sácate el blusón! ¡Son míos!

LA EMPLEADA: ¡Vaya a ver al niño!

LA SEÑORA: Se acabó este juego, te he dicho. O me devuelves mis cosas o te las saco.

LA EMPLEADA: ¡Cuidado! No estamos solas en la playa.

LA SEÑORA: ¿Y qué hay con eso? ¿Crees que por estar vestida con uniforme blanco no van a reconocer quién es la empleada y quién es la señora?

LA EMPLEADA: *(Serena.)* No me levante la voz. *(La Señora, exasperada, se lanza sobre la empleada y trata de sacarle el blusón a la fuerza.)*

LA SEÑORA: *(Mientras forcejea.)* ¡China! ¡Ya te voy a enseñar quién soy! ¿Qué te has creído? ¡Te voy a meter presa! *(Un grupo de bañistas han acudido al ver la riña. Lo componen dos jóvenes, una muchacha y un señor de edad madura y de apariencia muy distinguida. Antes que puedan intervenir, La Empleada ya ha dominado la situación manteniendo bien sujeta a La Señora de espalda contra la arena. Esta sigue gritando "ad libitum" expresiones como "rota cochina" , "ya te las vas a ver con mi marido" . . . "te voy a mandar presa". . . "esto me pasa por ser considerada", etc.)*

UN JOVEN: ¿Qué sucede?

EL OTRO JOVEN: ¿Es un ataque?

LA JOVENCITA: Se volvió loca.

UN JOVEN: Debe ser efecto de una insolación.

EL OTRO JOVEN: ¿Podemos ayudarla?

LA EMPLEADA: Sí. Por favor. Llévensela. Hay una posta por aquí cerca.

EL OTRO JOVEN: Yo soy estudiante de medicina. Le pondré una inyección para que duerma por un buen tiempo.

LA SEÑORA: ¡Imbéciles! ¡Yo soy la patrona! Me llamo Patricia Hurtado. Mi marido es Alvaro Jiménez, el político. . .

LA JOVENCITA: *(Riéndose.)* Cree ser la señora.

UN JOVEN: Está loca.

EL OTRO JOVEN: Sólo un ataque de histeria.

UN JOVEN: Llevémosla.

LA EMPLEADA: Yo no los acompaño. . . Tengo que cuidar a mi hijito. Está ahí, bañándose.

LA SEÑORA : ¡Es una mentirosa! ¡Nos cambiamos de vestido sólo por jugar! Ni siquiera tiene traje de baño. . . ¡Debajo del blusón está en calzones! ¡Mírenla!

EL OTRO JOVEN: *(Haciéndole un gesto al Joven.)* ¡Vamos! Tú la tomas por los pies y yo por los brazos.

LA JOVENCITA: ¡Qué risa! Dice que la señora está en calzones. . . *(Los dos Jóvenes toman a La Señora y se la llevan mientras ésta se resiste y sigue gritando.)*

LA SEÑORA: ¡Suéltenme! ¡Yo no estoy loca! ¡Es ella! ¡Llamen a Alvarito! ¡El me reconocerá! *(Mutis de los dos Jóvenes llevando en peso a La Señora. La Empleada se tiende sobre la arena como si nada hubiese sucedido, aprontándose para un prolongado baño de sol.)*

EL CABALLERO DISTINGUIDO: ¿Está usted bien, señora? ¿Puedo serle útil en algo?

LA EMPLEADA: *(Mira inspectivamente al caballero distinguido y sonríe con amabilidad.)* Gracias. Estoy bien.

EL CABALLERO DISTINGUIDO: Es el símbolo de nuestros tiempos. Nadie parece darse cuenta, pero a cada rato, en cada momento, sucede algo así.

LA EMPLEADA: ¿Qué?

EL CABALLERO DISTINGUIDO: La subversión del orden establecido.

Los viejos quieren ser jóvenes; los jóvenes quieren ser viejos; los pobres quieren ser ricos y los ricos quieren ser pobres. Sí, señora. Asómbrese usted. También hay ricos que quieren ser pobres. Mi nuera va todas las semanas a tejer con las mujeres de poblaciones obreras. . . ¡Y le gusta hacerlo! *(Transición.)* ¿Hace cuánto tiempo que está con usted?

LA EMPLEADA: ¿Quién?

EL CABALLERO DISTINGUIDO: Su empleada.

LA EMPLEADA: *(Dudando. Haciendo memoria.)* Poco más de un año.

EL CABALLERO DISTINGUIDO: ¡Y así le paga a usted! ¡Pretendiendo hacerse pasar por una señora! ¡Como si no se reconociera a primera vista quién es quién! *(Transición.)* ¿Sabe usted por qué suceden las cosas?

LA EMPLEADA: *(Muy interesada.)* ¿Por qué?

EL CABALLERO DISTINGUIDO: *(Con aire misterioso.)* El comunismo. . .

LA EMPLEADA: ¡Ah!

EL CABALLERO DISTINGUIDO: *(Tranquilizador.)* Pero no nos inquietemos. El orden está restablecido. Al final, siempre el orden se restablece. Es un hecho. Sobre eso no hay discusión. Ahora, con su permiso, señora. Voy a hacer mi "footing" diario. Es muy conveniente a mi edad. Para la circulación, ¿sabe? Y usted quede tranquila. El sol es el mejor sedante. A sus órdenes, señora. *(Inticia el mutis. Se vuelve.)* Y no sea muy dura con su empleada. Después de todo. . . , tal vez tengamos algo de culpa nosotros mismos. . . ¿Quién puede decirlo? *(El Caballero Distinguido hace mutis. La Empleada se tiende de espaldas para recibir el sol en la cara. De pronto, se acuerda de Alvarito y se incorpora. Mira a Alvarito con ternura, y con suavidad le dice.)*

LA EMPLEADA: Alvarito. . . Cuidado al sentarse en esa roca. . . , se puede hacer una nana. . . Eso es, corra por la arenita. . . Eso es, Mi hijito. . . , mi hijito. . . *(Y mientras La Empleada mira con deleite maternal cómo Alvarito juega a la orilla del mar, se cierra lentamente el telón.)*

Capítulo X

Paraguay

El Paraguay se independizó de la metrópoli española, casi sin luchar, en 1811. A partir de 1814 el país estuvo bajo la dictadura de José Gaspar Rodríguez de Francia quien mantuvo a la nación aislada del resto del mundo durante los próximos veintiséis años. En 1840 murió Rodríguez de Francia. En 1844 se adoptó la nueva constitución, bajo la cual gobernaron Carlos Antonio López y su hijo Francisco Solano López hasta 1870. A partir de 1840 el Paraguay se vio envuelto en una serie de conflictos, unas veces internos, otras con las naciones vecinas para defender su territorio. La Guerra de la Triple Alianza (1865-1870) contra la Argentina, el Brasil, y Uruguay, le costó al país más de la mitad de sus habitantes y casi lo llevó a la ruina total. La Guerra del Chaco (1932-1935), entre Paraguay y Bolivia, fue una de las contiendas más terribles que se libraron en la América Latina después de las guerras de emancipación. La discordia se originó por el deseo de ambos países de apropiarse una faja de tierra limítrofe rica en petróleo. La pugna costó más de un millón de vidas. Al firmarse la paz, en 1938, Paraguay aumentó sus territorios en 243,500 Km2 que todavía Bolivia reclama.

Después de la Guerra del Chaco comenzó la lucha por el poder en Paraguay. Los presidentes subsiguientes casi nunca terminaron su período de gobierno. Eusebio Ayala fue derrocado en 1936 por el coronel Rafael Franco, el que a su vez fue depuesto al año siguiente por Félix Paiva. Después de las dos revoluciones de 1936 surgió la personalidad de José Félix Estigarribía, vencedor de la Guerra del Chaco. Estigarribía sucedió a Paiva en 1939 pero murió antes del año. El general Higinio Morínigo llegó al poder en 1940 y gobernó hasta su derrocamiento en 1948. En los próximos doce meses, después de Morínigo, tres gobernantes se sucedieron con rapidez: Natalicio González, el general Raimundo Rolón y Nicolás López. Federico Chávez, que sustituyó a este último, gobernó de 1949 a 1954 y fue reemplazado por Tomás Romero Pereira. Un levantamiento en 1954 trajo al poder al general Alfredo Stroessner. Stroessner, reelegido en 1958, se declaró dictador vitalicio en 1963. El Paraguay ha mantenido una política exterior fuertemente anti-comunista, suspendiendo relaciones con Nicaragua en 1980 después del asesinato del hijo de Anastasio Somoza en Asunción. Además de haber sido acusado por el gobierno de Ronald Reagan de violar los derechos humanos, el Paraguay ha estado incluido en la lista de dictaduras latinoamericanas junto a Chile, Cuba y Nicaragua. El país ha respondido a sus críticos con una política de relajamiento y la concesión de permisos para el regreso de los exiliados.

Depuesto por golpe militar el 2 de febrero de 1989, Strossner se refugió en el Brasil. El ex-dictador fue substituido por el general Andrés Rodríguez, con el fin de unificar el "coloradismo," democratizar el país, y respetar los derechos humanos y la iglesia católica. Las elecciones del primero de mayo de 1989 fueron ganadas por Rodríguez venciendo al candidato del Partido Liberal Radical Auténtico (PLRA), Domingo Laíno. Uno de los problemas en el 90 ha sido el de la tierra. Rodríguez ha sido acusado de desplazar por la fuerza a unas 20,000 familias de campesinos, de tierras que según el gobierno ocupaban ilegalmente. En diciembre de ese año hubo marchas masivas de protesta de campesinos, demandando tierra para laborar. La iglesia ha apoyado a la clase campesina celebrando servicios especiales y recaudando fondos. La Unión de Campesinos, en sus estimados sobre la condición agraria en el país, concluye que el 80% de las tierras laborales están en manos del 5% de la población y que unas 300,000 familias se hallan sin tierras para el cultivo.

Entre los problemas con los que se ha enfrentado Rodríguez en 1992 se cuenta la purga de individuos pertenecientes a la alta jerarquía militar, después de escandalosas acusaciones a su involucración en pandillas de ladrones de automóviles. El índice de inflación, controlado en 1991, ha vuelto a subir (1990, 39.2%; 1991, 11.8%; 1992, 16.2%). La nueva constitución del 92 le prohíbe a Rodríguez la reelección.

POESÍA

Las protestas de la poesía paraguaya se remontan al siglo XIX al finalizar la dictadura de Gaspar de Francia. Alrededor de la guerra del 70 surgió la voz rebelde de Juan José Brizuelo; y más tarde, en tiempos de la guerra de la Triple Alianza, se levantó la protesta poética de Natalicio Talavera.Durante el post-modernismo, en la llamada "Generación Juventud", surgieron cinco poetas importantes: Manuel Ortiz Guerrero, Heriberto Fernández, Julio Correa, Josefina Plá y José Concepción Ortiz. De ellos, Fernández hizo las primeras manifestaciones de ruptura formal dentro de la poesía paraguaya y Correa cayó, de cierto modo, en el panfletarismo revolucionario. Hacia 1940 se abrieron nuevas rutas. En un acercamiento a Vallejo aparecieron temas sociales y de solidaridad humana. Frente a la dictadura del momento los poetas se exiliaron o se evadieron al mundo del surrealismo. Cuatro escuelas estéticas se disputaron la hegemonía de la generación del 40: el dadaísmo, el expresionismo, el surrealismo y secuelas del ultraísmo. Después de la guerra civil de 1947 empiezan a sobresalir las voces de Herib Campos Cervera, Augusto Roa Bastos y Elvio Romero. Suman a ellos sus voces de protesta Manuel B. Argüello, Ramiro Domínguez, Rubén Barreiro, Oscar Ferreiro, Francisco Pérez Maricévich, Mario Halley Mora y Elsa Wiezel. La promoción del 70 vive un hecho importante y es la actitud revolucionaria que adopta la iglesia paraguaya. Hay un viraje entonces de la poesía social hacia la metafísica, existencialista o religiosa. Sobresalen en la más reciente poesía paraguaya René Dávalos, José Carlos Rodríguez, Lincoln Silva, Adolfo Ferreiro y Guido Rodríguez Alcalá.

HERIB CAMPOS CERVERA (Asunción, 1908-1953)
Estudiante de Ingeniería de la Universidad de Asunción no terminó la carrera pero sus conocimientos le permitieron trabajar como agrimensor. Inclinado a la filosofía se dedicó a estudiarla por su cuenta. Sufrió dos destierros de su patria, en el Uruguay y en la Argentina. En este último país murió trágicamente. Sólo publicó un pequeño libro de poemas mientras vivió. El resto de su obra apareció diseminada en revistas y periódicos. El poeta Miguel Hernández editó su obra póstuma.

Obra. **Poesía:** *Ceniza redimida* (1950), *Palabras del hombre secreto* (1955), *Hombre secreto* (1966).

Campos Cervera fue el primer poeta vanguardista del Paraguay. El conocimiento de su obra ayuda a comprender la poesía paraguaya de la segunda mitad del siglo. Su poesía fluctúa entre la superrealidad y el expresionismo de Rilke. Sus poemas se basan mayormente en el uso de la metáfora. Campos Cervera extrajo su imaginería surrealista de Lorca, Cernuda, Alberti y Neruda, a quienes conoció personalmente. En "Regresarán un día. . ." el poeta, testigo de la lucha libertaria recuerda a los muertos y asegura que volverán. Es fuerte y conmovedor el "véis", expositorio de cuerpos hacinados, y "bocas despojadas de labios con trozos de guitarras colgadas de sus bordes". El poeta es la voz viva que nadie podrá acallar y señalará los rumbos del canto liberado. Llamará a otros poetas americanos para que ellos también sean testigos de lo que ha pasado en su país. Pero es bueno asegurar que ni la fe ni el amor se han rendido, los muertos volverán a vivir y a defender la patria con denuedo.

CENIZA REDIMIDA (1950)
REGRESARÁN UN DÍA. . .

Por los caídos por la libertad de mi pueblo y para los
que viven para servirla, esta constancia.

I
Véis esos marineros aún vestidos de pólvora;
y esos duros obreros cuya sangre de fuego
circula como un río de encendidas raíces
bajo el denso quebracho de sus torsos?

Y esas pequeñas madres, de tan leve estatura,
que parecen hermanas de sus hijos?

No visteis, no tocásteis el rostro fragoroso
de esos adolescentes cubiertos de relámpagos;
seres rotos, usados, gastados y deshechos
en una mitológica tarea?

Los véis? -Son los soldados
de una hora, de un día, de una vida:
todos Hijos obscuros de la misma ultrajada tierra,
que es mía y es de todos
los muertos de esta lucha.

Véis esos ojos con dos rosas de lágrimas

colgadas de sus órbitas azules?

Véis todas esas bocas despojadas de labios;
con trozos de guitarras colgadas de sus bordes;
todas deshilachadas, arrojadas de bruces
sobre la inocencia triste del pasto y de la arena?

Los véis, allí, hacinados,
bajo la misma luna de los enamorados;
agrediendo la clara piedad de la mañana
con su despedazada sonrisa?

Véis todo ese tumulto de la sangre temprana;
que camina de día, de noche, a todas horas
hacia los más profundos niveles de la tierra,
donde están labrando los moldes transparentes
de todos los Soldados de las luchas futuras?

Abiertos en canal, de Norte a Norte,
-desde donde nacía la Semilla del Hombre,-
hasta el caliente refugio del grito,
                    yacen.

Miran las altas luces del alto día del duelo,
mostrando los horóscopos helados de sus manos
                y sus frentes de piedra amanecida
                y la cal valerosa de sus huesos.

II
No moriré de muerte amordazada.
Yo tocaré los bordes de las brújulas
que señalan los rumbos del Canto liberado.

Yo llamaré a los Grandes Capitanes
que manejan el Viento, la Paloma y el Fuego
y frente a la segura latitud de sus nombres,
mi pequeña garganta de niño desolado
fatigará a la noche, gritando:

"¡Venid, hermanos nuestros!
¡Venid, inmensas voces de América y del Mundo;
venid hasta nosotros y palpad el sudario
de este jazmín talado de mi pueblo!

"¡Acércate a nosotros, Pablo Neruda, hermano,
con tu presencia andina, con tu voz magallánica;
con tus metales ciegos y tus hombros marítimos;
acércate a la sombra de tu estrella despierta
                    y contempla estas llagas ateridas!

"¡Ven, Nicolás Guillén,
desde tu continente de tabaco y de azúcar,
y con esa segura nostalgia de tus labios
ponle un exacto nombre a esta agonía!

"Y tú, Rafael Alberti -marinero en desvelo,
pastor de los olivos taciturnos de España,
tú, que una vez cuidaste la sangre de los héroes
que puso a tu costado mi patria guaraní,-
                    dibújanos el mapa
de estos desamparados litorales de muerte!

"¡Venid, hombres absortos; madres profundas; niños;
buscadores de Dioses; pordioseros;
máscaras evadidas y nocturnas del vicio;
patentados jerarcas de la virtud de feria;
                    venid a ver el rostro del martirio!

"Venid hasta el remanso de este dolor antiguo;
simplemente venid: así, sin lámparas;
sin avisos, sin lápices y sin fotografías
y dejad, si podéis, en las riberas:
la memoria, los ojos y las lágrimas.

"Tocad con vuestras manos estos lirios dormidos;
tocad todos los rostros y todas las trincheras;
la numerosa muerte de todos los caídos

y el polvo que sostuvo esta batalla.

"Apartad con la punta de vuestros pies desnudos
todos estos metales de nombres extranjeros;
estos lentos escombros de torres agobiadas;
            esta antigua morada de la miel
            y la verde pradera
            de esta selva temprana de soldados".

      Sí. Todas estas torres de acumuladas ruinas,
            son nuestras:

Aquella sangre rota y estas manos deshechas,
            son nuestras:
son nuestro honor de ayer y de mañana.

      Yo lo proclamo ahora desde el hondo reverso
            de esta paz de cadáveres:
            todas estas banderas
            y estos huesos, abrumados de luchas,-
            son el metal de nuestro riesgo;
            son el emplazamiento de nuestra artillería;
                nuestro muro blindado;
                nuestra razón de fé.

                        III
      Porque no está vencida la fe que no se rinde;
ni el amor que defiende la redonda alegría
de su pequeña lámpara, tras el pecho del Hombre.

      Con estas simples manos y estas mismas gargantas,
un día volveremos a levantar las torres
del tiempo de la vida sin sonrojos.

      Desde el fondo de todas las tumbas ultrajadas,
crecerán las praderas del tiempo de soñar.

      Aquí, cerca, en las márgenes de la tierra pesada;

junto a la sal antigua del mar innumerable;
en la madera espesa y el viento de los árboles,
    están creciendo ya.

Yo sé que en la mañana del tiempo señalado,
    todos los calendarios y campanas
    llamarán a los Hijos de este Día.
Y ellos vendrán, cantando, con su misma bandera;
    con su mismo fusil recuperado;
vendrán con esa misma sonrisa transparente
    que no tuvieron tiempo de enterrar.

Vendrán la Sal y el Yodo y el Hierro que tuvieron;
cada terrón de arcilla les tornará los ojos;
la cal de su estatura se asomará a su cauce
y alguna eterna Madre de un eterno Soldado
los llevará en la noche caliente de su sangre.

Y en la hora y el día de un tiempo señalado,
regresarán, cantando, y en la misma trinchera
dirán, frente a la misma bandera de mil años:

"¡Presente, Capitana de la Gloria!
¡Aquí estamos de nuevo para cuidar tu rostro,
tu ciudadela intacta; tu imperio invulnerable,
    Libertad!"

ELVIO ROMERO (Yegros, Paraguay. 1927)

Elvio Romero es el poeta más importante de protesta paraguayo. Ha sido influido por Miguel Hernández. Benjamín Carrión le llama "poeta de la rabia y la ternura". [1] Pertenece a la generación poética del 50 cuya voz se hace más resonante después de la guerra civil de 1947.

Obra. **Poesía:** *Resoles andes* (1950), *Despiertan las fogatas* (1953), *De cara al corazón* (1955), *El sol bajo las raíces* (1956), *Esta guitarra dura* (1961), *Un relámpago herido* (1967), *Destierro y atardecer* (1975).

La poesía de Romero es obra militante en la que se retrata la geografía

---

[1] Lagos, Ramiro. *Mester de rebeldía de la poesía hispanoamericana* (Madrid: Editorial Dos Mundos, 1973), p. 362.

del Chaco. Según Roque Vallejos el compendio de su obra es "la protesta paraguaya hecha canto, filoso, cortante, pero no por ello ausente de dramática belleza".[2] En los poemas a continuación "El dictador" es una recapitulación violenta del autócrata, esquematizado en sus acciones represivas. En "Aguafuerte" el poeta presenta, en rápidos trazos de su pluma, al hombre y a su patria, ambos crucificados. Debajo de su raíz en "Abajo" se agrietan mutilaciones, cárceles, torturas, gritos y sangre.

DESTIERRO Y ATARDECER (1975)
EL DICTADOR
(Epigrama)

Pobló el solar de cárceles;
supuso que a su paso no crecerían nunca
las hierbas ni el rocío.

El desprecio a su imagen y a su nombre
los verdeció hace tiempo.

AGUAFUERTE
Sujeto a palos en cruz,
un hombre, quieto,
sobre dos palos en cruz;
con sogas entre los huesos.

Y abajo el viento.

Acaso atada mi tierra
como un tamborón de cuero
sobre dos palos en cruz

Y enfrente el viento.

¡Toda la patria en el suelo
sobre dos palos en cruz!

¡Y encima el viento!

---

2 *Antología crítica de la poesía paraguaya contemporánea* (Asunción: Editorial Don Bosco, 1968), p. 32.

ABAJO. . .

Siento
bajo mis pies, en mi raíz, debajo
de mi raíz, allá, donde se agrietan
los escombros nocturnos, donde corre a deriva nuestra
sangre,
que se me empinan, rompen
mutilaciones, cárceles; que suben a los labios
gritos roncos, clamores, multiplicados
crímenes; sentimos
que hay una amputación junto a un látigo seco,
ensangrentado;
una sangrante cifra de ola humana
que pasa, un fuego rojo
de verano, que hay tormentas
de ríos apretados, de árboles desgajados
bajo los pies, que llegan
donde van a derivar los gritos y la sangre. . .

Siento
bajo los pies, en mi raíz, abajo.

NARRATIVA

A mediados del siglo XIX Natalicio de María Talavera inició el cuadro de costumbres en la literatura paraguaya. Durante la guerra de la Triple Alianza (1864-1870), causante de la devastación material del país y de un trauma profundo en la conciencia popular, aparecieron esporádicamente relatos en los periódicos de trincheras *Cabichuí*, *Cacique*, *Lambaré*, *El Centinela*, y *La Estrella*.

Después de la guerra, mientras el país luchaba por levantarse, se publicaban en los periódicos narraciones románticas de extracción europea e hispanoamericana. No es extraño que la primera obra narrativa impresa en libro en el Paraguay haya sido *Zaida* (1874), novela morisca, del autor argentino exiliado en ese país Francisco F. Fernández. La primera narración de autor paraguayo, *Viaje nocturno de Gualberto o Recuerdos y reflexiones del ausente* (1877), novela breve, apareció publicada en Nueva York por un exiliado sobreviviente de la generación de la guerra, Juan Crisóstomo Centurión. También se publicaron *Leyenda guaraní* (1885), cuento romántico-indigenista de José de la Cruz Ayala, y *Episodios militares de la guerra del Paraguay* (1898-1903), lo mejor de esa época, de Adriano M. Aguiar.

Los autores nacidos de la guerra, agrupados en la generación del novecientos, se caracterizan por el acercamiento al liberalismo romántico y el rechazo al pasado. Esta actitud, que persistirá hasta después de la Guerra del Chaco (1932-1935), dará como resultado, según expresa Pérez Maricévich, una tendencia paradójica a ficcionalizar la historia y a historiar la ficción.[3] Esta generación se dedicará más a la investigación histórica. Por las razones anteriormente presentadas no pueden encontrarse en el Paraguay los movimientos literarios comunes a Hispanoamérica. Los productos literarios padecen de hibridismo. Ninguno de los autores modernistas dejó libros de ficción, y las narraciones que quedaron en diarios y revistas son de escaso valor estético. Autores posteriores, tales como Eudoro Acosta Flores, Natalicio González y María Teresa Lamas de Rodríguez-Alcalá, aunque han tocado el problema social y político en sus cuentos han creado estereotipos humanos.

Entre los autores de "la generación del 40" se destaca Gabriel Casaccia. Casaccia, inciador del objetivismo en el Paraguay, situó al hombre paraguayo de sus narraciones en una nueva perspectiva. Las obras de Casaccia, comenzando con *El Guajhú* (1938) y continuando con *El pozo* (1947), tienen el mérito de iniciar la narrativa paraguaya de verdadero valor, y de situar esta literatura a la altura de las grandes obras de las letras hispanoamericanas. Sus temas favoritos son el destierro, el terror y la persecución política. Sus novelas *Mario Pereda* (1940), y *La babosa* (1952), presentan estos problemas. *La llaga* (1964), tiene como fondo los intentos revolucionarios para derrocar al dictador Raimundo Alsina. En *Los exiliados* (1966), cuyo fondo es el tema del destierro, desfilan figuras políticas y revolucionarias de los movimientos de 1908, 1911, 1922 y 1936. Siguiendo la tradición iniciada por Casaccia aparecen en el campo narrativo los poetas y cuentistas Josefina Plá, Hugo Rodríguez-Alcalá y el gran novelista Augusto Roa Bastos.

---

[3] Francisco Pérez Maricévich, "Presentación", *Breve Antología del cuento paraguayo* (Asunción: Ediciones Comuneros, 1969), p. 10.

AUGUSTO ROA BASTOS (Iturbe, Paraguay, 1917)
        Poeta, cuentista, novelista, guionista y escritor de numerosos artículos
periodísticos, vivió de pequeño en Iturbe, región del Guairá, pero se mudó a
Asunción para asistir al Colegio San José y a la Escuela Superior de Comercio.
A los 17 años marchó a la Guerra del Chaco. A su vuelta a Asunción trabajó en
un banco de 1938 a 1942 y se unió al periódico *El País*. De 1946 a 1947 fue
Agregado Cultural de la Embajada Paraguaya en Buenos Aires. A partir de 1947
se estableció definitivamente en la Argentina. Allí trabajó como agente de
seguros y periodista, cubriendo la Segunda Guerra Mundial en Europa. La
maniobra de intereses de la oligarquía criolla, que condujo al drama de la guerra
del Chaco, ha influido en sus ideas y campañas periodísticas y políticas en el
exilio. Roa Bastos escribe sobre la explotación y la corrupción políticas y
defiende en sus obras los valores del pueblo paraguayo. Sobre la literatura ha
dicho el autor, "una buena literatura, una obra bien hecha, auténticamente
iluminadora, será siempre testimonial". [4]
        Comenzó escribiendo como periodista y poeta. En su obra poética se
nota la influencia de Neruda y el movimiento surrealista. Ultimamente se ha
dedicado además de la literatura al cine. Ha escrito guiones originales, así como
adaptaciones de sus novelas y de otros autores. Como guionista obtuvo en 1960
el Primer Premio del Festival de Santa Margherita con *Alias Gardelito*, y el
Premio de la Revista *Life*.
        Obra. **Poesía:** *Poemas* (1942). **Cuento:** *El trueno entre las hojas*
(1953), *El baldío* (1966). **Novela:** *Hijo de hombre* (1960), *Yo, el supremo* (1974).

HIJO DE HOMBRE (1960)

        Novela ganadora del Premio Losada en 1959, ha sido traducida a
varios idiomas. La obra, cargada de imágenes y símbolos poéticos, trasciende
el regionalismo y lleva la novela hispanoamericana al plano universal. Según
Kessel Schwartz, en esta novela Roa Bastos "combines tortured imagery,
strange symbols, poetry, allegory, existentialism, fantasy, legend, myth, and the
subconscious to convey his basic concerns for justice and human liberty, not
only in Paraguay, but in the whole world in which he hopes some day to find
freedom and brotherhood".[5]
        Contada por Miguel Vera, testigo presencial, la obra consiste de una
serie de relatos y disquisiciones del narrador. Vera, en su papel de observador del
mundo paraguayo y como testigo presencial de hechos de importancia histórica,
pasa sus impresiones a un diario que, supuestamente con su narración, complementa
el cuerpo de la novela. *Hijo de hombre* cubre la historia del Paraguay desde la

---

4 Francisco Pérez Maricévich, *Diccionario de la literatura paraguaya*, (Asunción:
Instituto Colorado de Cultura, 1984), p. 137.
5 Kessel Schwartz, *A New History of Spanish American Fiction*, Vol II (Coral Gables:
University of Miami Press, 1971), p. 273.

época del dictador Francia hasta después de la Guerra del Chaco. Se incluye el levantamiento agrario de 1912 y la guerra con los bolivianos en 1932. En la novela se documenta la opresión de que el pueblo es objeto, los abusos a los indios, y la frustración de los hombres como resultado de los movimientos revolucionarios fallidos. La talla del Cristo, la representación de la crucifixión, los milagros, y la presencia de personajes ambientales como los leprosos y la pecadora arrepentida, invaden la novela de un profundo simbolismo religioso. Entre las historias está la de Gaspar Mora, el carpintero guitarrista, sobrino de Macario Francia, gran narrador de historias, posiblemente hijo del dictador. Gaspar contrae lepra y para evitarle el contagio a los demás se aleja. Es seguido por María Rosa, prostituta que lo abandona todo para atenderle. Ella es la que viene con la noticia de su muerte al pueblo y regresa con la talla del Cristo crucificado hecha por Gaspar a su imagen y semejanza. También está la historia del médico ruso Alexis Dubrovski, quien engendra un hijo en María Regalada, la hija del sepulturero. Sobresalen entre las diversas narraciones y personajes Casiano Jara, héroe revolucionario de la gesta de 1912, así como su mujer Natividad. El hijo de ambos, Cristóbal, posiblemente sea el "hijo de hombre" cuya figura se desarrolla hasta alcanzar categoría de líder y se convierte en el símbolo de la esperanza redentora. En esta novela no sólo se presentan los episodios de la Guerra del Chaco, sino que se observa la transformación ideológica del hombre y el desarrollo de la mentalidad revolucionaria.

IV
ÉXODO

. . . .

3

Casiano Jara y su mujer Natividad llegaron a Takurú-Pukú en uno de los arreos de hacienda humana que hicieron los agentes de La Industrial, un poco después de aplastado el levantamiento agrario del año 1912, aprovechando el desbande de los rebeldes y el éxodo de la población civil.

Casiano y Natí se engancharon en Villarrica. No hacía mucho que se habían casado. Eran de Sapukai.

Casiano Jara estaba en el convoy rebelde, entre los expedicionarios del capitán Elizardo Díaz, que iban a caer sorpresivamente sobre la capital. Natí se hallaba entre el gentío que se había reunido en la estación para despedirlo al grito de ¡Tierra y libertad!, aquella trágica noche de marzo. La delación del telegrafista frustró los planes. Los gubernistas lanzaron contra el convoy una locomotora cargada de bombas.

No todos los sobrevivientes de la terrible masacre consiguieron escapar del degüello y de los fusilamientos en masa que remataron la acción punitiva del gobierno. Casiano y Natí se salvaron por milagro. Las rachas de fugitivos de la vencida rebelión anduvieron vagando varios días por los montes Guairá desesperados y hambrientos. Huían hacia el sur, en busca de las fronteras argentinas, siguiendo la vía férrea, pero a distancia, para no caer en manos de las comisiones militares.

En Villarrica tuvieron noticias de que la represión había amainado y de que los rafladores de la Industrial estaban tomando gente para el "trabajado" de Takurú- Pukú.

> No más, no más, compañero,
> rompas cruelmente nuestro corazón. . .

Casiano Jara y su mujer, casi todos los de su grupo, se enrolaron en la columna de carne de cañón para los yerbales, contentos, felices de haber encontrado esa encrucijada en la que a ellos se les antojó poder cuerpear a la adversidad.

Además recibieron la plata piripí del anticipo.

-¡Es la cimbra de la rafla! -alertó uno-. No hay que agarrar. . .

Nadie le hizo caso. Estaban deslumbrados.

Con los billetes nuevos y crujientes, Casiano compró ropas a Natí en la gran tienda "La Guaireña". Ella se las iba probando y vistiendo en un trascuarto del registro. Cuando se levantó el ruedo para ponerse el calzón de mezclilla, Casiano entrevió, después de mucho tiempo, qué firmes y torneados muslos morenos tenía su mujer. Hasta un collar de abalorios, una peineta enchapada con incrustaciones de crisólitos y un frasco de perfume le compró. La sacó de allí emperifollada como una verdadera señora de capilla. El se compró un par de alpargatas, un poncho calamaco, un solíngen, un pañuelo para'í y un sombrero de paño.

En un espejo manchado del registro se vieron las figuras. Un hombre y una mujer paquetes, emperejilados como para una función patronal.

Salieron que no eran ellos.

Con los últimos patacones comieron también a lo cajetilla en una fonda céntrica. La primera comida decente después de meses de comer raíces y sandías podridas arrancadas al pasar en los cocués hechos taperas.

Iba a ser también la última. Pero aún no lo sabían. Su ingenuo entusiasmo por el nuevo destino les tapaba los ojos.

-A lo mejor, Natí, no es tan malo allá como se cuenta -dijo Casiano, satisfecho, mirando la calle a través de las rejas de la ventana.

-¡*Dios quiera, che karaí!* -murmuró Natí con la cabeza gacha sobre el plato vacío, como si dijera amén.

4

Al amanecer la columna se puso en marcha para cubrir las cincuenta leguas que había hasta el yerbal, después de cruzar la serranía de Kaaguasú.

Tardaron menos de una semana en llegar, arreados por los repuntadores a caballo, que a gatas los dejaban descansar algunas horas por noche. Pronto consumieron sus provisiones. Tomaban agua al vadear los arroyos, como los caballos de sus cuidadores.

Antes de entrar en la selva virgen, cruzaron por un vado el río Monday. Era el portón de agua de los yerbales. Algunos todavía hacían bromas.

-¡Mondá. . . y! ¡Agua de los ladrones! ¡Enjuáguense la boca, los mitá!..

Los hombres quisieron bañarse. No los dejaron. Había apuro.

Los perifollos de Natí habían vuelto a su condición de andrajos. La paquetería masculina de Casiano y de los otros, también. La selva igualadora arrancaba a pedazos toda la piel postiza, toda esperanza. Las puntas de las guascas trenzadas y duras como alambre, las picaduras de garrapatas y mosquitos, de víboras y alacranes, los primeros temblores de las fiebres, los primeros remezones del temor, los despertaron a esa realidad que los iba tragando lenta pero inexorablemente.

Algunos quedaron por el camino interminable. Los repuntadores probaban a levantarlos a punta de látigo, pero el vómito negro o la ponzoña de la ñandurié era más fuerte que ellos. Los dejaban entonces, pero con un poco de plomo en la cabeza, para que se quedaran bien quietos y no se hicieran los vivos, así de entrada.

Los que marchaban delante oían de tarde en tarde, a sus espaldas, el tiro del despenamiento. Era un compañero menos, una mártir más, un anticipo que se perdía en un poco de bosta humana.

Ahora lo sabían. Pero ya era tarde.

–¡Erramos, Natí! -dijo Casiano mientras marchaban-, caímos de la paila al fuego. . .

-¡Qué cosa. . . , che karaí!

-Pero no te apures. . . ¡Sólo estaremos un tiempo!

Los ojos verdosos de ella estaban turbios. Dos hojas estrujadas, como esas que iban pisando los caballos de los reputadores sobre la tierra negra de la picada rumbo a Takurú-Pukú.

. . . .

9

Casiano y Natí envidiaban a los que se iban. Ellos no podían. No tenían para malvender más que su sudor, pero el débito de la cuenta chupaba íntegro los jornales de Casiano. No había forma de achicarlo, de hacerlo desaparecer. A todos les pasaba lo mismo. Por más que hacían, solo ganaban para salvar los gastos de comida y de ese poquito de olvido que era la caña. Las ropas costaban más de diez veces su valor real. Por eso la deuda del anticipo quedaba siempre intacta. Estaba allí para atramojar al mensú. Era su cangallo. Ya no lo soltaba. Sólo bajo tierra podía zafarse de ella.

Ahora lo sabían. Pero ya era tarde.

Casiano y Natí tuvieron que levantarse un toldito con ramas y hojas de pindó. Ella pasó a trabajar en la proveeduría.

Y una noche no entra acaso y le dice:

-Voy a tener un hijo.

Casiano no sabe si alegrarse o ponerse más triste. Encuentra al fin una cara alegre para su tristeza:

-Bueno. . . -dice solamente.

Ha olvidado que puede tener un hijo. ¡A buena hora le daban la noticia!. Sin embargo, debe de ser bueno tener un hijo. La sangre se lo dice con ese nudo en la garganta que no le deja hablar. Debe de ser bueno, aunque sea allí en Takurú-Pucú, donde sólo las cruces jalonan las picadas. Ve sobre los carbones los ojos oscuros de Natí enredados en ese misterio que está germinando en ella, lo único eterno que pueden hacer un hombre y una mujer sobre la tierra, aunque sea en tierra de cementerio.

Entonces dice:

-Ahora hay que pelear por él.

-Sí -dice Natí.

-Si es hombre lo vamos a llamar Cristóbal. Como su abuelo. . .

El anciano de barba blanca, que había fundado Sapukai con otros agricultores el año tremendo del cometa, atravesó la crujiente pared de palmas y les sonrió en la oscuridad. Se tomaron las manos. Natí sintió que las de él estaban húmedas. También los ojos del mensú suelen echar su rocío, que es como el sudor del ánima sobre las penas cuando todas desde adentro le pujan por ese poquito de esperanza atada al corazón con tiras de la propia lonja, más difícil y más pesada que el fardo del raído.

Sí, la vida es eso por muy atrás o muy adelante que se mire, y aún sobre el ciego presente. Una terca llama en el barbacuá de los huesos, esa necesidad de andar un poco más de lo posible, de resistir hasta el fin, de cruzar una raya, un límite, de durar todavía, más allá de toda desesperanza y resignación.

Ahora Casiano y Natí lo saben sin palabras, entre un anciano muerto y un niño que aún no ha nacido. Ahora también saben por qué su pueblo lejano se llama *Grito*, en guaraní. Recuerdan la última vez que vieron a Sapukai, agujereado salvajemente por las bombas.

Están bien despiertos. El viento de la noche araña las paredes de pindó. La correntada pulsea las barrancas.

—A lo mejor, podemos llegar a tiempo para que te desobligues allá. . .

Por eso Casiano trabajaba con ahinco. Hago con todo mi cuerpo un brazo, una mano, un puño. . . , pensaba. Vivo apretando los dientes. Quiero que el haber de mi cuenta gane al débito. A lo mejor, puedo saldar al fin la deuda de aquel anticipo de 300 patacones. A lo mejor, la trangalla queda desarmada y vamos a poder escapar, regresar, sin nada, pero con ese hijo que está por nacer.

—¡Tan lindo sería, che karaí! —murmuraba Natí, como aquella vez en la fonda, con la cabeza gacha sobre el plato vacío, aunque ahora sin tanta seguridad, solamente para que Casiano no sufra.

—Y se habrán olvidado de lo que pasó.

—Puedo trabajar otra vez en la olería. O de no, en nuestra kapuera. Estará dando bien el algodón y el maíz. Puedo probar también el arroz en el bañado.

—Sí. . .

Tratan de engañarse, como si soñaran despiertos. Pero el tolondrón de las bombas se abre delante de ellos tragando esa kapuera llena de maleza o de seguro recuperada por el fisco, con todo lo clavado y plantado por el puerco revolucionario Casiano Jara.

No paró aquí el despinte para ellos. Se podía decir que recién comenzaba.

10

En el pueblo abandonado sólo quedaron unas cuantas mujeres. Avejentadas prostitutas al extremo de su degradación, o viudas que se volvían tales para seguir subsistiendo.

Natí clareó entre ellas, joven, robusta, de nuevo lozana por la naciente maternidad que aún no salía de caja.

Juan Cruz Chaparro le echó encima el ojo tuerto.

Kurusú no era un atarantado. Tenía paciencia. Sabía tomarse su tiempo. Si habían pasado casi dos años para descubrir a la guaina del sapuqueño entre el rezago del mujerío, bien podía esperar un poco más. Total el tiempo en Takurú-Pucú no pasaba para él. Además, en medio de la abyecta sumisión del hembraje, le gustaba esa hembra un poco dura de boca al tirón de la rienda. Se le iba a poner blandita como la boca de una yegua parejera. Pero despacio, sin dar mucho que ver; no fuese a despertar la voracidad siempre pronta de Coronel, abriéndole los ojos sobre la presa.

El primer resultado fue que a Casiano lo mandaron a acarrear leña para los barbacuás, el trabajo más cruel del yerbal; más todavía que el acarreo del raído. El peso de la carga era también de unas ocho arrobas como mínimo, pero en lugar del fardo de hojas aterciopeladas, los troncos hacían sangrar la espalda del mensú a lo largo de su caminata de leguas por picadas y remansos selváticos.

Casiano ya no podía venir por las noches a tumbarse junto a Natí en el toldito de palmas. Se tenía que construir pequeños refugios de ramas donde le tomara la noche en medio del monte, o los torrenciales aguaceros. Sólo alguna que otra vez llegaba desgajado por las convulsiones de las fiebres, con los hombros y las paletas enllagados, comido por las uras y los yatevús.

El todavía no sospechaba lo que estaba ocurriendo. Creía en un cambio desgraciado de su suerte. Lo había estado temiendo siempre.

-Tenía que suceder. Vivimos bien mucho tiempo… -dijo Natí, tratando de consolarla y consolarse.

Pero ella sabía la causa del cambio. Cuando curaba con remedios de yuyos y unto sin sal las espaldas llagadas de su hombre, no veía las huellas de los troncones sino el rastro sangriento de las espuelas de Chaparro, que se estaba poniendo cada vez más cargoso, aunque todavía le daba por ese galanteo lento del mata-mata que disfruta con el mareo de su presa mientras la va atando e inmovilizando con hilos de baba.

11

Una tarde, en el monte, salió al encuentro de Casiano. Estuvo a punto de pecharlo con el caballo.

A boca de jarro también le dijo:

-Jara, me gusta tu mujer. Te doy por ella 300 patacones. . .

El ojo tuerto tenía el color de la ceniza. Casiano, doblado bajo los troncos, empezó a tiritar.

-Y puede ser también que te deje ir de aquí -agregó el comisario con un gesto amistoso-. Si pagas tu deuda.

La carga de leña de Casiano era ahora la que parecía temblar en un ataque de malaria. El, abajo, tenía la boca amoratada, con aquellos dientes que le crujían como si estuviera mascando tierra.

-Habla. ¿No te gusta el trato?

-No. . . , no. . . mujer. . . -tartamudéo Casiano con una voz tan débil y lejana, que Chaparro se dio vuelta creyendo que le hablaba otro.

-¿Por qué?

-Es. . . mi. . . mujer. . . -castañeteó la boca agarrotada.

-Ya sé, vyro. Por eso te estoy ofreciendo 300 patacones. . . Ni uno más ni uno menos. Tu deuda en la administración. Podrás pagar y volverte a tu valle. A nadie se le ha presentado una bolada como ésta en Takurú-Pucú. Por lo menos desde que yo soy aquí autoridad.

-No. . .

-¡Hay que aprovechar! ¡Que es una concubina, últimamente!

-No es mi concubina. . . Estoy casado con ella. . .

Chaparro tuvo una explosión de risa.

-¡Casado con ella! ¡Ja!. . . ¡Es lo mismo, vyro maleta! Concubina o esposa, aquí es lo mismo. Mujer, al fin y al cabo. Con un agujero entre las piernas. Eso no más es lo que vale. . . , si es linda. . .

-Va a tener. . .

-¿Qué es lo que va a tener?

-¡Un hijo! . . . -tembló la voz bajo la carga de monte.

Era una confesión ridícula, absurda; algo así como la debilidad sentimental de un condenado a muerte. Sin embargo, surtió su efecto; un efecto también absurdo y ridículo.

-¿Un hijo?

-Sí. . . Está de cuatro meses. . .

-Entonces quiere decir que yo estoy tuerto de los dos ojos. Para no ver. . .

Parecía una charla de comadres a la puerta de una iglesia.

-Vamos a esperar entonces un poco más.

Se fueron los dos por la picada. Chaparro delante, con la pierna enganchada en la cabeza del recado. Detrás, el fardo de troncos arrastrándose casi a flor de tierra, sobre las patas de una cucaracha.

12

-¡Tenemos que escapar de aquí! -le dice esa misma noche.

Se lo repite varias veces, mientras tiembla. Ella piensa al principio que es el delirio de la fiebre. Pero después de pasarle el ataque, él continúa insistiendo roncamente.

-¡Tenemos que escapar de aquí! ¡Cuanto antes!. . .

-¡Cómo, che karaí!

-¡No sé. . . , pero tenemos que escapar!

La cara de tierra lívida tiene esa burbuja obsesiva sobre la grieta de la boca.

-¡Imposible! -murmura Natí, de rodillas sobre la estera, junto al cuerpo de su marido que parece deshuesado.

Está empezando a comprender. Como un eco de su propio pensamiento, oye que Casiano le dice:

-Kurusú me habló. . .

Sus ojos se encuentran como al regreso de una enorme distancia, colmados de vergüenza los de ella, de una desesperación casi rastrera los de él.

-¡Me trateó para comprarte! ¡Por trescientos patacones!. . . .

Se carcajea furiosa, desamparadamente.

-¡El anticipo. . . ! ¡El precio de nuestra deuda!. . . .

Ríe como loco. Los espumarajos de rabia le llenan la boca. Nuevas contracciones lo contorsionan con un oleaje tardío de fiebre hasta que la cabeza empapada en un sudor viscoso se derrumba a un costado y se queda exánime, con sólo ese pujido de su anhelar que le araña la garganta como una uña.

Natí trata de calmarlo. Le fricciona todo el cuerpo con vinagre y lo arropa en el calamaco andrajoso y las cobijas de bayeta, más destrozadas todavía que el poncho comprado en la tienda guaireña.

Por encima de Casiano, que respira débilmente bajo ese sueño más pesado sin duda que una selva entera de troncos, los ojos húmedos de Natí se tienden hacia adelante, escrutan el silencio, la oscuridad implacable del yerbal. Pero nada hay tan negro y callado como su desgracia.

Mira fijamente dentro de esa noche hasta sentir que se apagan los latidos de su corazón, hasta no sentir más nada.

Nada más que esas pataditas que de tanto en tanto le pulsan las entrañas.

V

HOGAR

. . . .

5

Cuando el levantamiento agrario del año 12 estaba prácticamente vencido, las guerrillas rebeldes , después de una azarosa retirada, se concentraron y atrincheraron en el recién fundado pueblo de Sapukai cuyo nacimiento había alumbrado el fuego aciago del cometa y que ahora se disponía a recibir su bautismo de sangre y fuego.

El capitán Elizardo Díaz, que había apoyado la rebelión de los campesinos con su regimiento sublevado en Paraguarí, tomó el mando de los insurrectos. Se apoderaron de la estación y de un convoy que estaba allí inmovilizado con su dotación completa. Ahora no les quedaba más que la vía férrea para intentar un último asalto contra la capital. En un plan desmesurado, desesperado como ése, sólo el factor sorpresa prometía ciertas posibilidades de éxito; podía hacer que el audaz ataque lograra desorganizar los dispositivos de las fuerzas que defendían al gobierno permitiendo tal vez su copamiento. Eran probabilidades muy remotas, pero no había otra alternativa para los revolucionarios. En cualquiera de los casos, la muerte para ellos era segura.

El capitán Díaz ordenó que el convoy partiera al anochecer de aquel primero de marzo, con toda la tropa, su regimiento íntegro más el millar de voluntarios campesinos, armados a toda prisa.

En su arenga a las tropas el comandante rebelde mencionó la histórica fecha de la muerte del mariscal López en Cerro Korá, al término de la Guerra Grande, defendiendo su tierra, como el compromiso más alto de valor y de heroísmo.

-¡Nosotros también - los exhortó- vamos a vencer o morir en la demanda!. . .

Casiano Jara había levantado a la peonada de las olerías de Costa Dulce, unos cien hombres, la mayor parte de ellos reservistas que habían hecho el servicio militar en los efectivos de línea. Casiano acababa de casarse con Natividad Espinoza. Tenían su chacrita plantada en tierra del fisco, cerca de las olerías. Natí cuidaba los plantíos, Casiano trabajaba en el corte y horneo de los ladrillos. Pero él no dudó un momento en plegarse al combate, contra los politicastros y milicastros de la capital que esquilmaban a todo el país. Por eso no le costó convencer a los hombres de las olerías. Se presentaron como un solo hombre en correcta formación por escuadras a ese valeroso capitán del ejército, tan distinto a los esquilmados y oprimidos. Díaz los recibió como un hermano, no como un jefe; los ubicó en el plan de acción y confirmó en el mando de sargento de la compañia de ladrilleros al vivaz y enérgico mocetón, que se convirtió en su brazo derecho.

Los preparativos de la misión suicida se cumplieron rápidamente.

Entre tanto, en un descuido, el telegrafista de Sapukai encontró manera de avisar y delatar en clave la maniobra que se aprestaba, incluso la hora de partida del convoy. El comando leal, ni corto ni perezoso, tomó sus medidas. En la estación de Paraguarí cargaron una locomotora y su ténder hasta los topes con bombas de alto poder. A la hora consabida la soltaron a todo vapor por la única trocha tendida al pie de los cerros, de modo que el mortífero choque se produjera a mitad del trayecto, un poco después de la estación de Escobar.

A último momento, sin embargo, surgió aquella imprevista complicación que iba a hacer la catástrofe más completa. El maquinista desertó y huyó. Esto demoró la partida del convoy. En la noche sin luna, la población en masa acudió a despedir a los expedicionarios. La estación y sus inmediaciones bullían de sombras apelmazadas, en la exaltación febril de las despedidas. Las muchachas besaban a los soldados. Las viejas les alcanzaban cantimploras de agua, argollas de chipá y tabaco, cachos de banana, naranjas. Cantos de guerra y gritos ardientes sugían a todo lo largo del convoy. *¡Tierra y libertad!...* era el estribillo multitudinario coreado por millares de gargantas enronquecidas en la quieta noche de marzo.

De pronto, sobre el tumulto de las voces se oyó el retumbar del monstruo que se acercaba jadeando velozmente encrespado de chispas. Se hizo un hondo silencio que fue tragado por el creciente fragor de la locomotora. A los pocos segundos, el fogonazo y el estruendo de la explosión rompieron la noche con un vívido penacho de fuego.

Y bien, ese cráter hubo que rellenar de alguna manera. En veinte años el socavón se recubrió de carne nueva, de gente nueva, de nuevas cosas que sucedían. La vida es ávida y desmemoriada. Por Sapukai volvieron a pasar los trenes sin que sus pitadas provocaran siniestros escalofríos en los atardeceres rumorosos de la estación, única feria semanal de diversiones para la gente del pueblo.

Casiano escapa con su hijo y Natí finalmente, pero las penalidades y sufrimientos lo han llevado a la locura. Regresa a Sapukai, su pueblo, y allí su interés inmediato consiste en esconder el vagón, resto ruinoso de la pasada revolución, en la jungla. Allí es criado su hijo Cristóbal, posiblemente el "hijo de hombre" cuya figura se desarrolla hasta alcanzar categoría de dirigente y se convierte en el símbolo de la esperanza. Alrededor del vagón se reúne un grupo revolucionario y hasta allí es llevado Miguel Vera, oficial del ejército, a quien le solicitan colabore con los guerrilleros.

6

Pero no todos olvidaron ni podían olvidar.

A los dos años de aquella destrozada noche, Casiano Jara y su mujer Natividad volvieron del yerbal con el hijo, cerrando el ciclo de una huida sin treguas. Desde entonces su hogar fue ese vagón lanzado por el estallido al final de una vía muerta, con tanta fuerza, que el vagón siguió andando con ellos, volando según contaban los supersticiosos rumores, de modo que cuando en las listas oficiales Casiano Jara hacía ya dos años que figuraba como muerto, cuando no por las bombas sino con un rasguño de pluma de algún distraído y aburrido furriel lo habían borrado del mundo de los vivos, él empezaba apenas el viaje, resucitado y redivivo, un viaje que duraría años, acompañado por su mujer y por su hijo, tres diminutas hormigas humanas llevando a cuestas esa mole de madera y metal sobre la llanura sedienta y agrietada.

Yo iba caminando tras el último de ellos tres. Veía sus espaldas agrietadas por las cicatrices. Pero aun así, aun viéndolo moverse como un ser de carne y hueso delante de mis ojos, la historia seguía siendo una historia de fantasmas, increíble y absurda, sólo quizás porque no había concluido todavía.

7

Lo malo fue que el vagón apareció de golpe en un claro del monte, donde menos lo esperaba.

En la sesgada luz que se filtraba entre las hojas avanzó lentamente hacia nosotros, solitario y fantástico. Primero vi las ruedas semihundidas entre los yuyos, los grandes troncos morados de mazaré que calzaban los ejes impidiendo que ellas se hundieran del todo en el limo vegetal. Luego la carcomida estructura creció de abajo hacia arriba cubierta de yedra y de musgo. El abrazo de la selva para detenerlo era tenaz, como tenaz había sido la voluntad del sargento para traerlo hasta allí. Por los agujeros de la explosión crecían ortigas de anchas hojas dentadas. Vi las plataformas corroídas por la herrumbre, los pasamanos de bronce leprosos de verdín, los huecos de las ventanillas tejidos de ysypós y telarañas. En un ángulo del percudido machimbre aún se podía descifrar la borrosa, la altanera inscripción grabada a punta de cuchillo, con letras grandes e infantiles:

Sto. Casiano Amoité - 1a. Compañía -

Batalla de Asunción

Un nombre cambiado a medias, como devorado también a medias por el verdín del olvido, con ese Amoité en lugar de Jara, que designaba en lengua india lo que era distante, no la lejanía solamente, sino lo que estaba más allá del límite de la visión y de la voluntad en el espacio y en el tiempo.

Era todo lo que quedaba del combatiente que había envejecido y muerto allí, soñando con esa batalla que nunca más se libraría, que por lo menos él no había podido librarla en demanda de un poco de tierra y libertad para los suyos.

Trepé a la plataforma levantando una nube de polvo y de fofo sonido. Sentí que las telarañas se me pegaban a la cara. No pude menos que entrar en la penumbra verdosa. De las paredes pendían enormes avisperos y las rojas avispas zumbaban en ese olor acre y dulzón a la vez, en el que algo perduraba indestructible al tiempo, a la fatalidad, a la muerte. Me sentí hueco de pronto. ¿No era también mi pecho un vagón vacío que yo venía llevando a cuestas, lleno tan sólo con el rumor del sueño de una batalla? Rechacé irritado contra mí mismo ese pensamiento sentimental, digno de una solterona. ¡Siempre esa dualidad de cinismo y de inmadurez turnándose en los más insignificantes actos de mi vida!

¡Y esa afición a las grandes palabras! La realidad era siempre mucho más elocuente. Sobre los esqueletos de los asientos planeaba el polvo alveolado de destellos, como si el aire dentro del vagón también se hubiera vuelto poroso, como de corcho. Mis manos palpaban y comprendían. Sobre un resto de moldura vi una peineta de mujer. Sobre un cajón de querosén, había un ennegrecido cabo de vela; el charquito de sebo, a su alrededor, también estaba negro de moho. Allí el sargento Amoité, cada vez más lejano, habría borroneado sus croquis de campaña corrigiéndolos incansablemente. El silencio caliente lo envolvía todo. Estaba absorto en él, cuando oí su voz, sobresaltándome:

- Ellos le esperan. Quieren hablar con usted.

-¿Quiénes?. . . -mi sobresalto me frenó un regusto amargo en la boca.

No me contestó. Me contemplaba impasible. Con el sombrero pirí se echaba viento pausadamente. Por primera vez le vi todo el rostro. Me pareció que tenía los ojos desteñidos, del color de ese musgo que cubría el vagón. Los ojos de la madre, pensé. Salí tras él con la mano crispada sobre las cachas del revólver para subir.

Una cincuentena de hombres esperaban en semicírculo, entre los yuyos. Al verme me saludaron todos juntos con un rumor. Yo me llevé maquinalmenete la mano al ala del sombrero, como si estuviera ante una formación.

Uno de ellos, el más alto y corpulento, se adelantó y me dijo:

-Yo soy Silvestre Aquino -su voz era amistosa pero firme-. Estos son mis compañeros. Hombres de varias compañías de este pueblo. Le hemos pedido a Cristóbal Jara que lo traiga a usted hasta aquí. Queremos que nos ayude.

Yo estaba desconcertado, como ante jueces que me acusaban de un delito que yo desconocía o que aún no había cometido.

-¿En qué quieren que los ayude?

Silvestre Aquino no respondió pronto.

-Sabemos que usted es militar.

-Sí -admití de mala gana.

-Y que lo han mandado a Sapukai, confinado.

-Sí. . .

-Sabemos también que estuvieron a punto de fusilarlo cuando se descubrió la conspiración de la Escuela Militar.

Miré las caras, unas tras otras, compactas y huesudas caras de hombres de pueblo, de hombres de trabajo, los más tal vez analfabetos, pero seguros de lo que querían, iluminados por una especie de recia luz interior.

Sabían todo lo que necesitaban saber de mí. En realidad, mis respuestas a sus preguntas sobraban.

-Usted pudo ir al destierro, pero prefirió venir aquí.

Pensé que quizás únicamente la razón de esa elección se les escapaba. Pero yo tampoco lo sabía.

-La revolución va a estallar pronto en todo el país- dijo Silvestre Aquino-. Nosotros vamos a formar aquí nuestra montonera. Queremos que usted sea nuestro jefe. . . nuestro instructor -se corrigió en seguida.

-Yo estoy controlado por la jefatura de policía -dije-. Supongo que eso también lo saben.

-Sí. Pero usted puede venir a cazar de cuando en cuando. Para eso no le van a negar permiso. Jara lo va a traer en el camión.

Hubo un largo silencio. Cien ojos me medían de arriba abajo.

-¿Tienen armas?

-Un poco, para empezar. Cuando llegue el momento, vamos a asaltar la jefatura.

Los puños se habían crispado junto a las piernas. Bolas de barro seco. Tenían, como las caras, el color gredoso del estero.

-¿Qué nos contesta? -preguntó impávido el que decía llamarse Silvestre Aquino.

-No sé. Déjenme pensarlo. . .

Pero ya sabía en ese momento que tarde o temprano iba a aceptar. El ciclo recomenzaba y de nuevo me incluía. Lo adivinaba oscuramente, en una especie de anticipada resignación. ¿No era posible, pues, quedar al margen?

Me volví hacia Cristóbal Jara. Estaba recostado contra la pared rota y musgosa del vagón. Un muchacho de veinte años. O de cien. Me miraba fijamente. Las rojas avispas zumbaban sobre él, entre el olor recalentado de las resinas. La creciente penumbra caía en oleadas sobre el monte.

Bajé de la plataforma y le dije:

-Vamos. . .

Vera, en una borrachera, los delata. Muere Cristóbal desempeñando

sus obligaciones de aguador mientras trata de ayudar a un grupo combatiente,
en guerras contra los bolivianos, capitaneado por Vera. En lo que parece una
conclusión regresan los sobrevivientes de la guerra a Sapukai. Vera, alcalde
del sitio, continúa desde su punto de observación. Aunque la tranquilidad es
aparente, el espíritu de rebelión aún late bajo los corazones y puede surgir en
cualquier momento.

IX

EX-COMBATIENTES

. . . .

6

En ese silencio volví a sentirme solo de repente. Más solo que otras veces. Yo estaba en mi pueblo natal como un intruso. Me hallaba sentado a la mesa de un boliche, junto a otros despojos humanos de la guerra, sin ser su semejante. Como en aquel remoto cañadón del Chaco, calcinado por la sed, embrujado por la muerte. Ese cañadón no tenía salida. Y sin embargo estoy aquí. Mis uñas y mis cabellos siguen creciendo, pero un muerto no es capaz de retractarse, de claudicar, de ceder cada vez un poco más... Yo sigo, pues, viviendo, a mi modo, más interesado en lo que he visto que en lo que aún me queda por ver. Un tiempo el sufrimiento me hizo solitario y orgulloso. Después la desesperación se volvió tranquila y humilde y me hizo contemplativo. Pertenezco a una clase de gente para la cual no cuenta el futuro y cuya soledad no es más que su incapacidad de amar y de comprender, con la cara vuelta al pasado, a sus imágenes hechizadas de nostalgia. El éxtasis del ombligo privilegiado... decía el Zurdo en el penal. Pero para estos hombres sólo cuenta el futuro, que debe tener una antigüedad tan fascinadora como la del pasado. No piensan en la muerte. Se sienten vivir en los hechos. Se sienten unidos en la pasión del instante que los proyecta fuera de sí mismos, ligándolos a una causa verdadera o engañosa, pero a algo... No hay otra vida para ellos. No existe la muerte. Pensar en ella es lo que corroe y mata. Ellos viven, simplemente. Aún el extravío de Crisanto Villalba es una pasión devoradora como la vida. La aguja de la sed marca para ellos la dirección del agua en el desierto, el más misterioso, sediento e ilimitado de todos: el corazón humano. La fuerza de su indestructible fraternidad es su Dios. La aplastan, la rompen, la desmenuzan, pero vuelve a recomponerse de los fragmentos, cada vez más viva y pujante. Y sus ciclos se expanden en espiral. En todo Itapé, como en muchos otros pueblos, fermenta nuevamente la revuelta, en una atmósfera de desasosiego, de malestares y resentimientos. A los ex-combatientes se les niega trabajo. Los lisiados desde luego no tienen cómo hacerlo. Por eso las muletas de Hilarión Benítez taquean a cada rato, rencorosamente. Recomienza el éxodo de la gente hacia las fronteras en busca de trabajo, de respeto, de olvido. Pero quedan muchos. Los agricultores, los peones del ingenio, los obrajeros, braceros y mensúes han comenzado a organizarse en movimientos de resistencia para imponer salarios menos negreros y voltear los irrisorios precios oficiales. Queman las cosechas o las amontonan en inmensas parvadas sobre los caminos. Tienen que ir los camiones del ejército a limpiar las rutas, amojonadas por inmensas fogatas. Las montoneras vuelven a pulular en los bosques. El grito de *¡Tierra, pan y libertad!* . . . resuena de nuevo sordamente en todo el país y amanece "pintado" todos los días en las paredes de las ciudades y los pueblos con letras gordas y apuradas.

Algo tiene que cambiar. No se puede seguir oprimiendo a un pueblo indefinidamente. El hombre es como un río, mis hijos. . . , decía el viejecito Macario Francia. Nace y muere en otros ríos. Mal río es el que muere en un estero. . . El agua estancada es ponzoñosa. Engendra miasmas de una fiebre maligna, de un furiosa locura. Luego, para curar al enfermo o apaciguarlo, hay que matarlo. Y el suelo de este país ya está bastante ocupado bajo tierra. "¡Los muertos bajo tierra no prenden! . . . "

Temo que un día de estos vengan a proponerme, como allá en Sapukai, que les enseñe a combatir. ¡Yo a ellos. . . , qué escarnio! Pero no, ya no lo necesitan. Han aprendido mucho. El camión de Cristóbal Jara no atravesó la muerte para salvar la vida de un traidor. Envuelto en llamas sigue rodando en la noche, sobre el desierto, en las picadas, llevando el agua para la sed de los sobrevivientes.

El sarcasmo de la suerte se me impuso patente, cuando pensé de improviso que el único que debió morir en aquel fúnebre cañadón del Chaco, estaba ahora aquí, en reemplazo de Melitón Isasi. . .

Me encontré riendo fuerte, histéricamente, hasta las lágrimas. Todos me miraron. El silencio volvió a espesarse.

-¡Se rieron de él hasta el final! -oí que decía Hilarión-. ¡Los propios compañeros! ¡Con esas cruces hechas de zuncho de barril! . . .

Recordé entonces que estábamos hablando de Crisanto Villalba. Hilarión mencionaba la befa de las condecoraciones.

-¡Fue peor que burlarse de un muerto! -murmuró el viejo

Apolinario Rodas, sin cara, sin edad, bajo el inmenso sombrero pirí.

-Pero para él esas cruces son de verdad -dijo Corazón

-¡Por eso mismo! -rezongó Hilarión.

A lo lejos, sobre la carretera parpadeante de opacos destellos, se desvanecían las nubecitas de polvo que habían levantando los pasos de Crisanto y de su hijo.

Otro de los núcleos de la narrativa múltiple en la obra es Crisanto. Héroe de la guerra regresa a Sapukai y allí conoce a su hijo Cuchuí quien abandonado por María Rosa, la madre, deambula por las calles. Esta, desmembrada de la familia, ha tenido que huir perseguida por la lujuria del alcalde anterior. La reacción de Crisanto ante el rancho vacío es destruirlo con las granadas que todavía carga en su bolsa. Vera se presenta como autoridad del pueblo y da su versión del hecho.

. . . .

12

Cuando llegué al galope, Crisanto estaba tranquilo, sentado sobre un takurú. Cuchuí lo contemplaba sin atreverse a romper su silencio. Manchado de sombras, miraba distraído crecer la noche a su alrededor, atado a lo invisible, de nuevo aplastado por esa helada resignación en medio de la infinita paz que lo rodeaba. El olor de la pólvora era allí el único rastro de su extinguido furor. Pero aún esa mancha violeta se desvaneció pronto. Un rato después no nos veíamos las caras. Yo oía mi voz en la oscuridad, como la de otro. El no quiso saber nada de volver al pueblo.

-No. . . -dijo tan sólo, como la tajante afirmación de su tiniebla.

¿Qué debía hacer con él? No lo supe en ese momento.

Los días están pasando. He dudado entre dejarlo que sobreviva en su extravío o procurar su curación. ¿Y si después de todo, lo que el sargento había hecho volar eran los restos de su propia alma? En esa locura que ha vuelto a ser mansa e indiferente después de destruir a bombazos las ruinas de su rancho y su chacra, ignora por lo menos el fracaso irremediable de su existencia.

En guaraní, la palabra *arandú* quiere decir *sabiduría* y significa *sentir-el-tiempo*. La memoria de Crisanto ya no siente el paso del tiempo; ha dejado por tanto de saber su desdicha. Es como un chico, casi como su hijo.

He escrito a la doctora Rosa Monzón, consultándole el caso. Me ha contestado diciéndome que *mi deber* es enviar a Crisanto a

Asunción, para su tratamiento. Ella me promete encargarse de todo, ya que las instituciones oficiales no se ocupan de los despojos de guerra. Sé que cumplirá.

Con Crisanto no tendré dificultades para el viaje. El cuento de que la *hermosa guerra* ha vuelto a empezar, lo hará tomar el tren como a un chico rumbo a una fiesta.

A Cuchuí lo traeré a vivir conmigo.

No pienso en ellos solamente. Pienso en los otros seres como ellos, degradados hasta el último límite de su condición, como si el hombre sufriente y vejado fuera siempre y en todas partes el único fatalmente inmortal.

Alguna salida debe haber en este monstruoso contrasentido del hombre crucificado por el hombre. Porque de lo contrario sería el caso de pensar que la raza humana está maldita para siempre, que esto es el infierno y que no podemos esperar salvación.

Debe haber una salida, porque de lo contrario. . .

. . . .

(De una carta de Rosa Monzón)

". . . Así concluye el manuscrito de Miguel Vera, un montón de hojas arrugadas y desiguales con el membrete de la alcaldía, escritas al reverso y hacinadas en una bolsa de cuero. Las había escrito hasta un poco antes de recibir el balazo que se le incrustó en la espina dorsal. La tinta de las últimas páginas estaba fresca; el párrafo final, borroneado a lápiz.

Cuando fuimos a Itapé con el doctor Melgarejo a buscar al herido, encontré la sobada bolsa de campaña. Pendía a la cabecera de su cama, con las hojas dentro. Las traje conmigo, segura de que en ellas se había refugiado la parte más viva de ese hombre ya inmóvil y agónico. Las versiones del accidente resultaron contradictorias; algunos declararon que el tiro se le había escapado a él mismo, mientras limpiaba la pistola; otros, que al chico, a quien el alcalde daba el arma en ocasiones para que jugara. El sumario optó por la primera versión.

Conocí a Miguel Vera en el Chaco, al comienzo de la guerra, cuando lo atendí en el hospital de Isla Poí, a causa del *shock* que le provocaron la insolación y la sed durante los diez días en que su batallón estuvo aislado, sin víveres y sin una gota de agua, mientras la batalla de Boquerón llegaba a su fin. Era alto y delgado, de hermosos ojos pardos. Hablaba poco y su exterior taciturno lo hacía aparecer huraño. Un introvertido, "intoxicado por un exceso de sentimentalismo", como me decía él mismo en una de sus cartas desde Itapé. Yo creo que era más bien un ser exaltado, lleno de lucidez, pero incapaz en absoluto para la acción. Pese a haber nacido en el campo, no tenía la sólida cabeza de los campesinos, ni su sangre, ni su sensibilidad, ni su capacidad de resistencia al dolor físico y moral. No sabía orientarse en nada, ni siquiera en medio de "las aspiraciones permitidas". Era capaz de perderse en un camino. No me extrañó después que su batallón fuera el único que se extraviara durante el cerco de Boquerón, y que luego lo relegaran a funciones auxiliares hasta el fin de la guerra. Le horrorizaba el sufrimiento, pero no sabía hacer nada para desprenderse de él. Se escapaba entonces hacia la desesperación, hacia los símbolos. Su estilo muestra la impronta de su destino. Era un torturado sin remedio, un espíritu asqueado por la ferocidad del mundo, pero rechazaba la idea del suicidio. "Un paraguayo no se suicida jamás. . . -me escribía en una de sus últimas cartas-. A lo sumo se dejará morir, que no es lo mismo. . . " En Itapé estaba solo; sus padres habían muerto, sus dos hermanas estaban casadas, en Asunción. Cuando las conocí, me di cuenta de que nunca lo habían comprendido. En Itapé, al final, la gente simple del pueblo le haría el vacío. Su exterior adusto no predisponía a la cordialidad; además, el cargo de alcalde estaba muy desacreditado, aún con el cambio de nombre y de las funciones del antiguo jefe político. Su único amigo era Cuchuí. No me extrañaría que él cultivase en el chico, inconscientemente tal vez, la posibilidad de convertirlo en el verdugo inocente para esa culpa de aislamiento y abstención que lo torturaba. Murió en Asunción unos días después, sin haber recobrado el conocimiento.

Después de los años, en estos momentos en que el país vuelve a estar al borde de la guerra civil entre oprimidos y opresores, me he decidido a exhumar sus papeles y enviárselos, ahora que él "no puede retractarse, ni claudicar, ni ceder. . . " Los he copiado sin cambiar nada, sin alterar una coma. Sólo he omitido los párrafos que me conciernen personalmente; ellos no interesan a nadie.

Creo que el principal valor de estas historias radica en el testimonio que encierran. Acaso su publicidad ayude, aunque sea en mínima parte, a comprender, más que a un hombre, a este pueblo tan calumniado de América, que durante siglos ha oscilado sin descanso entre la rebeldía y la profecía de sus mártires. . . "

CAPÍTULO XI

PERÚ

Francisco Pizarro, conquistador del Perú, fue el fundador de Lima, la Ciudad de los Reyes. La jurisdicción del virreinato de Lima era tan amplia que se extendía por todo el territorio suramericano con la excepción de Venezuela. En 1870 surgieron los primeros conatos revolucionarios cuando los indios, cansados de los abusos del régimen colonial, se rebelaron encabezados por el inca Tupac Amaru, quien se proclamó emperador de una gran parte de Sur América. Tupac Amaru, conocido desde los llanos venezolanos hasta el norte de la región platense, fue asesinado y su rebelión domeñada. Después de la sublevación de Amaru los españoles les hicieron algunas concesiones a los indios.

En 1821 José de San Martín proclamó la independencia del Perú y continuó la lucha contra los españoles, asumiendo el gobierno militar y político del país con el título de Protector. Al no poder conseguir ayuda de Bolívar para completar la liberación del país, San Martín renunció a su cargo en 1822 y se marchó al destierro en Europa. En las luchas libertadoras se destacaron las victorias de Bolívar en Junín y de Sucre en Ayacucho. Con la rendición del Callao en 1826 se logró la liberación del Perú. Entre los gobiernos del Perú durante el siglo XIX se destacaron las dictaduras de Bolívar, del Mariscal Agustín Gamarra y la de Felipe Santiago de Salaverry. Las guerras civiles dominaron el paisaje político hasta 1845, cuando el general Ramón Castilla tomó el poder y trató de pacificar el Perú haciendo reformas sociales. Sobresale en esta época la revolución de Mariano Ignacio Prado. Tratando de resolver sus diferencias con España, el Ecuador, Bolivia, Perú y Chile formaron la primera coalición americana para no abastecer a los buques de guerra españoles en el Pacífico. Para arreglar el problema, tres de las naciones que habían firmado esta cuádruple alianza, Perú y Bolivia y del otro lado Chile, se vieron envueltas en la Guerra del Pacífico; a consecuencia de la cual, el ejército chileno vencedor se mantuvo en Lima por dos años, hasta 1883, cuando se firmó el Tratado de Ancón.

Durante el siglo XX el país pasó por una etapa de relativa legalidad constitucional hasta 1919, con el derrocamiento de José Pardo por Augusto Leguía, que se erigió presidente. Leguía, iniciador del subsecuente apogeo militarista, gobernó dictatorialmente hasta que fue depuesto por la Revolución de 1930. Esta le abrió el camino a una serie de dictadores militares, entre los que se destacaron Luis Miguel Sánchez Cerro y Oscar Raimundo Benavides. En esa época Víctor Raúl Haya de la Torre fundó la Acción Popular Revolucionaria Americana (APRA), movimiento político de resonancia continental cuyo fin era, y todavía es, la redención de los oprimidos. En 1948 el presidente José Luis Bustamante Rivero, sucesor de Manuel Prado y Ugarteche, amenazado por las agitaciones de grupos reaccionarios y conservadores declaró al APRA fuera de la ley.

Manuel Odría depuso a Bustamante por golpe militar y gobernó de 1948 a 1956. Odría encarceló a muchos líderes apristas y persiguió a Haya de la Torre, quien se asiló en la embajada de Colombia en Lima. El gobierno le negó el salvoconducto a Haya para salir del país mientras Odría fue presidente. Odría entregó el poder a Prado Ugarteche, candidato del partido conservador moderado, quien legalizó el Partido Aprista. En 1962 se instauró una Junta Militar para evitar el gobierno del dirigente aprista Haya de la Torre.

En 1963 fue elegido por voto popular y con el apoyo del Partido Demócrata Cristiano (PDC), Fernando Belaúnde Terry de Acción Popular (AP), el cual emprendió en su gobierno reformas sociales e implementó la economía. Entre 1965 y 1966 Belaúnde Terry tuvo que enfrentarse a acciones insurreccionales del Movimiento de Izquierda Revolucionario (MIR) y del Ejército de Liberación Nacional (ELN) que establecieron grupos guerrilleros en los Andes y la selva entrenados en Cuba, China Popular y Corea del Norte. Los jefes militares anti-guerrilleros, encabezados por el general de División Juan Velasco Alvarado, dieron el golpe de 1968 en el cual fue depuesto Belaúnde.

Velasco Alvarado asumió la presidencia, disolvió el Congreso, formó un gabinete de militares y estableció un gobierno de facto por 12 años. En 1975 Velasco Alvarado fue destituido por el general Francisco Morales Bermúdez Cerruti. La Junta Militar creó una situación delicada con los Estados Unidos al expropiar la International Petroleum Corporation, subsidiaria de la Standard Oil. Durante los años 70 continuaron reformas populares de orientación socialista y el gobierno se alió con Rusia. A pesar de que en 1974 el gobierno del Perú era considerado uno de los más izquierdistas de Sur América, hubo un cambio hacia la derecha, en 1975, a consecuencia del cual, muchas industrias nacionalizadas fueron devueltas al sector privado.

En 1978 se escribió una nueva constitución. Dos años después se reintegró Belaúnde Terry al gobierno y hubo un conato de vuelta a la democracia. Pero a partir de 1981 las condiciones económicas se han deteriorado cada vez más. La inflación sigue en aumento y el desempleo alcanza un 60% de la clase trabajadora. El grupo guerrillero de tendencias maoístas, Sendero Luminoso, se ha fortalecido desde 1983. En las elecciones de 1985 perdió el candidato del AP, Alva Orlandini, resultando ganador Alan García. García acusó al Fondo Monetario Internacional (FMI) de ser cómplice de Washington en el problema de la deuda externa de los países del Tercer Mundo y les ordenó cerrar su centro de operaciones en Lima. También intentó García, en vano, establecer un diálogo con Sendero Luminoso.

Para las elecciones de 1990 el primero de los candidatos en expresar sus ambiciones presidenciales fue el escritor Mario Vargas Llosa, apoyado por el Frente Democrático (FREDEMO). Vargas Llosa tuvo que enfrentarse en la contienda a Luis Alva Castro del APRA, al marxista Alfonso Barrantes, y al izquierdista Alberto Fujimori. Fujimori, Ex-Rector de la Universidad Agraria La Molina, fue elegido. Su programa político duplicaba el de Vargas Llosa excepto que sus reformas económicas, "Cambio 90", parecían ser más moderadas que las de FREDEMO. En abril 5 de 1992 Fujimori da un golpe militar, contra sí mismo, y disuelve el congreso.

A principios de 1990 las estadísticas del gobierno declararon a Sendero Luminoso responsable de las muertes de 17,900 personas en los últimos diez años. Además de Sendero, son culpables de la violencia política del Perú grupos guerrilleros como el Movimiento Revolucionario Tupac Amaru (MRTA), las cuadrillas derechistas de la muerte Comando Rodrigo Franco y otros pequeños núcleos extremistas con los que se han involucrado narcotraficantes. Es interesante mencionar la creación en

1989, durante el gobierno de García, de las Rondas Campesinas. Este grupo, avalado por García y más tarde por Fujimori, se dedicaba a defender a los campesinos de los ataques de Sendero Luminoso. En 1992 se cuentan 526 Rondas oficialmente registradas y más de 200,000 miembros. En Lima las industrias privadas han creado fuerzas, paralelas a las policiales, para proteger a los ciudadanos de secuestros y ataques terroristas. Integradas por unos 100,000 agentes de seguridad, les ofrecen a los hombres de negocios y políticos la protección que la policía no puede darles. Con el intento de controlar los desmanes guerrilleros, Fujimori ofreció recompensas por la captura de Abimail Guzmán, también conocido como el Presidente Gonzalo, y Víctor Polay, dirigentes de Sendero Luminoso y MRTA, respectivamente. Aunque Guzmán fue finalmente capturado el 12 de septiembre de 1992, y muchos guerrilleros se han entregado, la guerra de guerrillas continúa. Según la publicación *Perú Paz*, del Instituto Constitución y Sociedad, en artículo de septiembre del 92, las muertes violentas durante los dos años de gobierno de Fujimori suman 6,847, un promedio de nueve al día, equivalente a los dos tercios del total registrado en los cinco años del gobierno anterior de García. A pesar de todos los problemas que enfrenta Fujimori, debe notarse una mejora en la tasa inflacionaria (1990, 7,649.7%; 1991, 139.2%; 1992, 56.6%).

POESÍA

El primer poeta de protesta peruano, el modernista Manuel González Prada, encendió el ideal revolucionario y agitó a la nación peruana desde sus *Páginas libres* y *Horas de lucha*. Fue también este poeta el autor de "Presbiterianas" (1909), una de las primeras poesías anti-clericales hispanoamericanas. Otro modernista, José Santos Chocano, el cantor de la épica americana, defendió al indio y denunció desde su poesía al tirano y al invasor. César Vallejo, vanguardista, es uno de los poetas recientes que deja expresado su profundo dolor ante la miseria y los padecimientos del hombre. A partir de Vallejo la obra poética tiende a convertirse en testimonio lírico de las frustraciones del poeta. Su poesía ha ejercido una influencia notable en las generaciones posteriores y su impacto ha sido de tal magnitud que se utiliza como límite demarcatorio para dos épocas de la poesía peruana. En la generación post-vallejiana se destacaron Alberto Hidalgo, Gustavo Valcárcel, Juan Gonzalo Rose, Washington Delgado y Alejandro

Romualdo. Estos poetas, marxistas declarados, tienen una profunda influencia de la revolución cubana.

JAVIER HERAUD (Lima, Perú. 1942-1963)
Graduado del Colegio Markham en 1958 recibió el segundo premio de su promoción y el primero de literatura. Estudió en la Universidad Católica de la capital y en la Universidad de San Marcos. Fue maestro de inglés en el Instituto Industrial y el Colegio Nacional de Nuestra Sra. de Guadalupe. Viajó por Asia y visitó Madrid, París y Moscú representando al Movimiento Social Progresista en el Congreso Mundial de la Juventud. En 1962 visitó Cuba donde estudió cinematografía. Encontró la muerte mientras luchaba como guerrillero del Ejército de Liberación Nacional en los Andes peruanos.

Obra. **Poesía:** *El río* (1960), (Premio Nacional de Poesía del Perú); *Estación reunida* (1963) póstumo, (Primer Premio Universidad de San Marcos); *Poemas* (1967), *Poesías completas y cartas* (1976). **Antología:** *Jesús Cabel, Palabra de guerrillero* (1970).

Las poesías de Heraud han sido traducidas al inglés, francés, italiano, ruso y sueco. El "Arte poética" de Heraud es su definición de la poesía. No lo que debe ser, sino lo que es. Esta crece dentro del hombre con el paso de los años y se convierte en arcilla moldeable. Los significados de la poesía son identificados con imágenes de la naturaleza tales como "los poemas salen como la primavera", "relámpago brillante", "lluvia de palabras", "bosque de latido y esperanzas". Es canto liberado, amor y muerte, es la fuerza eterna y redentora del hombre. Heraud confiesa, en "Fragmento de poema especial", que por amor a todo y a todos va al combate. Se percibe en muchas de sus poesías, como en ésta, la incertidumbre del poeta en cuanto al resultado de la lucha, en contraste con la certeza absoluta de que va a morir. Heraud se consagra, vive y muere por mantener vigente la esperanza de los pueblos. "El nuevo viaje" parece despedida. El viaje hacia las montañas es necesario. En las ciudades está la eterna estación del desencanto. La montaña y el río en la lejanía atraen al poeta a pesar de reconocer que ese viaje lo acercará a la muerte. En un tono que recuerda el yoísmo romántico, Heraud se desnuda en una promesa en "Palabra de guerrillero". Poesía en la que se fusionan el paisaje natural y el urbano. Palabras apoéticas como cemento, paleta, brocha, mallas, antenas, se mezclan con el mar, la montaña y los pájaros, el pan y el trigo. Los "interruptores listos para electrizar a sus dueños con sus cosechas de ropa sucia en los destiladeros" da una impresión de gran violencia. En todo está el poeta, listo para la lucha.

ESTACIÓN REUNIDA (1963)
ARTE POÉTICA

En verdad, en verdad hablando,
la poesía es un trabajo difícil
que se pierde o se gana
al compás de los años otoñales.

(Cuando uno es joven
y las flores que caen no se recogen
uno escribe y escribe entre las noches
y a veces se llenan cientos y cientos
de cuartillas inservibles.
Uno puede alardear y decir
"yo escribo y no corrijo,
los poemas salen de mi mano
como la primavera que derrumbaron
los viejos cipreses de mi calle".)
Pero conforme pasa el tiempo
y los años se filtran entre las sienes,
la poesía se va haciendo
trabajo de alfarero;
arcilla que se cuece entre las manos,
arcilla que moldean fuegos rápidos.

Y la poesía es
un relámpago maravilloso,
una lluvia de palabras silenciosas,
un bosque de latidos y esperanzas,
el canto de los pueblos oprimidos,
el nuevo canto de los pueblos liberados.

Y la poesía es entonces,
el amor, la muerte,
la redención del hombre.

Madrid, 1961
                    La Habana, 1962

POEMAS (1967)
FRAGMENTO DE POEMA ESPECIAL

PERO tiene un origen más lejano
fue en abril (cruel y blando abril)
cuando una mañana aceptamos.

El final lo conocerán todos.
(Me aburro y no termino este poema)
Pero voy al combate y a la guerra
por amor a mi suelo, a mis paisajes,
por amor a los pobres de mi tierra,
por amor a mi madre, a sus cariños,
por amor a la vida y a la muerte,
por amor a las cosas de los días,
por amor a los días del otoño,
por amor a los fríos del invierno.

No sé, qué pasará conmigo y mis hermanos
                              en la lucha,
pero supe vivir y morir como hombre digno,
queriendo respetar y salvar al que todo lo sufre,
queriendo abrir nuevos soles salvadores.

El final de la historia lo dirán mis compañeros,

arriba, abajo, encima de la historia
y contarán a mis hijos
historias verdaderas
y para siempre vivirá la esperanza.

EL NUEVO VIAJE
                1
HACIA
las blancas montañas
que me esperan
debo viajar nuevamente.
Hacia los mismos vientos

y hacia los mismos naranjales
deben mis pies enormes
acaparar las tierras
y tienen mis ojos
que acariciar las parras
de los campos.
Viaje rotundo y solo:
¡Qué difícil es dejar
todo abandonado!
¡Qué difícil es vivir
entre ciudades y ciudades,
una calle,
un tranvía,
todo se acumula
para que sobreviva
la eterna estación
del desencanto!

2

No se puede pasear
por las arenas
si existen caracoles
opresores y arañas
submarinas.
Y sin embargo,
caminando un poco,
volteando hacia la izquierda,
se llega a las montañas
y los ríos.
No es que yo quiera
alejarme de la vida,
sino que tengo
que acercarme hacia la muerte.
No es que yo quiera
asegurar mis pasos:
a cada rato nos
tienden emboscadas,
a cada rato nos roban

nuestras cartas,
a cada rato nos salen
con engaños.

                4
Es mejor: lo recomiendo:
alejarse por un tiempo
del bullicio
y conocer
las montañas ignoradas.

PALABRA DE GUERRILLERO (1970)
                I
Porque mi patria es hermosa
como una espada en el aire
y más grande ahora y aún
y más hermosa todavía,
yo hablo y la defiendo
con mi vida.
No me importa lo que digan
los traidores
hemos cerrado el paso
con gruesas lágrimas
de acero.
El cielo es nuestro.
nuestro el pan de cada día,
hemos sembrado y cosechado
el trigo y la tierra,
son nuestros
y para siempre nos
pertenecen
el mar,
las montañas
y los pájaros.

                II
Aquí está el cemento en sus
enredaderas,

aquí está la luvia en sus entrañas
fértiles, la paleta y la brocha,
trabajando, el bastón y la pala
en la mano ardiente,
las antenas en sus mallas
interminables de ondas y reflejos,
los interruptores listos para
electrizar a sus dueños con sus
cosechas de ropa sucia en los
destiladeros, los vasos de licor
en bocas espumeantes.
Aquí está el sol, el aire, los umbrales,
aquí está la vida en su geranio,
no arrancado,
aquí está el arroz en su grano
blanquecino,
la caoba y el naranjo cosechados.

Y aquí estoy yo, agonizando, pero
lleno de armas para empezar de nuevo.

NARRATIVA

Desde fines del siglo XIX se despertó en el Perú una conciencia de responsabilidad social hacia la condición del indio. Poetas, ensayistas y novelistas promovieron movimientos de reivindicación indígena. José Carlos Mariátegui (1891-1930), director del grupo Amauta y de la revista del mismo nombre, se convirtió en eje del pensamiento revolucionario de la época. Mariátegui, amigo de Barbusse, escribió desde *Amauta* a favor de la revolución mexicana, de la rusa, y de la redención del indio. En su obra *Siete ensayos de interpretación de la realidad peruana* (1928) discutió la economía peruana y presentó como solución al problema indio la reforma agraria. El socialismo era entonces sinónimo de esperanza revolucionaria.

De las actividades del grupo Amauta surgió el APRA. Su líder, Víctor Raúl Haya de la Torre y sus seguidores, abogaron por la reivindicación social, política y económica del indio, por la defensa de la riqueza nacional en contra de los avances imperialistas y por un gobierno de representación popular. La revolución estudiantil de 1918 y las revueltas de 1919, 21 y 23 lidereadas por Haya de la Torre, prepararon al país para la ideología marxista que de manera contundente privó en la mentalidad peruana de 1924.

Es natural que surjan novelistas como César Falcón, quien inauguró la técnica cinematográfica en la novela peruana en su obra, plena de escenas revolucionarias, *Pueblo sin Dios* (1921). José María Arguedas (1911-1969), introdujo la verdadera imagen del indio en la literatura peruana, reproduciendo la lengua indígena y la cultura con absoluta veracidad. En sus novelas aparecen los abusos cometidos hacia ellos y la subyugación a que han sido sometidos. En *Yawar fiesta* (1941), *Los ríos profundos* (1958) y *Todas las sangres* (1964), se atacó al sistema social peruano al presentar el despliegue de fuerzas represivas ante las rebeliones indígenas. Ciro Alegría en *El mundo es ancho y ajeno* (1941), se unió a la protesta contra las injusticias.

En octubre no hay milagros (1965), de Osvaldo Reynoso, es novela de compromiso político; así como *Una piel de serpiente* (1964), de Luis Loayza, en la que se expone fuertemente el idealismo revolucionario. Edmundo de los Ríos en *Los juegos verdaderos* (1968) narra las memorias del protagonista en prisión. Es novela de compromiso revolucionario, rica en acontecimientos políticos. Manuel Scorza escribe libros consagrados a las revoluciones indígenas en *Redoble por rancas* (1970) y *La historia de Garabombo el invisible* (1972).

MARIO VARGAS LLOSA (Arequipa, Perú. 1936)
De pequeño vivió con su madre y abuelos en Cochabamba donde cursó sus primeros estudios. Regresó a Lima adolescente, estudiando en la escuela militar Leoncio Prado y más tarde en la Universidad de San Marcos. Escribió artículos para revistas locales y libretos para la radio y la televisión. A los 22 años vivió en Madrid y París. En 1958 obtuvo un doctorado de la Universidad de Madrid. De 1959 a 1966 vivió en París. Allí se casó con su tía política Julia, de la que se ha divorciado. Su relación con ella es la base de la novela *La tía Julia y el escribidor*. Actualmente está casado y tiene tres hijos. Su ideología política se ha desplazado de la izquierda, cuando fue simpatizante de la revolución cubana, hacia una postura más moderada. Ha tenido aspiraciones a la presidencia del Perú, ofreciendo la alternativa democrática a un país que, al igual que el resto de la América Latina, se ha polarizado entre dos disyuntivas: el comunismo o la dictadura militar.

Obra. **Cuento:** *La huida* (1952), *Los jefes* (1958), (Premio Leopoldo

Alas); *Los cachorros* (1967). **Novela:** *La ciudad y los perros* (1962), (Premio Biblioteca Breve y Premio de la Crítica); *La casa verde* (1966), (Premio de la Crítica y Premio Internacional de Literatura Rómulo Gallegos); *Conversación en la catedral* (1969), *Pantaleón y las visitadoras* (1973), *La tía Julia y el escribidor* (1978), *La guerra del fin del mundo* (1981), *Historia de Mayta* (1984), y *¿Quién mató a Palomino Molero?* (1986).

HISTORIA DE MAYTA (1984)

En *Historia de Mayta*, el narrador omnisciente, periodista, intenta escribir un libro sobre el guerrillero del mismo nombre y especialmente le interesa un capítulo de su vida: el brote revolucionario en Jauja durante el verano de 1958. Por medio de entrevistas con los personajes que lo conocieron llegan a saberse detalles sobre la vida de Mayta. Estos testimonios ayudan a reconstruir los hechos. El narrador declara sus intenciones al expresar en varias ocasiones que su obligación es escuchar, observar, cotejar las versiones, amasarlo todo y fantasear.

Como fondo inmediato de la novela aparecen el ambiente urbano de Lima y sus barriadas. El narrador hace una crítica despiadada de la ciudad. Como un tapiz más amplio, el Perú y sus regiones, con los problemas de la pobreza, el desempleo y la política. El tiempo es un factor importante en la novela. El narrador va del presente al pasado, 25 años atrás, tratando de recomponer la vida de Mayta.

Se rastrean los pasos de Mayta por Lima y se sabe que su trabajo oficial consistía en hacer traducciones para la France Presse. Extraoficialmente trabajaba para un periódico, La Voz Obrera, dirigía Círculos de Estudios y era miembro activísimo del Comité Central del Partido Obrero Revolucionario (Troskista), POR(T). El encuentro de Mayta con el subteniente Vallejos, jefe de la cárcel de Jauja, es un factor determinante en la vida de ambos. Mientras que Mayta es un hombre de ideas, Vallejos lo es de acción. Con la entrada en escena de Vallejos crece la dimensión revolucionaria de Mayta, saliéndose del radio urbano de Lima y poniéndose en contacto con el interior del país. Vallejos planea una insurrección en Jauja y pretende que Mayta lo secunde y logre el apoyo del Partido Obrero Revolucionario de Lima y el del Partido Comunista. Las discrepancias partidistas se conjugan con la falta de apoyo de los sectores locales y campesinos y propician el fracaso del movimiento revolucionario y la caída de Mayta y de Vallejos.

La obra se mueve en tres planos que confluyen y son de difícil delimitación: la novela de Vargas Llosa, la verdadera historia de Mayta, y la parte de ficción que el narrador inventa sobre el fundamento de los hechos reales. Es difícil precisar dónde termina la historia y empieza la novela. El escamoteo de la realidad, hecho constantemente por el narrador, hace que la historia de Mayta permanezca en el plano indeciso de una verdad dudosa. En su persecución acuciosa de lo exacto el autor lucha contra distintos puntos de vista y el relativo objetivismo del entrevistado y el entrevistador. Esta disyuntiva entre lo real y lo creado deja al lector con la eterna duda de la relativa exactitud de la verdad y le permite ampliar al autor las posibilidades novelísticas de personajes y hechos hasta el infinito.

En cuanto a la repercusión política de la novela es posible que Vargas Llosa trate de presentar a un Perú extremadamente fraccionado en partidos, integrados a su vez por cambia-casaquistas, hombres-corcho que han emigrado de facción en facción. Si es así, la historia de Mayta encaja perfectamente en un Perú para el que no hay esperanza. Mayta, Don Quijote de la guerrilla izquierdista, recreado homosexual, termina desolado y sin fe después de su última salida, traicionado por sus camaradas que lo convierten en un ladrón común y condenado por la sociedad.

Durante la investigación se van exponiendo los hechos de la vida personal de Mayta por medio de entrevistas a la madrina y a la ex-esposa. Las ideas políticas de Mayta se van desplegando en conversaciones con Moisés Barbi Leyva, la espina dorsal del Centro Acción para el Desarrollo, una de las instituciones culturales más activas del país en el tiempo actual. La revolución de Jauja, puesta en práctica, se convierte en algo irrisorio. Confusiones, malas interpretaciones o cobardía de llevar adelante una acción riesgosa, hacen que las fuerzas de apoyo del movimiento no se materialicen nunca, presentando el cuadro total de una comedia de errores.

El plan revolucionario fallido se conoce en una de sus versiones en la siguiente conversación con don Eugenio, el Juez de Paz.

. . . .

Hace una pausa, sus ojitos se aguan otra vez y a mí me vuelve el recuerdo de aquella tarde, en París, dos o tres días después de la tarde que evocamos. Era a la hora en que religiosamente dejaba de escribir y salía a comprar *Le Monde* y a leerlo tomando un *express* en el bistrot Le Tournon, de la esquina de mi casa. El nombre estaba mal escrito, habían cambiado la y por una i, pero no tuve la menor duda: era mi condiscípulo del Salesiano. Aparecía en una noticia sobre el Perú, casi invisible de pequeña, apenas seis o siete líneas, no más de cien palabras «Frustrado intento insurreccional», algo así, y no estaba claro si el movimiento tenía ramificaciones, pero sí que los cabecillas habían sido muertos o capturados. ¿Estaba Mayta preso o muerto? Fue lo primero que pensé, mientras se me caía de la boca el Gauloise y leía y releía la noticia sin acabar de aceptar que en mi lejanísimo país hubiera ocurrido una cosa así y que mi compañero de lectura de *El conde de Montecristo* fuera el protagonista. Pero que el Mayta sin y griega de *Le Monde* era él fue una certeza desde el primer instante.

-¿A qué hora empezaron a llegar aquí los prisioneros? -repite mi pregunta Don Eugenio, como si lo hubiera interrogado a él. En realidad se lo he preguntado a los ancianos de Quero, pero es bueno que sea el Juez de

Paz, hombre de confianza de los vecinos, quien se muestre interesado en saberlo-. Sería ya de noche ¿no es cierto?

Hay una onda de noes, cabezas que niegan, voces que se disputan la palabra. No había anochecido, era la tardecita. Los guardias volvieron en dos grupos; el primero, traía tendido, en una de las acémilas de Doña Teofrasia, al Presidente de la Comunidad de Uchubamba. ¿Venía muerto ya Condori? Agonizando. Le habían caído dos balazos, en la espalda y en el cuello, y estaba manchado de sangre. También traían a varios josefinos, con las manos amarradas. En ese tiempo se tomaban prisioneros. Ahora, mejor morir peleando porque al que agarran, después de sacarle lo que sabe, de todas maneras lo matan ¿no, señor? En fin, a los muchachos les habían quitado los cordones de los zapatos para que no intentaran escaparse. Caminaban como pisando huevos, y, pese a arrastrar los pies, algunos perdían los chuzos. Llevaron a Condori a casa del teniente-gobernador y le hicieron una curación, pero por gusto, pues se les murió al ratito. A eso de la media hora llegaron los otros. Vallejos les hacía señas de que se apuraran.

-Más rápido, más rápido -lo oyó gritar.

Mayta trató pero no pudo. Ahora también Perico Temoche le había sacado varios metros. Se oían tiros aislados y no podía localizar de dónde provenían ni si estaban más cerca o más lejos que antes. Temblaba, pero no de soroche sino de frío. Y en eso vio a Vallejos alzar su metralleta: el disparo estalló en sus tímpanos. Miró la cumbre a la que el Alférez había disparado y sólo vio rocas, tierra, matas de ichu, picos quebrados, cielo azul, nubecillas blancas. El también apuntaba hacia allá, el dedo en el gatillo.

-Por qué se paran, carajo -los urgió Vallejos, de nuevo-. Sigan, sigan.

Mayta le obedeció y, durante un buen rato, caminó muy de prisa, con el cuerpo inclinado, saltando sobre los pedruscos, corriendo a veces, tropezando, sintiendo que el frío calaba sus huesos y que su corazón enloquecía. Oyó nuevos disparos y en un momento estuvo seguro que un tiro había desportillado unas piedras, a poca distancia. Pero, por más que miraba las cimas, no divisaba a un atacante. Era por fin una máquina que no piensa, que no duda, que no recuerda, un cuerpo concentrado en la tarea de seguir corriendo para no quedarse atrás. De pronto se le doblaron las rodillas y se detuvo, jadeante. Tambaleándose, dio unos pasos y se encogió detrás de unas piedras musgosas. El Juez de Paz, Vallejos y Perico Temoche seguían avanzando, muy rápido. Ya no podrás alcanzarlos, Mayta. El Alférez se volvió y Mayta le hizo señas de que siguiera. Y, mientras hacía esos gestos, percibió, esta vez sin sombra de duda, que un tiro se estrellaba a pocos pasos: había abierto un pequeño orificio en el suelo y levantado un humito. Se encogió lo más que pudo, miró, buscó, y, colgada del parapeto de rocas a su derecha, vio clarito la cabeza de un guardia y un fusil que le apuntaba. Se estaba cubriendo por el lado equivocado. Circundó las piedras a gatas, se tumbó en el suelo y sintió tiros sobre su cabeza. Cuando, por fin, pudo apuntar y disparó, tratando de aplicar las instrucciones de Vallejos -el blanco debe coincidir con el alza- el guardia ya no estaba en el parapeto. La ráfaga lo hizo remecerse y lo aturdió. Vio que sus tiros descascaraban la roca, un metro por debajo de donde había asomado el guardia.

-Corre, corre, yo te cubro -oyó gritar a Vallejos. El Alférez apuntaba hacia el parapeto.

Mayta se reincorporó y corrió. El frío lo entumecía, sus huesos parecían crujir bajo su piel. Era un frío helado y ardiente que lo hacía sudar, igualito que la fiebre. Cuando llegó junto a Vallejos se arrodilló y apuntó también hacia las rocas.

-Hay unos tres o cuatro ahí -dijo el Alférez, señalando-. Vamos a progresar por saltos, en escalón. No quedarse quietos porque nos rodearían. Que no nos corten de los otros. Cúbreme.

Y, sin esperar su respuesta, se incorporó y echó a correr. Mayta siguió vigilando los riscos de la derecha, el dedo en el gatillo de la metralleta, pero no asomó ninguna figura. Por fin, buscó a Vallejos y lo divisó, lejísimos, haciéndole señas de que avanzara, él lo cubriría. Echó a correr y a los pocos pasos volvió a oír tiros, pero no se detuvo y siguió corriendo y al poco rato descubrió que era el Subteniente quien disparaba. Cuando lo alcanzó estaban junto a él Perico Temoche y el Juez de Paz. El chiquillo cargaba su Máuser con una cacerina de cinco balas que sacó de un bolsón colgado en la cintura. Había estado disparando, pues.

-¿Y los otros grupos? -preguntó Mayta. Tenían delante un roquedal que les cortaba la visión.

-Los hemos perdido, pero saben que no pueden pararse -dijo Vallejos, con vehemencia, sin apartar la mirada del contorno. Y, luego de una pausa-: Si nos cercan, nos jodimos. Hay que avanzar hasta que oscurezca. De noche no habrá peligro. De noche no hay persecución que valga.

«Hasta que anochezca», pensó Mayta. ¿Cuánto faltaba? ¿Tres,

cinco, seis horas? No le preguntó a Vallejos la hora. Más bien, metió la mano en su sacón y una vez más -lo había hecho docenas de veces en el día- comprobó que tenía muchas cacerinas de repuesto.

-Progresión de dos en dos -ordenó Vallejos-. Yo y el doctor, tú y Perico. Cubriéndonos. Atención, no se descuiden, correr agachados. Vamos, doctorcito.

Salió corriendo y Mayta vio que ahora el Juez de Paz tenía un revólver en la mano. ¿De dónde lo había sacado? Debía ser el del Alférez, por eso llevaba la cartuchera abierta. Y en eso vio surgir dos siluetas humanas encima de su cabeza, entre los cañones de los fusiles. Una gritó: «Ríndanse, carajo». El y Perico dispararon al mismo tiempo.

-No los pescaron a todos ese mismo día -dice Don Eugenio-. Dos josefinos se les escaparon: Teófilo Puertas y Felicio Tapia.

Conozco la historia por boca de los protagonistas pero no lo interrumpo, para ver las coincidencias y discrepancias. Detalles más, detalles menos, la versión del antiguo Juez de Paz de Quero es muy semejante a la que he oído. Puertas y Felicio estaban en la vanguardia, bajo el mando de Condori, el primer grupo en ser detectado por una de las patrullas en que se habían dividido los guardias para batir la zona. De acuerdo a las instrucciones de Vallejos, Condori trató de seguir avanzando, a la vez que repelía el ataque, pero al poco rato fue herido. Esto provocó la espantada. Los muchachos echaron a correr, dejando abandonadas las acémilas con las armas. Puertas y Tapia se ocultaron en una cueva de vizcachas. Permanecieron allí toda la noche, medio helados de frío. Al día siguiente, hambrientos, confusos, resfriados, deshicieron el camino y llegaron a Jauja sin ser descubiertos. Ambos se presentaron a la Comisaría acompañados de sus padres.

-Felicio estaba hinchado -asegura el Juez de Paz-. De la tremenda tunda que recibió en su casa por dárselas de revolucionario.

Del grupo de vecinos de Quero que nos acompañaban sólo quedan ahora, bajo la glorieta, una pareja de viejos. Los dos recuerdan la entrada de Zenón Gonzales, amarrado de un caballo, descalzo, con la camisa rota, como si hubiera forcejeado con los guardias, y, detrás de él, el resto de los josefinos, también amarrados y con los zapatos sin pasadores. Uno de ellos -nadie sabe cuál- lloraba. Uno morochito, dicen, uno de los menorcitos. ¿Lloraba porque le habían pegado? ¿Porque estaba herido, asustado? Quién sabe. Tal vez por la mala suerte del pobre Alférez.

Y así, trepando, trepando siempre, de dos en dos, estuvieron un tiempo que a Mayta le pareció horas, pero no debía serlo porque la luz no cedía lo más mínimo. Por parejas que eran Vallejos y el letrado y Mayta y Perico Temoche, o Vallejos y el josefino y Mayta y el letrado, dos corrían y dos los cubrían, estaban juntos lo suficiente para darse ánimos y recobrar el aliento y continuaban. Veían las caras de los guardias a cada momento y cambiaban tiros que nunca parecían dar en el blanco. No eran tres o cuatro, como suponía Vallejos, sino bastantes más, de otro modo hubieran tenido que ser ubicuos para aparecer en sitios tan diferentes. Asomaban en las partes altas, ahora por los dos lados, aunque el peligroso era la derecha, donde la balaustrada de rocas se hallaba muy próxima del terreno por el que corrían. Los estaban siguiendo por el filo de la cumbre y, aunque a ratos Mayta creía que los habían dejado atrás, siempre reaparecían. Había cambiado un par de veces la cacerina. No se sentía mal; con frío, sí, pero su cuerpo estaba respondiendo al tremendo esfuerzo, a esas carreras a semejante altura. ¿Cómo no hay nadie herido?, pensaba. Porque les habían disparado ya muchas balas. Es que los guardias se cuidaban, asomaban apenas la cabeza y tiraban a la loca, por cumplir, sin demorarse en apuntar, temerosos de resultar un blanco fácil para los rebeldes. Tenía la impresión de un juego, de una ceremonia ruidosa pero inofensiva. ¿Iba a durar hasta que oscureciera? ¿Podrían escabullirse de los guardias? Parecía imposible que la noche fuera a caer alguna vez, a oscurecerse este cielo tan lúcido. No se sentía abatido. Sin arrogancia, sin patetismo, pensó: «Mal que mal estás siendo lo que querías, Mayta».

-Listo, Don Eugenio. Corramos. Nos están cubriendo.

-Váyase usted, nomás, a mí no me dan las piernas- le repuso el Juez de Paz, muy despacio-. Yo me quedo. Llévese esto, también.

En lugar de entregárselo, le arrojó el revólver, que Mayta tuvo que agacharse a recoger. Don Eugenio se había sentado, con las piernas abiertas. Sudaba copiosamente y tenía la boca torcida en una mueca ansiosa, como si se hubiera quedado sin aire. Su postura y su expresión eran las de un hombre que ha llegado al límite de la resistencia y al que el agotamiento ha vuelto indiferente. Comprendió que no tenía objeto discutir con él.

-Buena suerte, Don Eugenio-dijo, echando a correr. Cruzó muy rápido los treinta o cuarenta metros que lo separaban de Vallejos y de Perico Temoche, sin oír tiros; cuando llegó donde ellos, ambos, rodilla en tierra, disparaban. Trató de explicarles lo del Juez de Paz, pero jadeaba en tal forma que no le salió la voz. Desde el suelo, intentó disparar y no pudo; su metralleta estaba encasquillada. Disparó con el revólver, los tres últimos tiros, con la sensación de que lo hacía por gusto. El parapeto estaba muy cerca y había una ringlera de fusiles apuntándoles: los quepis aparecían y desaparecían. Oía gritar amenazas que el viento traía hacia ellos muy claras: «Ríndanse, carajo»-, «Ríndanse, conchas de su madre-», «Sus cómplices ya se rindieron»-, «Recen, perros» Se le ocurrió: «Tienen orden de capturarnos vivos.» Por eso no había nadie herido. Disparaban sólo para asustarlos. ¿Sería cierto que la vanguardia se había entregado? Estaba más tranquilo e intentó hablar a Vallejos de Don Eugenio, pero el Alférez lo cortó con un ademán enérgico:

-Corran, yo los cubro -Mayta advirtió, por su voz y por su cara, que esta vez sí estaba muy alarmado-. Rápido, éste es mal sitio, nos están cerrando. Corran, corran.

Y le dio una palmada en el brazo. Perico Temoche echó a correr. Se incorporó y corrió también, oyendo que, al instante, silbaban las balas a su alrededor. Pero no se detuvo y, ahogándose, sintiendo que el hielo traspasaba sus músculos, sus huesos, su sangre, siguió corriendo, y, aunque se tropezó y cayó dos veces y en una de ellas perdió el revólver que llevaba en la mano izquierda, en ambas se levantó y siguió, haciendo un esfuerzo sobrehumano. Hasta que se le doblaron las piernas y cayó de rodillas. Se encogió en el suelo.

-Les hemos sacado ventaja -oyó decir a Perico Temoche. Y, un instante después-: ¿Dónde está Vallejos? ¿Tú lo ves? -Hubo una pausa larga, con jadeos-. Mayta, Mayta, creo que estos conchas de su madre le han dado.

Entre el sudor que le nublaba la vista advirtió que, allá abajo, donde se había quedado el Alférez cubriéndolos -habían corrido unos doscientos metros- se movían unas siluetas verdosas.

-Corramos, corramos -acezó, tratando de incorporarse. Pero no le respondieron los brazos ni las piernas y entonces rugió-: Corre, Perico. Yo te cubro. Corre, corre.

-A Vallejos lo trajeron de noche, yo mismo lo vi, ¿ustedes no lo vieron? -dice el Juez de Paz. Los dos viejos de la glorieta lo confirman, moviendo sus cabezas. Don Eugenio señala de nuevo la casita con el escudo, sede de la Gobernación-. Lo vi desde ahí. En ese cuarto del balcón nos tenían a los prisioneros. Lo trajeron en un caballo, tapado con una manta que les costó desprender porque se había pegado con la sangre de los balazos. El sí estaba requetemuerto al entrar a Quero.

Lo escuchó divagar sobre cómo y quién mató a Vallejos. Es un tema que he oído referir tanto y por tantos, en Jauja y en Lima, que sé de sobra que nadie me dará ya ningún dato que no sepa. El ex-Juez de Paz de Quero no me ayudará a aclarar cuál es la cierta entre todas las hipótesis. Que si murió en el tiroteo entre insurrectos y guardias civiles. Que si sólo fue herido y lo remató el Teniente Dongo, en venganza por la humillación que le hizo pasar al capturar su Comisaría y encerrarlo en su propio calabozo. Que si lo capturaron ileso y lo fusilaron, por orden superior, allá, en la puna de Huayjaco, para escarmiento de oficiales con veleidades revoltosas. El Juez de Paz las menciona todas, en su monólogo reminiscente, y, aunque con cierta prudencia, me da a entender que se inclina por la tesis de que el joven Alférez fue ejecutado por el Teniente Dongo. La venganza personal, el enfrentamiento del idealista y el conformista, el rebelde y la autoridad: son imágenes que corresponden a las apetencias románticas de nuestro pueblo. Lo cual no quiere decir, claro está, que no puedan ser ciertas. Lo seguro es que este punto de la historia -en qué circunstancias murió Vallejos- tampoco se aclarará. Ni cuántas balas recibió: no se hizo autopsia y el parte de defunción no lo menciona. Los testigos dan sobre esto las versiones más antojadizas: desde una bala en la nuca hasta un cuerpo como un colador. Lo único definitivo es que lo trajeron a Quero ya cadáver, en un caballo, y que de aquí lo trasladaron a Jauja donde la familia retiró el cuerpo al día siguiente, para llevárselo a Lima. Fue enterrado en el viejo camposanto de Surco. Es un cementerio que está ahora en desuso, con viejas lápidas en ruinas y caminillos invadidos por la maleza. En torno a la tumba del Alférez, en la que sólo hay su nombre y la fecha de su muerte, ha crecido un matorral de hierba salvaje.

-¿Y también vio a Mayta cuando lo trajeron, Don Eugenio?

A Mayta, que no quitaba los ojos de los guardias aglomerados allá abajo, donde se había quedado Vallejos, le iba volviendo la respiración, la vida. Seguía en el suelo, apuntando al vacío con su metralleta atascada. Procuraba no pensar en Vallejos, en lo que podía haberle ocurrido, sino en recobrar las fuerzas, incorporarse y alcanzar a Perico Temoche. Tomando aire, se enderezó, y casi doblado en dos corrió, sin saber si le disparaban, sin saber dónde pisaba, hasta que tuvo que detenerse. Se tiró al suelo, con los ojos cerrados, esperando que las balas se incrustaran en su cuerpo. Vas a morir, Mayta, esto es estar muerto.

-¿Qué hacemos, qué hacemos? balbuceó a su lado el josefino.

-Yo te cubro -jadeó, tratando de empuñar la metralleta y de apuntar.

-Estamos rodeados -gimió el muchacho-. Nos van a matar.

A través del sudor que le chorreaba de la frente, vio guardias en todo el derredor, algunos echados, otros acuclillados. Sus fusiles los encañonaban. Movían las bocas y alcanzaba a oír unos ruidos ininteligibles. Pero no necesitaba entender para saber que les gritaban: «¡Ríndanse! ¡Tiren las armas!» ¿Rendirse? De todas maneras los matarían; o los someterían a torturas. Con todas sus fuerzas apretó el gatillo, pero la metralleta seguía encasquillada. Forcejeó en vano unos segundos, oyendo a Perico Temoche gimotear.

-¡Tiren las armas! ¡Manos a la cabeza! -rugió una voz, muy cerca-. O están muertos!

-No llores, no les des ese gusto -dijo Mayta al josefino-. Anda, Perico, tira el fusil.

Lanzó lejos la metralleta e, imitado por Perico Temoche, se puso de pie con las manos en la cabeza.

-¡Cabo Lituma! -La voz parecía salir de un parlante-. Regístrelos. Al primer movimiento, me los quema.

-Sí, mi Teniente.

Figuras uniformadas y con fusiles se aproximaban corriendo de todos lados. Esperó, inmóvil -el cansancio y el frío crecían por segundos- que llegaran hasta él, convencido de que lo golpearían. Pero sólo sintió empujones mientras lo registraban de pies a cabeza. Le arrancaron el bolsón de la cintura, y, llamándolo «abigeo» y «ratero», le ordenaron que se quitara los cordones de las zapatillas. Con una soga le amarraron las manos a la espalda. Hacían lo mismo con Perico Temoche y oyó que el Cabo Lituma sermoneaba al muchacho, preguntándole si no le daba vergüenza convertirse en «abigeo» siendo apenas «un churre». ¿Abigeos? ¿Los creían ladrones de ganado? Le vinieron ganas de reírse de la estupidez de sus captores. En eso le dieron un culatazo en la espalda a la vez que le ordenaban moverse. Lo hizo, arrastrando los pies que bailoteaban dentro de sus zapatillas flojas. Estaba dejando de ser la máquina que había sido; volvía a pensar, a dudar, a recordar, a interrogarse. Sintió que temblaba. ¿No era preferible estar muerto que pasar los tragos amargos que tenía por delante? No, Mayta, no.

-La demora en regresar a Jauja no fue por los dos muertos -dice el Juez de Paz-. Fue por la plata. ¿Dónde estaba? Se volvían locos buscándola y no aparecía. Mayta, Zenón Gonzales y los josefinos juraban que iba en las acémilas, salvo los solcitos que le dieron a la señora Teofrasia Soto viuda de Almaraz por los animales y a Gertrudis Sapollacu por el almuerzo. Los guardias que capturaron al grupo de Condori juraban que en las acémilas no encontraron un cobre, sólo Máuseres, balas y unas ollas de comida. Se pasó mucho rato en los interrogatorios, tratando de averiguar qué era de la plata. Por eso llegamos a Jauja al amanecer.

Nosotros vamos a llegar también más tarde de lo previsto. Se nos han escurrido las horas en la glorieta de Quero y anochece rápidamente. La camioneta enciende los faros: del frondoso paisaje sólo diviso troncos pardos fugitivos y las piedras y piedrecillas brillosas por las que zangoloteamos. Vagamente pienso en el riesgo de una emboscada, en una revuelta de la trocha, en el estallido de una mina, en llegar a Jauja después del toque de queda y ser apresados.

-¿Qué pasaría pues, con el dinero del asalto? -se pregunta Don Eugenio, imparable ya en su evocación de aquellos hechos-. ¿Se lo repartirían los guardias?

Es otro de los enigmas que ha quedado flotando. En este caso, al menos, tengo una pista sólida. La abundancia de mentiras enturbia el asunto. ¿A cuánto ascendía lo que los insurrectos se llevaron de Jauja? Mi impresión es que los empleados de los Bancos abultaron las cifras y que los revolucionarios no supieron cuánto se estaban llevando, pues ni tuvieron tiempo de contar el botín. El dinero iba en unas bolsas, en las mulas. ¿Sabía alguien cuánto había en ellas? Probablemente, nadie. Probablemente, también, algunos de los captores vaciaron parte del dinero en sus bolsillos, por lo que la suma devuelta a los Bancos fue apenas de quince mil soles, mucho menos de lo que los rebeldes «expropiaron» y menos aún de lo que los bancos dijeron que les habían sustraído.

Quizá es lo más triste del asunto -pienso en voz alta-. Que lo que había comenzado como una revolución, todo lo descabellada que se quiera, pero revolución al fin y al cabo, terminara en una disputa sobre cuánto se robaron y quién se quedó con lo robado.

-Cosas que tiene la vida -filosofa Don Eugenio.

Imaginó lo que dirían los periódicos de Lima, mañana, pasado y traspasado, lo que dirían los camaradas del POR y los del POR(T) y los adversarios del PC cuando leyeran las versiones exageradas, fantasiosas, sensacionalistas, amarillas, que darían los periódicos de lo ocurrido. Imaginó la sesión que el POR(T) dedicaría a sacar las enseñanzas revolucionarias del episodio y casi pudo oír, con las inflexiones y tonos de cada uno, a sus antiguos camaradas afirmando que la realidad había confirmado el análisis científico, marxista, trotskista, hecho por el Partido y justificado plenamente su desconfianza y su rechazo a participar en una aventura pequeño-burguesa abocada al fracaso. ¿Insinuaría alguno que esa desconfianza y ese rechazo habían contribuido al desastre? Ni se les pasaría por la cabeza. ¿Habría tenido otro resultado la rebelión si todos los cuadros del POR(T) participaban en ella de manera resuelta? Sí, pensó. Ellos habrían arrastrado a los mineros, al profesor Ubilluz, a la gente de Ricrán, todo hubiera estado mejor planeado y ejecutado y ahora mismo estarían rumbo a Aína, seguros. ¿Estabas siendo honesto, Mayta? ¿Tratabas de pensar con lucidez? No. Era muy pronto, todo estaba demasiado cerca. Con calma, cuando esto hubiera pasado, habría que analizar lo sucedido desde el principio, determinar con la cabeza fría si, concebida de otra manera, con la participación de los comprometidos y del POR(T), la rebelión habría tenido más suerte o si ello sólo hubiera servido para demorar la derrota y hacerla más sangrienta. Sintió tristeza y deseos de tener apoyada la cabeza de Anatolio contra su pecho, oír esa respiración pausada, armoniosa, casi musical, cuando agotado, se dormía sobre su cuerpo. Se le escapó un suspiro y se dio cuenta que le castañeteaban los dientes. Sintió un culatazo en la espalda: «Apúrate». Cada vez que la imagen de Vallejos surgía en su conciencia, el frío se hacía irresistible y se esforzaba por expulsarla. No quería pensar en él, preguntarse si estaba prisionero, herido, muerto, si estarían golpeándolo o rematándolo, porque sabía que el abatimiento lo dejaría sin fuerzas para lo que se venía. Iba a necesitar valor, más del que era preciso para sobreponerse al viento crujiente que le azotaba la cara. ¿Dónde se habían llevado a Perico Temoche? ¿Dónde estaban los otros? ¿Habrían conseguido escapar algunos? Iba solo, en medio de una doble columna de guardias civiles. Lo miraban a veces de reojo, como a un bicho raro, y, olvidados de lo que acababa de ocurrir, se entretenían conversando, fumando, con las manos en los bolsillos, como quien regresa de un paseo. «Ya nunca más tendré soroche», pensó. Trató de reconocer el lugar, por el que habían tenido que venir de subida, pero ahora no llovía y el paisaje parecía otro: colores más contrastados, aristas menos filudas. El suelo estaba enfangado y perdía continuamente las zapatillas. Tenía que detenerse a calzárselas y, cada vez, el guardia que iba detrás, lo empujaba. ¿Te arrepentías, Mayta? ¿Habías actuado con precipitación? ¿Habías sido un irresponsable? No, no, no. Al contrario. A pesar del fracaso, los errores, las imprudencias, se enorgullecía. Por primera vez tenía la sensación de haber hecho algo que valía la pena, de haber empujado, aunque de manera infinitesimal, la revolución. No lo aplastaba, como otras veces al caer preso, la sensación del desperdicio. Habían fracasado, pero estaba hecha la prueba: cuatro hombres decididos y un puñado de escolares habían ocupado una ciudad, desarmado a las fuerzas del orden, expropiado dos Bancos, huido a las montañas. Era posible, lo habían demostrado. En adelante, la izquierda tendría que tener en cuenta el precedente: alguien, en el país, no se contentó con predicar la revolución sino intentó hacerla. «Ya sabes lo que es», pensó, a la vez que perdía una zapatilla. Mientras se la calzaba recibió un nuevo culatazo.

Despierto a Don Eugenio, que se ha quedado dormido a media ruta, y lo dejo en su casita de las afueras de Jauja, agradeciéndole su compañía y sus recuerdos. Voy luego al Albergue de Paca. Todavía está abierta la cocina y podría comer algo, pero me basta una cerveza. Salgo a tomarla a la pequeña terraza sobre la laguna. Se ven las aguas tersas y los matorrales de las orillas iluminados por la luna, que luce redonda y blanca en un cielo atestado de estrellas. En la noche se oyen en Paca toda clase de ruidos, el silbido del viento, el croar de las ranas, cantos de pájaros nocturnos. No hoy. Esta noche los animales callan. Los únicos clientes en el Albergue son dos agentes viajeros, vendedores de cerveza, a los que oigo conversar al otro lado de los cristales, en el comedor.

Este es el fin del episodio central de aquella historia, su nudo dramático. No duró doce horas. Empezó al amanecer, con la toma de la cárcel y terminó antes del crepúsculo, con la muerte de Vallejos y Condori y la captura del resto. Los trajeron a la Comisaría de Jauja, donde los tuvieron una semana y luego los trasladaron a la cárcel de Huancayo, donde permanecieron un mes. Allí comenzaron a soltar discretamente a los josefinos, por disposición del Juez de Menores, quien los confiaba al cuidado de las familias, en una especie de residencia vigilada. El Juez de Paz de Quero retornó a su cargo, «limpio de polvo y paja», en efecto, a las tres semanas. Mayta y Zenón Gonzales fueron llevados a Lima encerrados en el Sexto, luego en el Frontón y luego regresados al Sexto. Ambos fueron amnistiados -nunca llegó a realizarse el juicio-, años más tarde, al tomar posesión un nuevo Presidente del Perú. Zenón Gonzales dirige todavía la Cooperativa de Uchubamba, propietaria de la Hacienda Aína desde la Reforma Agraria de 1971, y pertenece al Partido Acción Popular del que ha sido dirigente en toda la zona.

Los primeros días, los periódicos se ocuparon mucho de los sucesos y dedicaron primeras planas, grandes titulares, editoriales y artículos, a lo que fue considerado un intento de insurrección comunista, debido al historial de Mayta, En *La Prensa* apareció una foto de él, irreconocible, detrás de los barrotes de un calabozo. Pero prácticamente a la semana dejó de hablarse del tema. Más tarde, cuando inspirados por la Revolución Cubana, hubo en 1963, 1964, 1965 y 1966, brotes guerrilleros en la sierra y en la selva, ningún periódico recordó que el primer antecedente de esos intentos de levantar en armas al pueblo para establecer el socialismo en el Perú había sido ese episodio ínfimo, afantasmado por los años, en la provincia de Jauja, y nadie recuerda hoy a sus protagonistas.

Cuando me voy a dormir oigo, por fin, un ruido cadencioso. No, no son los pájaros nocturnos; es el viento, que hace chapalear contra la terraza del Albergue las aguas de la laguna de Paca. Esa suave música y el hermoso cielo estrellado de la noche jaujina sugieren un país apacible, de gentes reconciliadas y dichosas. Mienten, igual que una ficción.

Después de localizar a Mayta, que acaba de cumplir condena por el delito de robo en Lurigancho, el narrador le presenta su historia y lo enfrenta a ella:

. . . .

-Hay un asunto, sobre todo, que me resulta incomprensible -le digo-. ¿Hubo traición? ¿Por qué desaparecieron los que estaban comprometidos? ¿Dio contraorden el Profesor Ubilluz? ¿Por qué lo hizo? ¿Por miedo? ¿Porque desconfiaba del proyecto? ¿O fue Vallejos como asegura Ubilluz, quien adelantó el día de la insurrección?

Mayta reflexiona unos segundos, en silencio. Se encoge de hombros: -Nunca estuvo claro y nunca lo estará -murmura-. Ese día, me pareció que era traición. Después, se volvio más enredado. Porque yo no supe de antemano la fecha prevista para el levantamiento. La fijaron sólo Vallejos y Ubilluz, por razones de seguridad. Este ha dicho siempre que la fecha acordada era cuatro días después y que Vallejos la adelantó porque se enteró de que lo iban a transferir, debido a un incidente que tuvo con los apristas dos días antes.

Lo del incidente es cierto, está documentado en un periodiquito jaujino de la época. Hubo una manifestación aprista en la Plaza de Armas, para recibir a Haya de la Torre, quien pronunció un discurso desde el atrio de la Catedral. Vallejos, vestido de civil, el Chato Ubilluz y un pequeño grupo de amigos se apostaron en una esquina de la Plaza y al entrar el cortejo le lanzaron huevos podridos. Los búfalos apristas los corretearon, y, después de un conato de refriega, Vallejos, Ubilluz y sus amigos se refugiaron en la peluquería de Ezequiel. Esto es lo único probado. La tesis de Ubilluz y de otra gente, en Jauja, es que Vallejos fue reconocido por los apristas y que éstos hicieron una enérgica protesta por la participación del jefe de la cárcel, un oficial en servicio activo contra un mitin político autorizado. A consecuencia de esto, habrían advertido a Vallejos que lo iban a transferir. Dicen que fue llamado de urgencia por su jefatura inmediata, la de Huancayo. Ello lo habría impulsado a adelantar cuatro días la rebelión sin advertir a todos los otros comprometidos. Ubilluz asegura que él se enteró del suceso cuando el Alférez estaba ya muerto y los rebeldes detenidos.

-Antes me parecía que no era cierto, que se corrieron -dice Mayta-. Después, ya no supe. Porque en el Sexto, en el Frontón, en Lurigancho, fueron cayendo meses o años después, algunos de los tipos que estuvieron comprometidos. Los encarcelaban por otros asuntos, sindicales o políticos. Todos juraban que el alzamiento los sorprendió, que Ubilluz los había citado para otro día, que jamás hubo repliegue o volteretazo. Para hablarle francamente, no lo sé. Sólo Vallejos y Ubilluz sabían la fecha acordada. ¿La adelantó? A mí no me lo dijo. Pero, no es imposible. El era muy impulsivo, muy capaz de hacer una cosa así aún corriendo el riesgo de quedarse solo. Lo que entonces llamábamos un voluntarista.

¿Está criticando al Alférez? No, es un comentario distanciado, neutral. Me cuenta que, aquella primera noche, cuando vino la familia de Vallejos a llevarse el cadáver, el padre se negó a saludarlo. Entró cuando a él lo interrogaban y Mayta le estiró la mano pero el señor no se la estrechó y más bien lo miró con ira y lágrimas, como responsabilizándolo de todo.

-No sé, pudo haber algo de eso -repite. O también un malentendido. Es decir, que Vallejos estuviera seguro de un apoyo que, en realidad, no le habían prometido. En las reuniones a las que me llevaron, en Ricrán, donde Ubilluz, con los mineros, sí, se habló de la revolución, todos parecían de acuerdo. ¿Pero, ofrecieron realmente coger un fusil y venirse al monte el primer día? Yo no los oí decirlo. Para Vallejos era un sobreentendido, algo fuera de toda duda. A lo mejor sólo recibió vagas promesas, apoyo moral, la intención de ayudar desde lejos, siguiendo cada cual su vida corriente. O, tal vez, se comprometieron y, por miedo o porque el plan no los convenció, se echaron atrás. No puedo decírselo. La verdad, no lo sé.

Tamborilea con los dedos en el brazo del asiento. Sigue un largo silencio.

-¿Lamentó alguna vez haberse metido en esa aventura? -le pregunto-. Supongo que, en la cárcel, habrá pensado mucho, todos estos años, en lo que pasó.

-Arrepentirse es cosa de católicos. Yo dejé de serlo hace muchos años. Los revolucionarios no se arrepienten. Hacen su autocrítica, que es distinto. Yo hice la mía y se acabó. -Parece enojado. -Pero, unos segundos después, sonríe: No sabe usted qué raro me resulta hablar de política, recordar hechos políticos. Es como un fantasma que volviera, desde el fondo del tiempo, a mostrarme a los muertos y a cosas olvidadas.

¿Dejó de interesarse en la política sólo en estos últimos diez años? ¿En su prisión anterior? ¿O cuando estuvo preso por lo de Jauja? Queda en silencio, pensativo, tratando de aclarar sus recuerdos. ¿También se le ha olvidado?

-No me había puesto a pensar en eso hasta ahora -murmura, secándose la frente. No fue una decisión mía, en realidad. Fue algo que ocurrió, algo que las circunstancias impusieron. Acuérdese que cuando me fui a Jauja, para el levantamiento, había roto con mis camaradas, con mi partido, con mi pasado. Me había quedado solo, políticamente hablando. Y mis nuevos camaradas sólo lo fueron unas horas. Vallejos murió, Condori murió, Zenón Gonzales regresó a su comunidad, los josefinos volvieron al colegio. ¿Se da cuenta? No es que yo dejara la política. Ella me dejó a mí, más bien.

Lo dice de una manera que no le creo: a media voz, con los ojos huidizos, removiéndose en el asiento. Por primera vez en la noche, estoy seguro de que miente. ¿No volvió a ver nunca a sus antiguos amigos del POR(T)?

-Se portaron bien conmigo cuando estuve en la cárcel, después de lo de Jauja -exclama-. Iban a verme, me llevaban cigarrillos, se movieron mucho para que me incluyeran en la amnistía que dio el nuevo gobierno. Pero el POR(T) se deshizo al poco tiempo, por los sucesos de La Convención, de Hugo Blanco. Cuando salí de la cárcel el POR(T) y el POR a secas ya no existían. Habían surgido otros grupos trotskistas con gente venida de la Argentina. Yo no conocía a nadie y no estaba interesado ya en política.

Con las últimas palabras, se levanta a orinar.

Cuando regresa, veo que también se ha lavado la cara. ¿De veras no quiere que salgamos a comer algo? Me asegura que no, repite que no come nunca de noche. Quedamos un buen rato sumidos en cavilaciones propias, sin hablar. El silencio sigue siendo total esta noche en el Malecón de Barranco; sólo habrá en él silenciosas parejas de enamorados, protegidas por la oscuridad, y no los borrachines y marihuaneros que los viernes y sábados hacen siempre tanto escándalo. Le digo que, en mi novela, el personaje es un revolucionario de catacumbas, que se ha pasado media vida intrigando y peleando con otros grupúsculos tan insignificantes como el suyo, y que se lanza a la aventura de Jauja no tanto porque lo convenzan los planes de Vallejos -tal vez, intimamente, es escéptico sobre las posibilidades de éxito- sino porque el Alférez le abre las puertas de la acción. La posibilidad de actuar de manera concreta, de producir en la realidad cambios verificables e inmediatos, lo encandila. Conocer a ese joven impulsivo le descubre retroactivamente la inanidad en que ha consistido su quehacer revolucionario. Por eso se embarca en la insurrección, aún intuyendo que es poco menos que un suicidio.

-¿Se reconoce algo en semejante personaje? -le pregunto-. ¿O no tiene nada que ver con usted, con las razones por las que siguió a Vallejos?

-Se queda mirándome, pensativo, pestañeando, sin saber qué contestar. Alza el vaso y bebe el resto de la gaseosa. Su vacilación es su respuesta.

-Esas cosas parecen imposibles cuando fracasan -reflexiona-.

Si tienen éxito, a todo el mundo le parecen perfectas y bien planeadas. Por ejemplo, la Revolución Cubana. ¿Cuántos desembarcaron con Fidel en el Granma? Un puñadito. Tal vez menos de los que éramos nosotros ese día en Jauja. A ellos les salió y a nosotros no.

Se queda meditando, un momento.

-A mí nunca me pareció una locura, mucho menos un suicidio -afirma-. Estaba bien pensado. Si destruíamos el puente de Molinos y retrasábamos a los policías, hubiéramos cruzado la Cordillera. En la bajada a la selva, ya no nos encontraban. Hubiéramos. . .

Se le apaga la voz. La falta de convicción con que habla es tan visible que, se habrá dicho, no tiene sentido tratar de hacerme creer algo en lo que él tampoco cree. ¿En qué cree ahora mi supuesto ex-condiscípulo? Allá, en el Salesiano, hace medio siglo, creía ardientemente en Dios. Luego, cuando murió Dios en su corazón, creyó con el mismo ardor en la revolución, en Marx, en Lenin, en Trotski. Luego, los sucesos de Jauja, o, acaso, antes, esos largos años de insulsa militancia, debilitaron y mataron también esa fe. ¿Qué otra la reemplazó? Ninguna. Por eso da la impresión de un hombre vacío, sin emociones que respalden lo que dice. Cuando empezó a asaltar Bancos y a secuestrar por un rescate ¿ya no podía creer en nada, salvo en conseguir dinero a como diera lugar? Algo, en mí, se resiste a aceptarlo. Sobre todo ahora, mientras lo observo, vestido con esos zapatones de caminante y esa ropa misérrima; sobre todo ahora que he visto cómo se gana la vida.

-Si usted quiere, no tocamos ese tema -lo alerto-. Pero tengo que decirle algo, Mayta. Me cuesta entender que, al salir de la cárcel, luego de lo de Jauja, se dedicara a asaltar Bancos y a secuestrar gente. ¿Podemos hablar de eso?

-No, de eso no -contesta inmediatamente, con cierta dureza. Pero se contradice, añadiendo-: No tuve nada que ver. Falsificaron pruebas, presentaron testigos falsos, los obligaron a declarar contra mí. Me condenaron porque hacía falta un culpable y yo tenía antecedentes. Mi condena es una mancha para la justicia.

Nuevamente se le corta la voz, como si en ese momento lo ganaran la desmoralización, la fatiga, la certidumbre de que es inútil tratar de disuadirme de algo que, por obra del tiempo, ha adquirido irreversible consistencia. ¿Dice la verdad? ¿Puede ser cierto que no fuera uno de los asaltantes de La Victoria, uno de los secuestradores de Pueblo Libre? Sé muy bien que en las cárceles del país hay gente inocente -acaso tanta como criminales afuera, gozando de consideración- y no es imposible que Mayta, con su prontuario, sirviera de chivo expiatorio a jueces y policías. Pero vislumbro, en el hombre que tengo al frente, tal estado de apatía, de abandono moral, tal vez de cinismo, que tampoco me resulta imposible imaginármelo cómplice de los peores delitos.

-El personaje de mi novela es maricón -le digo, después de un rato. Levanta la cabeza como picado por una avispa. El disgusto le va torciendo la cara. Está sentado en un sillón bajito, de espaldar ancho, y ahora sí parece tener sesenta o más años. Lo veo estirar las piernas y frotarse las manos, tenso.

-¿Y por qué? -pregunta, al fin.

Me toma de sorpresa: ¿acaso lo sé? Pero improviso una explicación.

-Para acentuar su marginalidad, su condición de hombre lleno de contradicciones. También, para mostrar los prejuicios que existen sobre este asunto entre quienes, supuestamente, quieren liberar a la sociedad de sus taras. Bueno, tampoco sé con exactitud por qué lo es.

Su expresión de desagrado se acentúa. Lo veo alargar la mano, coger el vaso de agua que ha colocado sobre unos libros, manosearlo y, al advertir que está vacío, volverlo a su sitio.

-Nunca tuve prejuicios sobre nada -murmura, luego de un silencio-. Pero, sobre los maricas, creo que tengo, después de haberlos visto. En el Sexto, en el Frontón. En Lurigancho es todavía peor.

Queda un rato pensativo. La mueca de disgusto se atenúa, sin desaparecer. No hay asomo de compasión en lo que dice:

-Depilándose las cejas, rizándose las pestañas   con fósforos quemados, pintándose la boca, poniéndose faldas, inventándose pelucas, haciéndose explotar igualito que las putas por los cafiches. Cómo no tener vómitos. Parece mentira que el ser humano pueda rebajarse así. Mariquitas que le chupan el pájaro a cualquiera por un simple pucho... -Resopla, con la frente nuevamente llena de sudor. Agrega entre dientes-: Dicen que Mao fusiló a todos los que había en China. ¿Será cierto?

Se vuelve a levantar para ir al baño y mientras espero que vuelva, miro por la ventana. En el cielo casi siempre nublado de Lima, esta noche se ven las estrellas, algunas quietas y otras chispeando sobre la mancha negra que es el mar. Se me ocurre que Mayta, allá en Lurigancho, en noches así, debía contemplar hipnotizado las estrellas lucientes, espectáculo limpio, sereno, decente: dramático contraste con la degradación violenta en que vivía.

Cuando regresa, dice que lamenta no haber viajado nunca al extranjero. Era su gran ilusión, cada vez que salía de la cárcel: irse, empezar en otro país, desde cero. Lo intentó por todos los medios, pero resultaba dificilísimo: por falta de dinero, de papeles en regla, o por ambas cosas. Una vez llegó hasta la frontera, en un ómnibus que iba a llevarlo a Venezuela, pero a él lo desembarcaron en la aduana del Ecuador, pues su pasaporte no estaba en regla.

—De todas maneras no pierdo las esperanzas de irme —gruñe—. Con tanta familia es más difícil. Pero es lo que me gustaría. Aquí no hay perspectiva de trabajo, de nada. No hay. Por donde uno mire, simplemente no hay. Así que no he perdido las esperanzas.

Pero sí las has perdido para el Perú, pienso. Total y definitivamente ¿no, Mayta? Tú que tanto creías, que tanto querías creer en un futuro para tu desdichado país. Echaste la esponja ¿no? Piensas, o actúas como si lo pensaras, que esto no cambiará nunca para mejor, sólo para peor. Más hambre, más odio, más opresión, más ignorancia, más brutalidad, más barbarie. También tú, como tantos otros, sólo piensas ahora en escapar antes que nos hundamos del todo.

—A Venezuela, o a México, donde también dicen que hay mucho trabajo, por el petróleo. Y hasta a los Estados Unidos, aunque no hable inglés. Eso es lo que me gustaría.

De nuevo se le va la voz, extenuada por la falta de convicción. A mí también se me va algo en ese instante: el interés por la charla. Sé que no voy a conseguir de mi falso condiscípulo nada más de lo que he conseguido hasta ahora: la deprimente comprobación de que es un hombre destruido por el sufrimiento y el rencor, que ha perdido incluso los recuerdos. Alguien, en suma, esencialmente distinto del Mayta de mi novela, ese optimistta pertinaz, ese hombre de fe, que ama la vida a pesar del horror y las miserias que hay en ella. Me siento incómodo, abusando de él, reteniéndolo aquí —es cerca de la medianoche— para una conversación sin consistencia, previsible. Debe ser angustioso para él este escarbar recuerdos, este ir y venir de mi escritorio al baño, una perturbación de su diaria rutina, que imagino monótona, animal.

—Lo estoy haciendo trasnochar demasiado —le digo—.

—La verdad es que me acuesto temprano —responde, con alivio, agradeciéndome con una sonrisa que ponga punto final a la charla—.

Aunque duermo muy poco, me bastan cuatro o cinco horas. De muchacho, en cambio, era dormilón.

Nos levantamos, salimos, y , en la calle, pregunta por dónde pasan los ómnibus al centro. Cuando le digo que voy a llevarlo, murmura que basta con que lo acerque un poco. En el Rímac puede tomar un micro.

Casi no hay tráfico en la Vía Expresa. Una garúa menudita empaña los cristales del auto. Hasta la Avenida Javier Prado intercambiamos frases inocuas, sobre la sequía del Sur y las inundaciones del Norte, sobre los líos en la frontera. Cuando llegamos al puente, susurra, con visible molestia, que tiene que bajarse un ratito. Freno, se baja y orina al lado del auto, escudándose en la puerta. Al volver, murmura que en las noches, a causa de la humedad, el problema de los riñones se acentúa. ¿Ha ido donde el médico? ¿Sigue algún tratamiento? Está arreglando primero lo de su seguro; ahora que lo tenga irá al Hospital del Empleado a hacerse ver, aunque, parece, se trata de algo crónico, sin cura posible.

Estamos callados hasta la Plaza Grau. Allí, súbitamente -acabo de pasar a un vendedor de emoliente-, como si hablara otra persona, le oigo decir:

-Hubo dos asaltos, cierto. Antes de ese de La Victoria, ese por el que me encerraron. Lo que le dije es verdad: tampoco tuve nada que ver con el secuestro de Pueblo Libre. Ni siquiera estaba en Lima cuando ocurrió, sino en Pacasmayo, en un trapiche.

Se queda callado. No lo apresuro, no le pregunto nada. Voy muy despacio, esperando que se decida a continuar, temiendo que no lo haga. Me ha sorprendido la emoción de su voz, el aliento confidencial. Las calles del centro están oscuras y desiertas. El único ruido es el motor del auto.

-Fue al salir de la cárcel, después de lo de Jauja, después de esos cuatro años adentro -dice, mirando al frente-. ¿Se acuerda de lo que ocurría en el Valle de La Convención, allá en el Cusco? Hugo Blanco había organizado a los campesinos en sindicatos, dirigido varias tomas de tierras. Algo importante, muy diferente de todo lo que venía haciendo la izquierda. Había que apoyar, no permitir que les ocurriera lo que a nosotros en Jauja.

Freno ante un semáforo rojo, en la Avenida Abancay, y él también hace una pausa. Es como si la persona que está a mi lado fuera distinta de la que estuvo hace un rato en mi escritorio y distinta del Mayta de mi historia. Un tercer Mayta, dolido, lacerado, con la memoria intacta.

-Así que tratamos de apoyarlos con fondos -susurra-. Planeamos dos expropiaciones. En ese momento era la mejor manera de poner el hombro.

No le pregunto con quiénes se puso de acuerdo para asaltar los bancos; si sus antiguos camaradas del POR(T) o del otro POR, revolucionarios que conoció en la cárcel u otros. En esa época -comienzos de los sesenta- la idea de la acción directa impregnaba el aire y había innumerables jóvenes que, si no actuaban ya de ese modo, por lo menos hablaban día y noche de hacerlo. A Mayta no debió serle difícil conectarse con ellos, ilusionarlos, inducirlos a una acción santificada con el nombre absolutorio de expropiaciones. Lo ocurrido en Jauja debía haberle ganado cierto prestigio ante los grupos radicales. Tampoco le pregunto si él fue el cerebro de aquellos asaltos.

-El plan funcionó en los dos casos como un reloj -agrega-. Ni detenciones ni heridos. Lo hicimos en dos días consecutivos, en sitios distintos de Lima. Expropiamos. . . -Una breve vacilación, antes de la fórmula evasiva-: . . . varios millones.

Queda en silencio otra vez. Noto que está profundamente concentrado, buscando las palabras adecuadas para lo que debe ser lo más difícil de contar. Estamos frente a la Plaza de Acho, mole de sombras difuminadas en la neblina. ¿Por dónde sigo? Sí, lo llevaré hasta su casa. Me señala la dirección de Zárate. Es una amarga paradoja que viva, ahora que está libre, en la zona de Lurigancho. La avenida, aquí, es una sucesión de huecos, charcos y basuras. El auto se estremece y da botes.

-Como estaba requetefichado, se acordó que yo no llevara el dinero al Cusco. Allá debíamos entregarlo a la gente de Hugo Blanco. Por una precaución elemental decidimos que yo fuera después, separado de los otros, por mi cuenta. Los camaradas partieron en dos grupos. Yo mismo los ayudé a partir. Uno en un camión de carga, otro en un auto alquilado.

Vuelve a callar y tose. Luego, con sequedad y un fondo de ironía, añade rápido:

-Y, en eso, me cayó la policía. No por las expropiaciones. Por el asalto de La Victoria. En el que yo no había estado, del que yo no sabía nada. Vaya casualidad, pensé. Vaya coincidencia. Qué bien, pensé. Tiene su lado positivo. Los distrae, los va a enredar. Ya no me vincularían para nada con las expropiaciones. Pero no, no era una coincidencia. . .

De golpe, ya sé lo que me va a contar, he adivinado con toda precisión adónde culminará su relato.

-No lo entendí completamente hasta años después. Quizá porque no quería entenderlo.-Bosteza, con la cara congestionada, y mastica algo-. Incluso, vi un día en Lurigancho un volante a mimeógrafo, sacado por no sé qué grupo fantasma, atacándome. Me acusaban de ladrón, decían que me había robado no sé cuánto dinero del asalto al Banco de La Victoria. No le di importancia, creí que era una de esas vilezas normales en la vida política. Cuando salí de Lurigancho absuelto por lo de La Victoria, habían pasado dieciocho meses. Me puse a buscar a los camaradas de las expropiaciones. Por qué, en todo ese tiempo, no me habían hecho llegar un solo mensaje, por qué no habían tomado contacto conmigo. Por fin encontré a uno de ellos. Entonces, hablamos.

Sonríe, entreabriendo la boca de dientes incompletos. Ha cesado la llovizna y en el cono de luz de los faros del auto hay tierra, piedras, desperdicios, perfiles de casas pobres.

-¿Le contó que el dinero no llegó nunca a manos de Hugo Blanco? -le pregunto.

-Me juró que él se había opuesto, que él trató de convencer a los otros que no hicieran una chanchada así -dice Mayta-. Me contó montones de mentiras y echó a los demás la culpa de todo. El había pedido que me consultaran lo que iban a hacer. Según él, los otros no quisieron. «Mayta es un fanático», dice que le dijeron. «No entendería, es demasiado recto para estas cosas.» Entre las mentiras que me contó, se reconocían algunas verdades.

-Suspira y me ruega que pare. Mientras lo veo, al lado de la puerta, desabotonándose y abotonándose la bragueta, me pregunto si el Mayta que me sirvió de modelo podría ser llamado fanático, si el de mi historia lo es. Sí, sin duda, los dos lo son. Aunque, tal vez, no de la misma manera.

-Es verdad, yo no hubiera entendido -dice, suavemente, cuando vuelve a mi lado-. Es verdad. Yo les hubiera dicho: la plata de la revolución quema las manos. ¿No se dan cuenta que si se quedan con ella dejan de ser revolucionarios y se convierten en ladrones?

Vuelve a suspirar, hondo. Voy muy despacio, por una avenida en tiniéblas, a cuyas orillas hay a veces familias enteras durmiendo a la intemperie, tapadas con periódicos. Perros escuálidos salen a ladrarnos, los ojos encandilados por los faros.

-Yo no los hubiera dejado, por supuesto -repite-. Por eso me denunciaron, por eso me implicaron en el asalto de La Victoria. Sabían que yo, antes que dejarlos, les hubiera pegado un tiro. Mataron dos pájaros, delatándome. Se libraron de mí y la policía encontró un culpable. Ellos sabían que yo no iba a denunciar a unos camaradas a los que creía arriesgando la vida para llevar a Hugo Blanco el producto de las expropiaciones. Cuando, en los interrogatorios, me di cuenta de que me acusaban, dije: «Perfecto, no se la huelen». Y, durante un tiempo, los estuve hueveando. Creía que era una buena coartada.

Se ríe, despacito, con la cara seria. Queda en silencio y se me ocurre que no dirá nada más. No necesito que lo diga, tampoco. Si es cierto, ahora sé qué lo ha destruido, ahora sé por qué es el fantasma que tengo a mi lado. No el fracaso de Jauja, ni todos esos años de cárcel, ni siquiera purgar culpas ajenas. Sino, seguramente, descubrir que las expropiaciones fueron atracos; descubrir que, según su propia filosofía, había actuado «objetivamente» como un delincuente común. ¿O, más bien, haber sido un ingenuo y un tonto ante camaradas que tenían menos años de militancia y menos prisiones que él? ¿Fue eso lo que lo desengañó de la revolución, lo que hizo de él este simulacro de sí mismo?

-Durante un tiempo, pensé buscarlos, uno por uno, y tomarles cuentas -dice.

-Como en *El conde de Montecristo* -lo interrumpo-. ¿Leyó alguna vez esa novela?

Pero Mayta no me escucha.

-Después, la rabia y el odio también se me fueron -prosigue-. Si quiere, digamos que los perdoné. Porque, hasta donde supe, a todos les fue tan mal o peor que a mí. Menos a uno, que llegó a diputado.

Se ríe, con una risita ácida, antes de enmudecer.

No es cierto que los hayas perdonado, pienso. Tampoco te has perdonado a ti mismo por lo que ocurrió. ¿Debo pedirle nombres, precisiones, tratar de sonsacarle algo más? Pero la confesión que me ha hecho es excepcional, una debilidad de la que tal vez se arrepienta. Pienso en lo que debió ser rumiar entre las alambradas y el cemento de

Lurigancho, la burla de que fue objeto. Pero ¿y si esto que me ha contado es exageración, pura mentira? ¿No será todo una farsa premeditada para exculparse de un prontuario que lo avergüenza? Lo miro de soslayo. Está bostezando y desperezándose, como con frío. A la altura de la bifurcación a Lurigancho, me indica que siga derecho. Termina el asfalto de la avenida; ésta se prolonga en una huella de tierra que se pierde en el descampado.

-Un poco más allá está el pueblo joven donde vivo -dice-. Camino hasta aquí a tomar el ómnibus. ¿Se acordará y podrá regresar, ahora que me deje?

Le aseguro que sí. Quisiera preguntarle cuánto gana en la heladería, qué parte de su sueldo se le va en ómnibus y cómo distribuye lo que le queda. También, si ha intentado conseguir algún otro trabajo y si quisiera que le eche una mano, haciendo alguna gestión. Pero todas las preguntas se me mueren en la garganta.

-En una época se decía que en la selva había perspectivas -le oigo decir-. Estuve dándole vueltas a eso, también. Ya que lo del extranjero era difícil, tal vez irme a Pucallpa, a Iquitos. Decían que había madereras, petróleo, posibilidades de trabajo. Pero era cuento. Las cosas en la selva andan igual que aquí. En este pueblo joven hay gente que ha regresado de Pucallpa. Es lo mismo. Sólo los traficantes de coca tienen trabajo.

-Ahora sí, estamos terminando el descampado y, en la oscuridad, se vislumbra una aglomeración de sombras chatas y entrecortadas: las casitas. De adobes, calaminas, palos y esteras, dan, todas, la impresión de haberse quedado a medio hacer, interrumpidas cuando empezaban a tomar forma. No hay asfalto ni veredas, no hay luz eléctrica y no debe haber tampoco agua ni desagüe.

-Nunca había llegado hasta aquí -le digo-. Qué grande es esto.

-Allá, a la izquierda, se ven las luces de Lurigancho -dice Mayta, mientras me guía por los vericuetos de la barriada-. Mi mujer fue una de las fundadoras de este pueblo joven. Hace ocho años. Unas doscientas familias lo crearon. Se vinieron de noche, por grupos, sin ser vistas. Trabajaron hasta el amanecer, clavando palos, tirando cordeles, y, a la mañana siguiente, cuando llegaron los guardias, ya el barrio existía. No hubo manera de sacarlas.

-O sea que, al salir de Lurigancho, usted no conocía su casa- le pregunto.

-Me dice que no con la cabeza. Y me cuenta que, el día que salió, después de casi once años, se vino solito, caminando a través del descampado que acabamos de cruzar, apartando a pedradas a los perros que querían morderlo. Al llegar a las primeras casitas empezó a preguntar: «¿Dónde vive la señora Mayta?» Y así fue que se presentó a su hogar y le dio la sorpresa a su familia.

-Estamos frente a su casa, la tengo presa en el cono de luz de los faros del auto. La fachada es de ladrillo y la pared lateral también, pero el techo no ha sido vaciado aún, es una calamina sin asegurar, a la que impiden moverse unos montoncitos de piedra, enfilados cada cierto trecho. La puerta, un tablón, está sujeta a la pared con clavos y pitas.

-Estamos luchando por el agua -dice Mayta-. Es el gran problema aquí. Y, por supuesto, la basura. ¿Seguro que podrá usted llegar hasta la avenida?

-Le aseguro que sí y le digo que, si no le importa, luego de algún tiempo, lo buscaré para que conversemos y me cuente algo más sobre la historia de Jauja. Acaso le vuelvan a la memoria otros detalles. El asiente y nos despedimos con un apretón de manos.

-No tengo dificultad en salir nuevamente al afirmado que va hacia Zárate. Lo hago despacio, deteniéndome a observar la probreza, la fealdad, el abandono, la desesperanza que transpira este pueblo joven cuyo nombre ignoro. No hay nadie en la calle, ni siquiera un animal. Por todas partes se acumulan, en efecto, altos de basura. La gente, imagino, se limita a arrojarla desde las casas, resignada, a sabiendas de que no hay nada que hacer, de que ningún camión municipal vendrá a arrojarla, más allá, al descampado, o enterrarla o quemarla. También habrán bajado los brazos y echado la esponja. Imagino lo que la plena luz del día nos traerá, pululando, en estas pirámides de inmundicias acumuladas frente a las casuchas, en medio de las cuales deben corretear los niños del vencindario: las moscas, las cucarachas, las ratas, las innumerables alimañas. Pienso en las epidemias, en los hedores, en las muertes precoces.

-Estoy pensando en las basuras de la barriada de Mayta todavía cuando diviso, a mi izquierda, la mole de Lurigancho y recuerdo al reo loco y desnudo, durmiendo en el inmenso muladar, frente a los pabellones impares. Y poco después, cuando acabo de cruzar Zárate y la Plaza de Acho y estoy en la Avenida Abancay, en la recta que me llevará hacia la Vía Expresa, San Isidro, Miraflores y

Barranco, anticipo los malecones del barrio donde tengo la suerte de vivir, y el muladar que uno descubre -lo veré mañana, cuando salga a correr- si estira el pescuezo y atisba por el bordillo del acantilado, los basurales en que se han convertido esas laderas que miran al mar. Y recuerdo, entonces, que hace un año comencé a fabular esta historia mencionando, como la termino, las basuras que van invadiendo los barrios de la capital del Perú.

Capítulo XII

Uruguay

Los portugueses se disputaron con los españoles la posesión del Uruguay. Finalmente, después de liberarse de los españoles, los uruguayos tuvieron que luchar contra los portugueses, los brasileños y los argentinos, que querían dominarlos. Juan Antonio Lavalleja encabezó las luchas en contra de los brasileños en 1825. José Gervasio Artigas fue el personaje más notable de las luchas por la independencia uruguaya que continúan hasta 1826. En 1828 la Argentina y el Brasil firmaron en Montevideo un Tratado de Paz renunciando a sus pretensiones sobre el control del territorio de la Banda Oriental. En 1830 se promulgó la Constitución. Fructuoso Rivera fue el primer presidente de la República Oriental del Uruguay, sucedido por Manuel Oribe.

Desde los primeros años republicanos hasta bien entrado el siglo XX el Uruguay se vio afectado por las disensiones políticas entre los Blancos y los Colorados. Los Blancos eran conservadores y católicos y entre ellos se encontraban los grandes propietarios rurales. Los Colorados eran demócratas y laicos y contaban con los mestizos y los burgueses de la capital. La más sangrienta de las luchas civiles entre ambos grupos fue la Guerra Grande (1839-1851), durante la cual Montevideo resistió por nueve años el sitio de los Blancos. Los Colorados luchaban no solamente por la democracia sino contra la dictadura de Rosas, mantenido en el poder con la acción militar de Oribe, jefe de los Blancos.

Oribe fue derrotado por el argentino Justo José de Urquiza, reconciliándose a continuación ambos partidos ante la necesidad de luchar unidos contra los avances anexionistas de la monarquía brasileña. Después de esto volvieron las rivalidades partidistas, situación de la que tomó ventaja Venancio Flores, quien se erigió dictador en dos ocasiones. Los comienzos del siglo XX señalaron una época de transformaciones para el país. José Batlle Ordóñez fue llevado al poder en 1903 por un movimiento revolucionario. Este presidente hizo una serie de reformas ventajosas para el país, entre ellas abolió la pena de muerte, promulgó una legislación social avanzada y, por medio de nacionalizaciones, colocó el control de la banca y los seguros bajo el Estado. Continuó estas reformas Claudio Williman quien gobernó de 1907 a 1911. Batlle Ordóñez fue reelegido para el próximo período presidencial de 1911 a 1915. Feliciano Viera lo sustituyó al final de su gobierno por elección popular.

Baltasar Brum, que sucedió a este último, ejerció su mandato de 1919 a 1923, inauguró la Constitución de 1919, la más avanzada del continente en esa época. Con esta nueva constitución gobernaron, en lapsos sucesivos de cuatro años, José Serrato, Juan Campisteguy y Gabriel Terra. Terra tuvo que enfrentarse con las consecuencias de la depresión económica norteamericana y su gobierno se vio en peligro de ser derrocado por fuerzas comunistas. Terra cerró el Congreso, convocó una nueva Asamblea y promulgó una nueva constitución que entró en vigor en 1934. Terra fue reelegido y cumplió su mandato presidencial hasta 1938, teniendo que sofocar al final de su período un levantamiento militar. El general Alfredo Bladomir, electo después de Terra, tuvo que enfrentarse a la oposición de grupos fascistas.

Juan José Amézaga cumplió el próximo período presidencial. Continúan ejerciendo el poder sucesivamente Tomás Barreta, Luis Batlle Berres y Andrés Martínez Trueba. Durante la presidencia de este último se llevó a cabo una reforma constitucional, aprobada por el Congreso en diciembre de 1951. Entre otras medidas, esta enmienda dejó sin base las luchas partidistas, quedando representado el Poder Ejecutivo por un Consejo Nacional de Gobierno. El primer presidente de la nueva reforma fue Andrés Martínez Trueba, representante del Partido Colorado, quien gobernó como primera figura del Nuevo Consejo Nacional de 1952 a 1955.

El Partido Blanco ganó las elecciones de 1958 después de noventa años de ausencia en el poder. En 1961 la ciudad de Montevideo fue teatro de manifestaciones de grupos izquierdistas en apoyo al gobierno cubano de Castro. El gobierno tomó fuertes medidas represivas, encarcelando a dirigentes del partido comunista y expulsando del país al embajador ruso y al primer secretario, acusados como responsables de las protestas. Con la tasa inflacionaria en aumento vertiginoso, y en un acto de desesperación, el Uruguay volvió a la forma de gobierno presidencial en la creencia de que un dirigente fuerte reviviría la economía. La nueva Constitución de 1966 no resolvió la situación; al contrario, aparecieron los Tupamaros en el escenario político con una campaña de terror para derrocar al gobierno. El entonces presidente Jorge Pacheco Areco redujo las libertades individuales. El país, que por años había gozado fama de demócrata, se convirtió en un lugar donde se recurría a la tortura y a otras medidas represivas para combatir el terrorismo.

En 1971 se enfrenta a los Blancos y Colorados una nueva coalición de izquierda, el Frente Amplio, con un candidato para las elecciones presidenciales. Las ganó Juan María Bordaberry Arocena, el candidato de los Colorados. Los Tupamaros, descontentos con la elección, desataron una nueva campaña de terror. En lugar de la policía respondieron los militares con medidas represivas y, evaluando la situación, redujeron el poder del gobierno. Substituyeron, por medio de un golpe de estado, a Bordaberry. El nuevo presidente, más manejable, fue Aparicio Méndez Manfredini, quien llegó a ser una figura decorativa. Los militares erradicaron a los Tupamaros y, ganando cada vez más control sobre el país, sofocaban cualquier voz disonante, persiguiendo a todo el que no estuviera conforme con el gobierno. A principios de 1976, una crisis debilitó la relación entre Bordaberry y las Fuerzas Armadas. El 12 de junio Bordaberry fue depuesto y el Vice-Presidente Alberto Demichelli fue nombrado presidente Interino. El 14 de julio el Consejo de la Nación designó a Méndez Manfredini Presidente del país por los próximos cinco años.

La nueva constitución, que supuestamente iba a confirmar el derecho de las fuerzas armadas a controlar el proceso político, no fue aceptada cuando se sometió a plebiscito en noviembre de 1980. En septiembre de 1981, Méndez fue sucedido por Gregorio Conrado Alvarez, un general retirado. Este asumió el poder como presidente transicional hasta 1985 en que el gobierno del país devolvería el poder a los civiles. En 1982 se convocaron elecciones generales en las que se seleccionarían delegados de tres grupos: los Colorados, Blancos y

Unión Cívica. Ellos debían preparar una constitución que sería sometida a los votantes en noviembre de 1984. Pero en su lugar, a raíz de las elecciones, se desató una serie de protestas a mediados de 1984. La reacción del gobierno fue aumentar la censura de la prensa y arrestar a los disidentes.

En las elecciones de 1985 fue elegido Julio Sanguinetti Cairolo. Para evitar el tener que ser impuesto como presidente por un militar, Alvarez renunció el 12 de febrero y asumió el poder el Presidente de la Corte Suprema, Rafael Addiego Bruno, en calidad de interino. Addiego Bruno hizo entrega del poder presidencial a Sanguinetti en marzo de 1985. Sanguinetti, quien ocupó el poder cinco años, ha contado con el apoyo público y de la oposición. Una de las medidas de su gobierno fue dejar en libertad a los prisioneros políticos, incluyendo a los guerrilleros Tupamaros y permitir el regreso a unos 20,000 exiliados.

En 1989 el electorado uruguayo decidió elegir al candidato de los Blancos que había pasado más de dos décadas en la oposición. Luis Alberto Lacalle, el candidato del Partido Nacional (PN) ganó los comicios en noviembre de 1989 señalando este hecho la celebración de las primeras elecciones libres presidenciales y congresionales en los últimos 18 años. Lacalle, quien ocupó la presidencia en marzo de 1990, debió enfrentarse al Frente Amplio de Izquierda, ganador en Montevideo, que controlaba el Concilio de la ciudad.

La situación del Uruguay es desastrosa políticamente. Durante 1992 han habido protestas militares como queja a los salarios bajos. El ejército también rehusa reprimir las huelgas policiales. En general, ha habido un aumento del índice de criminalidad en el país. La calidad de la vida ha sufrido, el desempleo es elevado, y un número considerable de profesionales y fuerzas laborales bien entrenadas han emigrado debido a las malas condiciones económicas y a la represión política. A fines del 92 pudiera haber trazas de recuperación económica, al mejorar el nivel de la tasa inflacionaria (1990, 128.9%; 1991, 81.5%; 1992, 58.7%).

NARRATIVA

Uruguay cuenta con el gran narrador Javier de Viana, autor de "Ultima campaña" de la colección *Campo* (1896) donde presenta al guerrillero Manduca Matos. "Por la causa" trata del conflicto político en las elecciones. El gaucho ha aparecido repetidamente en el centro de la temática de Viana, la cual siempre ha girado alrededor de un problema social.

Mario Benedetti tiene una extensa obra crítica en la cual plantea el compromiso del intelectual con su época y el alcance social y político de la literatura. Benedetti maneja con habilidad esquemas sociales en sus novelas *La tregua* (1960) y *Gracias por el fuego* (1965). Ha recopilado obra revolucionaria en sus antologías *Cuentos de la revolución* (1971) y *Poesía latinoamericana revolucionaria* (1979). En *El cumpleaños de Juan Angel* (1971), novela poética dedicada al líder de los tupamaros Raúl Sendic, el protagonista, Osvaldo Puente, se transforma en miembro activo de la guerrilla urbana montevideana, adoptando el nombre simbólico de Angel.

En la novela uruguaya de ímpetu o testimonio rebelde en este siglo se destaca *El paredón* (1963) de Carlos Martínez Moreno. La obra presenta la evolución del proceso insurrecto visto a través de un intelectual uruguayo. El protagonista, en su deseo de activar la inercia política en la que han caído sus coterráneos, decide irse a Cuba en busca de un acercamiento a la dinámica revolucionaria. También se incluyen en su obra política *De vida o muerte* (1971) y *Tierra en la boca* (1974). Otra de sus novelas *El color que el infierno me escondiera* (1981), ganadora del género narrativo en el Concurso Internacional de Proceso-Nueva Imagen, da una presentación del militarismo en la América Latina.

En *La canción de nosotros* (1975), de Eduardo Galeano, aparecen temas de la liberación latinoamericana que se basan en la resistencia uruguaya. Fernando Alegría estima que los episodios de esta novela están entre los mejores de la literatura testimonial de Hispanoamérica, y agrega que Galeano hilvana las piezas de su testimonio con un lenguaje de hondo sentido poético.[1] Otra gran novela revolucionaria es *El pasajero* (1977), de Jorge Musto. Alegría opina que Musto ha creado en esta obra el personaje clave de estas novelas de la liberación.[2]

En la colección de Juan Carlos Mondragón, *Aperturas, miniaturas, finales* (1985), ganadora del primer premio del Concurso Literario de la Banda Oriental, hay narraciones que reflejan las tensiones socio-políticas del Uruguay contemporáneo. *Río de pájaros azules* (1985), de Hector Zas Thode, contiene cuentos y poemas que presentan la brutalidad de la situación política en el Uruguay.

---

[1] Fernando Alegría, *Nueva historia de la novela hispanoamericana* (Hanover: Ediciones del Norte, 1986), p. 380.

[2] Ibid., p. 376.

CRISTINA PERI ROSSI (Montevideo, Uruguay. 1941)

Poeta y escritora de cuentos y novelas. Se inició como narradora en 1963 al publicar su primer libro de cuentos *Viviendo*. En 1964 terminó sus estudios de literatura en el Instituto de Profesores Artigas. De 1962 a 1972 enseñó en Preparatorias. En 1968 ganó el Premio de los Jóvenes de la Editorial Arca con su cuento "Los museos abandonados". También ha sido galardonada con el premio *Puerta de Oro*. Colaboró en *Marcha* desde 1970 hasta 1972, el año de su clausura. En 1972 abandonó su país por razones políticas y desde entonces radica en Barcelona.

Obra. **Poesía:** *Evohé* (1971), *Descripción de un naufragio* (1975), *Diáspora* (1976), *Lingüística general* (1979), *Estado de exilio* (1979), (Mención Casa de las Américas). **Cuento:** *Indicios pánicos* (1970), *La tarde del dinosaurio* (1976), *La rebelión de los niños* (1981), (Premio Benito Pérez Galdós); *El museo de los esfuerzos inútiles* (1983). **Novela:** *El libro de mis primos* (1969), (Premio Treinta Años de *Marcha*); *La nave de los locos* (1984).

Los cuentos de Peri Rossi tienen mucho de poesía. Sobre ellos dice la autora, dando una definición del género, que en su concentración, economía de palabras y carácter alegórico, se asemejan al género poético; y considera que la mayor parte de los narradores son poetas innatos.

En "Cosa secreta", de la colección *Cuentos de la revolución* de Benedetti, se presenta el monólogo interior de un niño extremadamente sensible, perteneciente a la clase que tiene el control político del país. El joven narrador analiza sus experiencias en el mundo exterior constituido principalmente por su familia y por el colegio. A pesar de estar ubicado en un medio privilegiado, su percepción de la realidad es confusa, pues recibe dos puntos de vista totalmente opuestos. Por una parte está su padre, Secretario del Presidente, quien encuentra una explicación lógica para todos los problemas del país, y por otra su amigo Marcos, becado en el colegio de los ricos, que posee una conciencia social acusada. El gobierno sirve a la clase alta, poseedora del poder económico. Los pobres carecen hasta de lo más elemental. En su padre aparecen representados la incultura, la insensiblidad, la inmoralidad y el arribismo. En Marcos se hace evidente la clase necesitada. Por él sabe el niño lo que pasa en otro ambiente y puede hacer un contraste entre los dos mundos: las escuelas privadas y las del Estado, donde "los maestros son todos revolucionarios"; las comidas abundantes de su casa y el hambre del pueblo, etc. En la historia se entretejen otros acontecimientos que sirven para representar varios problemas sociales, tales como las lacras morales del gobierno, la malversación de bienes, el control económico de los norteamericanos, la explotación de las empresas privadas y las huelgas. Además de presentar la realidad social, Peri Rossi ha sabido desarrollar con gran maestría el proceso intuitivo del niño, en su lucha diaria por encontrar respuesta a sus interrogantes y establecer cierto orden en las ideas que pueblan el caos de su mundo, conduciéndolo hasta el hallazgo final, que no es más que el encuentro consigo mismo.

CUENTOS DE LA REVOLUCIÓN (1971)
COSA SECRETA

Como el relato que van a leer se llama "Cosa secreta", sería ingenioso de mi parte revelar el misterio. Sin embargo, puedo decirles de antemano:

1. No es un cuento policial, aunque haya algunos policías en él. Pero últimamente los hay por todos lados, de manera que eso no es ninguna novedad.

2. No es un cuento de misterio: detesto las seriales.

3. El arte copia a la vida y la vida copia al arte, por lo cual este relato es mucho más pobre que la vida misma -Uruguay, 1971-, pero al mismo tiempo, la realidad se inspira en este relato para multiplicarse.

4. y último: si tuviera que explicarles el cuento no valdría la pena haberlo escrito.

5. ah, y una advertencia final: por todos lados hay cosas secretas, lo cual tiene alarmados a la C.I.A., al F.B.I., al Pentágono, al Opus Dei, y a la Columbia Pictures.

C.P.R.

A cualquier persona se le podría ocurrir venir y verla, allí, entre los pastos, entonces yo me tendría que pasar el día cuidándola de que no la tocaran, explicándole cosas a la gente que vendría y revisándola una y otra vez -después que cada uno se hubiera ido- para ver si estaba igual, si a nadie se le había ocurrido arrancarle un pedazo, llevársele una parte de recuerdo, como he visto que hace todo el mundo con las cosas que les gustan, para mostrárselas a los demás. ¿No alcanzaría con verlas? Papá nos llevó a mamá y a mí a la casa de su amigo, el señor Estévez, papá dijo: "Es un tipo importante" así que fuimos, el señor Estévez se ve que se había paseado por medio mundo, del medio había traído una cantidad de cosas arrancadas. "Este es un trozo de una columna en Karnak" dijo el señor Estévez y me mostró un pedazo de piedra amarillenta y blanduzca, para mí que se equivocó, piedras de esas he visto millones. Además, si es verdad que era de Karnak, ¿para qué se la trajo? Si siguen así, cada uno llevándose un pedacito de columna, con el tiempo, de la columna no va a quedar nada, nada más que fotografías en los libros de historia o de arquitectura. Dijo: "Este es un trozo de una columna en Karnak", con orgullo, luciendo bien aquella piedrita, como si la hubiera hecho él con sus propias manos, como si él fuera Karnak o hubiera mandado hacer

Karnak y la columna. Mamá abrió un poco la boca y le brillaron los ojos. ¿Estaría sacando la cuenta de cuánto valdría aquel pedazo de piedra? Papá no dijo nada pero se masticó un palillo de dientes. Estoy seguro de que no sabe qué es Karnak, pero si el señor Estévez había ido, debía ser un lugar muy importante, imprescindible de conocer; como es tan desmemoriado brincaba de ganas de apuntar el nombre en la libreta para no olvidárselo, mañana mismo va a una agencia de viajes y pregunta cuál de las compañías pasa por Karnak. Hace años que programa el viaje. Es necesario primero que yo termine primaria y él acumule algunas licencias más. Hace así: como es el secretario de la Oficina de la Presidencia, no se anota las licencias anuales, que se van acumulando, y, después de varios años, hacen un buen número de meses que aprovecharemos viajando por Europa. No todos los años hace eso: a veces sí, para disimular, se anota cinco o seis días de licencia. Podría no anotarlos nunca, porque a él no lo controla nadie, si no es el Presidente, pero el Presidente qué va a estar controlándolo, en primer lugar, porque está muy ocupado en sus propias cuentas de días y de sueldos, en segundo lugar porque son del mismo partido. Antes no éramos del partido del Presidente, claro, cuando el Presidente no era éste; pero al poco tiempo de llegar este Presidente (yo no me acuerdo cómo llegó, lo único que puedo decir es que no nació así sino que vino a este estado) mi papá de pronto, una tarde, al volver de la oficina, nos comunicó que acabábamos de pasarnos al partido del Presidente. Mamá se puso muy contenta porque hacía meses programaba reuniones con las esposas de los ministros y los generales de este Presidente, a mí la noticia me dejó ni frío ni caliente, pero me enojé un poco al otro día, cuando en el colegio Marcos me pidió cuentas. Yo voy a un colegio pago, que, según mamá, educa bien a la gente. Nos distinguimos por nuestro uniforme; el de nuestro colegio es chaqueta verde y pantalón gris; si llevamos pullover también tiene que ser gris; la camisa solamente puede ser blanca, y la corbata, verde. Algunos llevan lazo o corbata de moño. Para que salgamos bien educados nos meten -a la salida del colegio- en un ómnibus particular, que nos deja uno por uno en la puerta de nuestras casas. De manera que nada de ver a los demás chicos. Los demás chicos van a las escuelas del estado, que como todo el mundo sabe, están que se caen solas de tan viejas, se llueven por todos lados, los alumnos siempre andan resfriados, las ratas se pasean por los salones, y como dice mamá, uno nunca sabe a quién tiene sentado en el banco de al lado.

Aparte del hecho de que en nuestro colegio nos enseñan religión, y en la escuela no, porque en las escuelas del Estado los maestros son todos revolucionarios. Eso me lo explicó Marcos. Nosotros, en cambio, no somos revolucionarios. ¿Qué somos, entonces? Le he preguntado esto a mi padre. El no me quiso contestar directamente. Me miró con los ojos encendidos y me preguntó quién me había dicho lo de maestros revolucionarios. Yo no dije que fue Marcos. Entonces mi padre le gritó a mamá, cosa que hace cada vez que está enojado. "¿Qué clase de control tienen en ese maldito colegio sobre los alumnos? ¿Con quién anda mi hijo para meterse en esas cosas?" Mamá me miró y trató de suavizar a papá. La culpa fue mía. Hace mucho tiempo llegué a la conclusión de que no debo hacerle preguntas a ellos; a papá, porque se enoja por todo; a mamá, porque no sabe nada, aparte de desfiles de modelos, reuniones sociales y recetas de cocina. Cocina muy bien. Papá dice orgulloso "En casa comemos muy caro". Esto lo dice entre nosotros; no lo dice fuera de casa.

A él se ve que le gusta saber el precio de las cosas. Por ejemplo, mamá hizo pollo al horno. No era un simple pollo al horno, como cualquiera. No era un pollo pelado, despojado al fuego de canutos, y puesto con manteca al horno. No señor. Se presentó a la mesa con un pollo entero muy doradito lleno de cosas encima. A mí me costó mucho encontrar un pollo debajo de todo lo que traía. "Ya está ese niño haciendo muecas con la comida" dijo papá, que los ojos le brillaban con la comida. Sé muy bien que la boca puede mojarse con la comida; a él se le encienden los ojos. El pollo estaba tapado de cosas y cuando yo quise sacarle unas pelotitas que tenía por encima papá me dio en los dedos y me dijo "Deja eso en su lugar. Son trufas, aprende. Muy pocos niños pueden comerlas". Supuse que eso tenía que alcanzar para que me gustaran las trufas. Mamá me sirvió una parte del pollo: "Dame la pechuga" le pedí, porque no soporto la piel. Papá me miró con severidad, aparentemente porque me había adelantado a su turno (él debe ser servido siempre antes que nosotros), a lo mejor porque él también quería la pechuga. No puede saberse. Hoy prefiere un ala, mañana la pechuga. Mejor, creo que prefiere todas las partes, el ala, la pechuga, la pata, el buche y la cresta. El pollo entero. Aprovecha hasta los huesillos: se los lleva a la boca con los dedos y chupa de ellos todo lo que hay, la manteca, el aceite, el jugo, mastica un poco el borde de los huesos, les pasa la lengua, dice "Esto está muy sabroso" y yo pienso que si no tuviera miedo de atorarse, se los tragaría también. Se tragaría el pollo con piel, plumas, huesos, cresta, espolón, pico y todo. Le quedarían algunas plumas más livianas afuera de la boca, y se pasaría la servilleta por ella, para desplazarlas. Las plumas no se irían, tenaces. "Estamos aquí, estamos aquí" gritarían las plumas, testimoniando al pollo tragado. Y él engordaría de pollos comidos. "Sírvele la pechuga y que no chiste" ordenó mi padre. La pechuga vino al plato debajo de una montaña de cosas que me costaba reconocer. Había hojas de vegetales cocidos, una salsa de color amoratado, varias pelotitas de trufas, una rodaja de melón, sobre la piel brillante del melón las manchas oscuras del caviar. Reconocí algunas almendras trozadas y por el olor, un poco del Cointreau que papá guarda en el bar, a lo mejor era jerez, no sé bien. Debajo de todo eso mi pechuga estaría nadando.

Papá disfrutaba como loco con aquel plato. Se servía otra porción de pollo, o bien, con la cuchara, recogía parte de los adornos, ya fuera la salsa color morado, las almendras, los piñones o las rodajas de melón. "Esto está delicioso" decía papá, sirviéndose más. Mamá, satisfecha, lo miraba comer como si fuera su propia madre. Yo digo esto porque las gallinas son así: Miran comer a sus bebés con deleite, ellas mismas les enseñan. En cuanto a la gente, mamá se enoja si no me ve comer, pero con papá parece que es igual: goza tanto viéndolo comer que casi se olvida de comer ella misma. "Nunca he comido un pollo tan sabroso. ¿Cuánto calculas que nos ha costado este plato, mamá?" Tampoco sé por qué la llama mamá, siendo, como es, mi madre y no la suya. Pero creo que en una familia las cosas son de todos, o todas las cosas son de uno solo, porque si bien es cierto que yo no puedo usar sus corbatas ni cuando juego a policías y ladrones, él no tiene reparos en usar mis lápices o mis hojas de colegio. Si le digo algo, me responde: "¿quién crees que las paga?" y entonces yo sí sé que son suyas, aunque traten de engañarme y me digan " tus cuadernos", "tus lápices", "tus deberes". Los deberes tampoco son míos. Porque si bien son míos mientras los haga, el día que dejara de llevarlos al colegio se convertirían en un bien de familia, papá y mamá tendrían que ver con ellos, puesto que me dirían "Haz los deberes, hijo. Mira cómo nos dejas con la gente", de modo que mis deberes se vuelven una manera de comportamiento social; seremos juzgados (todos, no solamente yo) por mis deberes, mis notas, mis cuadernos.

. . . .

Marcos ha escrito una frase en la tapa de su cuaderno de clase: "El que no puede vencer, admira". Tengo que pasarla alguna noche. Siempre anda escribiendo o recogiendo frases de ésas y yo me mato pensándolas. El y yo somos los más amigos de todos. Si papá lo supiera se pondría furioso, y mamá, porque sus padres no tienen dos y tres apellidos como el resto de la gente bien. Sus padres no son importantes en nada, y él está en el colegio de limosna. El mismo me lo explicó: los curas, para evitar impuestos, ofrecen becas gratuitas a un alumno por curso, que no podría pagar la enseñanza del colegio. Anualmente muchas familias pobres se inscriben para eso. "Mi madre hizo una larguísima cola, pobrecita, creía que era asunto de esperar afuera, en la calle, desde la madrugada, a la puerta del colegio".

Su madre se fue bien temprano, sin desayunarse, para llegar antes que las otras. A él no lo llevó, porque pensó que era asunto de sorteo. "¿Por qué pensó que era asunto de sorteo?" le pregunté a Marcos. "Así son la mayor parte de las cosas: asunto de sorteo. Si sale tu número, ligas zapatos, si sale tu número, ligas leche, si no, te quedas sin zapatos y sin leche, ya que no hay para todos". Pero éste no era un asunto de sorteo: le tocó a él por el test que le habían hecho en la escuela sus propios maestros. El director de nuestro colegio pidió que a todos los aspirantes se les hiciera un test, y ellos elegirían. Eligieron al mejor, que fue Marcos.

REVOLUCIONARIO. Perteneciente o relativo a la revolución política. -Eso es lo que dice el diccionario. Pero si los maestros de las escuelas comunes son revolucionarios, como me ha dicho Marcos, que él lo sabe por su hermano, que es mucho mayor que él y está trabajando en una fábrica y le enseña tantas cosas, ¿nosotros qué somos? Digo, mi familia y yo. Eso quiero saber. Qué somos nosotros. A Marcos no siempre le puedo preguntar. En primer lugar, porque el cura nos cambió de asientos, dice que nos pasamos el tiempo conversando cosas ajenas y que los dos mejores de la clase no pueden dar ese ejemplo. Así que ahora para comunicarme con Marcos tengo que escribirle en un pedazo de papel, doblarlo bien y entregárselo al tipo que tengo al lado; éste a su vez se lo pasa al otro y así sucesivamente. Esta es una costumbre general. Hay dos clases de papeles: los papeles personales y los generales. Los personales no los abre nadie, sino el destinatario, y todos somos muy cuidadosos de eso porque se ha visto qué sucede cuando alguien le abre un papel a otro: tarde o temprano aparece un amigo del tipo al que le abrieron el papel y le da una paliza a uno que tiene para dos o tres días de cama; los generales sí, éstos los podemos ver todos y son los que circulan más. Comúnmente traen dibujos de mujeres desnudas, chistes verdes, caricaturas de los curas, reproducciones de órganos sexuales o invitaciones colectivas para el baño. Uno nunca sabe quién es el primero en hacerlos, pero siempre hay alguno que los empieza. A mí me gustó mucho uno que traía a un tipo y a una tipa haciendo el amor en una posición muy rara, que yo no la conocía, y el tipo tenía una cara descompuesta, como si aquello que hacía le costara un gran esfuerzo, y la cara de ella estaba tensa, amoratada, como si aquello que le estaba haciendo le llevara la vida. El dibujo, además era muy bueno, lo digo yo que siempre tengo las mejores notas en dibujo.

Debajo traía una inscripción que decía: "Cincuenta pesos el dibujo, ciento cincuenta la lección". Marcos me comentó que los precios eran desproporcionados, teniendo en cuenta que el dibujo era lo mejor, ya que una vez que se conocía el dibujo, la práctica era muy sencilla. Yo me compré el dibujo y lo guardé dentro del forro del cuaderno, por la manía que tiene mamá de revisarme las cosas, a ver si en el colegio me han robado algo, escándalo que haría si eso sucediera; a veces lo vuelvo a sacar, para mirarlo un poco, cada vez el dibujo se parece más a la fotografía de mis padres recién casados. La posición no, quiero decir, la expresión de los rostros. Como si estuvieran haciendo un gran esfuerzo. Yo no estoy en la fotografía del casamiento de ellos, claro, porque vine al mundo después. Ambos no se han vuelto a complotar para traer a otro tipo al mundo, porque según dice mi padre hoy en día bien difícil es amasar una fortuna como para después tener que andar repartiéndola entre tantos hijos, además hoy en día (a él le encanta decir a cada rato hoy en día) es dificilísimo criarnos, antes había nociones de respeto, de moral, de autoridad, ahora todo se viene abajo por la acción de los comunistas sinvergüenzas que nos han invadido el país, robado las instituciones, encaramado al poder, socavado el prestigio y relajado las costumbres. Yo tomé nota de todas estas cosas, que eran la razones por las cuales yo no tenía un hermano, y las sometí a un riguroso examen. La primera imagen que tuve en la mente fue la de mi madre amasando cuando a mi padre se le ocurre comer capeletis caseros, que a él le gustan con hongos, marsala y salsa Krupp, y a veces sueño que mi madre amasa que te amasa, comienza a amasar por la mañana y no acaba nunca, pasan las horas y mi madre sigue amasando, primero amasa tallarines, y son tantos que cuelgan por las paredes, de las puertas, de los pestillos, de las llaves de la luz y hasta del ropero, después amasa un niño, y esto es muy divertido, sueño que mi madre pone un poco de harina negra sobre la mesa de madera, le va agregando tierra, sal, una pizca de aceite y tomando el palote empieza a amasar, aprieta bien el palo contra la masa, le va dando forma, mi padre está a su lado obligándola con un látigo, papá da latigazos contra el suelo y contra la mesa, mamá se afana amasando, estira la masa, se le cansan los brazos, le duelen tanto que está llorando, caen algunas lágrimas encima de la harina y ella aprovecha la humedad para seguir amasando, papá da latigazos contra el suelo, ella no gime pero amasa, hunde el palote en la tabla, la estira con los puños, la estira bien, como una tela para hacer un vestido, y después que la ha estirado todo lo que puede, la vuelve a juntar. Una vez que ha hecho un bollo enorme, redondo, con los dedos le va dando forma. Primero, hace una bola pequeña, lisa, un poco estirada hacia la nuca; por debajo, una bola mayor, algo sobresaliente cerca del vientre y que tiene un redondel, como un botón al centro; de esta segunda bola, salen dos cilindros de masa paralelos, relativamente autónomos, y, volviendo hacia arriba, mamá le dibuja una cara a la primera bola, le va dibujando dos ojos, un par de orejas, la nariz y los labios. Cuando ha terminado, mamá se sienta en la silla y gime. Eso es lo que yo pienso cuando oigo decir a papá que hemos amasado una fortuna. Yo supongo que él la habrá amasado en la Casa de Gobierno, al lado de los Presidentes, y que cada Presidente habrá colocado su granito de harina para que él pudiera efectivamente hacer la masa, claro, una masa un poco más chica que la del Presidente, porque hay que respetar las jerarquías. La masa de mi padre debe estar hecha con decretos, documentos oficiales y boletas de empeño. Una masa con papel sellado y timbres. Una masa discreta, pequeñita, elaborada en el horno oficial. Sin mucho humo, sólida y poco aparente, pero una vez tragada, esta masa no se devuelve más. La hemos ingerido los tres: él, mi madre y yo. Papá la elabora todos los días en sus secreteos en los ministerios, los secretarios de los ministros, los amanuenses de los ministros, le da algunos dolores de cabeza ("Ellos creen que me pueden llamar a cualquier hora para arreglar sus asuntos" -grita a las tres de la mañana, mientras se viste para salir-. "Que llamen al Presidente. Yo no tengo nada que ver con esto. No voy a ir nada. Basta de enredos. Estoy harto de líos" -grita-, mientras llama al chofer de la Presidencia para que lo venga a buscar, y a la custodia policial, porque no se anima a salir solo, aunque aquí nunca sucede nada) pero tantas satisfacciones: tiene un lugar en el palco oficial, en un club social prestigioso, y la masa, que sigue creciendo. La masa de mi madre se compone de tarjetas de invitaciones, palcos en los teatros, tés sociales, recetas de cocina y una cuota de empleos que ha repartido discretamente entre sus parientes próximos o lejanos. Mi propia masa es el colegio, los deberes, el uniforme, los cursos de inglés ("Es el idioma universal" dice mi padre. Marcos me ha dicho que es la lengua de los conquistadores. Lo puso así en un trabajo del colegio y cuando fue interrogado acerca del sentido de la frase respondió: ¿Es que ese no era el idioma de Pomsomby?) y una bola que va creciendo, que es la de mi futuro. En mi masa está incluido el viaje a Europa ("Cuando termine Primaria, porque hoy en día no se puede estar perdiendo un año"), la elección de una carrera profesional, un auto que me regalarán cuando pueda manejarlo ("Un poco antes, así se va acostumbrando") y quién sabe cuántas cosas más. Marcos no tiene masa. Quizás porque no tiene padre; en cambio, tiene un hermano. No tiene padre de nacimiento: sus dos apellidos son iguales. ¿Su hermano será entonces su hermano? "¿Cómo sabrías tú que tu padre es tu padre si no te lo hubieran dicho?" Seguramente, porque por el físico, no nos sacaría nadie. A mí me lo debe haber dicho mi madre, si no, no sé bien quién me lo diría. Si me lo hubiera dicho él sólo, no le hubiera creído, hubiera elegido otro, no me gusta nada mi padre. A veces me pongo a pensar que todo ha sido una mentira de mi madre para no avergonzarme ante los demás, mi padre no es éste, mi padre no amasa, vive lejos, está remoto, ausente, éste es una pantalla. Me siento feliz pudiendo imaginarme otro padre. Pero no puedo permitirme este pasatiempo: tengo la seguridad de que si realmente no fuera mi padre, no estaría amasando una fortuna para mí. ¿Para mí? ¿Qué mí? Le he preguntado a Marcos qué mí. "Tú de él, no tú de ti", me ha contestado. ¿Qué se siente cuando no tienes masa? "Libertad y desprecio". Cierto: yo me siento oprimido y culpable de la masa. ¿Qué haré con el yo de él? La madre de Marcos no amasa: se pasa el día lavando ropa para mantenerlo. Lo que gana el hermano da para el alquiler y los gastos de almacén. ¿Con qué vestirlo? El no irá a Europa cuando finalice Primaria. Seguramente no irá. Y yo no le traeré piedras de ningún lado, porque no pienso traer nada de Europa, y quién sabe dónde anda él cuando yo esté de vuelta de mi viaje a Europa. Esto me pone triste. No saber dónde estará cuando yo no esté y cuando yo regrese. Tan amigos nos hemos hecho en este tiempo. Si no hay masa, no hay nada que repartir, de manera que se pueden tener hermanos. Por eso Marcos tiene el suyo.

POR QUÉ ES DIFÍCIL CRIARNOS. "Antes había nociones de respeto" dice papá. "Yo respetaba a mi padre y mi padre respetaba al suyo y además se repetaba a los maestros, a los profesores, a los policías, a los ancianos, al gobierno, a la iglesia, a los curas, a Dios". He visto fotografías de mis abuelos. Daguerrotipos. Ellos vinieron de Italia y tenían unos largos y torneados bigotes. ¿Cómo se haría la cadena de respetos? Me imagino una enorme hilera de ciudadanos respetables unidos entre sí, entrelazados por sus bigotes: mi padre respetaba a través del bigote a su padre, el cual respetaba a su propio padre, un señor de bigotes, que siempre había respetado al cura, a los obispos, al Papa, a los policías, oficiales y al alcalde, éste al gobernador de provincias, el cual respetaba profundamente al Virrey, que respetaba al Emperador y los bigotes continuaban multiplicándose indefinidamente. Todos los rostros eran iguales y los bigotes azules. Un bigote se unía a otro por un flequillo blanco. "¿Has comprendido?" me pregunta mi padre. "Ese es el orden del mundo". ¿Por qué se vinieron mis abuelos de Italia? "Y además, esa maldita costumbre de preguntar, de andar escarbando cosas. Las cosas se aceptan sin preguntar. ¿Te crees que yo pregunto todo en la oficina? Hay cosas de las que más vale no enterase. Las pasas y continúas". ¿Continúas amasando? Me gustaría saber porqué mis abuelos se vinieron de Italia. "La peste" opina Marcos. "La peste amarilla o la péste de la guerra". Si todo el mundo era respetuoso, ¿Cómo se hizo la independencia? Eso quiero saber. ¿Había que haber respetado a las autoridades españolas, inglesas, portuguesas y quedarse quietos? ¿A quién hay que respetar? Me gustaría saberlo. ¿Mi padre respeta la independencia? Pero los libertadores no eran respetuosos, o respetaban otras cosas, no lo entiendo bien. ¿Para qué me hacen llenar los cuadernos con frases de irrespetuosos?

. . . .

LA AUTORIDAD. "Porque si el Señor Presidente me da una orden, sea cual sea la orden que me haya dado, yo la cumplo, de inmediato la estoy cumpliendo, sin fijarme en nada, por algo él es el Presidente y yo nada más que un secretario, pero también de la misma manera que yo cumplo sin la menor vacilación la orden que me ha dado el Señor Presidente, porque soy un secretario, nada más que un Secretario, exijo que mi subalterno, sea quien sea, cumpla inmediatamente la orden que yo le he dado, porque es mi subalterno. Así me educó mi padre y así deben ser educados los hijos en todas partes y en todos lados. Porque todavía hoy, cuando voy por la calle, y puede decirse que ya no soy un hombre joven, ni he venido recién al mundo, sino que llevo ya varios años viviendo en él. Yo, un secretario del Señor Presidente, si un funcionario del orden público me hace una indicación, me dice baje la calle señor, o me dice, cruce por aquí, no por allá, yo le obedezco, porque sé que él está cumpliendo una función y no creas, no, no creas que lo obedezco solamente porque tiene un fusil en la mano: lo obedezco porque soy consciente de que existe un principio de autoridad que mantener si queremos vivir en una sociedad justa, honrada, principista".

-Si quieres, vamos hoy- me ha dicho Marcos. Yo le he respondido que sí. Por primera vez desertaré del ómnibus privado que me conduce siempre a casa. Me iré con Marcos hasta la esquina de la fábrica donde trabaja su hermano, porque hay una huelga, y yo nunca he visto una huelga, quiero saber qué es. "Esto les hace bien a ustedes, los oficialistas" me ha dicho Marcos, que de un tiempo a esta parte se burla de mí llamándome oficialista, desde que le conté que mi padre se había pasado al partido del Presidente. "El partido del Presidente es el Presidente" me dijo Marcos. El sabe todas esas cosas porque lee todos los diarios y además porque su hermano, que es obrero, le va explicando cómo son las cosas de veras. Yo cada día sé menos cómo son las cosas, debido a mi padre. Con Marcos escribimos en un cuaderno las cosas que no sabemos y queremos conocer de veras cómo son, se las pasamos al hermano y éste, si puede, nos las contesta, si no, nos dice que más adelante las sabremos por nosotros mismos. Yo he escrito en el cuaderno: "¿Qué somos nosotros?" y puse el nombre y apellido de mi familia, o sea, el de mi padre: El contestó: OLIGARCAS.

Mientras vamos caminando, yo le hago preguntas a Marcos.

-¿Qué edad tiene tu hermano?

-Diecinueve.

-¿Qué hace en la fábrica?

-Rellena cajones, los embala y los monta en un camión.

-¿Qué hay dentro de los cajones?

-Tornillos, clavos, tuercas y todo eso.

-¿Tiene que contarlos antes ?

-Sí, y anotarlo en una planilla.

Pasamos por el costado del cementerio y salimos a una calle

que yo no conocía. El hermano de Marcos a veces también nos hacía preguntas a nosotros. Nos preguntaba fechas históricas, nombres de personajes y esas cosas que no sabía bien, porque no había podido ir más que hasta tercer año de escuela. El resto del tiempo se lo había pasado trabajando. Tenía algunas faltas de ortografía y nosotros se las corregíamos. A veces escribía muy apurado en el cuaderno, preguntas así: "¿Quién coño ganó la batalla de Waterloo?". También nos preguntaba el nombre verdadero de las plantas y de las flores, esos que vienen escritos en latín en los libros, y los curas pronuncian con engolosamiento, como si estuvieran comiendo natillas. ¿Para qué quiere él saber el nombre en latín de las flores y de las plantas? Marcos dice que su hermano anda medio enamorado de una muchacha de la escuela nocturna, y él va a buscarla una noche sí y una noche no. La noche que no va es porque tiene reunión en el sindicato. ¿Qué es un sindicato? "Como los comités de tu papá, sólo que sin gente del gobierno". Debe ser muy lindo andar diciéndole a una muchacha los nombres en latín de las plantas y de las flores. A Marcos no le gusta el asunto de la muchacha. Me parece que está un poco celoso. ¿A él le gustaría que alguien le dijera en latín el nombre de las flores y de las plantas?

OLIGARCAS. "Cada uno de los individuos que componen una oligarquía".

OLIGARQUÍA. "Gobierno en que unas cuantas personas asumen todos los poderes del Estado". Allí andaba mi padre gritando. "No sé qué busca ese niño todo el día en el diccionario. Nada bueno será. Es seguro que alguna mala palabra nueva aprendió". El hermano de Marcos escribió en el cuaderno de preguntas: "¿Qué quiere decir 'Cogito, ergo sum'"? Nosotros al principio pensamos que se trataba de una obscenidad, pero después averiguamos que era una frase de un tipo llamado Descartes. Así se lo contestamos. ¿Cómo es que unas cuantas personas asumen todos los poderes del Estado? "Porque se encaraman como monos" dice Marcos. Mi padre encaramado. "Son de la misma clase". ¿Qué clase? ¿Ellos tienen también clases, como nosotros? "Y van de un país a otro, saltando de liana en liana, como monos". "Las lianas son los intereses de clase". Mi padre lleno de cuerdas. Enredado. Quiere saltar y no puede, porque sus intereses de clase no se lo permiten. Me pide ayuda, a gritos, pero yo no lo ayudo nada. Que vengan a ayudarlo sus amigos de clase. Marcos y yo también somos amigos de clase, pero de diferente manera. "Si hay guerra, tú estarás de un lado y yo de otro, y si es necesario, dispararé contra ti" me ha dicho Marcos. Yo me he puesto a llorar como un marrano. No me importaría que mi padre me matara a palos, pero no soporto la idea de que Marcos tirara contra mí. Yo jamás tiraría contra él. ¿Contra mi padre yo tiraría? Del embrollo de liana no lo ayudaría a salir. Si se metió, es por su propia voluntad. ¿Se amasará mejor debajo de las lianas?

-Ya estamos llegando -me anunció Marcos.

Ibamos a ver la fábrica donde trabaja su hermano, que tiene un conflicto, y es de un norteamericano llamado Mr. Brown. Marcos no dice "es de un norteamericano" ni dice "es de un americano"; dice "la fábrica de un gringo llamado Brown". ¿Qué es un gringo? "Un extranjero explotador". Este asunto del lenguaje me tiene preocupado. No todos llamamos a las cosas de la misma manera, y según cómo llamamos a las cosas, las cosas cambian. Aunque Mr. Brown es el mismo, si se dice "un norteamericano llamado Brown" se entiende una cosa, en cambio, si digo "un gringo llamado Brown", se comprende otra. ¿En qué va la variación? "Cada clase tiene su lenguaje particular" escribió en el cuaderno el hermano de Marcos. El lenguaje se hereda, la clase, ¿también?

-El gringo echó del trabajo a doce sindicalistas- me explica Marcos-. Los demás hicieron huelga de solidaridad, por los cesantes. Ahora el gringo quiere cerrar la fábrica, se quiere ir para California, que es donde tiene la fortuna, y dejarlos a todos sin empleo.

Cuando llegamos, nos quedamos en la esquina, cerca de un auto. Era un auto grande, que yo me di cuenta que era un Lincoln Continental, de la Ford, porque vi el modelo en la Buyer's Guide, que es una revista muy buena que trae todos los automóviles que uno puede comprar en Europa o en Estados Unidos, con los precios que cuestan, que no son los mismos que aquí, por un problema de las divisas, me dijo mi padre. En la Buyer's Guide vienen todos los coches fotografiados y yo me la paso mirando, eligiendo modelos. Cuando sea un poco mayor de edad, yo mismo elegiré en la Buyer's el automóvil que guiaré por la ciudad y el país, como un señor. La guía también indicaba todas las cosas que el Lincoln Continental lleva encima, como asientos reclinables, acondicionador automático de aire, radio con FM, pasadiscos, grabador, y otras más, que ya no me acuerdo. Era el primer Lincoln Continental que yo veía en la ciudad, y me pareció un coche muy bueno, además del color, que era fresa. Se veía que el Sr. Brown era un tipo tuerca.

-Esa es la fábrica -me indicó Marcos-, señalándome un edificio de ladrillos. Cerca había muchas bicicletas. Los obreros van en bicicleta para ahorrarse el pasaje de ómnibus, porque los sueldos son muy chicos. Yo tengo una bicimoto mucho mejor. Los obreros habían puesto las bicicletas en fila, una al lado de las otras, apoyadas contra la pared o tocándose entre ellas como protegiéndose. Pero la fábrica estaba cerrada.

-¿Cuál es tu hermano? -le pregunté a Marcos.

El me señaló a un muchacho flaquito que hablaba con los otros. Todos los tipos estaban quietos apoyados contra la pared o en las bicicletas, algunos sentados en la calle misma.

-El lío se va a armar si el gringo llama a los de la Metro- me explicó Marcos. Los de la Metro son milicos reclutados en el campo, así pueden ser más brutos. ¿Por qué Mr. Brown llamaría a los de la Metro? A la legua se veía que Mr. Brown era un gordo de cara roja que tenía una chaqueta de gamuza marrón, mocasines de cuero y dos o tres tipos enormes alrededor. Por el aspecto, estos tipos no eran de la misma clase que la suya. Pero ya se ha visto que, a pesar de lo que uno podía imaginar, la gente de la misma clase no siempre está junta. Esto lo tengo que averiguar mejor. También había unos tipos raros cerca de las esquinas. Yo no me había dado cuenta que eran tipos raros: Marcos sí. "Esos también son del patrón. Milicos, pero de particular". ¿Qué tenía que ver Mr Brown con los milicos? "Porque el ejército y la policía están para mantener el orden y el respeto a las leyes, son fuerzas imparciales al servicio del pueblo y del Estado y todo el mundo le debe respeto y obediencia, hasta yo mismo, con ser el Secretario de la Presidencia". Yo quise ir a avisarle al hermano de Marcos del asunto de los tipos raros, pero él no quiso, se enojó, me dijo "Así no se hacen las cosas. Quédate quieto y mira". Yo me quedé quieto y miré. Mi padre jamás me había llevado a ver una huelga. "Los tipos que hacen huelga son una manga de haraganes que no quieren trabajar. Quieren hundir al país, eso quieren" decía mi padre. Esos tipos debían ser otra clase de huelguistas, porque ellos sí querían trabajar.

Al rato el señor Brown se puso a hablar pero nosotros no podíamos oír las cosas que decía. Estaba muy exaltado y levantaba los brazos, como yo he visto que hacen los políticos por la televisión, cuando quieren convencer a la gente de algo. Los obreros hablaban poco y más bien no hacían gestos. Se iban acercando de a poco al gringo. Entonces pasó una cosa rara y muy rápida que nos sorprendió mucho,

porque el señor Brown hizo un gesto y de pronto un tipo de los que lo
rodeaban sacó un revólver y lanzó un tiro que yo no sé dónde fue a dar,
pero el ruido fue terrible; era la primera vez que yo escuchaba un tiro de
verdad, no de película ni de serial, que son de fulminantes, sino un tiro
auténtico, es decir, con pólvora y un cartucho y un ruido que me dio un
susto formidable, que casi me voy al suelo, como he visto que hacen en
las películas. Entonces los obreros empezaron a gritar a coro "Abrir las
puertas, abrir las puertas" y Mr. Brown también gritó, no entendí qué
dijo, y en eso por la esquina, por la misma esquina donde estábamos
Marcos y yo vemos venir tres o cuatro camionetas azules llenas de tipos
de la Metro con metralletas que se largan de los coches casi andando y
rodean a todos, menos a Mr. Brown y a los grandotes que estaban a su
lado. Bajaban con las armas en la mano y no le preguntaron nada a nadie
y empezaron a empujar a los obreros. "Llévenselos, llévenselos" gritaba
el gringo señalándolos, y estos gritos eran tan fuertes que sí pude
entender lo que decían, como mi madre la vez que una empleada le robó
una tela que le habían traído de París y para qué la querría la muy
sinvergüenza, adónde iba a ir ella vestida así, si lo más que van es a esos
bailes indecentes en algún club social y deportivo, lo más probable es
que su hermosa tela hubiera terminado en alguna de esas casas de
empeño donde ellas llevan todo, desde el primus hasta las cosas finas
que les roban a las patronas. El gringo gritaba y los milicos empujaban
a los obreros, pero estos no querían subir a las camionetas, entonces el
gringo les decía a los de la Metro "Disparenn, disparen, son unos
delincuentes" y era como si el mismo Mr. Brown con ser un civil y
además extranjero, mandara a los tipos de la Metro. "Disparen, disparen"
y empezaron a escuchar los tiros, tantos tiros que parecía una guerra, yo
no sé si mataron a alguno, se armó un revuelo, los vecinos empezaron
a asomarse, las camionetas policiales echaron a andar las sirenas ¿dónde
estaba tu hermano, Marcos? Quisimos ver dónde estaba su hermano,
pero en el entrevero no veíamos a nadie, solamente a un obrero que había
caído, los demás lo querían rodear pero los milicos los iban metiendo
a empujones dentro de las camionetas, Mr. Brown venía en dirección al
Lincoln Continental, Marcos y yo nos pusimos a correr como
desesperados, al hermano lo habrían metido en la jaula también, seguro
que lo habrían metido, como a todos menos a los tipos que cayeron.
"Mañana estoy seguro los diarios van a decir que a un policía se le
escaparon unos tiros, que al rebotar en la vereda fueron a herir a unos

obreros" me dijo Marcos y nosotros habíamos estado, habíamos estado para saber.

LA ACCIÓN DE LOS COMUNISTAS QUE NOS HAN INVADIDO EL PAÍS, SOCAVADO LAS INSTITUCIONES, DESTRUIDO LA MORAL Y EL ORDEN.

-¿Quiénes son los comunistas? -le pregunté a mi padre.

-Nuestros enemigos.

-¿Y son muchos?

-Una pequeña minoría.

-Lo cierto es que yo ya los había visto en la televisión, los comunistas son unos tipos que andan siempre de lentes negros, pelados, gorditos y más bien amarillos de cara. En esto hay un poco de confusión, porque si bien en algunas seriales les llaman "los rojos", en otras los llaman "los amarillos". De todas maneras desde que aparecen en la película ésta pierde interés, porque se sabe ya quienes son los malos y quienes son los buenos. Deben estar todos escondidos, porque tipos de estos no he visto todavía por la calle. A lo mejor no son como aparecen en las seriales, sino de otra manera. Yo me los imagino como un ejército de roedores muy pequeños que, debajo de la tierra, en los cimientos de los edificios, están carcomiendo la estructura de los locales públicos.

-¿Qué son las instituciones?

-El Estado, el Ejército, la Familia, la Iglesia, la Industria, el Comercio, el Orden Establecido.

INSTITUCIONES. "Establecimiento o fundación de una cosa. Cosas fundadas. Organos constitucionales del poder del Estado".

Los ratoncitos se reúnen por la noche, salen de sus cuevas, de todas partes, se van juntando, disimulados y esquivos, y con sus poderosos dientecillos, comienzan a roer los cimientos de los edificios, de los bancos, de las catedrales, de los comercios, de las industrias, de las casas, de las escuelas, las públicas y las privadas, de los bancos, de la marina, de los hoteles y las plazas, de los hospitales y el palacio de la Presidencia. Tantos ratoncitos carcomiéndose las cosas. Con sus manitas separan la tierra de los cimientos la lanzan hacia atrás y mucha tierra se junta alrededor. Depués de una noche de labor, un enorme edificio se desmorona, cae sorpresivamente sobre los transeúntes. Caen como cajas de cartón. Tantas cajitas rotas, hechas cenizas.

-¿Dónde están los comunistas?

-Por todos lados. En la Iglesia, en las escuelas, en las fábricas y talleres, en el propio ejército, en los hospitales y los empleos.

Si son tan pocos, ¿cómo pueden estar en todos lados?

Le he dicho a Marcos: "Debemos cuidarnos de los comunistas; socavan todo lo que encuentran a su paso". "No seas estúpido. Esas ideas estrafalarias te las pone tu padre en la cabeza". Mi padre sí debe ser un comunista. El y sus amigos. También el Presidente, ¿acaso no mienten y roban? Mi padre miente muchas veces, él mismo se lo ha contado a mi madre, los asuntos de la oficina, y la fortuna que amasa, el Presidente no sé bien todavía qué cosas roba o miente, pero si es amigo de mi padre, algo debe robar y mentir para hacer su propia masa, la más grande de todas, como corresponde a su alta jerarquía.

-¿Por qué nos han invadido el país?

-Porque nos quieren dominar, apoderándose de las cosas.

-¿De quiénes son las cosas ahora?

-Nuestras.

-La fábrica es del gringo. Los bancos son de los gringos. El comercio y la industria, todos son capitales gringos. El gringo Brown es dueño de la fábrica y el dinero que recoge lo mete en un banco gringo, y los dueños del banco gringo colocan los capitales en otras fábricas gringas, y cuando se aburren de este juego, envían el dinero que han juntado a California.

Papá ha dicho que las cosas son "nuestras". Mías, tuyas, Marcos, de todos nosotros. "Cuando tu padre y la gente como tu padre dicen "nuestras", se entiende una pequeña minoría que domina la producción y el comercio, el gobierno y la banca, por lo tanto el presente y el futuro". ¿Será la pequeña minoría comunista? "La pequeña minoría oligárquica", dice Marcos.

-Si los comunistas nos han invadido, seguro ha sido por la noche, si no yo me hubiera dado cuenta. No vi tanques ni soldados, ni aviones ni cascos ni banderas comunistas por la ciudad. Todos los tanques y soldados que vi eran nacionales, y no les tiraban a extranjeros, les tiraban a otros nacionales. Seguro que el gringo sí es comunista, porque le cerró la fábrica a los obreros.

-Los norteamericanos son los más feroces enemigos del comunismo -dice mi padre-. Ellos nos dan el ejemplo de democracia.

-¿Mr. Brown vino a dar algún ejemplo? De noche descendieron de los buques sin que nadie se diera cuenta y con llaves apropiadas penetraron en las tiendas, en los bancos, en las fábricas, en las escuelas, en los liceos y en la Casa de Gobierno. Se apoderaron de los diarios, de las radios y de los canales de T.V.

Cuando amaneció, todos hablábamos inglés.

. . . .

Y revolviendo unos yuyos la encontré, entre unas matas, envuelta en diarios viejos. Al principio, no sabía qué era; sólo divisé un bulto muy envuelto, y tuve un poco de miedo. Me dan miedo las cosas envueltas; imagino que voy a encontrar algo raro, no sé qué. Pero me acerqué igual, quería ver de qué se trataba. Muy despacio fui palpando el bulto, tocando sus formas, distinguiendo su textura, su porosidad, las líneas curvas, las casi rectas, los huecos y las prominencias. Después, aún sin saber, me animé a desnudarla por completo. Era la primera vez que desnudaba algo, por lo cual estaba muy nervioso. Con los regalos no sirve, porque uno siempre imagina qué es, qué casualidad, siempre le regalan a uno lo que uno ha pedido. En cambio, esto no lo había pedido, acaso no lo había soñado nunca, mis manos temblaban por la emoción, despacio fui despojándola de pliegues y de telas, qué bien guardada estaba, allí esperándome, entre las hierbas, cerca del lago. En las películas siempre sucede así: va el niño caminando por la orilla de un río o de un arroyo, también puede ser que vaya por la orilla del mar, si es un niño rico que tiene casa en un balneario, como yo, y mientras camina distraído pisa algo, sus pies tocan una cosa rara, y cuando se inclinan para recogerla divisa una muchacha, a una niña de su edad, más o menos, que había dejado caer distraída su muñeca, su bolso, su libro, su radio a transistores, depende de la niña que sea, entonces el muchacho, sin decir palabra, le alcanza la muñeca, el bolso, el libro, la radio a transistores, ella sonríe, agradecida como sonríe Natalie Wood, que la vi en la televisión, y ambos se sientan a conversar a la orilla del río, del arroyo o del mar, el fotógrafo enfoca un poco las nubes, que son gorditas y rellenas como corpiños, mientras los niños conversan el agua golpea los juncos, ambos se sonríen mirándose a los ojos y las manos se buscan, se buscan, SE BUSCAN. Así pasa también en la película que vi el otro día, DESPERTAR SEXUAL, que Gonzalo la consiguió alquilada, y la pasó en el garage de su casa, porque los viejos se habían ido a ver a la hermana de Gonzalo. Y como en DESPERTAR SEXUAL, yo empecé a despojarla de las cosas que la cubrían, resoplando un poco, como he visto que queda bien hacer. Mirando la película le dije a Gonzalo, en el momento en que el protagonista mete una mano dentro del escote de la muchacha, y la otra por debajo de la pollera: "¿Por qué jadea tanto?" "Es la excitación, bestia", me contestó. Yo me excito muchas veces, pero no jadeo, a lo mejor soy un anormal. De todas maneras, esa misma noche estuve ensayando bastante el asunto de resoplar, no sea cosa que un día se presente la oportunidad y yo haga un mal papel. "Hay que estar siempre preparado, uno nunca puede saber cuándo a una sierva se le ocurrirá y te meterá detrás de la puerta, para apretarte."

Yo también metí una mano por arriba y otra por abajo, para terminar de desvestirla, y una vez que hube concluido, ella quedó descubierta, desnuda, perfecta. ¿Quién la habría abandonado allí? En seguida pensé en la manera de conservarla, sin que nadie se diera cuenta. Es seguro que si alguien se entera me la quitarían, dirían que yo soy muy chico aún, que no tengo edad que no sabría cómo comportarme con ella, que es un peligro, que hay peligro de vida a su lado, peligro de muerte, me la quitarían, yo no podría ni siquiera mirarla un poquito, se la llevarían a otro lado, la devolverían a su dueño, alguien seguramente la estaría buscando, presentaría papeles y documentos, todo para atestiguar que le pertenece, que no puedo tenerla conmigo, con lo que he deseado tener una hermana, no puedo andar con ella por la calle o adentro de casa. Así que volví a dejarla entre los yuyos, un poco oculta entre los papeles, no se movería de allí, estaba inconsciente, y me largué como un loco hasta la casa de Marcos. Lo encontré muy contento, probándose la túnica que llevará a la escuela, porque al fin lo han expulsado del colegio. La madre tiene los ojos de llorar. "No entiende nada" dice Marcos, "Estás loco, no puede ser. Voy contigo enseguida" me dijo cuando le dije que la había hallado, que estaba en el mismo lugar donde cualquier otro podría haberla encontrado, que no se movería, que me esperaría, que no se la mostraríamos a nadie, que sería solamente nuestra, mía y de él, por fin algo que podríamos usar a placer, sin rendirle cuentas a nadie, la tendríamos oculta casi todo el tiempo, de noche, cuando nadie nos viera, saldríamos con ella, la llevaríamos a caminar medio oculta entre los dos, y después de haber hecho con ella lo que quisiéramos, después de haberla usado, la volveríamos a nuestro lugar, el lugar que habíamos elegido para ella, para nosotros, para Marcos y para mí, nuestra, solamente, mía y suya. "Estás loco, estás loco" me decía Marcos por el camino, "No puede ser. Te has equivocado". Al fin llegamos y yo me incliné sobre el suelo. Un poco oculta por los yuyos y los juncos, intacta, virgen acaso, flamante, oscura y perfecta, la metralleta nos miraba.

ANA VALDÉS (Montevideo, Uruguay. 1953)

Valdés pertenece al grupo exiliado de los años setenta y aparece junto con otros de su misma generación en la antología de Alvaro Barros-Lémez, *Las voces distantes.* Sus cuentos han sido premiados en varias ocasiones. En 1970 recibió el primer premio en el concurso de cuentos del diario montevideano *El Popular*; y en 1976 le fue otorgado el mismo honor por la Galería de la Editorial Losada de Montevideo. El cuento "La guerra de los albatros" fue ganador del concurso Casa del Uruguay efectuado en París en 1980. La situación disparatada, en la que los albatros conviven con los habitantes de una casa, es creíble sólo cuando se alega que es una humorada más en la lista de peculiaridades del tío Asdrúbal. Este estilo de vida continúa por bastante tiempo mientras que en el mundo exterior se van desarrollando una serie de hechos políticos que de una manera u otra afectan al narrador y a lo que le rodea. Lo absurdo de este microcosmos se convalida y enmarca por la realidad política de "afuera", donde cualquier evento, por muy irracional que parezca, puede ser posible. Lo que ocurre fuera del radio de la casa hace trascender la localización del cuento, que pudiera estarse desarrollando en cualquier país latinoamericano. Se habla del racionamiento de víveres, de guerra, de disputas de fronteras, del "apartheid". El tiempo lineal desaparece y los hechos continúan inalterables a través del tiempo. La reiteración de la violencia, el miedo, y los abusos, hacen pensar en la imposibilidad de una solución política, dejando una sensación de amarga impotencia. Imagen que es reforzada al aparecer el narrador en su silla de ruedas, viejo y balbuciente, en su temor de ser fusilado.

LAS VOCES DISTANTES (1985)
LA GUERRA DE LOS ALBATROS

Ya no sé qué darle de comer a los albatros, han terminado con las plantas del invernadero, con las cortinas de los dormitorios, con el empapelado de las paredes. . . no quiero sacrificarlos, prometí a los tíos cuidarlos hasta que murieran de vejez.

Son el último recuerdo del tío Asdrúbal, un veterano marino, que los trajo de una remota isla del archipiélago malayo.

Fueron una sorpresa largamente esperada, ya que Asdrúbal era conocido por su manía de llenar la casa de monos, insectos venenosos y plantas carnívoras. . . Eran muy pequeños entonces, y utilizando como centro de gravedad la lámpara del comedor, planeaban suavemente escandalizando a la cocinera y a la abuela.

María decía que los albatros la espiaban y entendían claramente todos sus gestos subrepticios, sus palabras de doble sentido. Por último, se convenció de que todo era una maniobra de los albatros para que aumentara sus raciones de pescado fresco. . . pero ella no transigió, y comenzó a dormir con un cuchillo de cocina al alcance de su mano, y se negó a atravesar sola el tramo de escalera que separaba su pieza de la planta baja. . . finalmente, una cruda noche de invierno, apareció en la sala, con un inmenso paraguas negro y dos maletas de cartón, y su sombrero de plumas de usar los domingos. . . la abuela se entristeció, quién haría los deliciosos postres que entretenían nuestras tardes de lluvia? Quién prepararía la paella de mariscos para el abuelo, cuya receta María celosamente custodiaba? Se le ofrecieron toda clase de garantías, guardia armada en su cuarto, contraseñas para entrar a la cocina, pero María no transigió, o los albatros o ella. . .

"Asdrúbal, tu última burla", murmuraba la abuela pensativamente. Aseguraba que esto había sido una macabra broma del tío Asdrúbal, famoso por su ácido humor, y por sus dotes de convencimiento. . . no había sido el culpable de la crisis de nervios que le había costado la parroquia al padre Jacinto? Convenció al buen cura con pruebas irrefutables de la herejía arriana entre nosotros, y acusadoramente le había señalado a sus dos tenientes curas, y a su diácono predilecto. También su propia hermana sufrió el humor de Asdrúbal, le habló confidencialmente de las intenciones matrimoniales del doctor Fagundez, y Ofelia empezó a bordar su ajuar, mientras Fagundez huía despavorido.

Veía la abuela a Asdrúbal, días y noches de infatigable vigilia, enseñando a los albatros toda suerte de malas artes, artes de brujería, de ensalmo, de hechizos y bebedizos, con los que lograr que María se fuera de la casa. El sabía que nuestro precario equilibrio familiar residía en María, en su paciencia, en las comidas a gusto de cada cual -almendras confitadas para después del colegio, dulce de calabazas para invierno, licor de nísperos para recibir visitas, guindado para deleite del obispo, carne trufada y añejada en vinos. . .

Pero nosotros teníamos otra clase de explicaciones a la locura de los albatros, por ejemplo, que los albatros fueran sensibles a la propaganda, que en ese momento ensalzaba el apartheid, y que eso provocara en ellos brotes de racismo, ya que María era negra como el carbón, que los albatros, curiosos como niños al fin, aspiraran la certeza que todos teníamos, de que María dormía vestida, por temor a que las santas ánimas del purgatorio se la llevaran sin ropa, como le decía el tío Benito... pero ninguna explicación llenó la ausencia de María. El abuelo se negaba a abandonar el dormitorio, y el comedor de la gran mesa fue cayendo en desuso. Comíamos vorazmente en nuestras habitaciones alguna lata hurtada en la despensa, y el techo de la cocina se llenó de minúsculas telas de araña.

Los padres de mis padres languidecían rápidamente, y los albatros, ya adultos, señores de la casa, robaban las escasas provisiones, y competían con el gato gris en la caza de ratones.

Y para agravar nuestros males, empezó la guerra. Las primeras víctimas inocentes fueron los abuelos, no soportaron la idea de ver a su patria invadida, los campos asolados, las viudas, los huérfanos... murieron casi al mismo tiempo, recomendándome la guarda de los albatros. Mientras tanto, la guerra sembraba el desconcierto... se llamó a los ciudadanos a las armas. Pero tremendas discusiones sobre el alcance de la palabra ciudadano, retardaron el comienzo de la acción. A qué ciudadanos se refería el decreto? Los habitantes de la campaña, no serían llamados a filas? Y la gente a quienes sucesivos decretos habían privado de la ciudadanía y de los derechos civiles, los recuperarían para la guerra?...

Se formaron comisiones de asesoría jurídica gratuita en los barrios, a fin de explicar quienes gozarían del privilegio de la defensa de la tradición, de la familia y de la propiedad.

Algunos juristas sostenían que para este caso, ciudadanos era igual a habitantes, pero otros, de formación eminentemente griega, decían que sólo eran ciudadanos aquél de padre y madre ciudadanos, los había también que reivindicaban el derecho romano, como más parecido a nuestra sensibilidad y costumbre que decía que eran también ciudadanos los asentados en el territorio patrio desde hacía más de diez años, con oficio y familia, también los habitantes de los territorios conquistados eran ciudadanos, agregaban unos pocos, sin recordar que nuestras últimas conquistas se remontaban a ciento veinte años atrás, y que incluso en ese caso, ningún derecho del mundo hablaba de que la ciudadanía fuera extensiva a plantas y animales, únicos habitantes en aquel entonces de las tierras conquistadas. Por último, a qué armas se refería el bando?... nuestro pueblo era un pueblo pacífico, y sus únicas armas desde hacía muchísimo tiempo, eran los cuchillos de cocina, y en casos excepcionales, algún hacha de filo embotado por el poco uso...

daría el gobierno armas? Se requisaron los museos, para poner en uso las todavía efectivas lanzas de tacuara con tijeras de esquilar, y los trabucos naranjeros de la época de la independencia, y las boleadoras de tiempos más pretéritos aún.

Aclarados estos puntos, comenzaron otros más polémicos todavía, a pasar de boca en boca: "DEFENDAMOS NUESTRAS FRONTERAS CONTRA EL PÉRFIDO INVASOR" decían los bandos del Ministerio de Guerra y Defensa del Estado, usando por primera vez sus imprentas, ya que hasta ese momento, había sido tal la tranquilidad en nuestro país, que ese ministerio era famoso por el silencio de sus salones, donde se podía ir a dormir la siesta, ya que ningún ruido turbaba la siesta de empleados y visitantes, y sólo en los escritorios de los jerarcas, se jugaba a las batallas navales, a la guerra de naipes, y se preparaban defensas para un ataque extraterrestre, tan posible en estos convulsionados días. Pero, de qué fronteras hablaba el bando? De las aprobadas en el Pacto del Chinchulín, llamado así por haber sido discutido y ratificado por nuestros diplomáticos, en torno a una parrillada a base de esas vísceras? O de las aprobadas en el Pacto de la Farola, nombrado de esa forma por haber sido firmadas apresuradamente bajo la luz de una farola en una calle de una ciudad europea? Se convocaron con urgencia a los sobrevivientes de una época tan remota. . . y los límites que aparecían en los mapas de las escuelas? Y los que figuraban en el Pequeño Larousse llustrado?. . . de dónde habían salido? Cuáles eran? Se buscó a los cartógrafos autores de los desatinados límites atribuidos a nuestro país, se habló de los sobornos que en aquel entonces repartió cierta potencia europea, a quien no se nombraba para evitar represalias económicas. Pero el interrogatorio de los viejecitos fue inútil, casi todos padecían arterioesclerosis o demencia senil, y acusaban a nuestros más preclaros próceres, a nuestros más honestos presidentes. . .

Por último fueron liberados de todo apremio y ya no se les interrogó más, aunque sus mapas fueron retirados de las escuelas, que declararon acéfala la clase de geografía, al estar tan controvertidos los mojones fronterizos. . . Nuevas comisiones surgían todos los días, comparando hitos y mojones, midiendo superficies. Por fin, los memoriosos recordaron que nuestros límites primarios habían sido acordados por todos los países vecinos, y varios árbitros europeos. Viajaron entonces a esos países, y allí fotocopiaron, ya que los originales eran patrimonio nacional de dichos países, todo lo concerniente a nuestras fronteras.

Volvió entonces la geografía a las escuelas, y se hicieron mapas de colores vivos. Los amigos que tengo en las hasta ahora llamadas fronteras, me contaban de los terribles problemas de identidad que viven los habitantes de dichas zonas, ya que a cada cambio de frontera, tenían que correr de un lado para el otro llevando banderas nacionales, y cargando bustos de los próceres, para un lado o para el otro, según fuera el veredicto de ese día en cuanto a las fronteras. Además de los problemas accesorios, lo que un día era contrabando al otro día era transporte interno, lo que un día era correo nacional, al otro era carta al exterior. Y, por último, los invasores de que hablaba el edicto. ¿Quiénes eran? ¿Venían del norte? ¿Del mar? ¿Eran los tan temidos extraterrestres?

Comenzó el racionamiento de víveres, ya que alimentar a un ejército en pie de guerra siempre consume todas las provisiones de un país, largas colas para la leche, para la carne, para el pan. . . y tampoco había vehículos, ya que los pocos existentes habían sido tomados para el ejército. También fueron requisados los caballos, las bicicletas, los monopatines. Fueron puestos en circulación los tractores, las carrozas de la época virreinal, con lo que nuestra ciudad tomó una fisonomía desacostumbrada. Los semáforos, en las esquinas, como estatuas olvidadas, miraban pasar caballos y bicicletas, indiferentes a sus guiños rojo amarillo verde. . .

Pronto la ciudad quedó incomunicada del escenario de la guerra, y las informaciones eran oscuras y se contradecían, el mejor de nuestros generales fue hecho prisionero, decían unos, otros decían que se había pasado al enemigo con todos sus hombres, otros hablaban del heroísmo de nuestros jóvenes, que esgrimiendo botellas encendidas se tiraban abajo de los tanques del enemigo.

La comida de los albatros está siendo cada vez más precaria, abrí para ellos la biblioteca de los abuelos, volúmenes antiguos y modernos, que cubren las inquietudes más diversas, libros ilustrados, diccionarios de navegación y de música, manuales de cultivar tulipanes, historias de la arquitectura, tratados de religión y de física nuclear, tantos libros. . . en mi familia se ha sido siempre bibliófilo, no importaba sólo el contenido de los libros sino la textura de las páginas, el tipo de letra usada, la fecha de edición, los ejemplares numerados, los firmados por el autor. . . Hay allí ediciones Princeps del Fausto, de las Canciones de Bulitis, de los poemas de Lautreamont, de periódicos de épocas remotas. . . Los albatros hallan enorme placer en desgarrar las hojas filigranadas, los pliegos de papel de arroz, de pergaminos, de folios, tenemos también algunos incunables y palimsepstos, robados por antepasados inescrupulosos en los museos europeos, . . . me dolió un poco ver los libros comidos a medias, destrozados por sus picos ávidos, corriendo la misma suerte que las cortinas, que los tapizados, que las sábanas. Pero es imprescindible mantener con vida a los albatros, sólo ellos adiestrados pacientemente, cumplen la función de palomas mensajeras, haciendo rápidos viajes entre el frente de batalla y la ciudad, es un juego para ellos, acostumbrados a las distancias océanicas.

Llevan a los amigos las noticias que yo oigo en la radio de onda corta, salvada de todas las requisas, y que cuenta la realidad de esta guerra, cómo en el exterior se junta dinero, alimentos y ropa para los niños y ancianos, y cómo esos envíos no llegan nunca aquí, ya que son revendidos en los mercados negros por los personales de nuestras embajadas en el exterior, de quienes se dice que han sido ellos los que, con la complicidad de los países vecinos, han preparado esta guerra de mentira, para librar al país de indeseables, y sanear las fuerzas vivas de la nación, es decir, el comercio, la banca, los terratenientes.

Aunque confiara en el correo, que me consta abre todas las cartas entre la ciudad y el frente, no podría usarlo. . . ya que es uno de los servicios más conmovidos por el caos. Mucha gente, con apellidos de raíces no autóctonas, ha sido amenazada en honra y bienes, y huye por las calles, disfrazada y perseguida. Las cartas buscan erráticas a sus destinatarios fantasmas. . .

Mis corresponsales en el frente usan el mismo método para enviarme noticias, por ejemplo he sabido que se ha firmado una paz con nuestro gobierno, cuya única condición es la entrega total de armas y ejército, el establecimiento de una comisión controladora de la gestión del gobierno, a quien siempre se consideró débil para impedir el desorden y la subversión. Sé entonces que seré fusilado inmediatamente, que se me acusa de la posesión de unos albatros instruidos en la función del espionaje. Son ellos. . . los albatros y yo somos viejos ya. . . he preparado unos peces con veneno para esta ocasión. . . golpean la puerta. . . no los he abandonado. . . ya entran. Los albatros vuelan contentos de comer de mi mano. . . son muchos y hablan nuestro idioma. . . los albatros no sufrirán nada, y quizá no tengan mucho interés en fusilar a un anciano como yo, que vivo hace tantos años en una silla de ruedas. . .

Capítulo XIII

Venezuela

Descubierta por Colón en 1498 se le dio el nombre de "pequeña Venecia" o Venezuela por el estilo de construcción de sus casas en el agua sobre armazones de troncos. El país progresó lentamente durante el período colonial. En 1786 se estableció la Real Audiencia de Caracas después de haber estado bajo la jurisdicción de las Audiencias de Santo Domingo y Colombia. Los primeros signos de emancipación colonial aparecieron en el siglo XVIII provocados por el monopolio de la Compañía Guipuzcoana. La independencia de la nación parece haber sido conseguida en 1811 por Francisco de Miranda, quien fungió como presidente del país por un año hasta su destitución por la monarquía española. Miranda murió encarcelado en Cádiz en 1816.

Simón Bolívar, con la ayuda de los llaneros al mando del general José Antonio Páez, derrotó definitivamente a los españoles en la batalla de Carabobo el 24 de junio de 1821. Esta batalla marcó el fin de la dominación española en el Noroeste de América del Sur. Bolívar fue nombrado presidente de la Gran Colombia (Ecuador, Venezuela y Nueva Granada). Venezuela se separó de la federación en 1830 y cayó bajo la jefatura de Páez. A partir de entonces comenzó un largo período de guerras civiles, luchas entre federalistas y centralistas, y dictaduras.

Destaca entre las dictaduras venezolanas la de Juan Vicente Gómez quien gobernó desde 1908 hasta su muerte en 1935. Durante los próximos diez años, militares del régimen de Gómez lucharon por mantenerse en el poder. El Partido Acción Popular, representante de las zonas rurales, dio un golpe de estado en 1945 y Rómulo Betancourt fue llamado a presidir la junta provisional de gobierno. Se promulgó entonces una nueva constitución y se celebraron, por primera vez en la historia del país, elecciones libres. Rómulo Gallegos, el presidente electo, fue destituido antes del año de gobierno por el golpe militar de Carlos Delgado Chalbaud. Dos años más tarde Delgado fue asesinado y sustituido por el coronel Marcos Pérez Jiménez, dictador que a su vez fue depuesto por levantamiento popular el 23 de enero de 1958.

Una Junta Provisional de Gobierno devolvió el sistema democrático al país y entregó el mando a Rómulo Betancourt, el primer presidente venezolano que cumplió su mandato presidencial sin interrupciones, gobernando de 1959 a 1963. Durante el mandato de Betancourt continuaron los actos de terrorismo contra las compañías extranjeras; y su gobierno tuvo que luchar contra los viejos militares y el partido comunista, declarado ilegal, que ejecutó acciones terroristas. El Frente Activo de Liberación Nacional (FALN), integrado por comunistas venezolanos, fue el enemigo más acérrimo del régimen. A pesar de todos los inconvenientes el gobierno de Betancourt se caracterizó por el legalismo y la democracia. Betancourt y Raúl Leoni (1964-68), presidente por el Partido Acción Democrática (AD), nacionalizaron las industrias del gas y del petróleo. A partir del gobierno del presidente Rafael Caldera, (1969-73) jefe del Partido Social Cristiano (COPEI), se incrementó la influencia y el interés del país en el clima político de las naciones del Caribe. Carlos Andrés Pérez (1974-78), de la coalición socialdemócrata, abogó por los derechos de Panamá al control del canal y por la reintegración de Cuba a la comunidad latinoamericana. En las reformas interiores tomó medidas para la distribución de tierras y riqueza entre los pobres. Los grupos guerrilleros que habían proliferado durante los años sesenta instigados por Cuba continuaron sus acciones.

Durante la presidencia de Luis Herrera Campins (1979-84), del Partido Social Cristiano (COPEI), el país ayudó a Nicaragua después de la revolución con más de $100 millones y apoyó el gobierno de Napoleón Duarte en el Salvador. Herrera Campins, al igual que los otros líderes de COPEI, trató de alentar la Democracia Cristiana en la región y creyó en la necesidad de confrontar el marxismo en Centro América con una ideología de justicia en contraste con la mayoría de los dirigentes de AD que apoyaban los cambios revolucionarios. El pueblo, desilusionado por la falta de habilidad de COPEI para enfrentarse con el problema económico debido al declive en las ganancias petroleras, eligió al candidato del AD en las elecciones de 1983. Jaime Lusinchi fue electo presidente derrotando a su opositor el ex-presidente Caldera.

En 1983 los dirigentes venezolanos se reunieron con representantes de Colombia, México y Panamá en la isla de Contadora para iniciar negociaciones y promover la paz en la región. La postura neutral de Venezuela en Contadora parece haber cambiado algo con respecto a Nicaragua al negarse, en 1984, a enviar observadores a ese país en las elecciones de ese año; al suspender embarcos de petróleo en 1985; y al darle asilo al dirigente rebelde Edén Pastora Gómez. Venezuela ha demostrado en los últimos años que no acepta regímenes oligárquicos ni militares en Centro América y que prefiere la no intervención de los Estados Unidos. Tampoco ve con agrado que el área del Caribe se convierta en campo de confrontaciones ideológicas entre los Estados Unidos y la Unión Soviética.

La administración de Lusinchi, además de intentar el aumento del rol de Venezuela en el Caribe, implementó un programa económico. Lusinchi recomendó medidas de austeridad, hizo cortes en el presupuesto, devaluó la moneda e inició la re-negociación de la deuda externa. Sin embargo, en 1986 continuaban declinando las ganancias petroleras; el desempleo en 1987 alcanzaba un 16% y la inflación iba a duplicarse a más de un 20% a fines del mismo año.

En las últimas elecciones presidenciales celebradas en 1988 fue reelegido presidente Carlos Andrés Pérez del Partido AD, quien asumió el poder en febrero de 1989. Pérez tuvo que enfrentarse en 1991 a numerosas revueltas estudiantiles, causadas por la implementación de fuertes medidas económicas. El creciente descontento en el país y acusaciones de corrupción gubernamental, culminaron en el conato de golpe de estado militar el 4 de febrero de 1992. El 27 de noviembre del mismo año hubo un segundo intento para destituir al presidente, con mayor número de personas involucradas, incluyendo oficiales de más alto rango que los anteriores participantes, y un gran segmento de la población civil. El gobierno reclama que dos grupos izquierdistas, Bandera Roja y Tercer Camino, también participaron.

Aún cuando Venezuela se repuso económicamente en 1991, posiblemente debido al alza del petróleo en el mercado mundial, como consecuencia de la Guerra del Golfo Pérsico, la tasa inflacionaria volvió a subir en el 92 (1990, 36.5%; 1991, 31%; 1992, 33.3%). Termina el 92 con grandes pérdidas para el partido dirigente (AD), mientras que los movimientos izquierdistas avanzan. El aumento de crímenes violentos en la nación, hacen de la seguridad personal una de las mayores preocupaciones para los venezolanos.

NARRATIVA

El movimiento positivista en Venezuela en la segunda mitad del siglo XIX, al realzar la importancia del elemento autóctono, derivó en el descubrimiento del mundo venezolano en el cuento y la novela. La consabida contraposición del campo y la ciudad, el atraso y el progreso, la falta de educación y la cultura, han enmarcado las obras literarias de fines del siglo anterior desde la novela *Peonía* (1890) hasta las obras de Rómulo Gallegos, desembocando con resonancias universales en la literatura contemporánea venezolana.

Las etapas fáciles de discernir en la evolución de la novela del romanticismo al realismo y al modernismo, no son tan claramente identificables en el cuento. Durante el modernismo este género literario se caracterizó por el predominio de lo rural en su afán de proyectar lo auténtico venezolano. Por otra parte es importante destacar que el elemento político que apareció en la narrativa venezolana desde el siglo XIX, tanto en el cuadro de costumbres como en la novela, careció de contenido ideológico. Los personajes, por lo tanto, aparecieron como los responsables y no las víctimas, del desorden social. No es de extrañar que la narrativa de los primeros cuarenta años del siglo XX padezca de lo que Rafael Di Prisco califica "vacío ideológico", añadiendo que el tema político en la obra del gran novelista venezolano, Gallegos, es puramente circunstancial.[1]

No fue hasta Uslar Pietri, que apareció un nuevo enfrentamiento del hombre con la historia y su circunstancia social. Resultó importantísima la contribución de Uslar Pietri con *Las lanzas coloradas* (1931), su testimonio personal en un momento de crisis. La novela presenta la época colonial venezolana durante las guerras de independencia. La obra se cuenta entre las mejores novelas históricas hispanoamericanas. También Julián Padrón, periodista, autor de cuentos, novela y teatro, presenta la tragedia rural de Venezuela en *La Guaricha* (1934), novela de trasfondo revolucionario. *Madrugada* (1937), en la

---

[1] Rafael Di Prisco, "Prólogo", *Narrativa venezolana contemporánea* (Madrid: Alianza Editorial, 1971), p. 13.

que se narran hechos relacionados con la juventud del autor, muestra el impacto social y económico de la industria del petróleo en un ambiente social violento. Continúan estas tendencias, y son el despertar de una nueva conciencia política, *Puros hombres* (1938) de Arturo Arraíz y *Fiebre* (1939) de Miguel Otero Silva.

Ha sintetizado Di Prisco la situación social y literaria en Venezuela al exponer que "sin la suficiente preparación estructural surgen la guerrilla rural y la urbana, a las que los poderes establecidos responden con una desproporcionada, inútil y estéril violencia que ahora sí, va a servir como otro elemento de inspiración a la joven narrativa."[2]

Se destacan en la narrativa venezolana contemporánea Guillermo Meneses, Gustavo Díaz Solís, y Adriano González León. González León, cuentista y novelista, es el autor de *País portátil* (1969). La novela, ganadora del Premio Biblioteca Breve, narra las frustraciones de la juventud imbuida en el mundo de la política y la violencia urbana y, teniendo como marco la ciudad de Caracas, presenta una visión mágica de la historia venezolana del siglo XX.

ORLANDO ARAUJO (Calderas, Venezuela 1928)

Especialista en Economía cursó estudios postgraduados en esa área en la Universidad de Columbia en Nueva York. Ha dividido sus intereses entre la literatura y la economía política. En 1968 fue galardonado en el concurso de cuentos de *El Nacional*. En la búsqueda de una economía nacionalista, Araujo ha contribuido con la creación de la Industria Petroquímica venezolana así como con la Asociación Pro-Venezuela. Ha sido profesor de la Universidad de Santa María y de las Escuelas de Periodismo, Letras y Economía de la Universidad Central de Venezuela y se ha destacado por sus trabajos polémicos de militancia política.

Obra. **Cuento:** *Compañero de viaje.* **Obra crítica:** *Lengua y creación en la obra de Rómulo Gallegos* (1955). **Ensayo:** *Situación industrial de Venezuela* (1969), *Operación Puerto Rico sobre Venezuela y Venezuela violenta.*

El cuento reproducido, de la colección de Di Prisco, presenta de manera fragmentada dos mundos en conflicto, el del guerrillero y el del soldado. Al igual que el lente fotográfico mueve su objetivo, el punto de vista enfoca alternativamente al soldado y al guerrillero. El primero, enfrentado con los hechos y aplicando los mecanismos de represión; el segundo, encarcelado y torturado aunque indomeñable, libre en su ideología y firme en su propósito de no delatar a sus compañeros. En síntesis magistral se presenta el caso de la crisis política y el consiguiente desmembramiento y mutilación de la sociedad y su componente unitivo, el hombre.

---

[2] Ibid., p. 16.

NARRATIVA VENEZOLANA CONTEMPORÁNEA (1971)
MANOS 0-010

Sé que te agarraste la cara gritando con las manos y después las tiraste sobre el barro abiertas contra el cielo. Ahora las venas sobresalen inyectándose en la base de los dedos . Son moscardones bajo la piel. Las uñas moradas y azules. Los dedos quietos, como desmayados sobre la mesa, y una cicatriz y un vello solitario. La herida recién abierta como por hoja de acero finísima, el trazo rojo, la sangre detenida en pequeñas terminales. Fíjate en las manchitas blancas de las uñas, «Suertes» dicen. Después de la muñeca, el océano de la mano y los dedos todavía allí desembocando. Puestas sobre la madera oscura palidecen.

Marcos Guacarán, cédula 35-84-12. Eramos siete. Bajábamos a abastecernos a un caserío cercano. No sabíamos que el día antes había cruzado por allí otro grupo guerrillero y que el ejército, ya sobreaviso, aguardaba bien atrincherado en un conuco que domina un terreno plano y al descubierto. Avanzábamos con cuidado pero sin sospechar nada. Ibamos vestidos con uniforme y boinas como los que llevan los soldados antiguerrilleros y tal vez fue por esto que nos dejaron acercar tanto suponiendo, según supe después, que éramos soldados de otro grupo esperado por ellos esa misma tarde. Nos dimos cuenta de que estaban allí como a unos cincuenta metros y justo cuando abrieron fuego contra nosotros. Calculé que eran unos veinte y empezamos a retirarnos disparando y tratando de ganar el monte cercano. Fue cuando me dieron en la pierna. Me arrastré hasta cubrirme detrás de un tronco caído y tiré de la granada que no estalló. Cuando me vi rodeado levanté las manos. Sentí un gran miedo cuando vi a un soldado apuntándome de cerquita y vi que estaba pálido y no sabía si disparar o no, me salvó el teniente que habló desde el rancho del conuco y ordenó que me llevaran hasta allá. Los soldados querían fusilarme, pero el teniente manifestó que debían entregarme al comando más cercano y los consolaba diciéndoles que allí seguramente me fusilarían. . .

La herida tiene labios pálidos y si pones un lápiz entre los dedos, el lápiz rueda y cae. Las venas hinchadas sin galope, ya no crecen la uñas. Tú las pusiste allí y las abandonaste porque aún después de

muertos ponemos en alguna parte las manos y los pies. Ahora son
manos sin dueño, huérfanas, segmentadas con sapiencia y tradición
de sajadores expertos.

Los soldados querían echárselo, pero el teniente los aguantó; «yo en esta guerra soy neutral», «no estoy ni a favor ni en contra, dicho sea entre nosotros, yo simplemente cumplo». El teniente era muy joven y parecía aburrido de andar por esos móntes, a veces parecía que le gustaba mamar gallo. «¿Cogerías el monte si te soltara? Pero si te dejo ir, yo te dejaría ir, pero estos soldados arrechos como están te liquidarían». Y el sargento: «Mire mi teniente, a estos carajos hay que fusilarlos cuando uno los agarra, de lo contrario van presos, los sueltan y vuelven a coger el monte. ¿Nos lo echamos?» Pero el teniente firme, no le gustaba fusilar a nadie, «sí, decía el sargento, porque no le han jodido un hermano como me lo jodieron a mí», así que lo llevaron amarrado hasta Caripe donde esperaba una comisión para llevarlo a Maturín. «Este no llega vivo a San Francisco», dijo uno de la comisión. «Ni de vaina, éste no llega a Maturín».

Qué brazos tan deformes. Músculos y venas se ponen de acuerdo
para llegar a un punto y devolverse. Cicatrices de arterias, la sangre
retrocede sin paisajes y en qué charca se habrá hundido el cuerpo
mutilado. Dejas de ser esa promesa de capitán de barco, de cazador
a media luna, ni siquiera dibujante y dejas de saludar ciego del tacto,
tus brazos están mudos.

«Lo que he contado es todo lo que sé. Me llamo Marcos Guacarán, cedula 35-84-12. Eramos siete, yo caí. Mi padre es Guacarán, Jesús Antonio Guacarán, no sé su cédula. Mi oficio. . . »

La gente se aglomeró en la puerta de la prefectura por donde lo
sacarían y éste fue el chance que aprovechó, cuando salía esposado
hacia la camioneta descubierta, para gritar con todas sus fuerzas:
«¡Me llamo Marcos Guacarán, me dicen 'el Catire', soy guerrillero
y sepan que esta gente me va a fusilar, para que lo digan, díganlo,
Marcos Guaca. . . », y un soberbio culatazo lo tendió en la parte de
atrás de la camioneta. «¿No tiene vergüenza este carajo? Decir a
todo grito que es guerrillero». Y otro culatazo y otro más.

«Cuando salimos de San Francisco iba el teniente y se agregó un civil, gordito, de bigotes, con una ametralladora y con anteojos negros. A mitad de camino venía un jeep que se detuvo y bajó un capitán. El teniente informó que llevaba un guerrillero. "¿Y por qué está vivo, no dice usted que lo agarraron en combate y disparando?" Fue cuando habló el civil. "No hay ni siquiera que bajarlo; si usted ordena, ahí mismo en la camioneta se lo arreglo". Yo me encogí lo más que pude, metí la cabeza entre las piernas y esperé el guamazo. «Hay un problema, mi capitán, y es que este gran carajo dio su nombre a la gente allá en San Francisco, y dijo que lo íbamos a fusilar". El capitán se desahogó regañando al teniente y mandándolo a regresar a su puesto. Subieron a los carros y continuamos el camino. . . »

No puedes caminar sin manos. ¿Cómo podrías caminar sin ir palpando el aire? No puedes mirar sin manos. Ordenaba tu madre, frente a los pesebres llenos de ángeles y ovejas: se toca con los ojos y se mira con las manos. En la noche oscura un fósforo puede ser una sentencia, iban tus manos por delante y de tanto mirar fueron baquianas. Cuando golpearon la boca medrosa, cuando oprimieron el fusil, cuando saludaron con firmeza.

Un día abrieron la puerta y lo echaron en el piso como un saco de papas. No me gustaba verle la cara con los golpes que tenía, él de por sí era ya bien feo y más con esos golpes, un ojo apagado y los labios reventones, cuando se quitó la camisa aquello daba lástima, me dijo que eran los culatazos en las costillas, no le vi los testículos, pero me dijo que allí le habían dado bien duro. La pierna se hinchaba a lado y lado de la venda. Lo traían de la cárcel de Maturín y antes lo habían llevado de Aragua de Maturín y antes del campo donde lo agarraron herido. «De vaina me agarraron, si no es porque me falla la granada tan cerquita que les cayó y porque todo aquello es campo abierto a pleno mediodía y porque uno ya metido allí se confía mucho, y no tanto por la pierna».

Le puse yodo en las heridas, era todo lo que tenía para curarme una sarna rara que se gozaba conmigo. No estaba triste, y si se había asustado, ya no se le notaba porque se reunía y decía que el sitio donde estábamos era rey comparado con el calabozo que le tocó por varios días. Llegaron a buscarlo una mañana para interrogarlo y no regresó. A los cinco días, una noche, abrieron la puerta y volvieron a echarlo como un saco de papas, igual que la primera vez. Esa noche no pudimos dormir, él con sus heridas y yo con mis cosas. Cuando ya estoy entrándole al sueño, en la madrugada, suena la diana y me levanto con las voces de mando: «¡A-ten-ción. . . Fiii! ¡A-discre-ción!» Y se oye un solo zapatazo. Trato de hacer ejercicio mientras los soldados lo hacen en el patio, pero me duelen los huesos. Voy hasta el baño, abro la ducha y meto un brazo, luego el otro, por fin el cuerpo. Salgo morado de frío, me seco con periódicos y siento un calorcito y ganas de conversar. El sargento que abre ni saluda y el civil que trae la comida dice: «a papear», y no dice más nada. Guacarán no puede probar bocado y por ahora ni siquiera conversar. Me como todo y quedo con hambre, será por desquite. Desde las ventanas puedo ver las casas más allá del cuartel y descubro detalles que ayer no vi. Abajo, en el patio, los soldados forman en cuatro compañías. Con un papel en las manos el teniente les habla: «El primer deber de un soldado es obedecer a su superior». La voz es brusca como un barranco. «Cuando un superior lo llama, el deber del soldado es dirigirse hacia él con paso rápido hasta correr. Detenerse a unos pasos, cuadrarse, saludar y decir: a su orden, mi capitán, o mi teniente, o mi sargento. ¿Entendido?» Y un inmenso coro responde «sí» en un solo golpe de voz. Luego rompen filas, son jovencitos, suben tumultuosamente las escaleras del primer piso y entran en fila a la cocina. De allí vuelven a salir en fila portando el desayuno como un trofeo.

En sistema decimal, tus manos 0-010 están tranquilas. Alineadas esperan su turno, tienen el gesto de atrapar un pez. Van a decir quién eres. Te identificarán y no habrá duda. Serás tus manos. Hay papeles impresos con espacios abiertos para el testimonio. Manos de combatiente, manos de bandolero, manos violentas, manos delatadoras, te ofrecen, te evidencian, te entregan, son absolutamente tuyas, eres tú.

Me despierta hacia la madrugada el sonido de un disparo aquí cerca. Pienso que eso es normal en un sitio como éste. Se escucha un alarido y otro. Es un grito de dolor y de pánico. Abajo, pasos apresurados, carreras, voces. Me asomo a la ventana, no veo nada. El grito es ya un quejido, el lamento de un niño. En la celda de al lado alguien dice que a un recluta se le fue un tiro mientras hacía guardia. Ahora es el motor de un automóvil, la sirena apaga los quejidos, todo vuelve al silencio. Son muchachos de diecinueve y veinte años, ¿de dónde vendría éste?, de los Andes, del llano, de oriente, quizás era uno de los que ensayaba ayer para ascender a distinguido. La voz del oficial dando órdenes sonó pausada, tranquila, normal. No pude seguir durmiendo.

-A lo mejor se muere.

-No le pares. A veces ellos mismos se hieren un dedo para que los den de alta.

-No, la pinga, ese quejido era de muerte.

Estoy dispuesto a morir y uno se hace a la idea. Eso ayuda. ¿Qué me puede pasar?... lo más morirme, y eso está previsto. Pero de pronto la muerte salta como un gato en la noche, inesperadamente y sin apelación. Aquel grito no era de puro dolor sino de alarma de muerte, de verse un borbollón de sangre y querer que el mundo entero se dé cuenta, se conmueva y venga hacia uno que está solo y que se ve morir. Y nadie quiere morir solo, sin alguien que le diga que no es nada y que todo se va a arreglar.

-Marcos Guacarán, ¿cómo haces tú para no tener miedo?

-¿Quién te ha dicho que yo no tengo miedo?

-No has querido hablar aunque te maten.

-Pero no es porque no tenga miedo, sino porque no puedo. Además sé pocas cosas. Siempre es bueno no saber muchas.

Al día siguiente nos levantamos como siempre con la diana. Los soldaditos, franela blanca y pantalón corto, no formaron esta vez en el patio. Luego se escuchó la corneta de un toque prolongado y triste que se fue apagando.

Cuando uno está preso siempre está solo, pero es bueno que haya otros que estén solos también para sacar compañía de tanta soledad. Le dije a Guacarán que mi juicio era largo, una vez me golpearon delante de él y me incomunicaron. Nos contamos de la familia, de una enfermera que lo ayuda en Maturín y por poco logra escapar. He tenido otros compañeros, pero éste es el que más ha durado conmigo. Nos contamos las cosas una y otra vez. Sabe de mí todo lo que le he confiado y le dije que no tenía por qué contarme lo suyo, que era mejor como él decía, no saber tantas cosas. Guacarán sabe olvidarse de la cárcel, siempre riendo y seguro de que tendrá oportunidad de escaparse, no importa que de aquí no se haya podido fugar nadie. El dice que lo hará y no le da mayor importancia al asunto. Por cierto no se llama Guacarán, Marcos Guacarán, como dice en la cédula, sino Salazar, José Rafael, como me ha confiado.

Te las quitaron. Las defendiste, pero te las quitaron. Conservaste
los ojos, los dientes, la garganta. Podrías sonreír después de muerto.
Pero te cortaron las manos y se llevaron la risa entre los dedos. Te
dejaron muerto sin nudillos, sin caricias, sin yo, como un reptil.

Mi nombre es Marcos Guacarán, cédula 35-84-12, mi padre es
Guacarán, Jesús Antonio. Eramos siete, yo caí. Es todo lo que sé y ya se
los he dicho. . .

Pero él ya no se llamaba Guacarán, sino Salazar, José Rafael,
y todo estaba comprobado. Y ahora habla o lo raspamos; por mi madre
que si no habla se muere. Esta vez no lo aceptaron de regreso, ni tampoco
en San Francisco, ni en el campamento de Aragua, ni en Maturín. Nadie
quería recibir a un hombre en esas condiciones. Y nadie tuvo la culpa de
que comenzara a morirse en uno de los trayectos como preso sin dueño.
Ni menos yo que he cumplido mi deber de funcionario y que mi buen
tiempo de ganar confianza me costó. La camioneta daba tumbos. Las
manos flotaban boca arriba como animales ahogados.

«Muerto cuando arrebató el arma a un soldado y se dio a la fuga
disparando contra la comisión, a la altura del kilómetro 133. Aquí están
las manos para su identificación. Permiso para retirarme».

Yo, Marcos Guacarán, cédula falsa, soy mis manos, sin ellas tú
no me conocerías y queda en soledad mi piel. Fue un tajo sin dolor, no
pienses que dolió. Sentí la lengua de acero circunvalándome la carne, la
defensa de los tendones, la separación callada y feroz. Ahora estoy
tendido en la hojarasca. Por tierra y aire van llegando los insectos
mientras se empinan mis huesos sobre el barro esperando mis manos
para acabar mi muerte.

LUIS BRITTO-GARCÍA (Caracas, Venezuela. 1940)
Cuentista y novelista que se ha dedicado últimamente a la producción
teatral. Es abogado titulado de la Universidad Central de Venezuela desde 1962
y profesor de Metodología de la Investigación de las Ciencias Sociales y de
sistemas presupuestales en dicho plantel. Colabora en numerosos diarios y
revistas.
Obra. **Cuento:** *Los fugitivos* (1964), *Rajatabla* (1970), (Premio Casa
de las Américas). **Novela:** *Vela de armas* (1966), *Abrapalabra* (1979), (Premio

Casa de las Américas). **Teatro:** *Venezuela tuya* (1971), (Premio Sujo); *Suena el teléfono* (1976), *El tirano Aguirre o la conquista del Dorado* (1976), (Premio Nacional del Teatro de Venezuela); *La misa del esclavo* (1980). **Ensayo:** *Me río del mundo* (1984).

Sus incursiones en el género teatral han sido importantes. Su obra *Venezuela tuya* señala el resurgimiento del teatro venezolano. Los cuentos a continuación pertenecen a *Rajatabla*, libro que constituye un "tour de force", retablo de situaciones de inusitada violencia, que se presentan en su país diariamente. Los cuadros presentados en los 74 relatos, rebosantes de humor negro, sintetizan a la sociedad venezolana en forma de "collage". Con insuperable maestría y sarcasmo Britto-García logra que la descripción individual de los componentes de la "Foto" sea al mismo tiempo un retrato inclusivo de la sociedad. En contraste con la engañosa pasividad de "Foto" está el dramático dinamismo de "Bomba". La premura empleada para desaparecer el cadáver de un dirigente guerrillero con el fin de evitar demostraciones populares durante su entierro, se trasluce en el estilo rápido y carente de signos ortográficos utilizado en la narración. Los hechos y la acción, incitados por órdenes superiores insistentes, con mandatos reiterados, se encadenan rápidamente hasta el estallido final. La ironía del título en "Usted puede mejorar su memoria", se pone de manifiesto en esta narración donde se trata de obtener información por medio de la tortura. Los golpes hacen olvidar en vez de ayudar a recordar. Existe también la posibilidad del olvido voluntario para proteger al resto del grupo. El abuso, la tortura y la violencia, llevan al torturado a un estado subhumano que va de la ruptura o fragmentación de la totalidad de su ser hasta la disolución o el aniquilamiento. Se nota en la historia cuando el protagonista pierde la noción de lo que es brazo y no sabe si es parte suya, o era. Termina en la destrucción total del individuo con las palabras finales "y negro y vacío y fue".

RAJATABLA (1970)
LA FOTO

Era color sepia pero la copia actual, ampliada, es gris y hasta cierto punto brumosa. De izquierda a derecha, en primera fila, sentados: joven de mirada profunda y cabellos con gomina, camisa manga corta y pantalones a rayas; a su lado, joven flaco con grandes entradas, las manos sobre las rodillas, el cordel de un zapato desatado; a su lado, joven parecido a Ramón Novarro, mejillas chupadas y un paltó doblado sobre las piernas; a su lado, joven con lentes redondos, montura metálica, peinado con la raya en el medio, un peine en el bolsillo de la camisa; a su lado, joven con mirada de desnutrido que parece estar observando las nubes o deslumbrado por el sol del patio de la prisión, y de él llama la atención ese gesto y no la ropa que tiene o cómo es su cara; a su lado, joven con bigotes y corbata de lacito y camisa a rayas grises; a su lado, una pierna doblada y la otra extendida, joven gordinflón, con el aire de quien acaba de caer sentado. Agachados: joven que sonríe, joven que está serio, joven que mira con intensidad, joven que parece aburrido, joven que mira a la derecha, joven que pone gesto trágico, joven a punto de dejar de ser joven. Parados: joven con las manos cruzadas sobre el pubis, joven con los brazos cruzados sobre el pecho, joven con los brazos a la espalda, joven con los brazos caídos, joven con los brazos en los bolsillos, joven que sostiene un paltó en el brazo, joven con la mano derecha en el hombro izquierdo. La ropa se ve muy ajada, quizá por lo pasada de moda, quizá porque la foto fue tomada a la semana de estar presos y no dejaban pasar envíos de ropa limpia desde afuera. No se nota ningún detalle del patio del cuartel.

De izquierda a derecha, el tercero, parado, fue el del discurso que después le dirían fogoso, tenía cosas como aquí está la juventud y cumplimos con el llamado, a él lo pusieron preso por decirlo y a los demás porque aplaudieron, tres meses después lo botaron del país pero al fin llegó a Ministro. El primero, sentado, dos años más tarde murió de un tiro de fusil al tratar de cruzar la frontera disfrazado de peón. El tercero, segunda fila, fue el que compartió con el Presidente la comisión de cincuenta millones que los norteamericanos pagaron para tener más concesiones petroleras que los ingleses. El cuarto, primera fila, estuvo preso otra vez durante la dictadura, pasó en eso varios años, después fue Ministro de Relaciones Interiores y participó en la desaparición del estudiante Alberto Méndez, cuyo cuerpo horriblemente mutilado, etc. El segundo, primera fila, fundó publicaciones humorísticas y murió de hambre. El quinto, tercera fila, fue el tronco de abogado que le gestionó a los americanos las concesiones del hierro. El cuarto, segunda fila, era marico. El séptimo, primera fila, nadie se acuerda quien era.

En cuanto al tercero, primera fila, participó en la gran venta de inmuebles de propiedad pública y después se descubrió que él actuaba a la vez como abogado de la Nación y de la empresa compradora. El quinto, segunda fila, fue llevado al Consejo de Ministros para que pusiera la fuerza hidroeléctrica de Guayana en manos de la familia Umeres. El sexto, primera fila, montó la empresa constructora que acaparó los contratos de obras públicas mientras era Ministro. El séptimo, segunda fila, era propietario del noventa por ciento de las acciones. El quinto, primera fila, compró en cien mil bolívares su nominación como diputado por el gran partido popular y vendió su voto en tres millones cuando se discutía la reforma tributaria.

El segundo, tercera fila, llegó a Presidente e hizo respectivamente, matar, encarcelar y expulsar del país, al primero, segunda fila, primero, tercera fila, segundo, tercera fila, y sexto, primera fila. El cuarto, tercera fila, se puso de acuerdo con el sexto, misma fila-para entonces Ministro, se hizo expropiar sus haciendas por el cuádruplo de su valor y ahora es banquero. El sexto, segunda fila, anda con un cáncer en la próstata. A la hija del tercero, primera fila, yo me la cogí.

La foto está cada día peor y la gente se parece menos. La publicaron primero en el Libro Rojo de la Subversión, y después ha ido dando tumbos hasta aparecer en Memorias de una Vida Política, que el cuarto, primera fila, escribiera en Antibes. Por aquí y por allá, sobre una que otra cabeza, hay crucecitas, y a veces hay dos cabezas muy juntas y no se sabe de quién es la crucecita.

El mundo da muchas vueltas

BOMBA

Que me traigan el cajón quel diputado quiere que me traigan el cajón quel diputado quiere evitar el compló subversivo que me traigan el cajón que hay que evitar el desfile en el cementerio la cantadera el agite que lo traigan como al del otro con plomacera para que saliera corriendo todo el mundo y dejaran la urna en medio de la calle o como al del otro con tumbadera de puertas y reunión para robarse no sólo el muerto sino también el osteráizer que lo traigan y dejen desfondadas las sillas con asiento de paja para que la funeraria les cobre como a la otra familia, quel cajón me lo traigan con coronas y todo que lo traigan sea de roble y con vidrio para ver la cara como el del muchacho rubito que repartía volantes que lo traigan sea de cartón piedra como el del que pasaba las medicinas que lo traigan que al diputado le da cosa si no se lo traen, ojo decir trancao cuando empiecen las mentaderas de madre ojo si los padres se arrechan peinilla con ellos ojo evitar agitaciones que pasa como la otra vez que al tratar de meter el cajón en la jaula tropiezan y se les cae y el muerto rebota y al que lo tropieza diez años de pava ojo no olvidar las coronas y las tarjetas-telegramas que dan los nombres de sospechosos ojo redactar el informe muy bien que le interesa al diputado lo que pasó y qué dijeron ojo omitir donde digan coños de madre lo matan y después se lo roban ojo no fue que lo matamos fue intento de fuga ojo cómo no fugarlo si el negro del carajo nos obstinaba si cuando no era la bomba en la embajada norteamericana era la bomba en el oleoducto si cuando no se empeñaba en quedarse callado era que nos hacía confesiones falsas y por un tris no allanábamos una casa de la misma misión norteamericana si es que el carajo después que le saltamos todos los dientes la cogía de abrir la boca enseñando las encías y eso caía mal si es que el carajo se escapaba con cédula falsa o con túnel si es que por aquí por allá el diputado nosotros esperábamos la bomba el chispazo la cazabobos la de relojería si es que no quedaba más remedio que fugarlo ánimo la puerta tumbada a culatazos ánimo planazo aquí la peinilla allá tiros al aire para dispersar tanto doliente ánimo las viejas que las encierren en el baño ánimo rotura de colchones de almohadas de roperos ánimo no hacer caso de tanto manos arriba que no dice nada que nos mira que nos mira ánimo hombro con la caja ánimo épale que no pasa por el zaguán ánimo que dejen un momento las metralletas que se enredan en los cerrojos ánimo que espanten el abejero que cuidado resbalan con tanta margarita espachurrada en el suelo ánimo y estos carajos que siempre les llevamos los muertos y siguen haciendo velorio ánimo cataplúm cuidado que el diputado lo quiere enterito ánimo qué tranca de tráfico carajo y el diputado que tiene sesión en el Congreso ánimo descargar en el garaje del sótano cuidado resbalan con las coronas ánimo el cuartito donde espera el diputado que quiere ver personalmente el ánimo todos en grupo con la pata de cabra porque el destornillador muy lento ánimo ¿olerá? ánimo dice el diputado mejor con el hacha y en efecto astillas crujidos el diputado que se pasa el pañuelo por los labios ánimo el homenajeado que aparece dentro del cajón los ojos cerrados la boca sin dientes y llena de algodón y con la mueca que cae mal y lo peor de todo ante el diputado, el alambre fino que va de la tapa que hemos movido a la pechera de la pechera a la garganta de la garganta a las pilas de las pilas al percutor eléctrico y el percutor eléctrico que en este momento hace detonar la

USTED PUEDE MEJORAR SU MEMORIA

Si le caen a carajazos durante diez días para que diga a quién le pasaba los papelitos subversivos pero en el recuerdo sólo flota que lo llamaban Julián o a lo mejor no era Julián sino Miguel y desde luego como quiera que fuera el nombre era seudónimo y entonces ¿alto? ¿bajo? ¿está en estas fotografías? no hay manera de saberlo, su cara se hincha y se deshincha como una anémona en las corrientes de la improbabilidad, quizá nariz esta o boca esta pero no me acuerdo en realidad qué mala memoria

Y lo peor es que con los golpes en la cabeza a uno lo empeoran, claro, entregarlos- le decían a uno en el Bloque B-2 o a lo mejor el C-6 o quizá el A-20, o quizá fue en la sección uno o en la ocho pero carajo es como tratar de recordar la placa del carro del tío de uno o el número de la lotería esa bailadera de números que son y que no son y al fin cuando se clarifica alguno resulta que es el de la propia cédula de identidad y entonces patada por aquí y patada por allá

Si en el escondite estuvo o no estuvo un señor bajito como el de este dibujo, lo imposible de saber entre las muchas personas que van y que vienen por todos los sitios imaginables, menos si el hígado se lo desprenden a uno porque ese hervor cerca del estómago es el hígado, y el hígado tiene que ver con la fiebre alta con la memoria con qué ya está se fijan no me acuerdo.

No me arrecuerdo no me arrecuerdo qué noción voy a tener de listas de personas cómo voy a saber teléfonos si les digo por ejemplo ahorita no me arrecuerdo si el señor que me hizo vomitar hace poco es González o Hernández o mejor Gutiérrez, cuanto más de cosas de meses antes, cuanto más de una casa a la que no fui sino que me llevaron en carro y no me fijé en el camino y ahora cómo duele hasta tragar saliva si pudiera tragar saliva si ni recuerdo cuándo la patada en la garganta si

Si de tan mala memoria que no me acuerdo de la cara de mi tía Rosario si de tan mala memoria que no sé de dónde ha salido ese nombre, como la etiqueta de un vacío de varios años; y, por ejemplo no me acuerdo tampoco del nombre de la escuela, peor, ahora que digo escuela noto que hay allí un hueco negro y sólido, que eso se ha acabado y ay

También estaban allí en algún sitio el nombre de mi perro (olvidado) la casa de mis tios (olvidada) y un vacío del carajo que ahora que me doy cuenta crece y se acaba de tragar lo anterior a mis catorce años, crece y se acaba de tragar una novia (¿quién era?)

Pero no importa es como perder un brazo y queda otro acordarme por ejemplo de, entonces me doy cuenta de que el restante brazo tantea en el vacío que crece y sólo quedan mi detención y estos diez días que

Pero aún puedo acordarme de lo que me hicieron si lo que me hicieron fue que, no, ni eso, bueno, yo soy yo, tengo cabeza brazos piernas tronco bolas que me les hicieron el bueno que me lea, mientras tenga esta noción estoy vivo, yo estoy vivo solo los muertos no recuerdan, yo tengo por ejemplo brazos, ahora qué cosa es un brazo, pero cómo va a ser, si un brazo es, si me acuerdo perfectamente de qué es, es algo como, si el resto, y qué cosa es el resto, y qué cosa es qué cosa, y yo soy o yo era, y qué cosa es era y negro y vacío y fue.

HÉCTOR MUJICA (Carora, Venezuela. 1927)
Licenciado en Filosofía, vivió varios años exiliado en Chile durante la dictadura de Marcos Pérez Jiménez. A su regreso al país se dedicó al periodismo. Ha sido profesor de la Escuela de Periodismo de la Universidad Central de Venezuela y fue su director de 1958 a 1964. Ha trabajado varios años en el diario caraqueño *El Nacional* y fue uno de los fundadores de la revista *Contrapunto*, vocero del grupo literario del mismo nombre. Ha sido galardonado con los premios de la Organización Internacional y Nacional de Periodistas en 1962 y 1969 respectivamente.

Obra. **Cuento:** *El pez dormido* (1947), *La ballena roja* (1961), *La O cruzada de tiza blanca* (1962), *Los tres testimonios y otros cuentos* (1967) y *Las tres ventanas* (1970), recopilación de sus mejores cuentos.

En el cuento a continuación Mujica transcribe con estilo periodístico los testimonios extraídos por el Indagador en su afán de obtener una visión clara de los hechos ocurridos. Iluminada por la luz del sol se busca la verdad con el objeto de justificar las medidas del gobierno. Esta va siendo presentada por los testigos, y enriquecida literariamente por Mujica con la palabra acertada y el enfoque de la situación. Es de una gran ironía cómo las palabras son manejadas por el Indagador y por Mujica mientras se dilucidan en el fondo de la narración el valor absoluto y relativo de la verdad. El primero, utilizando datos obtenidos del testimonio oral, distorsiona la realidad al presentar su informe. Mujica deja constancia fehaciente de la verdad con la simple transcripción de las declaraciones.

LOS TRES TESTIMONIOS Y OTROS CUENTOS (1967)
LOS TRES TESTIMONIOS
Era domingo. Un domingo de sol y de cigarras en que la gente aún cuchicheaba en la plaza mayor acerca de los últimos acontecimientos.

Nadie era capaz de dar una visión clara y objetiva de lo sucedido en los últimos días. Nadie. Los que podrían hacerlo ya no hablan. No tienen lengua. Los que con sus pasos podrían conducir al Indagador por entre los vericuetos de lajas verticales y sombras breves del camino, ya no tienen pasos. Los ojos que vieron de cerca los hechos están sepultos en la loma, una loma verde, aterciopelada, más bien pequeña, donde yacen los huesos de aquella vendimia macabra.

Huesos, ojos, manos, pies, pasos perdidos en la tierra, confundidos con el polvo semidesértico de la región, hasta donde llega en la noche la muy suave arena de los médanos lejanos.

Aquel domingo de sol y de cigarras, el Indagador llegó hasta La Cruz, un pueblo de la zona llana (de «tierras calientes», dijo el Primer Testimonio), enclavado entre el cerro de Cuamay y la sierra de San Luis. (Observe bien, dijo el Indagador, que hablo de la Cruz y no de la Cruz Verde, ni de la Cruz de Pecaya. Hablo de aquel pueblo de cinco kilómetros, cincuenta cuadras, quinientas casas, cinco calles grandes y quince pequeñas; hablo del de la Cruz con dos iglesias y dos plazas.)

Y así habló el Primer Testimonio.

(Era viejo. Edad indefinible. Caminaba desde niño todo el pueblo, toda la región, toda la zona sin detenerse. Caminaba como debía. Un aguardiente fuerte, tosco y de dudosa refinación, hecho de la penca de una xerófila que se da en la zona. Cocuy se llama. Y él no tiene nombre. Los chicos le decían «Chejendé». Con «Teodorito» y «Rosendo El Loco», constituía la trilogía de dementes más importantes del pueblo. Los demás eran locos menores. Chejendé, en cambio, pertenecía a la gran locura. Caminaba diariamente muchas leguas, hasta quedar exhausto. Era inofensivo y manso. Robaba pequeñas cosas, que solía cambiar por aguardiente. O por comida, cuando se acordaba de que también un loco de su estirpe había menester de mantenerse. Era bueno y manso, como todos los locos tristes que se enfrentan a la naturaleza y a la sociedad. No tenía miedo de nada. Le daba igual la montaña espesa o llanura calda e inhóspita. Sentía reverberar el sol en sus ojos hundidos y apenas unas gotas de sudor sucio deslizándose por entre la frente, los párpados, las mejillas chupadas. O bien gozaba del espectáculo verde de la montaña poblada de mil ruidos en la noche. Se dice que una vez, varias veces, muchas veces lo mordieron las culebras. Y hasta se cuenta que la última que lo mordió, a la salida del pueblo donde la ladera se empina hacia el bosque, hacia la Sierra, murió instantáneamente. Esto es lo que se dice, pero el Indagador no lo ha escrito.

-Entraba al pueblo a las dos. Sí, a las dos; las dos eran, pues oí dos campanadas. Y vi dos hombres vestidos de kaki, con ametralladoras. Salían de la casa de doña Adela y llevaban al Negro Julio, sí, el Negro Julio, el de la señora Adela. Lo llevaban a empujones y lo hacían correr al trote. Luego lo metieron en una camioneta grande, donde iban otros dos con kaki y ametralladoras y donde llevaban a Mitares y al Catire Justo. Cuando prendieron los focos grandes, yo me escondí en un mogote. La camioneta enfiló hacia el río. Oí varios disparos, digo, varias ráfagas. Eso es todo.

El Indagador apuntó cuidadosamente la versión de Chejendé, guardó el lápiz y se quedó ensimismado. Había venido de lo alto, de montaña arriba, a saber exactamente lo que había ocurrido. Hacía un calor sofocante y un olor a almizcle pesaba en la atmósfera clara y transparente del atardecer. Chejendé echó a correr la calle real y al llegar a la plaza mayor se detuvo. Echó una ojeada hacia atrás y luego volvió a su natural lento y cansino. Y caminó como siempre lo había hecho.

Doña Adela Ortiz era la Madre del Negro Julio. Nacida en La Cruz hacía sesenta años, su madre también era oriunda de la región, como su abuela. Los viejos dicen en el pueblo que fue una muchacha bella, una mujer hermosísima que se la disputaban galleros y hacendados en la fiesta anual del 3 de mayo, Día de la Cruz, así como el Día de la Coronación de la Virgen, el 31 del mismo mes. Entonces tenían lugar grandes riñas de gallos, en *cuerdas* que ya no existen: gaiteros y parranderos organizaban grandes fiestas y al son del cuatro, del cuatro y medio, del cinco, del güiro, el furro y el tambor, muchachos y muchachas se encariñaban al son de la copla. Así nace el amor en La Cruz.

Y así fue como habló el Segundo Testimonio.

-Desde los tiempos de la Peste, sí señor, desde la Peste nada tan feo se había visto. Pero se moría de la peste por voluntad de Nuestro Señor Jesucristo. Y ahora esta mortandad es por obra y voluntad del hombre. Cuando Julio nació era un niño sonriente. Empezó a caminar muy pronto, pues se dice que aquí en la Sierra los niños caminan precozmente, acaso porque necesitan piernas fuertes para la empinada. Cuando Julio nació, el Todopoderoso le tenía reservado un destino, un hermoso destino, y que me perdone Dios, pero el destino se lo troncharon esos hombres que contrariaron la voluntad de él.

Doña Adela echó a llorar. Un llanto copioso que caía sobre su regazo, allá donde estuvo acunado el niño Julio.

Rosendo era viejo. Viejo y sucio. Caminaba levemente inclinado a la izquierda de tanta mugre acumulada. Apenas hablaba, y era un loco mustio, melancólico y solitario. A diferencia de Chejendé, Rosendo caía en largas crisis de silencio e inmovilidad. A veces se sentía Bolívar, el Liberador, y simulaba la estatua de la Plaza. Allí, bajo los árboles, Rosendo permanecía largas horas como petrificado. Era un espectáculo del que nadie se percataba, por lo frecuente. Pero los 24 de julio y 17 de diciembre, cuando el Jefe Civil llegaba a la Plaza de Bolívar a depositar una «ofrenda floral ante el Padre de la Patria», algún vecino de la Ciudad del Viento demandaba a los notables del villorrio acerca de aquella extraña conducta. Rosendo, en su mutismo y su hosquedad, se sentía lejos de la Banda Municipal, de la trompeta y el clarinete. Los himnos marciales le transportaban más allá de La Cruz, más allá de Pecaya, más allá de San Luis. Era el héroe de la jornada.

-Yo apenas sentí los disparos. Después supe lo de las muertes. Eran todos de por aquí; los muertos, digo, el Negro Julio y Mitares y el Catire Justo.

-¿Y los otros? -inquirió el Indagador.

-Los otros no eran de aquí-dijo, cortante y seco-. Son de más allá de tierra caliente.

El Indagador anotó cuidadosamente entre sus papeles. Una vez más sus dedos garabatearon los nombres de Julio, Mitares, Justo. Y los adjetivos Negro y Catire.

Así fue como habló el Tercer Testimonio.

De La Cruz la Ciudad del Viento, y por el aire a la Gran Ciudad, el Indagador vino de regreso. En la Gran Ciudad habló con su lenguaje doctoral y fino. Escribió unos folios que llamaron El Expediente, el expediente de la Cruz y de los hechos ocurridos en la región el 3 de octubre de un año de gracia. Era un legajo voluminoso y lleno de citas y de artículos, de Constitución y Derecho, dijeron, pero nada más se supo.

Sólo se notificó a los Grandes Poderes que «de las acusaciones publicadas acerca de hechos criminosos ocurridos en el pueblo de La

Cruz. . . el Indagador notifica que de acuerdo con las investigaciones practicadas y cuyos resultados fueron comunicados al Gran Indagador y por éste a los Grandes Poderes, se coliga que nada anormal ha ocurrido. Los únicos en afirmar haber escuchado disparos, ráfagas de ametralladora, y de saber de crímenes cometidos por la autoridad fueron dos dementes, el uno apodado «Chejendé» y el otro mentado «Rosendo». El Tercer Testimonio fue una anciana que habló algunas incoherencias acerca de la Peste y de Nuestro Señor Jesucristo. Es todo.-
Firma: *El Gran Indagador.*»

Pero de noche, cuando el viento golpea con fuerza en los ventanucos de las destartaladas casas de pueblo abajo, cuando la lluvia cae con fuerza sobre los techos de palma y de zinc y centellean en el cielo pedruscos ígneos, la gente se levanta y reza. Así lo hacía Doña Adela (q.e.p.d.).

BIBLIOGRAFÍA

GENERAL

Agudelo Vila, Hernando. *La revolución del desarrollo*. México: Ediciones Roble, 1966.

Arévalo, Juan José. *Fábula del tiburón y las sardinas. América Latina estrangulada*. Buenos Aires: Ediciones Meridon, 1956.

Arias, Arturo. *Ideologías, literatura y sociedad durante la revolución guatemalteca*. La Habana: Casa de las Américas, 1979.

Colmo, Alfredo. *La revolución en la América Latina*. Buenos Aires: Gleizer, 1933.

Davis, Harold E. *Latin American Thought. An Introduction*. Baton Rouge, La: Louisiana State University Press, 1972.

Debray, Regis. *Revolution in the Revolution?* New York: MR Press, 1967.

Diskin, Martin. *Trouble in our Backyard: Central America and the United States in the Eighties*. New York: Pantheon, 1984.

Dunkerley, James. *The Long War. Dictatorship and Revolution in El Salvador*. London: Junction/Verso, 1982.

Eagleton, Terry. *Marxism and Literary Criticism*. Berkeley: University of California Press, 1976.

_____, Fredric Jameson, and Edward Said. *Nationalism, Colonialism, and Literature*. Minnesota: University of Minnesota Press, 1990.

Fernández Moreno, César. *América Latina en su literatura*. México: Siglo XXI, 1978.

Flakoll, Darwin J. *A Guerrilla History of Central America*. Willimantic, Conn: Curbstone, 1990.

Flora, Jan. *Roots of Insurgency in Central America. Latin American Issues Monographs*. Meadville, Penn: Allegheny College/University of Akron, 1987.

Fonseca, Amador. *Ideario Político de Augusto César Sandino*. Managua: Departamento de Propaganda y Educación pública del FSLN, 1980.

Girardi, Gilio. *Fe en la revolución: revolución en la cultura*. Managua: Editorial Nueva Nicaragua, 1983.

Guevara, Ernesto, et al. *El hombre nuevo*. Buenos aires: Editorial del Noroeste, 1973.

Gunder Frank, Andre. *Latin America: Underdevelopment or Revolution*. New York: Monthly Review Press, 1969.

Harlow, Barbara. *Resistance Literature*. New York: Methuen, 1987.

Horowitz, Michael M., ed. *Peoples and Cultures of the Caribbean*. Garden City, NY: The Natural History Press, 1971.

Laserna, Mario. *La revolución ¿para qué? y otros ensayos*. Bogotá: Ediciones Revista Colombiana, 1966.

Lernoux, Penny. *Cry of the People: The Struggle for Human Rights in Latin America*. New York: Penguin-Doubleday, 1982.

____."Revolution and Counterrevolution in the Central American Church," *Revolution and Counterrevolution in Central America and the Caribbean*. New York: Westview Press, Inc., 1984. (19-38).

Lipset, Seymour Martin, and Aldo Solari. *Elites in Latin America*. New York: Oxford University Press, 1967.

Mesa-Lago Carmelo, Ed. *Revolutionary Change in Cuba*. Pittsburgh: University of Pittsburgh Press, 1971.

Moss, Robert. *Revolution in Latin America*. New York: The Economist Newspaper Ltd., 1971.

Nash, June, Juan Corradi and H. Spaulding. *Ideology and Social Change in Latin America*. New York: Gordon and Breach, 1977.

Nuccio, Richard A. *What's Wrong, Who's Right in Central America?* New York: Facts on File, 1986.

Paz, Octavio. *Alternating Current*. New York: Viking Press, 1973.

Ripoll, Carlos. *Conciencia intelectual de América. Antología del ensayo hispanoamericano*. New York: Las Américas, 1964.

Rüble, Jürgen. *Literature and Revolution. A Critical Story of the Writers and Communism in the Twentieth Century*. New York: Praeger, 1969.

Sastre, Alfonso. *La revolución y la crítica de la cultura*. Barcelona: Editorial Grijalbo, 1971.

Trotsky, Leon. *Literature and Revolution*. 5th Ed. Publicación original de 1924. Ann Arbor: University of Michigan Press, 1975.

Vidal, Hernán. *Literature and Contemporary Revolutionary Culture*. 2 Vols. Minneapolis: Society for the Study of Contemporary Hispanic and Lusophone Revolutionary Literatures, 1984, 1985.

____ y René Jara. *Testimonio y literatura*. Minneapolis: Institute for the Study of Ideologies and Literature, 1986.

Zimmerman, Marc and John Beverly. *Literature and Politics in The*

Central American Revolutions. Austin: University of Texas Press, 1990.

CUBA

Alegría, Ciro. *La revolución cubana: Un testimonio personal*. Lima: Ediciones Peisa, 1973.

Benedetti, Mario. *Literatura y arte nuevo en Cuba*. Barcelona: Editorial Estela, 1971.

Cabrera Infante, Guillermo. *Mea Cuba*. Barcelona: Plaza y Janés. 1992.

Carbonell, Néstor. *And the Russians Stayed: The Sovietization of Cuba: A Personal Portrait*. New York: Morrow, 1989.

Cardenal, Ernesto. *In Cuba*. Trans. Donald D. Walsh. New York: New Directions, 1974.

Cardoso, Eliana and Anne Helwege. *Cuba After Communism*. Cambridge, Mass: MIT Press, 1992.

Casal, Lourdes. *El caso Padilla: Literatura y revolución en Cuba*. Miami: Ediciones Universal, 1971.

_____."Literature and Society." *Revolutionary Change in Cuba*. Ed. Carmelo Mesa-Lago. Pittsburgh: University of Pittsburgh Press, 1971. 447-69.

Castro, Fidel. *La revolución cubana*. Buenos Aires: Ediciones Palestra, 1960.

_____. *Palabras a los intelectuales*. La Habana: Consejo Nacional de Cultura, 1961.

Cuba in Transition: Crisis and Transformation. Ed. Sandor Halebski, John M. Kird, and Carolee Bengelsdorf. Boulder: Westview Press, 1992.

Dumont, René. *Cuba, est-il socialiste?* Paris: Ed. du Seuil, 1970.

Edwards, Jorge. *Persona non grata*. Barcelona: Barral Editores, 1974.

Fagen, Richard. *The Transformation of Political Culture in Cuba*. Stanford: Stanford University Press, 1969.

González, Edward, and David Ronfeldt. *Cuba Adrift in a Postcommunist World*. Santa Monica, Ca: Rand, 1992.

González Pedrero, Enrique. *La revolución cubana*. México: Escuela Nacional de Ciencias Políticas y Sociales, 1959.

Green, Gilbert. *Revolution Cuban Style*. New York: International

Publishers, 1970.

Iglesias, Abelardo. *Revolución y dictadura en Cuba*. Buenos Aires: Ediciones Reconstruir, 1963.

Medin, Tzvi. *Cuba, the Shaping of Revolutionary Consciousness*. Boulder: Lynne Rienner Publishers, 1990.

Mesa-Lago, Carmelo. *Dialéctica de la revolución cubana: del idealismo carismático al pragmatismo institucionalista*. Madrid: Playor, 1979.

Oppenheimer, Andres. *Castro's Final Hour: The Secret History Behind the Coming Downfall of Communist Cuba*. New York: Simon and Schuster, 1992.

Revolution and Cultural Problems in Cuba. Havana: Republic of Cuba, Ministry of Foreign Relations, 1962.

Robkin, Rhoda Pearl. *Cuban Politics: The Revolutionary Experiment*. New York: Praeger, 1991.

Szulc, Tad. *Fidel: A Critical Portrait*. New York: Morrow, 1986.

Timerman, Jacobo. *Cuba hoy y después*. Barcelona: Muchnik Editores, 1990.

REPÚBLICA DOMINICANA

Atkins, G. Pope. *Arms and Politics in the Dominican Republic*. Boulder: Westview Press, 1981.

Bosch, Juan. *De Colón a Fidel Castro*. Madrid: Las Américas, 1962.

Diederich, Bernard. *Trujillo: The Death of the Goat*. Boston: Little Brown, 1978.

Gutiérrez, Carlos M. *The Dominican Republic: Rebellion and Repression*. Trans. Richard E. Edwards. New York: Monthly Review Press, 1972.

Krehm, William. *Democracia y tiranía en el Caribe*. Westport, Conn: Lawrence Hell and Co., 1984.

Palmer, Bruce. *Intervention in the Caribbean: The Dominican Crisis of 1965*. Lexington, KY: University Press of Kentucky, 1989.

MÉXICO

Arenas Guzmán, Diego. *La revolución Mexicana*. México: Fondo de Cultura Económica, 1969.

Cornelius, Wayne. *The Mexican Political System in Transition*. La Jolla: Center for U.S. Mexican Studies, University of California,

San Diego, 1991.

González Ramírez, Manuel. *La revolución social de México*. México: Fondo de Cultura Económica, 1960.

Morris, Stephen. *Corruption and Politics in Contemporary Mexico*. Tuscaloosa: University of Alabama Press, 1991.

Paz, Octavio. *El ogro filantrópico: historia y política 1971-1978*. Barcelona: Editorial Seix Barral, 1981.

Vasconcelos, José. *La raza cósmica*. Madrid: Espasa-Calpe, 1966.

EL SALVADOR

Alegría, Claribel. *No me agarran viva: la mujer salvadoreña en lucha*. México: Ediciones Era, 1983

Armstrong, Robert and Janet Shenk. *El Salvador. The Face of Revolution*. Boston: South End Press, 1982.

Cabarrús, Carlos Rafael. *Génesis de una revolución: análisis del surgimiento y desarrolllo de la organización campesina en El Salvador*. México: Centro de Investigaciones y Estudios Superiores en Antropología Social, 1983.

El Salvador, Background to the Crisis. Cambridge, Mass: Central America Information Office, 1982.

El Salvador's Decade of Terror: Human Rights Since the Assassination of Archbishop Romero. Americas Watch. New Haven: Yale University Press, 1991.

GUATEMALA

Calvert, Peter, *Guatemalan Insurgency and American Security*. London: Institute for the Study of Conflict, 1984.

Fauriol, Georges. *Guatemala's Political Puzzle*. New Brunswick, NJ: Transaction, 1988.

Monteforte Toledo, Mario. *Guatemala, monografía sociológica*. México: UNAM, 1959.

Simon, Jean-Marie. *Guatemala: Eternal Spring, Eternal Tyranny*. New York: Norton, 1987.

ARGENTINA

Erro, Davide. *Resolving the Argentine Paradox: Politics of Development, 1966-1992*. Boulder: Lynne Rienner Publishers, 1993.

Ramos, Jorge Abelardo. *Revolución y Contra-revolución en la Argentina*. Buenos Aires: La Reja,1961.

Simpson, John. *The Disappeared: Voices from a Secret War*. London: Robson Books, 1985.

Viñas, David. *Literatura argentina y realidad política*. Buenos Aires: Alvarez, 1964.

Zinn, Ricardo. *Argentina, a Nation at the Crossroads of Myth and Reality*. New York: R. Speller, 1979.

COLOMBIA

Dix, Robert. *The Politics of Colombia*. New York: Praeger, 1987.

Pearce , Jeanni. *Inside the Labyrinth*. London: Latin American Bureau. New York: Distribution in USA by Monthly Review Press, 1990.

Restrepo, Luis A. *Rebeliones sin revolución*. Bogotá: Centro de Investigación y Educación Popular, 1989.

Violence in Colombia: The Contemporary Crisis in Historical Perspective. Ed. Charles Begquist, Ricardo Peñaranda, and Gonzalo Sánchez. Wilmington, Del: SR Books, 1992.

CHILE

Allende Gossens, Salvador. *La revolución chilena*. Buenos Aires: Ediciones Universal de Buenos Aires, 1973.

Donoso, Ricardo. *La sátira política en Chile*. Santiago de Chile: Imprenta Universal, 1950.

Hojman, D. E. *Chile: The Political Economy of Development and Democracy in the 1990's*. Pittsburgh: University of Pittsburgh Press, 1993.

The Legacy of Dictatorship: Political, Economic and Social Change in Pinochet's Chile. Ed. Alan Angell and Benny Pollack. Liverpool, UK: Institute of Latin American Studies, University of Liverpool, 1993.

Politzer, Patricia. *Miedo en Chile/Fear in Chile*. Trans. Diane Watchell. New York: Pantheon Books, 1985.

Rojas, María Eugenia. *Represión política en Chile: los hechos*. Madrid: IEPALA Editorial, 1988.

Sigmund, Paul E. *The Overthrow of Allende and The Politics of Chile 1964-1976*. Pittsburgh: University of Pittsburgh Press,

1977.

PARAGUAY

Chaves, Osvaldo. *Contribución a la doctrina de la revolución paraguaya.* Buenos Aires: Ediciones Canendiyú, 1971.

Paraguay: Power Game. London: Latin American Bureau. Birmingham, UK: Suppliers, Third World Publications, 1980.

Roett, Riordan. *Paraguay: The Personalist Legacy.* Boulder: Westview Press, 1991.

PERÚ

Baines, John M. *Revolution in Perú. Mariátegui and the Myth.* Alabama: University of Alabama Press, 1972.

McCormick, Gordon H. *From the Sierra to the Cities. The Urban Campaign of the Shining Path.* Sta Monica, CA: Rand, 1992.

McNicoll, Robert Edwards. *Peru's Institutional Revolution.* Pensacola: University of West Florida, 1973.

Post-revolutionary Peru: The Politics of Transformation. Ed. Stephen E. Gorman. Boulder: Westview Press, 1982.

Rudolph, James. *Peru, the Evolution of a Crisis.* New York, Praeger, 1992.

The Shining Path of Peru. Ed. David Scott Palmer. New York: St. Martin Press, 1992.

URUGUAY

Gillespie, Charles. *Negotiating Democracy: Politicians and Generals in Uruguay.* New York: Cambridge University Press, 1991.

Uruguay nunca más: Human Rights Violations, 1972-1985. Trans. Elizabeth Hampsten. Philadelphia: Tempe University Press, 1992.

Weinstein, Martin. *Uruguay. Democracy at the Crossroads.* Boulder: Westview Press, 1988.

VENEZUELA

Alexander, Robert Jackson. *Venezuelan Democratic Revolution; a Profile of the Regime of Romulo Betancourt.* New Brunswick, NJ: Rutgers University Press, 1964.

4 Presidentes: 40 años de acción democrática. Caracas: Ediciones de la Presidencia de la República, 1981.

Democracy in Latin America: Colombia and Venezuela. Ed. Donald L. Herman. New York: Praeger, 1988.

Ramos, Julio César. *De la dictadura de zorrotigre a la caminocracia de Carlos Andrés*. Caracas: Avila Arte, 1981.

POESÍA

Crítica Literaria

Alonso, Amado. *Poesía y estilo de Pablo Neruda: Interpretación de una poesía hermética*. 3a. ed. Buenos Aires: Editorial Suramericana, 1966.

Augier, Angel. "La revolución cubana en la poesía de Nicolás Guillén." *Plural* 59 (agosto 1976): 47-61.

Balladares, José Emilio. *Pablo Antonio Cuadra. La palabra y el tiempo. (Secuencia y estructura de su creación poética)*. San José, Costa Rica: Asociación Libro Libre, 1986.

Benedetti, Mario. *Los poetas comunicantes*. Montevideo: Biblioteca de Marcha, 1972.

Bruns, Gerald L. *Modern Poetry and the Idea of Language: A Critical and Historical Study*. New Haven: Yale University Press, 1974.

Dumont, René. "Embattled Cuban Poet." *The New York Times* 22 May 1971: 19.

Fernández Retamar, Roberto. "Antipoesía y poesía conversacional en América Latina." *Panorama de la actual literatura latinoamericana*. La Habana: Casa de las Américas, 1962.

Ferreri, Mario. *Pablo de Rohka, guerrillero de la poesía*. Santiago: Edición Universitaria, 1967.

García Cambeiro, Fernando. *Ernesto Cardenal. Poeta de la liberación latinoamericana*. Buenos Aires: Colección Estudios Latinoamericanos, 1975.

Rojas, Manuel. *De la poesía a la revolución*. Santiago de Chile: Editorial Ercilla, 1938.

Urbanski, Edmund Stephen. "La realidad hispanoamericana en la poesía testimonial." *Angloamérica-Hispanoamérica*. Madrid: Studium, 1965. 239-45.

Timossi, Jorge. *Poesía actual de Buenos Aires*. La Habana: Casa de las Américas, 1964.

Vallejos, Roque. *Antología crítica de la poesía paraguaya contemporánea*. Asunción: Editorial Don Bosco, 1968.

Wright, Tennant C. "Ernesto Cardenal and Nicaragua." *América* 15 diciembre 1979: 23-5.

CUBA

Cardenal, Ernesto. *Poesía cubana de la revolución*. México, D.F.: Editorial Extemporáneos, 1976.

Cohen, J.M. *En tiempos difíciles. La poesía cubana de la revolución*. Barcelona: Tusquets, 1970.

Cruz Varela, María E. *El ángel agotado*. Coral Gables: Ediciones Palenque, 1991.

Díaz Castro, Tania. *Everyone will have to listen. Todos me van a tener que oír*. Princeton: Ediciones Ellas/ Linden Lane, 1990.

Goytisolo, José Agustín. *Nueva poesía cubana*. Barcelona: Ediciones Península, 1970.

Lopéz Morales, Humberto. *Poesía cubana contemporánea*. New York: Las Américas Publishing Co., 1967.

Padilla, Heberto. *Fuera del juego*. Madrid: El Bardo, 1970.

____. *Legacies. Selected Poems*. Trans. *Hombre junto al mar*. New York: Farrar Strauss, Giroux, 1982.

Poesía de la revolución cubana. Lima: Editorial Causachun, 1973.

Rodríguez Sardiñas, Orlando. *La última poesía cubana. Antología reunida (1959-1973)*. Madrid: Escelicer S.A., 1973.

Valladares, Armando. *Prisionero de Castro*. Barcelona: Planeta, 1982.

REPÚBLICA DOMINICANA

Fernández Spencer, Antonio. *Nueva poesía dominicana*. Madrid: Ediciones Cultura Hispánica, 1953.

____. *Diario del Mundo*. Madrid: Ediciones del Instituto de Cultura Hispánica, 1970.

MÉXICO

Bañuelos, Juan, Oscar Oliva, et al. *La espiga amotinada*. México: Fondo de Cultura Económica, 1960.

____. *Ocupación de la palabra*. México: Fondo de Cultura Económica, 1965.

Huerta, Efraín. *Poesía*. México: Lecturas Mexicanas, 1986.

Paz, Octavio, y Alí Chumacero, José Emilio Pacheco, Homero Aridjis. *Poesía en movimiento. México 1915-1966*. México, Siglo XXI, 1966.

EL SALVADOR

Alegría, Claribel. *El Salvador en armas*. La Habana: Casa de las Américas, 1984.

_____.*On the Front Line. Guerrilla Poetry of El Salvador*. Willimantic, Conn: Curbstone, 1989.

Argueta, Manlio. *Poesía de El Salvador*. San José: EDUCA, 1983.

Caistor, Nick. *El Salvador: Poems of Rebellion*. London: El Salvador Solidarity Committee, s.f.

Cea, José Roberto. *Antología general de la poesía de El Salvador*. San Salvador: Ed. Tigre de Sol, 1960.

_____. *Poetas jóvenes de El Salvador*. San Salvador: Ed. Tigre de Sol, 1960.

Dalton, Roque. *Poemas clandestinos. Clandestine Poems*. San Francisco: Solidarity, 1986.

_____. *Poesía escogida*. Costa Rica: Editorial Universitaria Centroamericana, 1983.

GUATEMALA

Castillo, Otto René. *Vámonos patria a caminar*. Guatemala: Editorial Vanguardia, 1965.

_____. *Tomorrow Triumphant. Selected Poems of Otto René Castillo*. San Francisco: Night Horn Books, 1984.

Rodríguez, María Luisa. *Poesía revolucionaria de Guatemala*. Madrid: Editorial Cero, S.A., 1969.

HONDURAS

Bermúdez, Hernán Antonio. *Cinco poetas hondureños*. Tegucigalpa: Editorial Guaymuras, 1981.

Cárcamo, Jacobo. *Antología de Jacobo Cárcamo*. Tegucigalpa: Editorial Universitaria, 1982.

NICARAGUA

Belli, Gioconda. *Amor insurrecto*. Managua: Editorial Nueva Nicaragua, 1984.

____. *Línea de fuego*. La Habana: Casa de las Américas, 1978.

Cardenal, Ernesto. *Nueva Antología Poética*. Bogotá: Editorial Colombia, 1980.

____ y Ernest Mejía Sánchez. *Poesía revolucionaria nicaragüense*. México: Ediciones Patria y Libertad, 1962.

Cuadra, Pablo Antonio.*The Birth of the Sun*. Ed. Trans. Steven F. White. Greensboro: Unicorn Press, 1988.

Paz, Octavio, Alí Chumacero, et al. *Poesía revolucionaria nicaragüense*. México: Costa Amic, 1968.

Poesía revolucionaria nicaragüense. México: Ediciones Patria y Libertad, 1962.

Rugama, Leonel. *The Earth is a Satellite of the Moon*. Trans. S. Miles, R. Schaaf and N. Weisberg. Willimantic: Curbstone Press, 1985.

White, Steven E. *Poets of Nicaragua. A Bilingual Anthology (1918-1979)*. Greensboro: Unicorn Press, 1982.

ARGENTINA

Gelman, Juan. *Exilio*. Buenos Aires: Legasa, 1984.

COLOMBIA

Lagos, Ramiro. *Poesía liberada y deliberada de Colombia*. Bogotá: Tercer Mundo, 1976.

CHILE

Ferrero, Mario. *Pablo de Rohka, guerrillero de la poesía*. Santiago: Editorial Universitaria, 1967.

Lihn, Enrique. *Poesía de paso*. La Habana. Casa de las Américas, 1966.

Neruda, Pablo. *Obras Completas*. 2 Vols. Buenos Aires: Losada, 1962.

Parra, Nicanor. *Emergency Poems*. New York: New Directions, 1972.

____. *Poems and Antipoems*. New York: New Directions, 1967.

ECUADOR

Adoum, Jorge E. *No son todos los que están*. Barcelona: SeixBarral, 1979.

Paraguay

Romero, Elvio. *Destierro y atardecer*. Buenos Aires: Losada, c.1975.

Vallejos, Roque. *Antología crítica de la poesía paraguaya contemporánea*. Asunción: Editorial Don Bosco, 1968.

_____. *Labios del Silencio*. Asunción: Ediciones del Pueblo, 1986.

Perú

Alegría, Fernando. *Instrucciones para desnudar a la raza humana*. México: Editorial Nueva Imagen, 1979.

Molina, Alfonso. *Poesía revolucionaria del Perú*. Lima: Ediciones América Latina, 1965.

Uruguay

Benedetti, Mario. *Letras de emergencia*. Buenos Aires: Editorial Alfa Argentina, 1973.

_____. *Poesía rebelde uruguaya*. Montevideo: Biblioteca de Marcha, 1971.

_____. *Unstill Life: An Introduction to Spanish Poetry of Latin America*. New York: Harcourt Brace World, 1969.

Cabrera, Sarandy. *Poeta pistola en mano*. Montevideo: Tauro, 1970.

Antologías

Aguilera, Julio Fausto. *Antología de poetas revolucionarios*. Guatemala: Asociación de Estudiantes El Derecho, 1973.

Aridjis, Homero. *Seis poetas latinoamericanos de hoy*. New York: Harcourt Brace Jovanovich, 1972.

Depestre, René. *Por la revolución. Por la poesía*. La Habana: Instituto del Libro, 1969.

Dorn, Edward and Gordon Brotherson. *Our Word. Guerrilla Poems from Latin America. Palabra de Guerrillero. Poesía guerrillera de Latinoamérica*. New York: Grossman Publishers, 1968.

Ferro, Helen. *Antología comentada de la poesía hispanoamericana*. New York: Las Américas, 1965.

Fierro, Enrique. *Antología de la poesía rebelde hispanoamericana*. Montevideo: Ediciones de la Banda Oriental, 1967.

Florit, Eugenio y José Olivio Jiménez . *Antología comentada de la poesía hispanoamericana desde el modernismo*. New York: Appleton Century Crofts, 1968.

Franco-Lao, Meri. *¡Basta! Canciones de testimonio y rebeldía de la América Latina*. México: Ediciones Era S.A., 1970.

Giordano, Carlos. *Los poetas sociales. Antología*. Buenos Aires: CEAL, 1968.

Hernández Gilabert, Miguel. *Poemas sociales de guerra y de muerte*. Madrid: Alianza Editorial, 1977.

Hopkinson, Amanda. *Lovers and Comrades: Women's Resistance Poetry from Central America*. London: Women's Press, 1989.

Jimenéz, José Olivio. *Antogía de la poesía hispanoamericana contemporánea*. Madrid: Alianza Editorial, 1973.

Lagos, Ramiro. *Mester de rebeldía de la poesía hispanoamericana*. Madrid: Ediciones Dos Mundos, 1973.

____. *Mujeres poetas de Hispanoamérica*. Bogotá: Ediciones Tercer Mundo, 1986.

Márquez, Roberto. *Latin American Revolutionary Poetry. A Bilingual Anthology*. New York: Monthly Review Press, 1974.

Marzán, Julio. *Inventing a Word*. New York: Columbia University Press,1980.

Pellegrini, Aldo. *Antología de la poesía viva latinoamericana*. Barcelona: Seix Barral, 1966.

Pérez Padilla, Antonio. *Poesía que denuncia el presente*. Montevideo: Progresión, 1977.

Poesía testimonial. Voces representativas. Bucaramanga: Editorial América, 1972.

Timossi, Jorge. *Antología de poemas de la revolución*. La Paz: Editorial SPIC, 1954.

NARRATIVA: CUENTO

CRÍTICA LITERARIA

Flores, Angel. *Narrativa hispanoamericana (1816-1981). Historia y Antología*. México: Studium, 1966.

Minc, Rose S. *The Contemporary Latin American Short Story*. New York: Senda Nueva Ediciones, Inc., 1979.

Pupo-Walker, Enrique. *El cuento hispanoamericano ante la crítica*. Castalia: Madrid, 1973.

Rivera Silvestrini, José. *El cuento centroamericano*. San José: EDUCA, 1973.

CUBA

Caballero Bonald, José M. *Narrativa cubana de la revolución.* Madrid: Alianza Editorial, 1968.

Cabrera Infante. *Así en la paz como en la guerra.* Barcelona: Seix Barral, 1971.

Casey, Calvert. *El regreso.* La Habana: Ediciones R, 1962.

Desnoes, Edmundo. *Los dispositivos en la flor.* Hanover: Ediciones del Norte, 1981.

Díaz, Jesús. *Los años duros.* La Habana: Casa de las Américas, 1966.

Fuentes, Norberto. *Condenados de Condado.* La Habana: Casa de las Américas, 1968.

Menton, Seymour. *Narrativa de la revolución cubana.* México: Plaza y Janés, 1982.

____. *Prose Fiction of the Cuban Revolution.* Austin: University of Texas Press, 1975.

Pita Rodríguez, Félix. *El cuento en la revolución.* La Habana: Unión, 1975.

REPÚBLICA DOMINICANA

Cartagena, Aída. *Narradores dominicanos.* Caracas: Editorial Monte Ávila, 1969.

Contreras, Hilma. *El ojo de Dios, cuentos de la clandestinidad.* Santo Domingo: EUDEBA, 1962.

MÉXICO

del Campo, Xorge. *Narrativa joven de México.* México: Siglo XXI, 1969.

Glantz, Margo. *Onda y escritura en México.* México: Siglo XXI, 1971.

Sáinz, Gustavo. *Jaula de palabras.* México: Editorial Grijalbo, 1980.

Techmann, Reinhard. *De la onda en adelante.* México: Editorial Posada, 1987.

EL SALVADOR

Dalton, Roque. *Historias prohibidas de Pulgarcito.* Madrid: Siglo XXI, 1978.

HONDURAS

Acosta, Oscar y Roberto Sosa. *Antología del cuento hondureño.*
Tegucigalpa: Dardo Editores, 1985.

NICARAGUA

Cuadra, Manolo. *Contra Sandino en las montañas.* Managua: Editorial
Nueva Nicaragua, 1982.

ARGENTINA

Cortázar, Julio. *Alguien que anda por ahí.* Madrid: Ediciones
Alfaguara, 1977.
_____. *Queremos tanto a Glenda y otros relatos.* México: Editorial
Nueva Imagen, 1980.
_____. *Deshoras.* Madrid: Ediciones Alfaguara, 1983.
Valenzuela, Luisa. *Aquí pasan cosas raras.* Buenos Aires: Ediciones
de La Flor, 1975.
_____. *Cambio de armas.* Hanover: Ediciones del Norte, 1982.

CHILE

Bunster, César. *Antología del cuento chileno.* Santiago de Chile: 1963.
Calderón, Alfonso. *El cuento chileno actual (1950-1967).* Santiago
de Chile: Altazor, 1969.

ECUADOR

Pérez Torres, Raúl. *Musiquero joven, musiquero viejo.* Guayaquil:
Casa de la Cultura Ecuatoriana, 1978.
_____. *En la noche y en la niebla.* La Habana: Casa de las Américas, 1980.

PARAGUAY

Pérez Maricévich, Francisco. *Breve antología del cuento paraguayo.*
Asunción: Ediciones Comuneros, 1969.

PERÚ

Oquendo, Abelardo. *Narrativa peruana 1950-1970.* Madrid: Alianza
Editorial, 1973.
Oviedo, José María. *Narradores peruanos.* Caracas: Monte Avila, 1968.

URUGUAY

Barros-Lémez, Alvaro. *Las voces distantes. Antología de los
creadores uruguayos de la diáspora.* Montevideo: Editorial

Girón, 1971.

Galeano, Eduardo. *Días y noches de amor y de guerra*. Barcelona: Editorial Laia, 1978.

Visca, Arturo. *Antología del cuento uruguayo contemporáneo*. Montevideo: Biblioteca Nueva, 1972.

Venezuela

Britto-García, Luis. *Rajatabla*. México: Siglo XXI, 1971.

di Prisco, Rafael. *Narrativa venezolana contemporánea*. Madrid: Alianza Editorial, 1971.

Narrativa: Novela

Crítica Literaria

Alegría, Fernando. *Historia de la novela hispanoamericana*. México: Ediciones de Andrea, 1965.

_____. *Novelistas contemporáneos hispanoamericanos*. Boston: D.C. Heath and Co., 1964.

_____. *Nueva historia de la novela hispanoamericana*. Hanover: Ediciones del Norte, 1986.

Bleznic Donald. *Variaciones interpretativas en torno a la nueva narrativa hispanoamericana*. Santiago de Chile: Editorial Universitaria, 1972.

Brushwood, John S. *The Spanish American Novel. A Twentieth Century Survey*. Austin: University of Texas Press, 1975.

Carpentier, Alejo. *La novela latinoamericana en vísperas de un nuevo siglo y otros ensayos*. México: Siglo XXI, 1981.

Castellet, José M. *Panorama de la actual literatura latinoamericana*. Madrid: Fundamentos, 1971.

Collazos, Oscar. *Literatura en la revolución y revolución en la literatura*. México: Siglo XXI, 1979.

Conte, Rafael. *Lenguaje y violencia. Introducción a la nueva novela hispanoamericana*. Madrid: Al-Borak, 1972.

Dorfman, Ariel. *Imaginación y violencia en América*. Santiago de Chile: Editorial Universitaria, 1970.

Eagleton, Terry. *Literary Theory*. Minneapolis: University of Minnesota Press, 1983.

_____. *Walter Benjamin or Towards a Revolutionary Criticism*.

London: Thetford Press Ltd., 1985.

Fernández Retamar, Roberto. *Para una teoría de la literatura hispanoamericana*. Habana: Editorial Pueblo y Educación, 1984.

Franco, Jean. *The modern Culture of Latin America*. Middlesex: Penguin Books Ltd., 1967.

_____. "Modernización, resistencia y revolución. La producción literaria de los años sesenta". *Escritura* II. 3 (enero- junio 1977): 27-38.

_____. "The Crisis of the Liberal Imagination and the Utopia of Writing." *Ideologies and Literature* 1 (1976-77): 6-24.

Fuentes, Carlos. *La nueva novela latinoamericana*. México: Joaquín Mortiz, 1969.

Genette, Gérard. *Narrative discourse*. Ithaca, NY: Cornell University Press, 1980.

Gertel, Zunilda. *La novela hispanoamericana contemporánea*. Buenos Aires: Editorial Columbia, 1970.

González Echevarría, Roberto. *The Voice of the Masters: Writing and Authority in Modern Latin American Literature*. Austin: University of Texas Press, 1985.

Harss, Luis. *Los nuestros*. Buenos Aires: Sudamericana, 1966.

Jameson, Fredric. *The Political Unconsciouss Narrative as a Socially Symbolic Art*. Ithaca, NY: Cornell University Press, 1980.

_____. *The Prison House of Language: A Critical Account of Structuralism and Russian Formalism*. Princeton, NJ: Princeton University Press, 1972.

Lorenz, Günter W. *Diálogo con América Latina*. Valparaíso: Ediciones Universitaria, 1972.

Méndez-Soto, Ernesto. *Panorama de la novela cubana de la revolución*. Miami: Ediciones Universal, 1977.

Menton, Seymour. "In Search of a Nation: The Twentieth Century Spanish American Novel." *Hispania* 38 (March 1955): 201-11.

Navas Ruiz, Ricardo. *Literatura y compromiso*. Sao Paulo: n.p., 1963.

Ocampo, Aurora. *La crítica de la novela iberoamericana contemporánea*. México: UNAM, 1973.

Ortega, Julio. *La contemplación y la fiesta. Ensayos sobre la nueva novela latinoamericana*. Lima: Editorial Universitaria, 1968.

Ospina, Uriel. *Problemas y perspectivas sobre la novela americana*, Bogotá: Antares, 1964.

Pérez Maricévich, Francisco. *Diccionario de la literatura Paraguaya.*
   Asunción: Instituto Colorado de Cultura, 1984.

Rama, Angel. *Novísimos narradores hispanoamericanos en Marcha*
   (1964-1980). México: Marcha Editores, 1981.

____. *La novela en América Latina. Panoramas (1920-1980).*
   Bogotá: Pro-Cultura S.A., 1982.

Rodríguez Calderón, Rogelio. *Novela de la Revolución y otros temas.*
   La Habana: Editorial Letras Cubanas, 1983.

Schwartz, Kessel. *A New History of Spanish American Fiction.* 2
   Vols. Coral Gables: University of Miami Press, 1971.

NOVELA

CUBA

Arcocha, Juan. *Los muertos andan solos.* La Habana: Ediciones R,
   1962.

Carpentier, Alejo. *La consagración de la primavera.* Madrid: Siglo
   XXI, 1980.

Desnoes, Edmundo. *El cataclismo.* La Habana: Ediciones R, 1965.

____. *No hay problema.* La Habana: Ediciones R, 1961.

____. *Memorias del subdesarrollo.* La Habana: Unión, 1965.

Díaz, Jesús. *Las iniciales de la tierra.* Caracas: Monte Avila
   Latinoamericana, 1992.

____. *Las palabras perdidas.* Barcelona: Destino, 1992.

Otero, Lisandro. *En ciudad semejante.* Buenos Aires: Editorial de
   Crisis, 1974.

____. *El árbol de la vida.* México: Siglo XXI, 1990.

____. *La situación.* La Habana: Casa de las Américas, 1963.

Montaner, Carlos A. *Perromundo.* Barcelona: Ediciones 29, 1979.

Perera Soto, Hilda. *Mañana es 26.* La Habana: Lázaro Hnos., 1960.

Sarusky, Jaime. *Rebelión en la octava casa.* La Habana: Instituto del
   Libro, 1967.

Soler Puig, José. *Bertillón 166.* La Habana: Ministerio de Educación,
   1960.

MÉXICO

Azuela, Mariano. *Los de abajo.* Madrid: Ediciones Biblos, 1927.

Fuentes, Carlos. *La muerte de Artemio Cruz.* México: Fondo de cultura Económica, 1962.

Hernández, Luisa Josefina. *La primera batalla*. México: Fondo de Cultura Económica,1965.

Revueltas, José. *El luto humano*. México: Editora México, 1943.

Martín Moreno, Francisco. *México negro*. México: Joaquín Mortiz, 1987.

Spota, Luis. *El tiempo de la ira*. México: Fondo de Cultura Económica,1960.

Yáñez, Agustín. *Al filo del agua*. México: Porrúa, 1955.

El Salvador

Alegría, Claribel y Darwin Flakoll. *Cenizas de Izalco*. Barcelona: Seix Barral, 1966.

Argueta, Manlio. *Caperucita en la Zona roja*. La Habana: Casa de las Américas, 1977.

____. *El valle de las hamacas*. San José: EDUCA, 1982.

____. *Un día en la vida*. San José: EDUCA, 1980.

Cea, José Roberto. *Niñel se fue a la guerra*. San Salvador: Canoa Editores, 1986.

Dalton, Roque. *Pobrecito poeta que era yo*. San José: EDUCA, 1976.

Guatemala

Arias, Arturo. *Después de las bombas*. México: Joaquín Mortiz, 1979.

Asturias, Miguel Angel. *El señor Presidente*. Buenos Aires: Losada, 1959.

Monteforte Toledo, Mario. *Entre la piedra y la cruz*. México: UNAM, 1948.

Payeras, Mario. *Los días de la selva*. La Habana: Casa de las Américas, 1980.

Nicaragua

Belli, Gioconda. *La mujer habitada*. Managua: Editorial Vanguardia, 1988.

Cabezas, Omar. *La montaña es algo más que una inmensa estepa verde*. La Habana: Casas de las Américas, 1982.

Chávez Alfaro, Lisandro. *Los monos de San Telmo*. La Habana: Casa de las Américas, 1963.

Ramírez, Sergio. *¿Te dio miedo la sangre?* Barcelona: Argos Vegara,

1983.
Robleto, Hernán. *Sangre en el trópico*. Madrid: Editorial Cenit S.A., 1930.
Román, José. *Maldito país*. Managua: El Pez y la Serpiente, 1979.

ARGENTINA

Conti, Haroldo. *Mascaró, el cazador americano*. México: Editorial Nueva Imagen, 1981.
Cortázar, Julio. *El libro de Manuel*. Buenos Aires: Editorial Sudamericana, 1975.
Guido, Beatriz. *El incendio y las vísperas*. Buenos Aires: Losada, 1964.
Soriano, Osvaldo. *Cuarteles de invierno*. Buenos Aires: Bruguera Argentina, 1982.
Viñas, David. *Los hombres de a caballo*. México: Siglo XXI, 1969.

BOLIVIA

de la Vega, Julio. *Matías el apóstol suplente*. La Paz: Los Amigos del Libro, 1978.
Estenssoro Alborta, Renán. *La plaza de los colgados*. La Paz: Los Amigos del Libro, 1945.
Fellman Velarde, José. *Tiempo desesperado*. Cochabamba: Los Amigos del Libro, 1978.
_____. *Una bala en el viento*. La Paz: Editorial Fénix, 1952.
Prada Oropeza, Renato. *Los fundadores del alba*. Cochabamba: Los Amigos del Libro, 1969.
Uzzin Fernández, Oscar. *La oscuridad radiante*. Cochabamba: Publicaciones Orión, 1976.
Vallejo de Bolívar, Gabi. *Hijo de Opa*. Cochabamba: Editorial Los Amigos del Libro, 1981.

COLOMBIA

Zapata Olivella, Manuel. *La calle 10*. Bogotá: Ediciones Casa de la Cultura, 1960.

CHILE

Vallejo, César. *El Tungsteno*. Lima: Edición de Cultura Universitaria F. de C.P., 1970

Skármeta, Antonio. *La insurrección*. Hanover, N.H.: Ediciones del Norte, 1982.

_____. *Soñé que la nieve ardía*. Fuenlabrada: LAR, 1981.

ECUADOR

Aguilera Malta, Demetrio. *Una cruz en la Sierra Maestra*. Buenos Aires: Sophos, 1960.

Gallegos Lara, Joaquín. *Cruces sobre el agua*. Guayaquil: Ediciones Casa de la Cultura Ecuatoriana, 1946.

Icaza, Jorge. *Huasipungo*. Buenos Aires: Editorial Losada, 1972.

Mata Ordóñez, Humberto. *Sanagüín*. Guayaquil: Ediciones Casa de la Cultura Ecuatoriana, 1936.

Pareja Díaz Canseco, Alfredo. *El aire y los recuerdos*. Buenos Aires: Losada, 1964.

PARAGUAY

Casaccia, Gabriel. *La llaga*. Buenos Aires: Editorial Guillermo Kraft Limitada, 1964.

Roa Bastos, Augusto. *Hijo de Hombre*. Buenos Aires: Editorial Losada, 1965.

PERÚ

Arguedas, José María. *El zorro de arriba y el zorro de abajo*. Buenos Aires: Editorial Losada, 1973.

_____. *Yawar Fiesta*. Lima: Populibros Peruanos, s.f.

_____. *Los ríos profundos*. Lima: Retablo de Papel Ediciones, 1972.

_____. *Todas las sangres*. Buenos Aires: Losada, 1964.

de los Ríos, Edmundo. *Los juegos verdaderos*. México: Editorial Diógenes S.A., 1968.

Falcón, César. *El pueblo sin Dios*. Madrid: Historia Nueva, 1928.

Scorza, Manuel. *Garabombo el invisible*. Barcelona: Plaza y Janés, 1984.

_____. *Redoble por rancas*. Barcelona: Plaza y Janés, 1983.

Vargas Llosa, Mario. *Historia de Mayta*. Barcelona: Seix Barral, 1984.

URUGUAY

Benedetti, Mario. *El cumpleaños de Juan Angel*. Montevideo:

Biblioteca de Marcha, 1971.

Martínez Moreno, Carlos. *El Paredón*. Barcelona: Seix Barral, 1963.

_____. *El color que el infierno me escondiera*. México: Editorial Nueva Imagen, 1981.

Galeano, Eduardo. *La canción de nosotros*. La Habana: Casa de las Américas, 1975.

Musto, Jorge. *El pasajero*. La Habana: Casa de las Américas, 1977.

Venezuela

González León, Adriano. *País Portátil*. Barcelona: Seix Barral, 1969.

Otero Silva, Miguel. *Casas muertas*. Barcelona: Seix Barral, 1975.

_____. *Fiebre*. Barcelona: Seix Barral, 1975.

_____. *La muerte de Honorio*. Caracas: Monte Avila, 1968.

Padrón, Julián. *La Guaricha*. Caracas: Orión, 1934.

Teatro

Crítica Literaria

Adorno, Theodor. *El teatro y su crisis actual*. Caracas: Monte Ávila, 1969.

Arrufat, Antón. "An Interview on the Theatre in Cuba and in Latin America." *Odissey Review* 2 (1962): 248-63.

Azparren Giménez, Leonardo. "Theater and Playwrights in Venezuela." *World Theater* 16 (1967): 369-76.

Bahktin, Mikhail. *The Dialogic Imagination: Four Essays*. Trans. Michael Holquist and Caryl Emerson. Ed. Michael Holquist. Austin: University of Texas Press, 1981.

Barthes, Roland. *Ensayos críticos*. Barcelona: Editorial Seix Barral, 1967.

Boal, Augusto. "Teatro del oprimido: una experiencia de teatro educativo en el Perú." *Popular Theater for social change in Latin America*. Los Angeles: University of California Press, 1978. 292-311.

_____. *Categorías del teatro popular*. Buenos Aires: Ediciones CEPE, 1972.

Boudet, Rosa Ileana. *Teatro Nuevo: una respuesta*. La Habana: Editorial Letras Cubanas, 1983.

Bravo-Elizondo, Pedro. *Teatro hispanoamericano de crítica social*.

Madrid: Playor, 1975.

Castagnino, Raúl H. *Semiótica, ideología y teatro hispanoamericano contemporáneo.* Buenos Aires: Ed. Nova, 1974.

Castedo-Ellerman, Elena. *El teatro chileno de mediados del siglo XX.* Santiago de Chile: Ediciones Andrés Bello, 1982.

Dauster, Frank. *Historia del teatro hispanoamericano S. XIX y XX.* México: Ediciones de Andrea, 1966.

_____. "An Overview of Spanish American Theater." *Hispania* 50 (1967): 996-1000

_____. "Cuban Drama Today." *Modern Drama* IX. 2 (1966): 153-64.

_____. "Social Awareness in Contemporary Spanish American Theater." *Kentucky Romance Quartely* 14 (1967): 120-5.

Davis, R. G. *Guerrilla Theater Scenarios for Revolutions.* Garden City, N.J.: Anchor Presss, 1973.

Del Saz, Agustín. *Teatro social hispanoamericano.* Barcelona: Labor, 1967.

Durán-Cerda, Julio. *Teatro chileno contemporáneo.* México: Aguilar, 1970.

Escarpanter, José A. "Venticinco años de teatro cubano en el exilio." *Latin American Theater Review* 19.2 (Spring 1986): 57-66.

Esslin, Martin. *The Theater of the Absurd.* Garden City, N. J.: Doubleday, Anchor Books, 1961.

El teatro social ecuatoriano. Guayaquil: Publicaciones Educativas Ariel, s.f.

El Teatro latinoamericano de creación colectiva. La Habana: Casa de las Américas, 1978.

Gallo, Blas Raúl. *El teatro y la política.* Buenos Aires: Centro Editor de América Latina, 1968.

Gerdes, Dick. "Recent Argentine Vanguard Theater: Gambaro's *Información para extranjeros.*" *Latin American Theater Review* 18.1(Spring 1978): 11-16.

González Freire, Natividad. *Teatro cubano contemporáneo. (1927-1961).* La Habana: Ministerio de Relaciones Exteriores, 1961.

Herrera Petera, José Emilio. *Teatro para combatientes.* Madrid: Hispamérica, 1977.

Hesse Murga, José. "El teatro en el perú," Prólogo a *Teatro peruano contemporáneo.* Madrid: Aguilar, 1963.

Kanellos, Nicholas. *Hispanic Theatre in The United States.* Houston:

Arte Público Press, 1980.

Klein, Maxine. "A Country of Cruelty and its Theater." (Guatemalan Theater.) *Drama Survey* 7 (1968): 164-70.

Leal, Rine. *Breve historia del teatro cubano*. La Habana: Editorial Letras Cubanas, 1980.

____. *Teatro Escambray*. La Habana: Editorial Letras Cubanas,1978.

Liday, Leon, and George Woodyard. *Dramatists in Revolt: The New Latin American Theater*. Austin: Univ. of Texas Press,1976.

____. *A Bibliography of Latin American Theater Criticism. (1940-1974)*. Austin: Institute of Latin American Studies, The University of Texas, 1976.

Lukács, George . "The sociology of Modern Drama." *Tulane Drama Review* 4.9 (1965): 146-70.

Luzuriaga, Gerardo. *Popular Theater for Social Change in Latin America*. Los Angeles: UCLA Latin American Center for Publications, 1978.

Montes-Huidobro, Matías. *Persona, vida y máscara en el teatro cubano*. Miami: Universal, 1973.

Mora, Gabriela. "Notas sobre el teatro chileno actual." *Revista Interamericana de Bibliografía* 18.4 (octubre - diciembre 1986): 419.

Morris, Robert J. "The Theatre of Julio Ortega since his Peruvian Hell." *Latin American Theater Review* 19.2 (Spring 1967): 31-3.

Oliver, William I. *Voices of Change in the Spanish American Theater*. Austin: University of Texas Press, 1971.

Ordaz, Luis. *Historia del teatro argentino*. Buenos Aires: Centro Editor de América Latina, 1982.

Peden, Margaret Sayers. "Emilio Carballido, Curriculum Operum." *Latin American Theater Review* 16.4 (Spring 1967): 38-49.

____. "Theory and Practice in Artaud and Carballido." *Modern Drama* (September 1968): 132-42.

Pogolotti, Graziella. *Un teatro nuevo para un nuevo público en oficio de leer*. La Habana: Edit. Letras Cubanas, 1983.

Rojo, Grinor. "Estado actual de las investigaciones sobre el teatro hispanoamericano contemporáneo." *Revista chilena de literatura* 2-3 (1970): 133-61.

____. "Teatro cubano de transición (1958-1964)." *Latin American*

Theater Review 19. 2 (Spring 1986): 39-44.

Vsevelod, Meyerhold. *Teoría teatral*. Madrid: Editorial Fundamentos, 1971.

Watson-Espener, Maida. "Ethnicity and the Hispanic American Stage: The Cuban Experience." *Hispanic Theater in the United States*. Houston: Arte Público Press, 1984. 34-44.

Woodyard, G.W., Lyday L.F. "Studies on the Latin American Theater 1960-69." *Theater documentation* 2. 1-2 (1969-70): 49-84.

_____. "The Theater of the Absurd in Spanish America". *Comparative Drama* 3 (1969): 183-92.

CUBA

Arrufat, Antón. *Los siete contra Tebas*. La Habana: UNEAC, 1968.

Montes-Huidobro, Matías. "El tiro por la culata," en *Tres obras dramáticas de Cuba revolucionaria*. La Habana: Instituto de Cultura de Marianao, 1961.

_____. "La madre y la guillotina," en *Selected Latin American one-act plays*. Pittsburgh: Univ. of Pittsburgh Press, 1973.

Triana, José. *La noche de los asesinos*. La Habana: Casa de las Américas, 1965.

REPÚBLICA DOMINICANA

Cabral, Manuel del. *La carabina piensa*. Santo Domingo: Taller, 1967.

García-Guerra, Iván. *Más allá de la búsqueda*. Santiago, República Dominicana: Universidad Católica Madre y Maestra, 1967.

_____. *Un héroe más para la mitología*. Santiago, República Dominicana: Universidad Católica Madre y Maestra, 1967.

MÉXICO

Carballido, Emilio. "Un pequeño día de ira" en *Silencio pollos pelones, ya les van a echar su maíz*. México: EDIMUSA, S.A., 1985.

Leñero, Vicente. "Compañero" en *Teatro Documental*. México: EDIMUSA, S.A., 1985.

_____. *Jesucristo Gómez*. México: Litoarte, 1986.

NICARAGUA

Martínez, José de Jesús. "Enemigos" en *Teatro de José de Jesús*

Martínez, Caifás y otras piezas. San José: EDUCA, 1971.

ARGENTINA

Dragún, Osvaldo. *Heroica de Buenos Aries*. La Habana: Casa de las Américas, 1972.

_____. *La peste viene de Melos*. Buenos Aires: Editorial Ariadna, 1956.

_____. *Tupac Amarú*. Buenos Aires: Ediciones Losange, 1957.

_____. "El asesinato de X" en *Teatro latinoamericano de agitación*. La Habana: Casa de las Américas, 1972.

Gambaro, Griselda. *El campo*. Buenos Aires: Editorial Insurrexit, 1967.

_____. *Dar la vuelta. Información para extranjeros. Puesta en claro Sucede lo que pasa*. Buenos Aires: Ediciones de la Flor, 1987.

Lizárraga, Andrés. "Santa Juana de América" en *Teatro de Andrés Lizárraga*. Buenos Aires: Editorial Quetzal, 1962.

CHILE

Díaz, Jorge. *La víspera del degüello*. Madrid: Taurus, 1967.

_____. *Topografía de un desnudo: esquema para una indagación inútil*. Santiago de Chile: Editora Santiago, 1967.

Wolf, Egon. "Los invasores," en Ruth Lamb *Three Contemporary Latin-American Plays: Rene Marqués, Egon Wolf, Emilio Carballido*. Waltham, Mass: Xerox College Publications, 1971.

COLOMBIA

González Cajiao, Fernando. *Huellas de un rebelde*. Bogotá: Ediciones Tercer Mundo, 1970.

Martínez Arango, Gilberto. "El grito de los ahorcados en *Antología colombiana del teatro de vanguardia*. Bogotá: Biblioteca Colombiana de Cultura, 1975.

Reyes, Carlos José. "Soldados" en *Teatro de Colombia*. Bogotá: Editorial Colombia Nueva Ltda., 1971.

Teatro colombiano contemporáneo. Bogotá: Tres Culturas Editores, 1985.

ECUADOR

Teatro ecuatoriano contemporáneo. Guayaquil: Casa de la Cultura Ecuatoriana, 1973.

PERÚ

Ortega, Julio. *Ceremonia y otros actos*. Lima: Libros de Postdate, 1974.

ANTOLOGÍAS

Antología colombiana del teatro de Vanguardia. Bogotá: Instituto Colombiano de Cultura, 1975.

Bravo-Elizondo, Pedro. *Teatro hispanoamericano de crítica social*. Madrid: Playor, 1975.

Dauster, Frank. *9 dramaturgos hispanoamericanos*. Ottawa: Girol Books, 1979.

Mauricio, Julio. *Teatro latinoamericano de agitación*. La Habana: Casa de las Américas, 1972.

Neglia, Emilio y Luis Ordaz. *Repertorio selecto del teatro hispanoamericano contemporáneo*. La Habana: Casa de las Américas, 1972.

Pogolotti, Graciela, et al. *Teatro y revolución*. La Habana: Editorial Letras Cubanas, 1980.

Rozsa, Jorge. "Hambre." *Teatro selecto contemporáneo hispanoamericano*. Madrid: Escelicer, 1971.

Solórzano, Carlos. *El teatro actual latinoamericano. Antología*. México: Ediciones Andrea, 1972.

RECONOCIMIENTOS

La autora les agradece a los siguientes autores, editores, y otros, los permisos para reproducir las selecciones que aparecen en este libro:

Plaza y Janes por "El día que enterramos las armas", de Plinio Apuleyo Mendoza.

Siglo Veintiuno Editores por "La foto", "Bomba" y "Usted puede mejorar su memoria", de Luis Britto-García.

Editorial Don Bosco por "Regresarán un día", de Herib Campos Cervera.

Iván García-Guerra por "La guerra no es para nosotros".

Ediciones Cal y Arena por *Jesucristo Gómez,* de Vicente Leñero.

Matías Montes Huidobro por *La madre y la guillotina.*

Fundación Pablo Neruda y Agencia Literaria Carmen Balcells, S. A. por "Comuneros del Socorro", "América insurrecta", "Llegará el día", "El pueblo victorioso" y "La tierra se llama Juan", de Pablo Neruda.

Editorial Grijalbo, S. A. de C.V. por "Lorenzo", de Jorge Arturo Ojeda.

Heberto Padilla por "Poética", "En tiempos difíciles" y "Fuera del juego".

New Directions Pub. Corp. y Nicanor Parra por "Tiempos modernos", "Los límites de Chile" y "Manifiesto" de *Emergency Poems,* copyright © 1992.

Ediciones del Norte por *La insurrección,* de Antonio Skármeta.

Ediciones de la Flor por "Sursum Corda" y "El lugar de su quietud", de Luisa Valenzuela.

A Eladio González por haber permitido la reproducción de su pastel acrílico *Revolución en la manigua celestial* en la portada del texto.

*Este libro se terminó de imprimir
el día 13 de marzo de 1994.*

editorial **BETANIA**

Apartado de Correos 50.767
28080 Madrid, ESPAÑA
Teléf. 314 55 55

CATALOGO

- **COLECCION BETANIA DE POESIA. Dirigida por Felipe Lázaro:**

  — *Para el amor pido la palabra*, de Francisco Alvarez-Koki, 64 pp., 1987. ISBN: 84-86662-00-1. PVP: 300 ptas. ($ 6.00).
  — *Piscis*, de José María Urrea, 72 pp., 1987. ISBN: 84-86662-03-6. PVP: 300 ptas. ($ 6.00).
  — *Acuara Ochún de Caracoles Verdes (Poemas de un caimán presente) Canto a mi Habana,* de José Sánchez-Boudy, 48 pp., 1987. ISBN: 84-86662-02-08. PVP: 300 ptas. ($ 6.00).
  — *Los muertos están cada día más indóciles*, de Felipe Lázaro. Prólogo de José Mario, 40 pp., 1987. ISBN: 84-86662-05-2. PVP: 300 ptas. ($ 6.00).
  — *Oscuridad Divina*, de Carlota Caulfield. Prólogo de Juana Rosa Pita, 72 pp., 1987. ISBN: 84-86662-08-7. PVP: 400 ptas. ($ 6.00).
  — *El Cisne Herido y Elegía*, de Luis Ayllón Carrión y Julia Trujillo. Prólogo de Susy Herrero, 208 pp., 1988. ISBN: 84-86662-13-3. PVP: 700 ptas. ($ 9.00).
  — *Don Quijote en América*, de Miguel González. Prólogo de Ramón J. Sender, 104 pp., 1988. ISBN: 84-86662-12-5. PVP: 500 ptas. ($ 8.00).
  — *Palíndromo de Amor y Dudas,* de Benita C. Barroso. Prólogo de Carlos Contramaestre, 80 pp., 1988. ISBN: 84-86662-16-8. PVP: 500 ptas. ($ 8.00).
  — *Transiciones*, de Roberto Picciotto, 64 pp., 1988. ISBN: 84-86662-17-6. PVP: 400 ptas. ($ 6.00).
  — *La Casa Amanecida*, de José López Sánchez-Varos, 72 pp., 1988. ISBN: 84-86662-18-4. PVP: 600 ptas. ($ 6.00).
  — *Trece Poemas*, de José Mario, 40 pp., 1988. ISBN: 84-86662-20-6. PVP: 1.000 ptas. ($ 10.00).
  — *Retorno a Iberia*, de Oscar Gómez-Vidal. Prólogo de Rafael Alfaro, 72 pp., 1988. ISBN: 84-86662-21-4. PVP: 400 ptas. ($ 6.00).
  — *Acrobacia del Abandono*, de Rafael Bordao. Prólogo de Angel Cuadra, 40 pp., 1988. ISBN: 84-86662-22-2. PVP: 400 ptas. ($ 6.00).
  — *De sombras y de sueños,* de Carmen Duzmán. Prólogo de José-Carlos Beltrán, 112 pp., 1988. ISBN: 84-86662-24-9. PVP: 500 ptas. ($ 8.00).
  — *La Balinesa y otros poemas*, de Fuat Andic, 72 pp., 1988. ISBN: 84-86662-25-7. PVP: 400 ptas. ($ 6.00).
  — *No hay fronteras ni estoy lejos*, de Roberto Cazorla, 64 pp., 1989. ISBN: 84-86662-26-5. PVP: 400 ptas. ($ 6.00).
  — *Leyenda de una noche del Caribe*, de Antonio Giraudier, 56 pp., 1989. ISBN: 84-86662-29-X. PVP: 400 ptas. ($ 6.00).
  — *Vigil/Sor Juana Inés / Martí*, de Antonio Giraudier, 56 pp., 1989. ISBN: 84-86662-28-1. PVP: 400 ptas. ($ 6.00).
  — *Bajel Ultimo y otras obras*, de Antonio Giraudier, 120 pp., 1989. ISBN: 84-86662-30-3. PVP: 500 ptas. ($ 8.00).
  — *Equivocaciones*, de Gustavo Pérez Firmat, 56 pp., 1989. ISBN: 84-86662-32-X. PVP: 400 ptas. ($ 6.00).
  — *Altazora acompañando a Vicente*, de Maya Islas, 56 pp., 1989. ISBN: 84-86662-27-3. PVP: 400 ptas. ($ 6.00).

- *Hasta el Presente (Poesía casi completa)*, de Alina Galliano, 336 pp., 1989. ISBN: 84-86662-33-8. PVP: 1.500 ptas. ($ 20.00).
- *No fue posible el sol*, de Elías Miguel Muñoz, 64 pp., 1989. ISBN: 84-86662-34-6. PVP: 400 ptas. ($ 6.00).
- *Hermana*, de Magali Alabau. Prólogo de Librada Hernández, 48 pp., 1989. ISBN: 84-86662-35-4. PVP: 400 ptas. ($ 6.00).
- *Blanca Aldaba Preludia*, de Lourdes Gil, 56 pp., 1989. ISBN: 84-86662-37-0. PVP: 400 ptas. ($ 6.00).
- *El amigo y otros poemas*, de Rolando Campins, 64 pp., 1989. ISBN: 84-86662-39-7. PVP: 400 ptas. (S 6.00).
- *Tropel de Espejos*, de Iraida Iturralde, 56 pp., 1989. ISBN: 84-86662-40-0. PVP: 400 ptas. ($ 6.00).
- *Calles de la Tarde*, Antonio Giraudier, 88 pp., 1989. ISBN: 84-86662-42-7. PVP: 500 ptas. ($ 8.00).
- *Sombras Imaginarias*, de Arminda Valdés-Ginebra, 40 pp., 1989. ISBN: 84-86662-44-3. PVP: 400 ptas. ($ 6.00).
- *Voluntad de vivir manifestándose*, de Reinaldo Arenas, 128 pp., 1989. ISBN: 84-86662-43-5. PVP: 1.000 ptas. ($ 10.00).
- *A la desnuda vida creciente de la nada*, de Jesús Cánovas Martínez. Prólogo de Joaquín Campillo, 112 pp. 1990. ISBN: 84-86662-50-8. PVP: 800 ptas. ($ 8.00). **Agotado**.
- *Sabor de tierra amarga*, de Mercedes Limón. Prólogo de Elías Miguel Muñoz, 72 pp., 1990. ISBN: 84-86662-51-6. PVP: 800 ptas. ($ 8.00).
- *Delirio del Desarraigo*, de Juan José Cantón y Cantón, 48 pp., 1990. ISBN: 84-86662-52-4. PVP: 700 ptas. ($ 6.00).
- *Venías*, de Roberto Valero, 128 pp., 1990. ISBN: 84-86662-54-0. PVP: 1.000 ptas. ($ 10.00).
- *Osadía de los soles truncos / Daring of the brief suns*, de Lydia Vélez-Román (traducción: Angela McEwan), 96 pp., 1990. ISBN: 84-86662-56-7. PVP: 800 ptas. ($ 8.00) **(Edición Bilingüe)**.
- *Noser*, de Mario G. Beruvides. Prólogo de Ana Rosa Núñez, 72 pp., 1990. ISBN: 84-86662-58-3. PVP: 800 ptas. ($ 8.00).
- *Oráculos de la primavera*, de Rolando Camozzi Barrios. 56 pp., 1990. ISBN: 84-86662-65-1. PVP: 800 ptas. ($ 8.00).
- *Poemas de invierno*, de Mario Markus. 64 pp., 1990. ISBN: 84-86662-60-5. PVP: 800 ptas. ($ 8.00).
- *Crisantemos/Chrysanthemums*, de Ana Rosa Núñez. Prólogo de John C. Stout. Traducción: Jay H. Leal, 88 pp., 1990. ISBN: 84-86662-61-3. PVP: 1.000 ptas. ($ 10.00) **(Edición Bilingüe)**.
- *Siempre Jaén*, de Carmen Bermúdez Melero. Prólogo de Fanny Rubio, 96 pp., 1990. ISBN: 84-86662-62-1. PVP: 1.000 ptas. ($ 10.00).
- *Vigilia del Aliento*, de Arminda Valdés-Ginebra, 40 pp., 1990. ISBN: 84-86662-66-4. PVP: 600 ptas. ($ 6.00).
- *Leprosorio (Trilogía Poética)*, de Reinaldo Arenas, 144 pp., 1990. ISBN: 84-8662-67-2. PVP: 1.500 ptas. ($ 15.00).
- *Hasta agotar el éxtasis*, de María Victoria Reyzábal, 64 pp., 1990. ISBN: 84-86662-69-9. PVP: 800 ptas. ($ 8.00).
- *Alas*, de Nery Rivero, 96 pp., 1990. ISBN: 84-8662-72-9. PVP: 1.000 ptas. ($ 10.00).
- *Cartas de Navegación*, de Antonio Merino, 80 pp., 1990. ISBN: 84-86662-76-1. PVP: 1.000 ptas. ($ 10.00).
- *Inmanencia de las cenizas*, de Inés del Castillo, 40 pp., 1991. ISBN: 84-86662-70-2. PVP: 600 ptas. ($ 6.00).
- *Un caduco calendario*, de Pancho Vives, 48 pp., 1991. ISBN: 84-86662-38-9. PVP: 1.000 ptas. ($ 10.00).

- *Polvo de Angel,* de Carlota Caulfield (*Polvere d'Angelo,* traduzione di Pietro Civitareale; *Angel Dust,* Translated by Carol Maier), 64 pp., 1991. ISBN: 84-86662-41-9. PVP: 800 ptas. ($ 8.00) **(Edición Trilingüe)**.
- *Las aristas desnudas,* de Amelia del Castillo, 80 pp., 1991. ISBN: 84-86662-74-5. PVP: 1.000 ptas. ($ 10.00).
- *A la desnuda vida creciente de la nada,* de Jesús Cánovas Martínez. Prólogo de Joaquín Campillo, 112 pp., 1991. ISBN: 84-86662-75-3. PVP: 1.000 ptas. ($ 10.00) **(2.ª edición)**.
- *Andar en torno,* de Pascual López Santos, 72 pp., 1991. ISBN: 84-86662-78-8. PVP: 800 ptas. ($ 8.00).
- *El Bristol,* de Emeterio Cerro, 56 pp., 1991. ISBN: 84-86662-77-X. PVP: 800 ptas. ($ 8.00).
- *Eclipse de Mar,* de Josep Pla i Ros. Prólogo de José-Carlos Beltrán, 96 pp., 1991. ISBN: 84-86662-79-6. PVP: 800 ptas. ($ 8.00).
- *El Balcón de Venus,* de Rafael Hernández Rico. Prólogo de Rafael Soto Vergés, 104 pp., 1991. ISBN: 84-86662-81-8. PVP: 1.000 ptas. ($ 10.00).
- *Introducción y detalles,* de Javier Sánchez Menéndez, 48 pp., 1991. ISBN: 84-86662-82-6. PVP: 800 ptas. ($ 8.00).
- *Sigo zurciendo las medias de mi hijo,* de Arminda Valdés-Ginebra, 56 pp., 1991. ISBN: 84-86662-80-X. PVP: 800 ptas. ($ 8.00).
- *Diálogo con el mar,* de Vicente Peña, 40 pp., 1991. ISBN: 84-86662-83-4. PVP: 600 ptas. ($ 6.00).
- *Prohibido fijar avisos,* de Manuel Cortés Castañeda. Prólogo de Esperanza López Parada, 88 pp., 1991. ISBN: 84-86662-85-0. PVP: 1.000 ptas. ($ 10.00).
- *Desde los límites del Paraíso,* de José M. Sevilla, 64 pp., 1991. ISBN: 84-86662-86-9. PVP: 800 ptas. ($ 8.00).
- *Jardín de Romances y Meditaciones,* de Carmen Velasco. Prólogo de Angeles Amber, 88 pp., 1991. ISBN: 84-86662-89-3. PVP: 900 ptas. ($ 9.00).
- *Mosaicos bajo la hiedra,* de Amparo Pérez Gutiérrez. Prólogo de Julieta Gómez Paz, 80 pp., 1991. ISBN: 84-86662-88-5. PVP: 1.000 ptas. ($ 10.00).
- *Merla,* de Maya Islas. Traducción Edgar Soberon 112 pp., 1991. ISBN: 84-86662-93-1. PVP: 1.000 ptas. ($ 10.00) **(Edición Bilingüe)**.
- *Hemos llegado a Ilión,* de Magali Alabau, 40 pp., 1991. ISBN: 84-86662-91-5. PVP: 800 ptas. ($ 8.00).
- *Cuba sirena dormida,* de Evelio Domínguez, 224 pp., 1991. ISBN: 84-86662-97-4. PVP: 1.275 ptas. ($ 15.00).
- *La novia de Lázaro,* de Dulce María Loynaz, 48 pp., 1991. ISBN: 84-8017-000-X. PVP: 800 ptas. ($ 8.00). **Premio Cervantes 1992**.
- *Mayaland,* de Robert Lima, 64 pp., 1992. ISBN: 84-8017-001-8. PVP: 1.000 ptas. ($ 10.00) **(Edición Bilingüe)**.
- *Vértices de amores escondidos,* de Francisco de Asís Antón Sánchez. Prólogo de Carlos Miguel Suárez Radillo, 56 pp., 1992. ISBN: 84-8017-003-4. PVP: 800 ptas. ($ 8.00).
- *Poemas irreparables,* de Pascual López Santos, 48 pp., 1992. ISBN: 84-8017-005-0. PVP: 800 ptas. ($ 8.00).
- *Hermana / Sister,* de Magali Alabau. Prólogo de Librada Hernández, 80 pp., 1992. ISBN: 84-86662-96-6. PVP: 1.000 ptas. ($ 10.00) **(Edición Bilingüe)**.
- *Tigre Sentimental,* de Carlos Hugo Mamonde. Prólogo de Leopoldo Castilla, 48 pp., 1993. ISBN: 84-8017-010-7. PVP: 800 ptas. ($ 8.00).
- *Desde la Soledad del Agua,* de Rafael Bueno Novoa, 64 pp., 1993. ISBN: 84-8017-009-3. PVP: 800 ptas. ($ 8.00).
- *Piranese,* de Pierre Seghers. Traducción de Ana Rosa Núñez, 80 pp., 1993. ISBN: 84-8017-014-X. PVP: 1.000 ptas. ($ 10.00) **(Edición Bilingüe)**.
- *La Luz Bajo Sospecha,* de Pancho Vives, 88 pp., 1993. ISBN: 84-8017-013-1. PVP: 1.000 ptas. ($ 10.00).

— *La Maruca Bustos,* de Emeterio Cerro, 56 pp., 1993. ISBN: 84-8017-018-2. PVP: 800 ptas. ($ 8.00).
— *Una como autobiografía espiritual,* de Emilio M. Mozo, 80 pp., 1993. ISBN: 84-8017-019-0. PVP: 1.000 ptas. ($ 10.00).
— *Huellas Imposibles (poemas y pensamientos),* de José María Urrea, 88 pp., 1993. ISBN: 84-8017-023-9. PVP: 800 ptas. ($ 8.00).
— *Confesiones eróticas y otros hechizos,* de Daína Chaviano, 72 pp., 1994. ISBN: 84-8017-022-0. PVP: 1.000 ptas. ($10.00).
— *Cuaderno de Antinoo,* de Alberto Lauro, 56 pp., 1994. ISBN: 84-8017-015-8. PVP: 800 ptas. ($ 8.00).
— *Los Hilos del Tapiz,* de David Lago González. Prólogo de Rolando Morelli, 80 pp., 1994. ISBN: 84-8017-006-9. PVP: 1.000 ptas. ($ 10.00).
— *Un jardín de rosas violáceas,* de Elena Clavijo Pérez, 40 pp., 1994. ISBN: 84-8017-033-6. PVP: 800 ptas. ($ 8.00).
— *Señales para hallar ese extraño lugar en el que habito,* de Osvaldo R. Sabino, 128 pp., 1994. ISBN: 84-8017-020-4. PVP: 1.000 ptas. ($10.00).
— *El Duende de Géminis,* de Mario Angel Marrodán, 56 pp., 1994. ISBN: 84-8017-025-5. PVP: 800 ptas. ($ 8.00).
— *Erase una vez una anciana,* de Pancho Vives, 40 pp., 1994. ISBN: 84-8017-027-1. PVP: 800 ptas. ($ 8.00).

• **COLECCION ANTOLOGIAS:**

— *Poetas Cubanos en España,* de Felipe Lázaro. Prólogo de Alfonso López Gradoli, 176 pp., 1988. ISBN: 84-86662-06-0. PVP: 1.000 ptas. (S 15.00).
— *Poetas Cubanos en Nueva York,* de Felipe Lázaro. Prólogo de José Olivio Jiménez, 264 pp., 1988. ISBN: 84-86662-11-7. PVP: 1.500 ptas. ($ 20.00).
— *Poetas Cubanos en Miami,* de Felipe Lázaro, 136 pp., 1993. ISBN: 84-8017-004-2. PVP: 1.000 ptas. ($ 10.00).
— *Poesía Chicana,* de José Almeida (en preparación).
— *Antología Breve: Poetas Cubanas en Nueva York / A Brief Anthology: Cuban Women Poets in New York,* de Felipe Lázaro. Prólogo de Perla Rozencvaig, 136 pp., 1991. ISBN: 84-86662-73-7. PVP: 1.500 ptas. ($ 15.00) **(Edición Bilingüe).**
— *Trayecto Contiguo,* (Ultima poesía). Prólogo de Sagrario Galán, 160 pp., 1993. ISBN: 84-8017-012-3. PVP: 1.000 ptas. ($ 10.00).
— *Literatura Revolucionaria Hispanoamericana (Antología),* de Mirza L. González, 488 pp., 1994. ISBN: 84-8017-026-3. PVP: 2.000 ptas. ($ 25.00).

• **COLECCION DE ARTE:**

— *José Martí y la pintura española,* de Florencio García Cisneros, 120 pp., 1987. ISBN: 84-86662-01-X. PVP: 800 ptas. ($ 10.00).
— *Ensayos de Arte,* de Waldo Balart, 136 pp., 1993. ISBN: 84-8017-017-4. PVP: 1.500 ptas. ($ 15.00).

• **COLECCION ENSAYO:**

— *Los días cubanos de Hernán Cortés y su lucha por un ideal,* de Angel Aparicio Laurencio, 48 pp., 1987. ISBN: 84-86662-09-5. PVP: 500 ptas. ($ 6.00).
— *Desde esta Orilla: Poesía Cubana del Exilio,* de Elías Miguel Muñoz, 80 pp. 1988. ISBN: 84-86662-15-X. PVP: 800 ptas. ($ 10.00).
— *Alta Marea. Introvisión crítica en ocho voces latinoamericanas: Belli, Fuentes, Lagos, Mistral, Neruda, Orrillo, Rojas, Villaurrutia,* de Alicia Galaz-Vivar Welden, 120 pp., 1988. ISBN: 84-86662-23-0. PVP: 900 ptas. ($ 12.00).

- *Novela Española e Hispanoamericana Contemporánea: temas y técnicas narrativas,* de María Antonia Beltrán-Vocal, 504 pp., 1989. ISBN: 84-86662-46-X- PVP: 2.000 ptas. ($ 25.00).
- *Poesías de J.F. Manzano, esclavo en la isla de Cuba,* de Adriana Lewis Galanes, 128 pp., 1991. ISBN: 84-86662-92-3. PVP: 1.500 ptas. ($ 15.00).
- *El Ranchador de Pedro José Morillas,* de Adriana Lewis Galanes, 56 pp., 1992. ISBN: 84-86662-94-X. PVP: 1.000 ptas. ($ 10.00).
- *El discurso dialógico de* La era Imaginaria *de René Vázquez Díaz,* de Elena M. Martínez, 104 pp., 1992. ISBN: 84-86662-87-7. PVP: 1.000 ptas. ($ 10.00).
- *Francisco Grandmontagne, un noventayochista olvidado, de Argentina a España,* de Amalia Lasarte Dishman, 152 pp., 1994. ISBN: 84-8017-029-8. PVP: 1.000 ptas. ($ 10.00).

- **COLECCION EDICIONES CENTRO DE ESTUDIOS POETICOS HISPANICOS. Dirigida por Ramiro Lagos:**

- *Oficio de Mudanza,* de Alicia Galaz-Vivar Welden, 64 pp., 1987. ISBN: 84-86662-04-4. PVP: 400 ptas. ($ 6.00).
- *Canciones Olvidadas,* de Luis Cartañá. Prólogo de Pere Gimferrer, 48 pp., 1988. ISBN: 84-86662-14-1. PVP: 400 ptas. ($ 6.00). **(6.ª edición).**
- *Permanencia del Fuego,* de Luis Cartañá. Prólogo de Rafael Soto Vergés, 48 pp., 1989. ISBN: 84-86662-19-2. PVP: 400 ptas. ($ 6.00).
- *Tetuán en los sueños de un andino,* de Sergio Macías, 72 pp., 1989. ISBN: 84-86662-47-8. PVP: 700 ptas. ($ 8.00).
- *Disposición de Bienes,* de Roberto Picciotto, 112 pp., 1990. ISBN: 84-86662-63-X. PVP: 1.000 ptas. ($ 10.00).

- **COLECCION CIENCIAS SOCIALES. Dirigida por Carlos J. Báez Evertsz:**

- *Educación Universitaria y Oportunidad Económica en Puerto Rico,* de Ramón Cao García y Horacio Matos Díaz., 216 pp., 1988. ISBN: 84-86662-10-9. PVP: 1.000 ptas. ($ 14.75).

- **COLECCION PALABRA VIVA:**

- *Conversación con Gastón Baquero,* de Felipe Lázaro, 40 pp., 1987. ISBN: 84-86662-07-9. PVP: 400 ptas. ($ 6.00). **Agotado.**
- *Conversación con Reinaldo Arenas,* de Francisco Soto, 72 pp., 1990. ISBN: 84-86662-57-5. PVP: 1.000 ptas. ($ 10.00).
- *Conversación con Gastón Baquero,* de Felipe Lázaro. Prólogo de Juan Gustavo Cobo Borda, 64 pp., 1994. ISBN: 84-8017-032-8. PVP: 1.000 ptas. ($ 10.00). **(2.ª edición aumentada y revisada).**

- **COLECCION NARRATIVA:**

- *Al otro lado de la zarza ardiendo,* de Graciela García Marruz, 232 pp., 1989. ISBN: 84-86662-31-1. PVP: 1.000 ptas. ($ 15.00).
- *Hace tiempo... Mañana,* de Rodrigo Díaz-Pérez, 144 pp., 1989. ISBN: 84-86662-45-1. PVP: 1.000 ptas. ($ 10.00).
- *El arrabal de las delicias,* de Ramon Díaz Solís, 176 pp., 1989. ISBN: 84-86662-49-4. PVP: 1.000 ptas. ($ 12.00).
- *Ruyam,* de Pancho Vives, 112 pp., 1990. ISBN: 84-86662-00-0. PVP: 1.000 ptas. ($ 10.00).
- *Mancuello y la perdiz,* de Carlos Villagra Marsal. Prólogo de Rubén Bareiro Saguier y Epílogo de Juan Manuel Marcos, 168 pp., 1990. ISBN: 84-86662-64-8. PVP: 1.000 ptas. ($ 15.00).

— *Pequeñas Pasiones de Mujer,* de Guillermo Alonso del Real. Prólogo de Leopoldo Castilla, 64 pp., 1990. ISBN: 84-86662-65-6. PVP: 500 ptas. ($ 6.00).
— *Memoria de siglos,* de Jacobo Machover, 112 pp., 1991. ISBN: 84-86662-71-0. PVP: 1.000 ptas. ($ 10.00).
— *El Cecilio y La Petite Bouline,* de Emeterio Cerro. Prólogo de José Kozer, 136 pp., 1991. ISBN: 84-86662-95-8. PVP: 1.000 ptas. ($ 10.00).
— *Dicen que soy y aseguran que estoy,* de Raúl Thomas, 184 pp., 1993. ISBN: 84-8017-008-5. PVP: 1.500 ptas. ($15.00).
— *Cartas al Tiempo,* de Ana Rosa Núñez y Mario G. Beruvides, 64 pp., 1993. ISBN: 84-8017-011-5. PVP: 1.000 ptas. ($ 10.00).
— *Yo acuso y perdono (Confesiones de una mujer en los oscuros años del franquismo),* de Maite García Romero, 224 pp., 1993. ISBN: 84-8017-016-6. PVP: 1.500 ptas. ($ 15.00).
— *Las Orquídeas del Naranjo,* de Alberto Díaz Díaz, 88 pp., 1994. ISBN: 84-8017-031-X. PVP: 1.000 ptas. ($ 10.00).

• **COLECCION TEATRO:**

— *La Puta del Millón,* de Renaldo Ferradas, 80 pp., 1989. ISBN: 84-86662-36-2. PVP: 1.000 ptas. ($ 12.50).
— *La Visionaria,* de Renaldo Ferradas, 96 pp., 1989. ISBN: 84-86662-48-6. PVP: 1.000 ptas. ($ 15.00).
— *El Ultimo Concierto,* de René Vázquez Díaz, 80 pp., 1992. ISBN: 84-8017-002-6. PVP: 1.000 ptas. ($ 10.00).

• **COLECCION DOCUMENTOS:**

— Un *Plebiscito a Fidel Castro,* de Reinaldo Arenas y Jorge Camacho, 152 pp., 1990. ISBN: 84-86662-68-0. PVP: 1.000 ptas. ($ 10.00).

• **COLECCION LITERATURA INFANTIL:**

— *Juego y Fantasía,* de Nereyda Abreu Olivera, 56 pp., 1993. ISBN: 84-8017-024-7. PVP: 800 ptas. ($ 8.00).
— *El Carrusel,* de Ernesto Díaz Rodríguez. Prólogo de Jorge Valls, 88 pp., 1994. ISBN: 84-8017-021-2. PVP: 1.000 ptas. ($ 10.00). Ilustraciones de portada e interiores: David Díaz.
— *Cuentos para niños traviesos,* de Emilio M. Mozo, 56 pp., 1994. ISBN: 84-8017-028-X. PVP: 1.000 ptas. ($ 10.00). Ilustraciones de portada e interiores: Pablo Mozo.

• **EN DISTRIBUCCION:**

— *Poesía Cubana Contemporánea* (Antología). Madrid, 1986, 288 pp. PVP: 1.000 ptas. ($ 10.00).

• **LIBROS FUERA DE COLECCION:**

— *Querrán ponerle nombre,* de Dulce Chacón. Prólogo de Leopoldo Castilla, 48 pp. 1992. ISBN: 84-8017-077-7.PVP: 800 ptas. ($ 8.00).